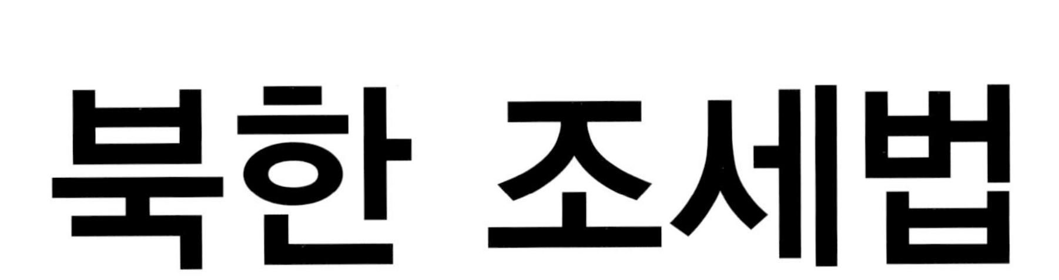

북한 조세법

최정욱 저

SAMIL | 삼일인포마인

www.samili.com 사이트 **제품몰** 코너에서 본 도서 **수정사항**을 클릭하시면
정오표 및 중요한 수정 사항이 있을 경우 그 내용을 확인하실 수 있습니다.

서문

북한은 1974년 세금제도 폐지를 선언한 후 기존 세법을 사회주의 예산수입체계로 전환하였다. 이러한 사회주의 예산수입체계와 별개로 1984년 「합영법」 제정 이후 대외경제부문 조세제도로서 외국인투자세제를 정비하였고 2000년 6.15 남북정상회담 이후 남북경협세제를 정비하였다. 사회주의 예산수입이 전체 국가예산수입의 대부분을 차지하고 실질적으로 조세와 유사한 기능을 담당하고 있지만, 공식적으로 북한의 조세제도는 외국인투자세제와 남북경협세제를 의미한다.

필자는 해방 이후 현재까지의 북한 세금관련 법제의 변화, 즉 세금제도의 폐지 및 그 이후 사회주의 예산수입법제의 시기별 변화과정을 분석·정리한 『북한 세금관련 법제의 변화』(2021)를 발간한 바 있다. 하지만 북한의 전체 예산수입법제에서 조세법이 차지하는 위치를 설명하고, 북한 조세 법규의 전체적인 내용을 망라하여 체계적으로 정리한 책이 없다는 아쉬움이 있었다. 이 책은 북한의 조세제도에 대하여 현재 확인 가능한 법규를 집대성하여 정리한 것이다.

북한 조세법규 연구의 특수성

이 책을 준비하면서 북한 조세법규 연구의 특수성을 고려하여 필자가 주의를 기울였던 부분은 다음과 같다.

첫째, 근거가 되는 부문법, 시행규정, 시행규정세칙 등을 제대로 찾지 못하면 잘못된 내용을 기초로 설명을 하게 된다. 관련 법규가 단순한 수정보충이 아니라 새로 채택되었는데 과거 법규에 기초하여 설명하는 경우가 있다. 예를 들어, 2016년 「외국투자기업 및 외국인세금법 시행규정」은 종전 2002년 시행규정을 전면적으로 수정하여 새롭게 채택한 것이다. 따라서 북한 법규의 변화에 세심한 주의가 필요하다. 또한 북한의 조세관련 내용은 다른 법규에도 포함되어 있기 때문에 세금법규뿐만 아니라 기업재정관리법규 등 관련 법규를 포괄적으로 살펴보아야 한다.

둘째, 북한의 「법제정법」 제45조~제46조에 따르면, 법문건의 효력은 헌법, 부문법, 규정, 세칙의 순서로 높다. 또한 동법 제51조에 의하면 한 기관이 낸 법문건에서 후에 나온 법규범과 먼저 나온 법규범이 서로 다를 경우에는 후에 나온 법규범을 적용한다고 규정하고 있다. 하지만 현실적으로 부문법, 규정 및 세칙의 내용이 일관된 체계로 정비되어 있다고 보기 어렵고, 효력 순위에 대한 「법제정법」상의 일반원칙이 제대로 지켜지고 있다고 보기도 어렵다. 또한 위임입법이 허용되지 않아서 상위 법규범에 없는 내용이 하위 법규범에 포함되거나 상위 법규범과 다르게 규정되는 경우도 있다. 이러한 상황은 하위 법규범을 최근에 수정보충하였으나, 변경사항을 상위 법규범에 제때 반영하지 못하여 발생한 문제일 가능성이 높다. 따라서 상위 법규범 우선의 효력순위에 기대어 하위 법규범을 제대로 검토하지 않으면 매우 불완전한 설명이 된다. 부문법이나 규정뿐만 아니라 세칙을 포함하여 전체 법규범을 동시에 검토할 필요가 있고, 시간적으로 나중에 채택 또는 수정보충된 하위 법규범의 내용을 고려하면서 종합적으로 판단해야 한다.

셋째, 북한 법규는 용어나 문장표현이 엄밀하지 못하고 오류도 상당히 많은 편이다. 이는 자본주의적 조세법제에 익숙하지 않고 전체적인 체계나 법규범 간의 관계를 충분히 고려하지 못한 상태에서 필요에 따라 법규를 만들면서 발생한 문제일 가능성이 크다. 결과적으로 내용을 재배치하여 정리하거나 취지해석이 필요한 경우가 있다. 예를 들어, 2016～2017년에 채택된 「외국투자기업 및 외국인세금법 시행규정」 및 동 시행규정 세칙은 일부 상세한 규정이 추가된 부분도 있지만 전반적으로 종전 2002년 시행규정보다 정교함이 떨어진다. 또한 기존 시행규정을 새롭게 시행규정과 시행규정세칙으로 나누어 재편하면서 내용이 누락되거나 문장이 정리되지 못한 부분이 많아 보인다. 이러한 한계를 고려하면서 최대한 북한 당국의 의도나 취지를 추론해 보고자 하였다. 잘못된 해석의 위험이 없지 않으나 이러한 시도조차 없이 북한 조세법에 대한 이해 수준을 높이기는 어렵기 때문이다.

넷째, 집필을 시작하면서 당초 목표는 학술적 측면뿐만 아니라 외국인투자세제 및 남북경협세제와 관련된 실무지침서를 만들고 싶었다. 단순한 조문의 나열에 그치지 않도록 관련 법규에 흩어져 있는 내용을 최대한 모으고 필자의 견해를 추가하여 해석하고자 노력하였다. 하지만 현행 관련 부문법, 시행규정 및 시행규정세칙, 특수경제지대 세제 등을 재편하여 정리하는 작업도 쉽지 않았고, 현재의 내용을 그대로 실무에 적용하기에는 불확실한 부분이 너무 많았다. 현 단계에서 확인 가능한 자료는 최대한 반영하였으나, 향후 북한 당국의 입장 또는 자료가 추가적으로 확인된다면 지속적으로 보완해 나가고자 한다.

이 책의 구성

이 책의 구성을 살펴보면, 제1편은 북한의 조세제도를 이해함에 있어서 필요한 기본적인 논의를 담았다. 또한 북한의 조세제도는 북한 투자와 관련된 것으로서 투자법제에 대한 개략적인 내용을 포함하였다. 제2편에서는 북한 조세제도의 기본법에 해당하는 「외국투자기업 및 외국인세금법」, 동 시행규정 및 시행규정세칙을 중심으로 정리하면서, 「외국투자기업재정관리법」, 동 시행규정 및 시행규정세칙을 추가적으로 설명하였다. 제3편에서는 특수경제지대 세제로서 「개성공업지구 세금규정」 및 동 시행세칙, 「개성공업지구 기업재정규정」 및 동 시행세칙 등을 중심으로 정리하였다. 제4편에서는 「금강산국제관광특구 세금규정」을 정리했는데, 금강산국제관광특구에 대해서는 관련 시행세칙이 없어서 상대적으로 내용이 많지 않다. 제5편은 「라선경제무역지대 세금규정」 및 동 시행세칙, 「라선경제무역지대 세금징수관리규정」 등을 중심으로 정리하였다. 특수경제지대에 대한 벌금규정의 내용도 필요에 따라 제3편~제5편의 해당 부분에서 보충적으로 설명하였다. 제6편에서는 북한의 관세와 관련하여, 「세관법」, 「개성공업지구 세관규정」, 「금강산국제관광특구 세관규정」 및 「라선경제무역지대 세관규정」의 내용을 정리하였다. 제7편에서는 북한 투자와 관련된 세제혜택을 정리하고 북한의 조세구제제도에 대하여 설명하였다. 마지막으로 제8편에서는 국제거래와 관련하여 북한의 국제조세 분야 현황을 정리하고, 「남북 사이의 소득에 대한 이중과세방지합의서」에 대하여 조문별로 설명하였다. 마지막으로 남북 거래에 대한 남한 조세법의 적용에 대하여 논의하였다.

북한 조세제도 발전의 단계

앞서 언급한 바와 같이, 북한은 사회주의 예산수입체계를 근간으로 하면서 대외경제부문 조세제도를 별도의 체계로 운용하고 있다. 이와 관련하여, 필자가 생각하는 향후 북한 조세제도 발전의 단계 또는 방향을 간략히 정리해보면 다음과 같다.

첫째, 대외경제부문 조세제도의 정비 단계이다.

현재의 체계 하에서 「외국투자기업 및 외국인세금법」, 동 시행규정 및 시행규정세칙 또는 특수경제지대 세금규정 및 동 시행세칙 간의 불일치, 중복, 오류 등을 조속히 정비할 필요가 있다. 이 책에서는 최소한의 수준에서 문제가 있어 보이는 부분을 지적해 두었고, 북한의 조세법규 정비에 조금이라도 도움이 될 수 있으면 좋겠다. 예를 들어, 납부기한과 관련하여, 「외국투자기업 및 외국인세금법 시행규정」과 동 시행규정세칙을 정비하면서 대부분의 세목에 대하여 세금의 계산기한, 세무기관의 승인기한 그리고 세금의 납부기한의 순서로 복잡한 기한을 설정함으로써 매우 혼란스러운 형태가 되었다. 또한 각 세목의 특혜와 관련하여, 세금을 '면제하여 줄 수 있다.' 또는 '덜어줄 수 있다.'는 표현과 '면제하여 준다.' 또는 '덜어준다.'는 표현이 혼재하여 명확하지 않다.

둘째, 대외경제부문 조세제도의 통합 및 재편 단계이다.

「외국투자기업 및 외국인세금법」과 지역별 특수경제지대 세제는 내용이 상당 부분 중복되며 별도의 체계로 유지할 필요가 있는지 의문이다. 「외국투자기업 및 외국인세금법」과 특수경제지대 세제를 통합하고, 특수경제지대 세제의 세제혜택 등 지역별 특례규정은 남한의 「조세특례제한법」과 유사한 별도의 통합 특례법으로 정비하는 것이 바람직해 보인다. 또한 기존 단일법 체계로는 세목별 내용의 확장에 한계가 있으므로 세목별 체계로 재편하는 것이 좋을 것 같다. 조세기본법 제정을 통해 전체적인 체계를 정립하고 상위 및 하위 법규범 간의 위임 체계를 확립할 필요가 있다. 마지막으로 이전가격세제, 상호합의절차 등 국제조세 분야에 대하여 남한의 「국제조세조정에 관한 법률」과 같은 별도의 법체계를 구축하는 것이 좋을 것 같다. 대외경제부문 조세제도는 외국투자가 또는 남측투자가를 대상으로 하는 법규라는 점에서 투자가들이 '신뢰'할 수 있도록 하는 것이 중요하다. 특히 세제혜택, 조세구제제도 등에 대하여 신뢰할 수 있도록 명확하게 정비할 필요가 있다. 대외경제부문 조세제도는 향후 사회주의 예산수입체계에 대한 세제개혁의 준거 또는 토대가 될 수 있다는 점에서도 제대로 구축할 필요가 있다.

셋째, 사회주의 예산수입체계를 조세제도로 전환하는 세제개혁 단계이다.

이 부분은 중장기적 과제로서 사회주의 예산수입체계를 시장경제형 조세제도로 전환하는 전면적인 세제개혁을 의미한다. 큰 틀에서 중국·베트남과 유사한 과정을 거치게 될 수 있지만, 세부진행과정은 북한의 특수성에 기초하여 신중하게 추진되어야 할 것이다. 이러한 세제개혁은 국영기업 개혁, 재정개혁, 소유제 개혁 등이 함께 진행되어야 하고, 세목별 도입순서 및 속도, 재정의 연속성 또는 안정성 확보, 조세인프라의 확충, 세금제도 폐지의 철회라는 정치적 측면 등이 함께 고려되어야 한다.

넷째, 대내 시장경제형 조세제도와 대외경제부문 조세제도의 통합 단계이다.

전면적인 세제개혁을 통해 사회주의 예산수입체계를 시장경제형 조세제도로 전환한 후, 대외경제부문 조세제도와 통합하는 단계이다. OECD 모델협약 등 국제적 기준에 따르면 외국인투자기업과 내국기업 간의 과세상의 차별 또는 국적에 의한 차별은 금지된다.

따라서 개혁·개방이 본격적으로 추진될 경우, 대외경제부문 조세제도를 별개의 체계로 유지하기 어렵고 궁극적으로 대내·대외 경제부문 조세제도의 통합이 필요하게 된다. 중국·베트남의 현행 조세제도는 이미 여기까지 진행이 되었다.

마지막으로, 남북한 조세체계를 통합하는 단계이다.

급진적인 방식으로 통일이 이루어지는 경우 남북한 조세체계의 통합은 조세제도의 단순한 이식의 형태가 될 가능성이 높다. 하지만 북한이 성공적으로 세제개혁을 추진하여 시장경제형 조세제도를 확립하고, 남북한이 교류협력을 확대하면서 평화롭게 공존하는 단계를 거쳐 점진적으로 통일을 이루고 경제적으로 통합될 경우 궁극적으로 남북한 조세체계의 통합이 필요할 것이다.

북한의 사회주의 예산수입체계에 대해서는 주로 북한학 영역에서 국가예산수입제도, 국가재정 등에 대한 연구를 중심으로 검토되어 왔다. 반면 대외경제부문의 조세제도는 북한학 영역보다 주로 조세법 또는 세무학 영역에서 부분적으로 검토되었다. 따라서 북한 사회주의 예산수입체계와 대외경제부문 조세제도를 포괄하는 북한 조세 및 세제개혁에 대한 연구는 북한학과 조세법 분야의 학제적 연구가 필요한 부분이다.

필자는 공인회계사로서 지난 30여 년간 조세 분야에서 일을 해왔지만, 북한학에 입문한지는 약 6년 정도 밖에 되지 않았다. 또한 이 책은 북한 조세법규로서 고려할 수 있는 모든 분야를 망라하였기 때문에 부분적으로는 깊이가 부족할 수 있다. 부족한 부분이나 오류가 있다면 모두 필자의 책임이며 지속적으로 보완해 나가고자 한다.

최근 남북관계를 포함한 전반적인 상황은 찬바람 부는 겨울인 듯하다. 하지만 따뜻한 봄날에 대한 희망의 끈을 놓을 수는 없다. 다시 올 봄날을 기다리며 이 책이 북한 조세연구 그리고 북한 조세제도 발전에 조금이라도 도움이 될 수 있기를 바란다.

2022년 8월

최 정 욱

일러두기

1. 북한 문헌이나 법규의 띄어쓰기, 두음법칙, 단어표기 등은 원문의 의미를 해치지 않는 범위 내에서 가급적 한글맞춤법에 따라 수정하였다. 다만, 북한 문헌의 필자와 제목, 고유명사, 법규 명칭, 부록으로 첨부한 북한 문헌은 원문의 표현을 유지하였다.
2. 본문 내용에 대하여 괄호 안에 근거 조문을 최대한 표시하였다. 이와 관련하여 북한 법규의 각 조문 내 번호체계 1, 2, 3, … 은 제1항, 제2항, 제3항 등으로, 1), 2), 3), … 은 제1호, 제2호, 제3호 등으로 표시하였다. 별도의 하위 번호체계가 없는 경우에는 조문 번호 또는 항 번호까지만 표시하였다.
3. 북한 법규의 명칭과 관련하여, 본문에서는 전체 명칭을 사용하였으나 괄호 안에 참조 조문과 함께 표기할 경우에는 아래와 같은 약어로 표시하였다.

약어	관련 법규
외세법	외국투자기업 및 외국인세금법
외세규	외국투자기업 및 외국인세금법 시행규정
외세칙	외국투자기업 및 외국인세금법 시행규정세칙
외재법	외국투자기업재정관리법
외재규	외국투자기업재정관리법 시행규정
외재칙	외국투자기업재정관리법 시행규정세칙
개세규	개성공업지구 세금규정
개세칙	개성공업지구 세금규정시행세칙
개재규	개성공업지구 기업재정규정
개재칙	개성공업지구 기업재정규정시행세칙
개관규	개성공업지구 세관규정
개회규	개성공업지구 회계규정
개벌규	개성공업지구 벌금규정
금세규	금강산국제관광특구 세금규정
금관규	금강산국제관광특구 세관규정
금벌규	금강산국제관광특구 벌금규정
라세규	라선경제무역지대 세금규정
라세칙	라선경제무역지대 세금규정시행세칙
라징규	라선경제무역지대 세금징수관리규정
라재규	라선경제무역지대 외국투자기업재정관리규정
라관규	라선경제무역지대 세관규정
라벌규	라선경제무역지대 벌금규정

차 례

제2편 「외국투자기업 및 외국인세금법」

제5편 특수경제지대 세제 Ⅲ(라선경제무역지대)

제8편 국제조세

제 1 편

총 론

제1장

북한 조세제도의 이해

1 북한의 사회주의 예산수입제도와 조세제도

북한은 세법을 대내세법과 대외세법으로 구분하고 1974년에 세금제도(대내세법)를 완전히 폐지함으로써 '대외세법으로서의 세법'만 존재한다고 설명하고 있다.[1] 북한은 해방 후 세금제도의 폐지를 추진하면서 동시에 사회주의 예산수입체계로 전환하였다. 사회주의 예산수입제도는 실질적으로 조세제도와 유사한 기능을 담당하고 있지만 통상적인 의미의 조세제도라고 할 수는 없다. 따라서 북한의 공식적인 조세제도는 외국인투자와 관련된 대외세법제도[2]만을 의미한다.

북한은 1974년 세금제도의 완전히 폐지를 선언한 이후 공식적으로 '세금 없는 나라'라는 입장을 유지하고 있다. 하지만 세금제도 폐지는 북한 주민에 대한 혜택일 뿐이며 외국투자기업이나 외국인들에게는 이러한 세금폐지의 혜택이 적용되지 않는다는 입장이다. 북한의 법적 보호 하에 국가재정에 의해 조성된 투자기반을 이용하여 경제활동을 하는 외국투자기업이나 외국인들은 북한에서 납세의무가 있다는 것이다. 조세제도가 존재하는 다른 나라 투자가들의 투자에 의하여 설립된 외국투자기업이나 외국인들에게는 세금폐지에 관한 북한 법령이 적용되지 않으며, 그들이 북한에서 경제활동을 하는 한 당연히 세금납부의무가 있다는 것이다. 또한 대외세법제도는 외국투자기업 및 외국인의 경제활동에 대한 국가의 통제관리를 원만히 실현할 수 있도록 하며 외화 확보에도 일정한 의의를 갖는다.[3]

북한의 조세제도라고 할 수 있는 대외세법제도는 "외국투자기업 및 외국인들에 대한 세금징수관계를 규제한 법규범의 총체"로 정의되는데, 기본적으로 「외국투자기업 및 외국인세금법」, 동 시행규정 및 시행규정세칙, 특수경제지대 세제, 2중과세방지협정(조세조약) 등을 포함한다.[4] 북한에서 대외세법의 범위에 포함하고 있지는 않지만, 「외국

1) 김성호, "국제세금징수협정의 본질," 『정치법률연구』, 2015년 제2호, 227쪽.

2) 이 책에서는 '대외세법제도'를 '조세제도'라고 표현하며, 대외세법제도의 부문법, 규정 및 세칙 등 관련 법규를 포괄적으로 총칭하여 '세법'이라고 한다.

3) 리수경, "우리나라에서 외국투자기업 및 외국인세금제도가 가지는 의의," 『경제연구』, 1997년 제4호.; 김두선, "소득과세와 그 특징," 『경제연구』, 2007년 제3호.

투자기업재정관리법」, 동 시행규정 및 시행규정세칙, 「개성공업지구 기업재정규정」 및 동 세칙, 「라선경제무역지대 외국인투자기업재정관리규정」 등도 부분적으로 과세표준 및 세액의 계산과 관련된 내용을 포함하고 있기 때문에 함께 검토할 필요가 있다.

사회주의 예산수입제도와 관련된 기본법은 2005년에 제정된 「국가예산수입법」이다. 「국가예산수입법」은 총 5개 장 77개 조문으로 구성되어 있고, 2011년 최종 수정보충 이후 변화가 없었다. 북한의 국가예산수입은 거래수입금, 국가기업리익금, 봉사료수입금, 협동단체리익금, 감가상각금, 부동산사용료, 사회보험료, 재산판매 및 가격편차수입금, 기타수입금 등으로 이루어진다.

대외세법제도에 따른 조세수입(외국투자기업 및 외국인세금)은 다양한 국가예산수입 항목 중에서 '기타수입금'의 한 항목에 불과하며 그 비중은 미미할 것으로 추정된다.[5] 하지만 향후 북한에 대한 국제적인 제재가 풀리고 남북관계가 진전됨으로써 외국인투자 및 남북경제협력이 확대될 경우, 대외세법제도의 중요성은 급격하게 커질 수 있다. 또한 대외세법제도는 향후 사회주의 예산수입제도에 대한 세제개혁 또는 세제설계의 기반이 될 수 있기 때문에 충분한 연구가 필요한 부분이다.

2 북한 조세제도의 연혁 및 현황

해방 후 북한의 조세제도는 일제 식민지 조세제도에 구소련의 조세제도와 항일 유격구에서 제시된 세금정책이 복합적으로 반영된 형태였다. 1945~1946년은 식민지 시기 조세제도에 대한 정비와 함께 세무서[6] 폐쇄 및 중요산업국유화 등 사회주의적 예산수입체계로의 전환을 시작한 시기라고 할 수 있다. 1947년 2월의 전면적인 세제개혁 이후 기존 세금제도의 폐지와 사회주의 예산수입체계로의 전환을 중첩적으로 추진했고, 1974년에 세금제도의 완전한 폐지를 선언함으로써 사회주의 예산수입체계로의 전환을 마무리하였다.[7]

---

4) 김광민, "공화국대외세법제도의 특징에 대하여," 『사회과학원보』, 2016년 제1호, 35쪽; 김광민, "공화국대외세법제도의 본질적내용," 『사회과학원보』, 2016년 제2호, 30쪽.

5) 2018년 기준으로 사회주의 경리수입의 주요 항목인 거래수입금과 국가기업리익금이 전체 예산수입에서 85.3%의 비중을 차지하고 있다. 이석기 외, 『김정은 시대 북한 경제개혁 연구 - '우리식 경제관리방법'을 중심으로』, 산업연구원, 2018, 267쪽.

6) 해방 직후 법령에서는 '세무서'(稅務署)로 표기하였으나, 현재는 관련 법규에서 '세무소'로 표기하고 있다.

7) 해방 후 세금제도 폐지 과정과 김일성, 김정일 및 김정은 시대 사회주의 예산수입법제의 시기별 변화 과정에 대해서는 필자의 『북한 세금관련 법제의 변화』(도서출판 선인, 2021)를 참조하기 바란다.

하지만 1980년대 이후 외자유치를 추진하면서 1984년 「합영법」을 제정하고 이듬해인 1985년 3월 「합영회사 소득세법」과 「외국인 소득세법」 등 '세법'이 다시 제정되었고, 같은 해 5월 「합영회사 소득세법 시행세칙」과 「외국인 소득세법 시행세칙」을 채택함으로써[8] 대외경제부문에 국한하여 조세제도(대외세법)를 도입하게 되었다. 이러한 초기 대외세법은 1993년 「외국투자기업 및 외국인세금법」의 제정과 함께 폐지되었다.

「외국투자기업 및 외국인세금법」은 1993년 제정 이후 2015년까지 총 7차에 걸쳐 수정보충되었다. 1994년에는 「외국투자기업 및 외국인세금법 시행규정」이 처음으로 채택되었는데 동 시행규정은 2002년과 2016년에 각각 새롭게 채택되었고, 2017년에는 동 시행규정세칙이 채택되었다.

특수경제지대 세제와 관련하여, 2000년 6 · 15 남북정상회담을 기반으로 2002년에 「개성공업지구법」이 채택되었고 2003년에 「개성공업지구 세금규정」이 채택되었다. 2006년에는 「개성공업지구 세금규정시행세칙」이 채택되었다. 동 시행세칙에 대하여 2012년에 수정보충이 있었으나 남한 당국에서 이를 수용하지 않은 상태로 2016년에 개성공업지구가 폐쇄되었다.

2008년에 금강산 관광이 중단된 후, 2011년에 기존 「금강산관광지구법」이 「금강산국제관광특구법」으로 대체되었고 2012년에 「금강산국제관광특구 세금규정」이 채택되었다. 종전의 「금강산관광지구법」은 세금규정이 별도로 마련되어 있지 않았다.

1991년에 라진 · 선봉 자유경제무역지대가 설치된 후, 1993년에 「자유무역지대법」이 채택되었고 1999년에 「라선경제무역지대법」으로 변경되었다. 하지만 2014년에 이르러서야 「라선경제무역지대 세금규정」 및 동 시행세칙이 채택되었고, 2015년에는 추가적으로 「라선경제무역지대 세금징수관리규정」이 마련되었다.

2013년 채택된 「경제개발구법」과 관련하여, 2015년 9월 15일자 조선중앙통신은 「경제개발구 세금규정」이 총 11개 장, 72개 조문으로 채택되어, 세금 종류별 납부의무와 과세대상, 세율, 감면 및 면제대상에 대하여 규정하고 있다고 발표하였다. 하지만 「경제개발구 세금규정」의 전문이 공개되지 않아서 구체적인 내용은 확인할 수 없다. 「경제개발구법」 부칙 제2조에 따르면, 라선경제무역지대, 황금평 · 위화도경제지대, 개성공업지구 및 금강산국제관광특구에는 「경제개발구법」이 적용되지 않는다. 따라서 「경제개발구 세금규정」도 이러한 경제특구에는 적용되지 않는 것으로 판단된다.

8) 정경모 · 최달곤 공편, 『북한법령집 제2권』, 대륙연구소, 1990, 187~194쪽.

국제거래와 관련하여, 북한은 1997년 체결한 러시아와의 조세조약을 시작으로 라오스, 루마니아, 마케도니아, 몽골, 불가리아, 벨라루스, 시리아, 스위스, 이집트, 베트남, 인도네시아, 세르비아, 체코 등 2014년 말 현재 총 14개국[9]과 조세조약을 맺고 있다. 또한 2000년 12월 16일에는 남한과 「남북 사이의 소득에 대한 이중과세방지합의서」(이하 '남북 이중과세방지합의서'라고 함)에 서명했다. 중국 및 싱가폴과는 아직 조세조약이 체결되어 있지 않다.

북한 세법의 시기별 제정·채택 및 최종 수정보충 현황을 표로 정리하면 다음과 같다.

<표 1-1> 북한 세법의 제정·채택 및 최종 수정보충 현황

<table>
<tr><th colspan="2">시기</th><th>북한 세법</th><th>비고</th></tr>
<tr><td rowspan="6">김일성 시대</td><td rowspan="2">1985.03.07</td><td>합영회사 소득세법</td><td rowspan="4">1993년 제정된 「외국투자기업 및 외국인세금법」 및 동 시행규정으로 대체됨.</td></tr>
<tr><td>외국인 소득세법</td></tr>
<tr><td rowspan="2">1985.05.17</td><td>합영회사 소득세법 시행세칙</td></tr>
<tr><td>외국인 소득세법 시행세칙</td></tr>
<tr><td>1993.01.31</td><td>외국투자기업 및 외국인세금법</td><td>최고인민회의 상설회의 결정 제26호</td></tr>
<tr><td>1994.02.21</td><td>외국투자기업 및 외국인세금법 시행규정</td><td>정무원 결정 제9호 채택 (⇨2002년 대체)</td></tr>
<tr><td rowspan="6">김정일 시대</td><td>1997.09.26</td><td>북-러시아 조세조약 체결 (최초)</td><td>2014년 말 현재 총 14개 조세조약 체결</td></tr>
<tr><td>2000.12.16</td><td>남북 사이의 소득에 대한 이중과세방지합의서</td><td>2000.12.16 체결, 2003.8.발효, 2004.1.적용</td></tr>
<tr><td>2002.06.14</td><td>외국투자기업 및 외국인세금법 시행규정</td><td>내각결정 제39호 채택</td></tr>
<tr><td>2002.12.26</td><td>외국투자기업 및 외국인세금법 시행규정</td><td>내각결정 제88호 수정 (⇨2016년 대체)</td></tr>
<tr><td>2003.09.18</td><td>개성공업지구 세금규정</td><td>최고인민회의 상임위원회 결정 제1호</td></tr>
<tr><td>2006.12.08</td><td>개성공업지구 세금규정시행세칙</td><td>중앙특구개발지도총국 지시 제2호</td></tr>
</table>

9) 조선대외경제투자협력위원회 편찬, 『조선민주주의인민공화국 투자안내』, 외국문출판사, 2016, 25쪽. 2012년에 이디오피아와도 조세조약을 체결했지만 현재 실질적으로 유효하지 않은 것으로 보인다.

시기		북한 세법	비고
김정은 시대	2012.06.27	금강산국제관광특구 세금규정	최고인민회의 상임위원회 결정 제95호
	2012.07.18	개성공업지구 세금규정시행세칙 (최종 수정보충)	중앙특구개발지도총국 지시 제4호
	2014.09.25	라선경제무역지대 세금규정	최고인민회의 상임위원회 결정 제30호
	2014.12.29	라선경제무역지대 세금규정시행세칙	라선시인민위원회 결정 제166호
	2015.06.10	라선경제무역지대 세금징수관리규정	최고인민회의 상임위원회 결정 제66호
	2015.09.09	외국투자기업 및 외국인세금법 (최종 수정보충)	최고인민회의 상임위원회 정령 제656호
	2015.09.15	경제개발구 세금규정	(전문이 공개되지 않았음)
	2016.02.07	외국투자기업 및 외국인세금법 시행규정	내각결정 제13호 채택
	2017.02.05	외국투자기업 및 외국인세금법 시행규정 세칙	재정성지시 제11호 채택

주: 음영 처리되지 않은 부분이 현재 유효한 법규라고 할 수 있음. 다만, 2012년 수정보충된 「개성공업지구 세금규정시행세칙」은 남한 당국에서 수용하지 않은 상태임.
자료: 최정욱, "북한 대외세법의 현황과 개선방안," 『통일과 법률』 제46호, 법무부, 2021 〈표 2〉를 일부 수정하여 인용함.

앞서 언급한 바와 같이, 북한에서 대외세법으로 분류하고 있지는 않지만 광의의 세법으로서 〈표 1-2〉와 같은 기업재정관리 관련 법규가 제정·채택되어 있다.

<표 1-2> 북한 기업재정관리 관련 법규의 제정·채택 및 최종 수정보충 현황

시기		기업재정관리 관련 법규	비고
김정일 시대	1999.12.04	외국인투자기업재정관리규정	내각결정 제91호 채택
	2000.05.13	라선경제무역지대 외국인투자기업재정관리규정	내각결정 제35호 채택
	2005.01.17	외국인투자기업재정관리규정 (수정) (⇨2008 「외국투자기업재정관리법」으로 대체 추정)	내각결정 제4호로 수정
	2005.01.17	라선경제무역지대 외국인투자기업재정관리규정	내각결정 제4호로 수정 (⇨2015년 대체)

시기		기업재정관리 관련 법규	비고
	2005.06.28	개성공업지구 기업재정규정	최고인민회의 상임위원회 결정 제57호
	2008.10.02	외국투자기업재정관리법 (⇨2016 새로 채택)	최고인민회의 상임위원회 정령 제2907호
	2008.12.10	개성공업지구 기업재정규정세칙	중앙특구개발총국 지시 제10호
김정은 시대	2015.04.08	라선경제무역지대 외국투자기업재정관리규정 (새로 채택)	최고인민회의 상임위원회 결정 제59호
	2016.04.07	외국투자기업재정관리법	최고인민회의 상임위원회 정령 제1065호
	2016.06.20	외국투자기업재정관리법 시행규정	내각결정 제83호 채택
	2017.06.24	외국투자기업재정관리법 시행규정세칙	재정성지시 제23호 채택

주: 음영 처리되지 않은 부분이 현재 유효한 법규라고 할 수 있음.

자료: 국가정보원 엮음, 『북한법령집 하』, 국가정보원, 2020; 장명봉 편, 『최신 북한법령집』, 북한법연구회, 2015; 『조선민주주의인민공화국 법규집(외국투자기업재정관리부문)』, 법률출판사, 2019; 김준석·권오영, 『개성공업지구 세무회계』, 삼일인포마인, 2014; 『조선민주주의인민공화국 법규집(라선경제무역지대부문)』, 법률출판사, 2016; 기타 관련 북한 문헌을 기초로 저자 작성.

한편, 관세에 대해서는 1983년 10월 14일 최고인민회의 상설회의 결정으로 「세관법」을 채택함으로써 통관 및 관세 제도를 통합적으로 규정하였다. 북한은 「세관법」과 특수경제지대 세관규정이 기본적으로 국내납세자를 대상으로 하고 통관 및 세관행정을 중심으로 하는 법제라는 점에서 대외세법의 범위에서 제외하고 있는 것으로 보인다. 「세관법」 제1조에 의하면, 「세관법」은 세관등록과 수속, 검사, 관세의 부과와 납부질서를 엄격히 하고자 하는 것이라고 규정하고 있다. 「개성공업지구법」, 「금강산국제관광특구법」 및 「라선경제무역지대법」은 하위 규정으로서 세관규정을 두고 있다. 관세에 대한 구체적인 내용은 제6편에서 별도로 논의하였다.

또한 「개성공업지구법」, 「금강산국제관광특구법」, 「라선경제무역지대법」은 모두 벌금규정을 별도로 두고 있다. 벌금규정은 벌금의 한도액 및 집행절차를 규정하고 있는데 세금관련 벌금의 부과에도 적용되는 것으로 판단된다.

3 북한 조세제도의 특징 및 체계

북한의 조세제도는 「외국투자기업 및 외국인세금법」을 기본법으로 하면서 특수경제지대에 적용되는 세금규정을 별도로 채택하는 방식을 취하고 있다.[10) 특수경제지대 세제 중에서 「개성공업지구 세금규정」과 「금강산국제관광특구 세금규정」은 외국인투자세제이면서 동시에 남측을 적용대상에 포함하고 있는 남북경협세제라고 할 수 있다. 즉 북한의 조세제도는 기본적으로 외국인투자세제로서 남북경협세제가 그 일부를 구성하고 있는 형태라고 할 수 있다.[11)]

「외국투자기업 및 외국인세금법」은 시행규정 및 시행규정세칙이 채택되어 있다. 특수경제지대 세제는 「개성공업지구법」, 「금강산국제관광특구법」, 「라선경제무역지대법」 등 경제특구법의 하위 규정으로 채택되어 있으며, 「OOO 세금규정」, 「OOO 세금규정시행세칙」의 형태를 취하고 있다. 「경제개발구법」의 하위 규정으로는 「경제개발구 세금규정」이 있으나 그 세부 내용은 확인되지 않았다.

사회주의 법제정이론에 따르면 원칙적으로 '위임입법'은 허용되지 않는다.[12)] 또한 「법제정법」 제45조~제46조에 따르면, 법문건의 효력은 헌법, 부문법,[13)] 규정, 세칙의 순서로 높지만, 동법 제51조에 의하면 한 기관이 낸 법문건에서 후에 나온 법규범과 먼저 나온 법규범이 서로 다를 경우에는 후에 나온 법규범을 적용한다고 규정하고 있다. 동일한 기관이 낸 법문건에 대한 것이므로 동일한 효력순위에 있는 법규범 간의 신법 우선의 원칙을 담고 있는 것으로 판단된다. 하지만 효력순위에서 하위 법규범이라고 하더라도 시간적으로 나중에 채택 또는 수정보충된 것이라면 먼저 채택된 상위 법규범 보다

---

10) 「외국투자기업 및 외국인세금법 시행규정세칙」 제13조에 의하며, 경제개발구안의 세금납부의무자에 대한 세금적용은 따로 정한 규정세칙, 즉 특수경제지대 세제가 적용된다.

11) ≪정철원, 『조선투자법안내(310가지 물음과 대답)』, 법률출판사, 2007, 362쪽 및 467쪽≫에 의하면, 개성공업지구는 나라와 나라 사이가 아니라 사회제도가 다른 같은 민족끼리 창설・운영하는 그 어느 나라에도 없는 전혀 새로운 형태의 특수경제지대이다. 따라서 「개성공업지구 세금규정」은 기본적으로 남북경협세제로서의 성격이 강하고 부차적으로 외국인투자세제라고 할 수 있다. 하지만 전체 북한 투자를 설명함에 있어서 외국인투자가 보다 큰 범주이고 「외국투자기업 및 외국인세금법」이 기본법에 해당하며, 남북경제협력 및 「개성공업지구 세금규정」은 특수성을 갖는 일부를 구성한다고 보는 것이 전반적인 체계를 설명함에 있어서 자연스럽다고 판단된다.

12) 위임입법 방식으로는 인민대중의 의사와 요구를 정확히 반영할 수 없고 법제정에서 민주주의를 철저히 보장할 수 없으며 최고주권기관의 높은 권위를 보장할 수 없다는 것이다. 또한 최고주권기관의 휴회 중에도 입법권을 일상적으로 행사하는 상설기관이 있으므로 위임입법이 필요 없다는 것이다. 리경철, 『사회주의법제정리론』, 사회과학출판사, 2010, 49쪽.

13) 부문법은 "최고주권기관이 헌법에 기초하여 일정한 부문의 사회관계를 일반적으로 규제하는 기본적인 법형식"(「법제정법」 제2조)으로서, 남한의 '법률'에 해당하는 법의 존재형식이다.

북한 과세당국의 최근 입장을 잘 반영하는 것일 가능성이 높다.

위임입법이 허용되지 않아서 상위 법규범과 다른 내용이 하위 법규범에 포함될 수 있고, 규정이나 세칙 등 하위 법규범이 상위 법규범과 다르게 규정되는 경우가 실제로 많이 발생한다. 이러한 상황은 부문법의 시행규정이나 시행규정세칙, 특수경제지대 세금규정의 시행세칙 등을 최근에 수정보충 하였으나, 부문법 및 특수경제지대 세금규정에 변경사항을 제때 반영하지 못하여 발생하는 문제일 가능성이 높다. 따라서 상위 법규범 우선의 효력순위만을 적용하여 북한 당국의 입장이나 의도를 파악하기는 어렵다. 부문법이나 규정뿐만 아니라 세칙을 포함하여 전체 법규범을 동시에 검토할 필요가 있고, 시간적으로 나중에 채택 또는 수정보충된 하위 법규범의 내용을 고려하여 종합적으로 판단해야 한다.

북한의 조세제도는 '세목별' 체계가 아니고 '단일법' 체계로 되어 있다. 따라서 하나의 법령 또는 세금규정 내에 기업소득세, 개인소득세, 재산세, 상속세, 거래세, 영업세, 자원세 그리고 지방세인 도시경영세와 자동차리용세 등 모든 세목을 규정하고 있다.

북한의 예산수입체계는 사회주의 예산수입제도와 대외세법제도(조세제도)로 이원화되어 있다. 북한 기관, 기업소, 단체와 북한 주민을 대상으로 하는 사회주의 예산수입제도와 달리 대외세법제도는 자본주의 시장경제형 조세제도의 형식과 내용을 따르고 있다. 또한 북한이 체결한 조세조약은 국제적 표준으로 사용되는 모델협약[14]의 형식과 내용을 차용하고 있다.

14) 모델협약에는 대표적으로 OECD 모델협약과 UN 모델협약이 있다.

상기 논의를 기초로 북한 조세제도의 체계를 요약하면 다음과 같다.

<그림 1-1> 북한 조세제도의 체계

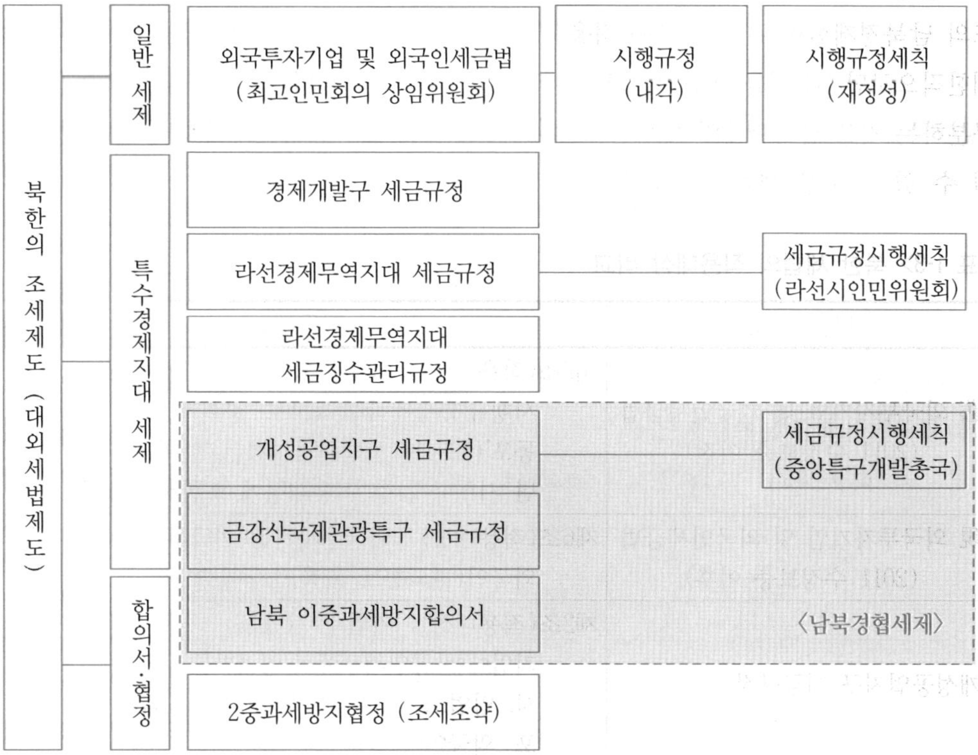

북한의 조세제도(대외세법제도)

일반세제
외국투자기업 및 외국인세금법 (최고인민회의 상임위원회) — 시행규정 (내각) — 시행규정세칙 (재정성)

특수경제지대 세제
경제개발구 세금규정
라선경제무역지대 세금규정 — 세금규정시행세칙 (라선시인민위원회)
라선경제무역지대 세금징수관리규정
개성공업지구 세금규정 — 세금규정시행세칙 (중앙특구개발총국)
금강산국제관광특구 세금규정

합의서·협정
남북 이중과세방지합의서
2중과세방지협정 (조세조약)

〈남북경협세제〉

주: 특수경제지대 세제의 세금규정 및 세금징수관리규정은 「외국투자기업 및 외국인세금법」과 마찬가지로 모두 최고인민회의 상임위원회에서 채택되었다. 「경제개발구 세금규정」은 전문이 확인되지 않았고, 라선경제무역지대의 경우 별도로 「세금징수관리규정」이 채택되어 있다. 「금강산국제관광특구 세금규정」은 별도의 시행세칙이 없다. 북한에서 대외세법의 범위에 포함하고 있지 않지만, 상기 내용 이외에 기업재정관리 관련 법규의 조세관련 내용, 「세관법」 및 특수경제지대 세관규정의 관세관련 내용도 조세제도의 일부를 구성한다고 할 수 있다.
자료: 관련 북한 문헌을 기초로 저자 작성.

4 북한 세법의 적용대상

북한은 '남측'의 투자에 대하여는 일반적인 외국인투자 관련 법규로 규제하지 않고 별도의 남북경제협력 관련 법규를 적용하고 있다. 이와 관련하여 세법에서도 적용대상에 제한적으로만 '남측'을 포함시키고 있다. 이렇게 일반적인 외국인투자와 남측의 투자를 구분하는 것은 남북관계의 특수성을 고려한 정책적 또는 전략적 차별화를 염두에 둔 것일 수 있다. 북한 세법의 적용대상을 정리해보면 다음과 같다.

<표 1-3> 북한 세법의 적용대상 비교

북한 세법	적용대상
舊 외국투자기업 및 외국인세금법 (2011 수정보충 이전)	제6조(적용대상): 외국투자기업과 외국인. 시행규정에서 추가적으로 '공화국 영역 밖의 조선동포'(1994년 시행규정) 또는 '해외조선동포'(2002년 시행규정)를 적용대상에 포함하고 있음.
現 외국투자기업 및 외국인세금법 (2011 수정보충 이후)	제6조(적용대상): 외국투자기업(외국투자은행 포함)과 외국인(해외동포 포함)
개성공업지구 세금규정	제2조(적용대상): 기업과 개인. 기업에는 공업지구에서 영리활동을 하는 기업과 지사, 영업소, 개인업자가, 개인에는 **남측** 및 해외동포, 외국인이 속함.
금강산국제관광특구 세금규정	제2조(적용대상): 기업과 개인. 기업에는 다른 나라 투자가, **남측** 및 해외동포가 투자하여 창설운영하는 기업과 지사, 사무소, 개인업자가, 개인에는 외국인, **남측** 및 해외동포가 속함.
라선경제무역지대 세금규정	제2조(적용대상): 기업과 개인. 기업에는 다른 나라 투자가 또는 해외동포가 투자하여 창설운영하는 기업과 지사, 사무소 같은 것이, 개인에는 외국인과 해외동포가 속함.

자료: 국가정보원 엮음, 『북한법령집 하』, 국가정보원, 2020; 장명봉 편 『최신 북한법령집』, 북한법연구회, 2015; 『조선민주주의인민공화국 개성공업지구 법규집』, 법률출판사, 2005; 『조선민주주의인민공화국 법규집(라선경제무역지대부문)』, 법률출판사, 2016; 기타 관련 북한 문헌 등을 기초로 저자 작성.

당초 「외국투자기업 및 외국인세금법」에서는 기본적으로 외국투자기업과 외국인을 적용대상으로 규정하고, 동 시행규정에서 추가적으로 '공화국 영역 밖의 조선동포'(1994년 시행규정) 또는 '해외조선동포'(2002년 시행규정)를 포함하는 것으로 규정하고 있었다.[15] 이와 같이 부문법과 시행규정에 분산되어 있던 내용은 2011년 「외국투자기업 및 외국인세금법」에 대한 수정보충 과정에서 외국인에 '해외동포'를 포함하는 것으로 정리되었다. 현행 「외국투자기업 및 외국인세금법」의 적용대상은 외국투자기업(외국투자은행 포함) 및 외국인(해외동포 포함)으로서 남측 법인이나 개인은 포함되지 않는 것으로 해석된다.

〈표 1-3〉에서 볼 수 있는 바와 같이, 적용대상에 남측을 명시적으로 포함하고 있는 것은 「개성공업지구 세금규정」과 「금강산국제관광특구 세금규정」뿐이다. 「개성공업지구법」(제3조) 및 「금강산국제관광특구법」(제4조)에 따르면, 남측뿐만 아니라 해외동포, 다른 나라의 법인, 개인, 경제조직 등도 투자할 수 있다. 따라서 「개성공업지구 세금규정」과 「금강산국제관광특구 세금규정」은 외국인투자세제이면서 동시에 남북경협세제라고 할 수 있다. 한편, 「라선경제무역지대법」 및 「라선경제무역지대 세금규정」에서는 투자당사자 또는 적용대상에 남측을 명확하게 언급하고 있지 않다.

북한이 법제적인 측면에서 외국인투자와 남측의 투자를 명확하게 구분하고 있지만, 조세제도의 측면에서 양자 간의 차이가 크다고 보기는 어렵다. 또한 국제적 제재 상황의 변화, 남북관계 또는 북한의 정책적 필요에 따라 적용대상은 언제든지 확대 또는 축소될 수 있다. 따라서 외국인투자세제 및 남북경협세제를 포괄적으로 검토하고 이해할 필요가 있다.

5 북한 세법의 구성

「외국투자기업 및 외국인세금법」, 「개성공업지구 세금규정」, 「금강산국제관광특구 세금규정」, 「라선경제무역지대 세금규정」은 기본적인 구성에 있어서 대체로 유사하다. 주요 세목으로는 기업소득세, 개인소득세, 재산세, 상속세, 거래세, 영업세, 자원세 그리고 지방세인 도시경영세와 자동차리용세 등 총 9개가 있는데, 「개성공업지구 세금규정」과 「금강산국제관광특구 세금규정」에는 자원세가 포함되어 있지 않고 도시경영세와 자동차리용세가 지방세 장(章)으로 통합되어 있다. 또한 「개성공업지구 세금규정」 및 동 시행세칙과 「라선경제무역지대 세금규정시행세칙」은 부록 및 붙임의 형태로 세목별 세율표 및 각종 신고·신청서 양식을 규정하고 있다. 현행 북한 세법의 구성 및 세목을 정리하면 다음과 같다.

---

15) "해외조선동포에는 **남조선동포를 제외한** 다른 나라에서 살고 있는 조선동포가 해당된다."(강조부분은 저자) 정철원, 『조선투자법안내(310가지 물음과 대답)』, 법률출판사, 2007, 211쪽.

<표 1-4> 북한 세법의 구성 및 세목

<table>
<tr><th>북한 세법</th><th>구성</th><th>세목</th></tr>
<tr><td>외국투자기업 및 외국인세금법</td><td>11개 장 73개 조문</td><td rowspan="6">• 기업소득세
• 개인소득세
• 재산세
• 상속세
• 거래세
• 영업세
• 자원세
• 도시경영세
• 자동차리용세</td></tr>
<tr><td>외국투자기업 및 외국인세금법 시행규정</td><td>11개 장 75개 조문</td></tr>
<tr><td>외국투자기업 및 외국인세금법 시행규정세칙</td><td>11개 장 100개 조문</td></tr>
<tr><td>경제개발구 세금규정</td><td>11개 장 72개 조문</td></tr>
<tr><td>라선경제무역지대 세금규정</td><td>11개 장 70개 조문</td></tr>
<tr><td>라선경제무역지대 세금규정시행세칙</td><td>11개 장 71개 조문
부록 1~8
붙임 표양식 1~21</td></tr>
<tr><td>라선경제무역지대 세금징수관리규정</td><td>35개 조문</td><td>-</td></tr>
<tr><td>개성공업지구 세금규정</td><td>9개 장 86개 조문
부록 1~8</td><td rowspan="3">• 기업소득세
• 개인소득세
• 재산세
• 상속세
• 거래세
• 영업세
• 지방세 (도시경영세 및 자동차리용세)</td></tr>
<tr><td>개성공업지구 세금규정시행세칙</td><td>9개 장 120개 조문
부록 1~9
붙임 표양식 1~19</td></tr>
<tr><td>금강산국제관광특구 세금규정</td><td>9개 장 62개 조문</td></tr>
<tr><td>조세조약</td><td>30개 조문 (북-러시아)</td><td>-</td></tr>
<tr><td>남북 사이의 소득에 대한 이중과세방지합의서</td><td>28개 조문</td><td>-</td></tr>
</table>

자료: 국가정보원 엮음, 『북한법령집 下』, 국가정보원, 2020; 장명봉 편 『최신 북한법령집』, 북한법연구회, 2015; 『조선민주주의인민공화국 법규집(외국투자기업재정관리부문)』, 법률출판사, 2019; 『조선민주주의인민공화국 법규집(라선경제무역지대부문)』, 법률출판사, 2016; 「라선경제무역지대 세금규정시행세칙」, 라선시인민위원회; 기타 관련 북한 문헌 등을 기초로 저자 작성.

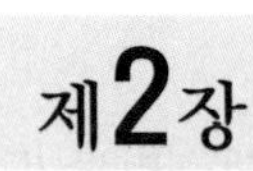

북한 투자법제의 이해

1 북한 투자법제의 연혁 및 현황

북한은 1947년 3월과 4월에 「조선-쏘련해운주식회사조직에 관한 협정」과 「조선-쏘련해운주식회사조직에 관한 협정리행을 위한 합의서」를 체결하고, 1949년 12월 내각결정으로 「조선-쏘련해운주식회사규정」을 최초의 외국투자관계법제로 채택하였다. 또한 1965년 폴란드 정부와 「공동해운회사조직에 관한 협정」을 체결하고 1966년 내각결정으로 「유한책임회사규정」과 「회사등록규정」, 「회사파산규정」을 제정·공포하였는데, 이에 기초하여 1967년 최초로 유한책임회사형태의 외국인투자기업인 조선-뽈스까공동해운회사가 창설되었다고 설명하고 있다.[16]

북한의 대외개방정책과 관련하여 1984년 1월 26일 최고인민회의 결정 「남남협조와 대외경제 사업을 강화하며 무역사업을 더욱 발전시킬데 대하여」는 서두에서 "자주성을 견지하고 완전한 평등과 호혜의 원칙에서 다른 나라들과의 경제협조관계를 확대강화하는 것은 나라의 경제와 대외관계를 발전시키는데서 매우 중요한 의의를 가진다."고 설명하고 있다.[17] 이를 기초로 1984년 9월 8일 「합영법」이 제정되었는데, 「합영법」은 북한 정부의 외국인투자에 대한 인식의 변화를 반영한 것이며 관련 법제를 본격적으로 마련하기 시작한 출발점이었다. 「합영법」 제1조는 "조선민주주의인민공화국 합영법은 합영을 통하여 세계 여러 나라들과의 경제기술협력과 교류를 확대발전시키는데 이바지한다."고 규정하고 있다.

하지만 「합영법」 제정을 통한 대외경제정책이 그다지 성공적이지 못했고 1990년대 이후 사회주의권이 붕괴함에 따라 정책적인 전환이 필요했다. 따라서 1992년 4월 수정보충된 헌법에서 제16조와 제37조를 신설하여[18] 대외개방정책의 법적인 토대를 마련하

16) 강정남, "공화국외국투자관계법에 대한 리해," 『김일성종합대학학보: 력사·법률』, 제62권 제2호, 2016, 70~71쪽.

17) 김일성, "남남협조와 대외경제사업을 강화하며 무역사업을 더욱 발전시킬데 대하여" (조선민주주의인민공화국 최고인민회의 결정, 1984년 1월 26일), 『사회주의경제 관리 문제에 대해서』 제6편, 조선로동당출판사, 1996, 303쪽.

18) 1992년 「사회주의헌법」 제16조: "조선민주주의인민공화국은 자기 영역 안에 있는 다른 나라 사람의 합

고, 1992년 10월「외국인투자법」,「합작법」,「외국인기업법」 등 외국인투자와 관련된 법제를 정비하였다.[19] 이후 1993년「외국투자기업 및 외국인세금법」,「외화관리법」,「토지임대법」,「자유경제무역지대법」(1999년「라선경제무역지대법」으로 변경),「외국투자은행법」을 채택하였다.

김정일 시대 들어서서 1995년「대외경제계약법」과「대외민사관계법」, 1999년「대외경제중재법」, 2000년「외국인투자기업파산법」, 2002년「신의주특별행정구기본법」,[20] 2006년「외국투자기업등록법」과「외국투자기업회계법」,[21] 2008년「외국인투자기업재정관리법」(이후 2016년「외국투자기업재정관리법」으로 변경), 2009년「외국인투자기업로동법」, 2011년「황금평・위화도경제지대법」 등이 순차적으로 채택되었다. 김정일 사망 전후로 2011년 11월 29일에는 최고인민회의 상임위원회 정령으로「외국인투자법」,「합작법」,「합영법」,「외국인기업법」,「토지임대법」에 대한 수정보충이 있었고, 동년 12월 21일에는「외국인투자기업재정관리법」,「외국투자기업회계법」,「외국인투자기업로동법」,「외국투자기업 및 외국인세금법」,「외국투자기업등록법」,「외국인투자기업파산법」,「외국투자은행법」에 대한 수정보충이 있었다.

김정은 시대에 들어서서 2013년「경제개발구법」 채택, 2014년「합영법」 및「합작법」 수정보충, 2015년「외국인투자기업로동법」 및「외국투자기업 및 외국인세금법」 수정보충,「외국투자기업회계검증법」 채택 등이 있었다. 2016년에는「외국투자기업재정관리법」을 새로 채택하였고「대외경제중재법」을 수정보충하였다. 마지막으로 2017년「경제개발구법」 수정보충, 2018년「외국투자은행법」 수정보충 등이 있었다.

한편, 남북경제협력과 관련하여 기본법에 해당하는「북남경제협력법」이 2005년에 채택되었고, 특수경제지대 법제로서 2002년에「금강산관광지구법」과「개성공업지구법」

법적 권리와 이익을 보장한다."

1992년「사회주의헌법」 제37조: "국가는 우리나라 기관, 기업소, 단체와 다른 나라 법인 또는 개인들과의 기업 합영과 합작을 장려한다."

이후 2016년 수정보충된 헌법 제37조에서는 "국가는 우리나라 기관, 기업소, 단체와 다른 나라 법인 또는 개인들과의 기업 합영과 합작, 특수경제지대에서의 여러 가지 기업창설운영을 장려한다."고 규정하여 특수경제지대에 대한 내용을 추가하였다.

19) 법무부 법무실 통일법무과, 『통일법무 기본자료(북한법제)』, 법무부, 2018, 926~927쪽.

20) 2013년 11월 최고인민회의 상임위원회 정령으로 13개 경제개발구와 함께 신의주를 특수경제지대로 개발할 것을 발표하고, 2014년 7월 '신의주국제경제지대'로 명칭을 변경함으로써「신의주특별행정구기본법」은 사실상 폐지된 것으로 보인다. 장소영, 『북한 경제와 법-체제전환의 비교법적 분석』, 경인문화사, 2017, 17쪽.

21) 북한은 대내경제부문에 대한 사회주의 회계와 외국투자기업 등을 적용대상으로 하는 대외경제부문 회계를 이원적 체계로 유지하고 있다. 북한 대외경제부문 회계법제에 대한 구체적인 내용은 ≪최정욱, 『북한의 회계법제 분석과 전망: 대외경제부문을 중심으로』, 한국법제연구원, 2021≫를 참조하기 바란다.

이 채택되었다. 「개성공업지구법」은 2003년에 최종 수정보충이 있었고, 「금강산관광지구법」은 2008년 금강산관광 중단 이후 2011년에 「금강산국제관광특구법」으로 대체되었다.

북한 투자법제의 시기별 제정 · 채택 및 주요 수정보충 현황을 표로 정리하면 다음과 같다.

<표 1-5> 북한 투자법제의 제정 · 채택 및 주요 수정보충 현황

시기		북한 투자법제 (부문법)	비고
김일성 시대	1984.09.08	합영법	최고인민회의 상설회의 결정 제10호
	1985.03.07	합영회사 소득세법, 외국인 소득세법	
	1992.10.05	외국인투자법	최고인민회의 상설회의 결정 제17호
		합작법	최고인민회의 상설회의 결정 제18호
		외국인기업법	최고인민회의 상설회의 결정 제19호
	1993.01.31	외국투자기업 및 외국인세금법	최고인민회의 상설회의 결정 제26호
		외화관리법	최고인민회의 상설회의 결정 제27호
		자유경제무역지대법 (⇨1999 명칭 변경)	최고인민회의 상설회의 결정 제28호
	1993.10.27	토지임대법	최고인민회의 상설회의 결정 제40호
	1993.11.24	외국투자은행법	최고인민회의 상설회의 결정 제42호
김정일 시대	1995.02.22	대외경제계약법	최고인민회의 상설회의 결정 제52호
	1995.09.06	대외민사관계법	최고인민회의 상설회의 결정 제62호
	1998.12.10	대외민사관계법 (최종 수정보충)	최고인민회의 상임위원회 정령 제251호
	1999.02.26	라선경제무역지대법 (종전 자유경제무역지대법)	최고인민회의 상임위원회 정령 제484호
	1999.07.21	대외경제중재법	최고인민회의 상임위원회 정령 제875호
	2000.04.19	외국인투자기업파산법	최고인민회의 상임위원회 정령 제1504호
	2002.09.12	신의주특별행정구기본법 (폐지 추정)	최고인민회의 상임위원회 정령 제3303호
	2002.11.13	금강산관광지구법 (⇨2011 금강산국제관광특구법)	최고인민회의 상임위원회 정령 제3413호
	2002.11.20	개성공업지구법	최고인민회의 상임위원회 정령 제3430호
	2003.04.24	개성공업지구법 (최종 수정보충)	최고인민회의 상임위원회 정령 제3715호
	2004.11.16	외화관리법 (최종 수정보충)	최고인민회의 상임위원회 정령 제750호

시기		북한 투자법제 (부문법)	비고
	2005.07.06	북남경제협력법	최고인민회의 상임위원회 정령 제1182호
	2006.01.25	외국투자기업등록법	최고인민회의 상임위원회 정령 제1530호
	2006.10.25	외국투자기업회계법	최고인민회의 상임위원회 정령 제2037호
	2008.08.19	대외경제계약법 (최종 수정보충)	최고인민회의 상임위원회 정령 제2842호
	2008.10.02	외국인투자기업재정관리법 (⇨2016 새로 채택)	최고인민회의 상임위원회 정령 제2907호
	2009.01.21	외국인투자기업로동법	최고인민회의 상임위원회 정령 제3053호
	2011.05.31	금강산국제관광특구법	최고인민회의 상임위원회 정령 제1673호
	2011.11.29	외국인투자법 (최종 수정보충)	최고인민회의 상임위원회 정령 제1991호
		합작법 (수정보충)	최고인민회의 상임위원회 정령 제1992호
		합영법 (수정보충)	최고인민회의 상임위원회 정령 제1993호
		외국인기업법 (최종 수정보충)	최고인민회의 상임위원회 정령 제1994호
		토지임대법 (최종 수정보충)	최고인민회의 상임위원회 정령 제1995호
	2011.12.03	황금평・위화도경제지대법	최고인민회의 상임위원회 정령 제2006호
		라선경제무역지대법 (최종 수정보충)	최고인민회의 상임위원회 정령 제2007호
김정은 시대	2011.12.21	외국인투자기업재정관리법 (수정보충)	최고인민회의 상임위원회 정령 제2044호
		외국투자기업회계법 (최종 수정보충)	최고인민회의 상임위원회 정령 제2046호
		외국투자기업로동법 (수정보충)	최고인민회의 상임위원회 정령 제2047호
		외국투자기업 및 외국인세금법 (수정보충)	최고인민회의 상임위원회 정령 제2048호
		외국투자기업등록법 (최종 수정보충)	최고인민회의 상임위원회 정령 제2049호
		외국인투자기업파산법 (최종 수정보충)	최고인민회의 상임위원회 정령 제2050호
		외국투자은행법 (수정보충)	최고인민회의 상임위원회 정령 제2051호
	2013.05.29	경제개발구법	최고인민회의 상임위원회 정령 제3192호
	2014.10.08	합영법 및 합작법 (최종 수정보충)	최고인민회의 상임위원회 정령 제173호
	2015.08.26	외국인투자기업로동법 (최종 수정보충)	최고인민회의 상임위원회 정령 제651호
	2015.09.09	외국투자기업 및 외국인세금법 (최종 수정보충)	최고인민회의 상임위원회 정령 제656호
	2015.10.08	외국투자기업회계검증법	최고인민회의 상임위원회 정령 제710호
	2016.04.07	외국투자기업재정관리법 (새로 채택)	최고인민회의 상임위원회 정령 제1065호
	2016.08.10	대외경제중재법 (최종 수정보충)	최고인민회의 상임위원회 정령 제1245호

시기		북한 투자법제(부문법)	비고
	2017.09.21	경제개발구법 (최종 수정보충)	최고인민회의 상임위원회 정령 제1911호
	2018.03.08	외국투자은행법 (최종 수정보충)	최고인민회의 상임위원회 정령 제2168호

주: 음영 처리되지 않은 부분이 현재 유효한 부분임.
출처: 국가정보원 엮음,『북한법령집 상』및『북한법령집 하』, 국가정보원, 2020; 장명봉 편,『최신 북한법령집』, 북한법연구회, 2015;『조선민주주의인민공화국 법규집(외국투자기업재정관리부문)』, 법률출판사, 2019; 기타 관련 북한 문헌 등을 기초로 저자 작성.

2 북한 투자법제의 적용대상 및 체계

가. 북한 투자법제의 적용대상

북한은 남측의 투자를 일반적인 외국인투자와 구별하여 "남조선기업가들의 투자관계는 공화국 외국투자관계법에서 규제하지 않고 북남경제협력 관련 법규들에 따라 규제하고 있다."[22]고 설명하고 있다. 이와 관련하여, 북한 투자법제의 적용대상을 부문법의 내용을 중심으로 정리해보면 다음과 같다.

<표 1-6> 북한 투자법제의 적용대상 비교

북한 투자법제(부문법)	적용대상
북남경제협력법	제3조(적용대상): 남측과 경제협력을 하는 기관, 기업소, 단체. 북측과 경제협력을 하는 **남측**의 법인, 개인.
외국인투자법	제5조(투자당사자): 다른 나라의 법인, 개인, 해외동포.
합영법	제2조(합영의 당사자): 다른 나라 법인 또는 개인. 제7조(합영기업에 대한 우대): 해외동포와 하는 합영기업에 대하여 세금의 감면 … 우대.
합작법	제2조(합작의 당사자): 다른 나라 법인 또는 개인. 제5조(합작투자에 대한 우대): 해외동포와 하는 합작기업에 대하여 세금의 감면 … 우대.
외국인기업법	제6조(법의 적용대상): 외국인기업.
외국투자은행법	제3조(외국투자은행의 설립지역): 외국투자가는 우리나라에서 외국투자은행을 설립할 수 있다. 제8조(법의 적용대상): 우리나라에 설립운영되는 외국투자은행.

22) 정철원,『조선투자법안내(310가지 물음과 답변)』, 법률출판사, 2007, 60쪽.

북한 투자법제(부문법)	적용대상
개성공업지구법	제3조(투자당사자…): **남측** 및 해외동포, 다른 나라의 법인, 개인, 경제조직.
금강산국제관광특구법	제4조(투자장려…): 다른 나라의 법인, 개인, 경제조직, **남측** 및 해외동포, 공화국의 해당 기관, 단체. cf. 舊「금강산관광지구법」 제21조: 관광지구에는 **남측** 및 해외동포, 다른 나라의 법인, 개인, 경제조직이 투자하여 관광업을 할 수 있다.
라선경제무역지대법	제4조(투자당사자): 세계 여러 나라의 법인이나 개인, 경제조직, 우리나라 영역 밖에 거주하고 있는 조선동포.
황금평・위화도경제지대법	제4조(투자당사자): 세계 여러 나라의 법인이나 개인, 경제조직, 우리나라 영역 밖에 거주하고 있는 조선동포.
경제개발구법	제5조(투자가에 대한 특혜): 다른 나라의 법인, 개인과 경제조직, 해외동포.

자료: 국가정보원 엮음,『북한법령집 하』, 국가정보원, 2020; 장명봉 편,『최신 북한법령집』, 북한법연구회, 2015; 기타 관련 북한 문헌 등을 기초로 저자 작성.

북한은 투자법제에서 '다른 나라'(외국)와 '남측'을 명확하게 구별하여 사용하고 있다. 남한 법제에서도 남북한의 거래는 국가 간의 거래가 아닌 민족내부의 거래로 보고 있다(「남북교류협력에 관한 법률」 제12조; 「남북관계 발전에 관한 법률」 제3조). 즉 남북한 거래에 대하여 남한과 북한은 모두 상대방을 '외국'으로 보고 있지 않다. 따라서 북한 투자법제 적용 목적상, 남측 법인이나 개인은 외국법인이나 외국인이 아니며 외국투자가의 범위에 포함될 수 없다.

「북남경제협력법」은 "남측과의 경제협력에서 제도와 질서를 세워 민족경제를 발전시키는데 이바지"(제1조)하고자 제정된 부문법이다. 「북남경제협력법」을 제외하고 상기 〈표 1-6〉에서 모든 부문법은 공통적으로 '다른 나라' 또는 '세계 여러 나라'의 법인 또는 개인 등을 적용대상으로 하고 있다. 다만 「개성공업지구법」과 「금강산국제관광특구법」은 '남측'을 적용대상에 포함하고 있다는 차이가 있을 뿐이다. 따라서 「개성공업지구법」과 「금강산국제관광특구법」은 외국인투자법제이면서 동시에 남북경협법제라고 할 수 있다. 물론 「개성공업지구법」은 적용대상에서 '남측'을 우선적으로 열거하고 있고, 남북경제협력에 주안점을 두고 출발했다는 점에서 차이가 있다.

한편, 「라선경제무역지대법」 및 「황금평・위화도경제지대법」의 경우, '북한 영역 밖에 거주하고 있는 조선동포'를 적용대상에 포함하고 있는데, 이는 '해외조선동포,' 즉 남측 동포를 포함하지 않는 '해외동포'를 의미한다.[23] 실제로 북한 법제에서는 '남측'과 '해외동포'를 구분하여 표현하고 있다.

나. 북한 투자법제의 체계

앞서 살펴본 바와 같이, 북한은 남측의 투자에 대하여는 일반적인 외국인투자 관련 법규로 규제하지 않고 별도의 남북경제협력 관련 법규를 적용하고 있다. 북한 외국인투자법제 및 남북경협법제의 기본법은 각각 「외국인투자법」과 「북남경제협력법」이다.

「외국인투자법」은 외국투자관계의 기본법으로서 북한에 대한 외국투자가들의 투자를 장려하고 그들의 합법적 권리와 이익을 보호하는 것을 목적으로 하며 총 22개 조문으로 구성되어 있다.

「북남경제협력법」은 남북경제협력과 관련된 북한의 기본법으로서 남측과의 경제협력에서 제도와 질서를 엄격히 세워 민족경제를 발전시키는 것을 목적으로 하며 총 27개 조문으로 구성되어 있다. 이에 대응되는 남한의 기본법으로는 「남북교류협력에 관한 법률」이 있다.

북한의 투자법제는 외국투자기업의 창설·운영에 관한 법제, 특수경제지대 개발·관리·운영에 관한 법제, 북한 투자에 대한 제도적 기반과 관련된 법제로 구분할 수 있다. 특수경제지대 법제 중에서 「개성공업지구법」과 「금강산국제관광특구법」은 외국인투자법제이면서 동시에 「북남경제협력법」을 기본법으로 하는 남북경협법제를 구성한다. 이와 관련하여, 남측투자가에 대해서는 이러한 북한의 투자법제와 함께 남한의 법제가 적용된다. 남북경제협력과 관련된 대표적인 남한 법제로는 「남북교류협력에 관한 법률」, 「남북협력기금법」, 「남북관계 발전에 관한 법률」, 「개성공업지구지원에 관한 법률」 등이 있다.

이외에 북한과 다른 나라와의 투자장려 및 보호협정, 2중과세방지협정(조세조약), 남북 간의 합의서 등도 북한 투자법제의 일부를 구성한다.

---

23) 1994년 「외국투자기업 및 외국인세금법 시행규정」 제2조에서 '공화국 영역 밖의 조선동포'로 표현되었던 내용은 2002년 시행규정에서 '해외조선동포'로 수정되었다. 이는 다시 2011년 「외국투자기업 및 외국인세금법」 제6조에서 '해외동포'로 정리되었다. 이러한 조문 정리과정에 비추어볼 때, '우리나라 영역밖에 거주하고 있는 조선동포'는 남측을 포함하지 않는 '해외동포'를 의미하는 것으로 판단된다. 정철원, 『조선투자법안내(310가지 물음과 대답)』, 법률출판사, 2007, 211쪽.
2014년 채택된 「라선경제무역지대 세금규정」 제2조에서는 라선경제무역지대의 기업과 개인을 적용대상으로 규정하면서 "기업에는 다른 나라 투자가 또는 해외동포가 투자하여 창설운영하는 기업과 지사, 사무소 같은 것이, 개인에는 외국인과 해외동포가 속한다."고 규정하여, 남측을 적용대상에 포함하고 있지 않다.

현행 북한 투자법제의 전반적인 체계를 정리해보면 다음과 같다.

<표 1-7> 북한 투자법제의 체계

<table>
<tr><th colspan="2">구분</th><th>외국인투자법제</th><th>남북경협법제</th></tr>
<tr><td colspan="2">적용대상</td><td>외국투자가</td><td>남측투자가</td></tr>
<tr><td rowspan="5">북한 법제</td><td>기본법</td><td>「외국인투자법」</td><td>「북남경제협력법」</td></tr>
<tr><td>기업 창설·운영</td><td>「합영법」 및 동 시행규정
「합작법」 및 동 시행규정
「외국인기업법」 및 동 시행규정
「외국투자은행법」 및 동 시행규정</td><td rowspan="2"></td></tr>
<tr><td rowspan="2">특수 경제지대</td><td>「라선경제무역지대법」
「황금평·위화도경제지대법」
「경제개발구법」</td></tr>
<tr><td colspan="2">「개성공업지구법」
「금강산국제관광특구법」</td></tr>
<tr><td>제도적 기반</td><td>•「외국투자기업등록법」, 「외국인투자기업로동법」, 「외국투자기업회계법」, 「외국투자기업회계검증법」, 「외국투자기업재정관리법」, 「외국투자기업 및 외국인세금법」, 「외국인투자기업파산법」, 「토지임대법」, 「대외경제계약법」, 「대외경제중재법」, 「대외민사관계법」, 「외화관리법」, 「세관법」 등 (해당되는 경우, 각 부문법의 시행규정 및 시행규정세칙)
•특수경제지대법의 하위 규정·세칙·준칙 등</td><td>•「개성공업지구법」 및 「금강산국제관광특구법」의 하위 규정·세칙·준칙 등</td></tr>
<tr><td colspan="2">협정·합의서</td><td>•투자장려 및 보호협정 (2014년 말 기준 27개국)
•2중과세방지협정 (2014년 말 기준 14개국)</td><td>•4대 남북경협합의서 (투자보장, 이중과세방지, 상사분쟁해결절차 및 청산결제)
•개성공업지구 관련 합의서
•기타 남북합의서</td></tr>
<tr><td colspan="2">남한 법제</td><td>(해당 없음)</td><td>•「남북교류협력에 관한 법률」
•「남북협력기금법」
•「남북관계 발전에 관한 법률」
•「개성공업지구지원에 관한 법률」</td></tr>
</table>

자료: 국가정보원 엮음, 『북한법령집 상』 및 『북한법령집 하』, 국가정보원, 2020; 장명봉 편 『최신

북한법령집』, 북한법연구회, 2015; 조선대외경제투자협력위원회, 『조선민주주의인민공화국 투자안내』, 2016; 법무부 통일법무과, 『통일법무 법령집 - 법령 및 남북합의서』, 2019; 기타 관련 북한 문헌 등을 기초로 저자 작성.

북한 투사관련 남한 법세

■ 「남북교류협력에 관한 법률」(1990.8.1. 법률 제4239호), 동 시행령 및 시행규칙

「남북교류협력에 관한 법률」은 남북 간의 상호교류와 협력을 촉진하기 위하여 필요한 사항으로서(제1조), 남북교류협력 추진협의회의 구성 및 운영, 남북한 방문 및 남북한 주민 접촉 등 남북한 왕래, 물품 등의 반출·반입(교역), 협력사업의 승인 또는 신고절차, 결제업무, 수송장비의 운행, 통신역무의 제공, 검역, 교류협력 지원(보조금 등), 업무의 위탁, 다른 법률의 준용 등에 대한 내용을 규정하고 있다. 남북교류협력을 목적으로 하는 행위에 관하여는 「남북교류협력에 관한 법률」의 목적 범위에서 다른 법률에 우선하여 이 법을 적용한다(제3조). 남북한의 거래는 국가 간의 거래가 아닌 민족내부의 거래로 본다(제12조).

반출·반입은 매매, 교환, 임대차, 사용대차, 증여, 사용 등을 목적으로 하는 남한과 북한간의 물품 등의 이동(단순히 제3국을 거치는 이동 포함)을 의미하며(제2조), 해당 물품 등의 품목, 거래형태, 대금결제방법 등에 관하여 통일부장관의 승인을 받아야 한다(제13조).

협력사업은 남한과 북한의 주민(법인·단체 포함)이 공동으로 하는 문화, 관광, 보건의료, 체육, 학술, 경제 등에 관한 모든 활동을 의미하며(제2조), 협력사업의 내용이 실현가능하고 구체적일 것, 남북 간에 분쟁을 일으킬 사유가 없을 것, 기존 협력사업과 심각한 경쟁의 가능성이 없을 것, 해당 분야 사업실적이 있거나 자본·기술·경험 등을 갖추고 있을 것, 국가안전보장, 질서유지 또는 공공복리를 해칠 명백한 우려가 없을 것 등의 요건을 모두 갖추어 통일부장관의 승인을 받아야 한다(제17조).

협력사업과 관련하여, 남한 주민이 외국기업과 합작하여 제3국 법인을 설립한 후 그 제3국 법인이 북한과 공동사업을 하는 경우 원칙적으로 승인대상이 아니지만, 남한 주민이 외국기업을 주도적으로 설립하여 그 경영권 및 의사결정권을 장악하는 등 실질적으로 남한 주민이 북한 주민과 공동으로 사업을 하는 것으로 평가될 수 있는 경우 승인대상이 된다고 해석하고 있다.[24)]

「대외무역법」, 세법 등 관련 법률은 관계 법률의 목적을 달성하고 남북교류협력을 촉진하기 위하여 필요한 범위 내에서 준용한다(시행령 제41조). 물품 등의 반출·반입과 관련된 조세에 대하여는 시행령에서 정하는 바에 따라 조세의 부과·징수·감면 및 환급등에 관한 법률을 준용한다(제26조). 관련 준용 규정에는 관세(시행령 제41조 제3~5항),

24) 통일부 교류협력기획과, 『남북교류협력에 관한 법률 해설집』, 2009, 62~63쪽.

부가가치세(시행령 제42조), 휴대품 등 과세특례(시행령 제43조), 소득세(시행령 제44조) 등이 있다.

■ 「남북협력기금법」(1990.8.1. 법률 제4240호), 동 시행령 및 시행규칙

「남북협력기금법」은 「남북교류협력에 관한 법률」에 따른 남북 간 상호교류와 협력을 지원하기 위하여 남북협력기금을 설치하고 남북협력기금의 운용과 관리에 필요한 사항을 정함을 목적으로 한다(제1조).

기금은 남북한 주민의 왕래에 필요한 비용, 문화·학술·체육 분야 협력사업에 필요한 자금의 전부 또는 일부의 지원, 교역 및 경제 분야 협력사업을 촉진하기 위한 보증 및 자금의 융자, 경영 외적인 사유로 인해 발생하는 손실을 보상하기 위한 보험, 대금결제편의 제공 또는 자금융자 금융기관에 대한 자금지원 및 손실보전, 기타 민족의 신뢰와 민족공동체 회복에 이바지하는 남북교류·협력에 필요한 자금의 융자·지원 및 사업지원, 공공자금관리기금 예수금의 원리금 상환, 기금의 조성·운용 및 관리 경비 지출 등의 용도로 사용한다(제8조).

■ 「남북관계 발전에 관한 법률」(2005.12.29. 법률 제7763호), 동 시행령 및 시행규칙

「남북관계 발전에 관한 법률」은 남한과 북한의 기본적인 관계와 남북관계의 발전에 관하여 필요한 사항을 규정함을 목적으로 한다(제1조). 남한과 북한은 국가 간의 관계가 아닌 통일을 지향하는 과정에서 잠정적으로 형성되는 특수관계로서 남북 간의 거래는 국가 간의 거래가 아닌 민족내부의 거래로 본다(제2조). 동법 제6조~제13조에서는 정부의 책무로서 한반도 평화증진, 남북경제공동체 구현, 민족동질성 회복, 인도적 문제 해결, 북한에 대한 지원, 국제사회에서의 협력증진, 필요재원의 확보, 남북관계발전의 필요성에 관한 홍보, 남북관계발전기본계획의 수립 등을 규정하고 있다. 이러한 정부의 책무와 관련된 중요사항을 심의하기 위한 남북관계발전위원회의 설치 및 운영에 대하여 제2장에서 규정하고 있고, 제3장에서는 남북회담대표의 임명, 남북회담의 운영, 공무원의 북한파견 등에 대하여 규정하고 있다. 마지막으로 제4장에서 남북합의서의 체결, 비준, 공포 등에 대하여 규정하고 있는데, 국회는 국가나 국민에게 중대한 재정적 부담을 지우는 남북합의서 또는 입법사항에 관한 남북합의서의 체결·비준에 대한 동의권을 가진다(제21조).

■ 「개성공업지구지원에 관한 법률」(2007.5.25. 법률 제8484호), 동 시행령 및 시행규칙

「개성공업지구지원에 관한 법률」은 개성공업지구의 개발·운영의 지원 및 개성공업지구에 투자하거나 출입·체류하는 남한주민(법인 포함)의 보호·지원에 필요한 사항을 규정하고 있다(제1조). 동법은 개성공업지구의 개발과 투자의 지원, 사회보험·의료기관·근로조건 ·안전교육·신변안전정보의 통지 등 출입체류자의 보호, 조세·왕래 및 교역에 관한 특례, 개성공업지구 관리기관 등에 대한 내용을 규정하고 있다.

3 북한 투자법제의 주요 내용

가. 북한 투자와 기업의 유형

외국투자가가 북한에 설립가능한 기업의 유형에 대해서는 「외국인투자법」에 관련 내용이 규정되어 있다. 하지만 남측투자가의 경우 「북남경제협력법」 등에 명시적인 규정이 없다. 북한 투자시 설립가능한 기업의 유형은 다음과 같다.

<표 1-8> 북한 투자와 기업의 유형

<table>
<tr><th>투자가</th><th colspan="3">기업의 유형</th><th>정의</th><th>관련조문</th></tr>
<tr><td rowspan="7">외국
투자가</td><td rowspan="4">외국
투자기업</td><td rowspan="3">외국인
투자기업</td><td>합작
기업</td><td>북측 투자가와 외국측 투자가가 공동으로 투자하고 북측이 운영하며 계약에 따라 상대측 출자몫을 상환하거나 이윤을 분배하는 기업</td><td rowspan="4">외국인
투자법
제2조</td></tr>
<tr><td>합영
기업</td><td>북측 투자가와 외국측 투자가가 공동으로 투자하고 공동으로 운영하며 투자몫에 따라 이윤을 분배하는 기업</td></tr>
<tr><td>외국인
기업</td><td>외국투자가가 단독으로 투자하고 운영하는 기업; 정해진 지역에 창설운영(외국인기업법 제6조).</td></tr>
<tr><td colspan="2">외국기업</td><td>투자관리기관에 등록하고 경제활동을 하는 다른 나라 기업</td></tr>
<tr><td rowspan="3">외국
투자은행</td><td colspan="2">합영은행</td><td>북측 투자가와 외국투자가가 공동으로 투자하여 설립 운영하고 출자몫에 따라 이윤을 분배하는 은행; 승인된 지역에 설립가능</td><td rowspan="3">외국인
투자법
제2~3조

외국투자
은행법
제2~3조</td></tr>
<tr><td colspan="2">외국인은행</td><td>외국투자가가 단독으로 투자하여 설립 운영하는 은행; 특수경제지대에 설립가능</td></tr>
<tr><td colspan="2">외국은행지점</td><td>외국은행 본점이 투자하여 설립하고 외국은행본점이 운영하는 은행; 특수경제지대에 설립가능</td></tr>
</table>

남측 투자가	• 투자가는 단독 또는 다른 투자가와 공동으로 투자하여 여러 가지 형식의 기업을 창설할 수 있음(「금강산국제관광특구법」 제24조; 「개성공업지구 기업창설운영규정」 제4조; 「금강산국제관광특구 기업창설운영규정」 제6조). ⇨ 단독투자, 합작기업, 합영기업 유형 모두 가능한 것으로 해석됨. • 투자가는 개성공업지구에 기업을 창설하거나 지사, 영업소, 사무소 같은 것을 설치하고 경제활동을 할 수 있음(「개성공업지구법」 제3조).; 금강산국제관광특구에는 지사, 대리점, 출장소 같은 것을 내올 수 있음(「금강산국제관광특구법」 제28조). • 「금강산국제관광특구 기업창설운영규정」은 금강산국제관광특구에서 기업(지사, 사무소 포함)을 창설운영하는 다른 나라 법인, 개인, 경제조직과 남측 및 해외동포들에게 적용함(동 규정 제2조).

자료: 국가정보원 엮음, 『북한법령집 하』, 국가정보원, 2020; 장명봉 편, 『최신 북한법령집』, 북한법연구회, 2015; 기타 관련 북한 문헌 등을 기초로 저자 작성.

「북남경제협력법」 제7조에서는 "북남경제협력은 당국 사이의 합의와 해당 법규, 그에 따르는 북남 당사자 사이의 계약에 기초하여 직접거래의 방법으로 한다."고 규정하고 있다. 따라서 외국투자가[25]와 달리 남측투자가는 남북 당사자 사이의 계약에 기초하여 다양한 형태의 기업이 가능하다고 할 수 있다.

개성공업지구 및 금강산국제관광특구 관련 법제의 내용을 기초로 판단할 때, 상기 표에서 볼 수 있는 바와 같이 외국투자가와 남측투자가가 북한에서 설립할 수 있는 기업의 유형은 단독투자, 합영기업, 합작기업, 지사 등 실질적으로 유사하다고 판단된다.

나. 북한의 투자대상 부문

외국투자가 또는 남측투자가들이 북한에서 투자할 수 있는 부문은 일반적인 투자대상 부문, 투자장려 부문, 투자금지·제한 부문으로 구분된다. 이를 투자법제 부문법의 내용을 중심으로 정리해보면 다음과 같다.

25) 북한 「외국인투자법」 제2조 및 제5조에 의하면, 외국투자가는 "북한에 투자하는 다른 나라의 법인, 개인(해외동포 포함)"으로 정의된다. 즉, 외국투자가는 북한에 투자하는 외국법인과 외국인(해외동포 포함)을 의미하는데, 북한 「출입국법」 제2조에 의하면, '외국인'은 다른 나라의 국적을 가진 사람을 말하며, 조선민주주의인민공화국 국적을 가진 사람은 '공민'이라고 한다. '해외동포'는 북한 영역밖에 거주하고 있는 조선동포 또는 해외조선동포를 의미하는 것으로서 남측을 포함하지 않는다.
참고로, 남한의 경우 「외국인투자촉진법」에서 외국인투자와 관련된 내용을 규정하고 있는데, '외국투자가'라 함은 「외국인투자촉진법」에 따라 주식 등을 소유하고 있거나 출연을 한 외국인을 말하며(제2조 제1항 제5호), 외국투자가가 출자한 기업을 '외국인투자기업'이라고 한다(제2조 제1항 제6호). 여기서 '외국인'은 외국 국적을 가지고 있는 개인, 외국 법률에 따라 설립된 법인(즉 외국법인) 및 대통령령으로 정하는 국제경제협력기구를 의미하는 바(제2조 제1항 제1호), 개인과 법인을 포함하는 개념이다.

<표 1-9> 북한의 투자대상 부문

북한 투자법제	투자대상 · 장려 부문	투자금지 · 제한 부문
외국인투자법	제6조(투자부문 및 투자방식) 외국투자가는 공업, 농업, 건설, 운수, 통신, 과학기술, 관광, 유통, 금융 같은 여러 부문에 여러 가지 방식으로 투자할 수 있다. 제7조(투자장려부문) 국가는 첨단기술을 비롯한 현대적 기술과 국제시장에서 경쟁력이 높은 제품을 생산하는 부문, 하부구조건설부문, 과학연구 및 기술개발부문에 대한 투자를 특별히 장려한다.	제11조(투자의 금지 및 제한대상) 투자를 금지하거나 제한하는 대상은 다음과 같다. 1. 나라의 안전과 주민들의 건강, 건전한 사회도덕생활에 저해를 주는 대상 2. 자원수출을 목적으로 하는 대상 3. 환경보호기준에 맞지 않는 대상 4. 기술적으로 뒤떨어진 대상 5. 경제적 효과성이 적은 대상
합영법	제3조(합영부문과 장려대상) 합영은 기계공업, 전자공업, 정보산업, 과학기술, 경공업, 농업, 임업, 수산업, 건설건재공업, 교통운수, 금융 같은 여러 부문에서 할 수 있다. 국가는 첨단기술의 도입, 과학연구 및 기술개발, 국제시장에서 경쟁력이 높은 제품생산, 하부구조건설 같은 대상의 합영을 장려한다.	제4조(합영의 금지, 제한대상) 환경보호기준을 초과하는 대상, 자연부원을 수출하는 대상, 경제기술적으로 뒤떨어진 대상, 경제적 실리가 적은 대상, 식당, 상점 같은 봉사업 대상의 합영은 금지 또는 제한한다.
합작법	제2조(합작의 당사자) …… 합작기업은 생산부문에 창설하는 것을 기본으로 한다. 제3조(합작의 장려부문) 국가는 첨단기술이나 현대적인 설비를 도입하는 대상, 국제시장에서 경쟁력이 높은 제품을 생산하는 부문의 합작을 장려한다.	제4조(합작의 금지, 제한대상) 환경보호기준을 초과하는 대상, 자연부원을 수출하는 대상, 경제기술적으로 뒤떨어진 대상, 경제적 실리가 적은 대상, 식당, 상점 같은 봉사업 대상의 합작은 금지 또는 제한한다.

북한 투자법제	투자대상 · 장려 부문	투자금지 · 제한 부문
외국인기업법	제3조(외국인기업의 창설부문과 창설금지대상기업) 외국투자가는 전자공업, 자동화공업, 기계제작공업, 식료가공공업, 피복가공공업, 일용품공업과 운수 및 봉사를 비롯한 여러 부문에서 외국인기업을 창설운영할 수 있다. ……	제3조(외국인기업의 창설부문과 창설금지대상기업) …… 나라의 안전에 지장을 주거나 기술적으로 뒤떨어진 기업은 창설할 수 없다.
라선경제무역지대법	제6조(투자장려 및 금지, 제한부문) 국가는 경제무역지대에서 하부구조건설부문과 첨단과학기술부문, 국제시장에서 경쟁력이 높은 상품을 생산하는 부문의 투자를 특별히 장려한다. ……	제6조(투자장려 및 금지, 제한부문) …… 나라의 안전과 주민들의 건강, 건전한 사회도덕생활에 저해를 줄 수 있는 대상, 환경보호와 동식물의 생장에 해를 줄 수 있는 대상, 경제기술적으로 뒤떨어진 대상의 투자는 금지 또는 제한한다.
황금평 · 위화도경제지대법	제6조(투자장려 및 금지, 제한부문) 국가는 경제지대에서 하부구조건설부문과 첨단과학기술부문, 국제시장에서 경쟁력이 높은 상품을 생산하는 부문의 투자를 특별히 장려한다. ……	제6조(투자장려 및 금지, 제한부문) …… 나라의 안전과 주민들의 건강, 건전한 사회도덕생활, 환경보호에 저해를 주거나 경제기술적으로 뒤떨어진 대상의 투자와 영업활동은 금지 또는 제한한다.
경제개발구법	제6조(투자장려 및 금지, 제한부문) 국가는 경제개발구에서 하부구조건설부문과 첨단과학기술부문, 국제시장에서 경쟁력이 높은 상품을 생산하는 부문의 투자를 특별히 장려한다. ……	제6조(투자장려 및 금지, 제한부문) …… 나라의 안전과 주민들의 건강, 건전한 사회도덕생활, 환경보호에 저해를 주거나 경제기술적으로 뒤떨어진 대상의 투자와 영업활동은 금지 또는 제한한다.
북남경제협력법	제2조(정의) 북남경제협력에는 북과 남 사이에 진행되는 건설, 관광, 기업경영, 임가공, 기술교류와 은행, 보험, 통신, 수송, 봉사업무, 물자교류 같은 것이 속한다.	제8조(협력금지대상) 사회의 안전과 민족경제의 건전한 발전, 주민들의 건강과 환경보호, 민족의 미풍양속에 저해를 줄 수 있는 대상의 북남경제협력은 금지한다.

북한 투자법제	투자대상 · 장려 부문	투자금지 · 제한 부문
개성공업 지구법	제4조(투자의 금지 및 장려부문) …… 하부구조건설부문, 경공업부문, 첨단과학기술부문의 투자는 특별히 장려한다.	제4조(투자의 금지 및 장려부문) 공업지구에서 사회의 안전과 민족경제의 건전한 발전, 주민들의 건강과 환경보호에 저해를 주거나 경제기술적으로 뒤떨어진 부문의 투자와 영업활동을 할 수 없다. ……
금강산국제 관광특구법	제27조(하부구조건설승인) 비행장, 철도, 도로, 항만, 발전소 같은 하부구조건설부문의 투자를 특별히 장려한다.	-

자료: 국가정보원 엮음, 『북한법령집 하』, 국가정보원, 2020; 장명봉 편, 『최신 북한법령집』, 북한법연구회, 2015 등을 기초로 저자 작성.

「외국인투자법」은 외국인투자의 기본법으로서 모든 산업 영역을 투자가능 부문으로 망라하면서, ① 첨단기술 등 현대적 기술, ② 국제경쟁력이 높은 제품의 생산, ③ 하부구조건설, ④ 과학연구 및 기술개발 등을 특별히 장려하는 부문으로 제시하고 있다. 일부 투자법제의 경우 해당 시행규정에서 장려부문에 대한 내용을 추가적으로 규정하고 있다.

남측투자가가 적용대상이 되는 「북남경제협력법」에서는 남북경제협력의 주력 분야로서 건설, 관광, 기업경영, 임가공, 기술교류와 은행, 보험, 통신, 수송, 봉사업무, 물자교류 '같은 것'이 속한다고 규정하여 투자대상 부문을 예시적으로 열거하고 있다. 투자장려 부문에 대해서는 「북남경제협력법」에서 규정하고 있지 않고 「개성공업지구법」과 「금강산국제관광특구법」에서 규정하고 있다. 「개성공업지구법」의 경우 하부구조건설부문, 첨단과학기술부문 이외에 '경공업부문'을 장려부문에 포함하고 있고, 「금강산국제관광특구법」의 경우 하부구조건설부문을 특별히 장려한다고 규정하고 있다.

투자금지 또는 제한 대상은 대체로 국가안전, 주민건강, 환경보호, 미풍양속(사회도덕) 등을 저해하거나, 기술적으로 뒤떨어지고 경제적 효과가 적은 경우 등을 규정하고 있다. 특징적인 것으로는 「외국인투자법」 및 「합영법」에서 자원 또는 자연부원의 수출을 금지 · 제한하고 있고, 「합영법」 및 「합작법」에서는 식당, 상점 같은 봉사업을 합영 및 합작 대상에서 금지 · 제한하고 있다는 점이다. 자원의 유출, 상점 유통이나 외식업 등과 같은 서비스 업종의 대외개방에 대해서는 부정적 또는 소극적인 것으로 보이고, 생산, 건설 및 기술부문에서의 투자유치를 적극적으로 고려하고 있는 것으로 판단된다.

다. 북한의 투자가능 지역

북남경제협력은 북측 또는 남측지역에서 하며, 합의에 따라 제3국에서도 북남경제협력을 할 수 있다(「북남경제협력법」 제9조). 따라서 남측투자가가 남북경제협력을 추진함에 있어서 북한 법제상으로는 북한, 남한 및 제3국 등 지역적 제한이 없다.

「외국인기업법」은 '정해진 지역'에 창설운영되는 외국인기업에 적용한다(「외국인기업법」 제6조)는 점에서 투자가능 지역에 제한이 있다고 할 수 있다. 또한 외국투자가는 북한에서 외국투자은행을 설립운영할 수 있는데, 합영은행은 북한의 '승인된 지역'에 설립할 수 있고, 외국인은행과 외국은행지점은 '특수경제지대'에 설립할 수 있다(「외국투자은행법」 제3조). 이와 같이, 외국투자은행과 외국투자가가 단독투자하는 외국인기업은 투자가능 지역에 제한이 있지만, 북한 법제상 합영기업과 합작기업은 북한의 모든 지역에서 설립 및 운영이 가능하다.

하지만 특수경제지대[26] 법제에서 부여하는 다양한 혜택[27]을 고려할 때, 외국투자가 및 남측투자가는 실제 투자의사결정을 함에 있어서 특수경제지대(경제특구 및 경제개발구)를 우선적으로 검토하게 될 것으로 판단된다. 북한은 2013년 5월 29일 「경제개발구법」을 채택한 후[28] 동년 11월에 13개의 경제개발구를 지정하였고, 2014년에 6개, 2015년에 2개, 2017년에 1개, 2021년에 1개를 추가 지정하였다. 북한에는 현재 경제특구 5개 및 경제개발구 23개(중앙급 4개, 지방급 19개) 등 총 28개의 특수경제지대가 지정되어 있다. 이를 요약하면 다음과 같다.

---

26) 「외국인투자법」 제2조(용어의 정의) 제10호:
특수경제지대란 국가가 특별히 정한 법규에 따라 투자, 생산, 무역, 봉사와 같은 경제활동에 특혜가 보장되는 지역이다.

27) 「외국인투자법」 제9조(특수경제지대에서의 특혜적인 경영활동조건 보장):
국가는 특수경제지대안에 창설된 외국투자기업에 물자구입 및 반출입, 제품판매, 노력채용, 세금납부, 토지이용 같은 여러 분야에서 특혜적인 경영활동조건을 보장하도록 한다.

28) 「경제개발구법」은 부칙 제2조에 따라 라선경제무역지대와 황금평・위화도경제지대, 개성공업지구와 금강산국제관광특구에는 적용하지 않는다.

<표 1-10> 북한의 경제특구 · 경제개발구 현황

구분	명칭	위치	지정시기 등
경제특구 (5개)	개성공업지구	황해북도 개성시	2002.11 (2019년 북한 자료에는 삭제되어 있음)
	원산 · 금강산국제관광지대(금강산국제관광특구 포함)	강원도 원산시, 금강산 지구, 마식령 지구 등	금강산관광지구 (2002) ⇨ 금강산국제관광특구로 대체 (2011) ⇨ 원산 · 금강산국제관광지대(2014.06)로 확대
	황금평 · 위화도경제지대	평안북도 신도군 등	2010.02
	라선경제무역지대	함경북도 라선시	1991.12 (2010 조 · 중 협정)
	신의주국제경제지대*	평안북도 신의주시	2002.09 (2014 명칭 변경)
경제개발구 (6개)	강남 경제개발구	평양시 강남군	2017.12
	경원 경제개발구	함경북도 경원군	2015.10
	만포 경제개발구	자강도 만포시	2013.11
	압록강 경제개발구	평안북도 신의주시	2013.11
	혜산 경제개발구	양강도 혜산시	2013.11
	청진 경제개발구	함경북도 청진시	2013.11
공업개발구 (4개)	청남 공업개발구	평안남도 청남구	2014.07
	위원 공업개발구	자강도 위원군	2013.11
	현동 공업개발구	강원도 원산시	2013.11
	흥남 공업개발구	함경남도 함흥시	2013.11
관광개발구 (4개)	무봉 국제관광특구	양강도 삼지연군	2015.01
	청수 관광개발구	평안북도 삭주군	2014.07
	신평 관광개발구	황해북도 신평군	2013.11
	온성섬 관광개발구	함경북도 온성군	2013.11
수출가공구 (4개)	무산 수출가공구 (중앙급)	함경북도 무산군	2021.04
	진도 수출가공구 (중앙급)	남포시 와우도구역	2014.07
	송림 수출가공구	황해북도 송림시	2013.11
	와우도 수출가공구	남포시 와우도구역	2013.11
농업개발구 (3개)	숙천 농업개발구	평안남도 숙천군	2014.07
	북청 농업개발구	함경남도 북청군	2013.11
	어랑 농업개발구	함경북도 어랑군	2013.11

구분	명칭	위치	지정시기 등
첨단기술	은정 첨단기술개발구 (중앙급)	평양시 은정구역	2014.07
국제녹색 시범	강령 국제녹색시범구 (중앙급)	황해남도 강령군	2014.07

* 『조선민주주의인민공화국 투자안내』(2016)에서는 신의주국제경제지대를 경제개발구로 분류하고 있다.
자료: 통일부 국립통일교육원, 『2022 북한 이해』, 2022; 조선경제개발협회, 『조선민주주의인민공화국 특수경제지대』, 외국문출판사, 2019; 조선대외경제투자협력위원회, 『조선민주주의인민공화국 투자안내』, 2016 등을 기초로 저자 작성.

라. 북한 투자의 방식

기본적으로 외국투자가나 남측투자가가 독자적으로 북한에 투자할 수 있지만, 외국투자가가 남측을 경유하여 투자하거나, 남측투자가가 외국을 경유하여 투자하는 방식도 고려할 수 있다.

「개성공업지구 지원에 관한 법률」 제11조의 2 제1항에 의하면, 「외국인투자촉진법」 상의 외국인투자기업(출연을 한 비영리법인 포함)이 개성공업지구 현지기업을 설립하는 경우 외국인투자기업에 대하여 「남북협력기금법」 제8조(기금의 용도)에 따른 남북협력기금을 지원할 수 있고, 외국인투자기업의 개성공업지구 현지기업에 대하여 행정적·재정적 지원을 할 수 있다. 즉, 외국투자가가 남한에 외국인투자기업을 설립하여 그 외국인투자기업이 개성공업지구에 투자하는 방식을 취할 경우, 「남북협력기금법」 상의 지원을 받을 수 있다는 것이다.

남측투자가는 북측의 「북남경제협력법」 및 남측의 「남북교류협력에 관한 법률」에 따라 북한에 직접 투자할 수 있지만, 중국이나 러시아 등 북한과 밀접한 경제관계를 형성해온 국가에 합작법인을 설립하여 간접적으로 북한에 투자하는 방식도 고려할 수 있다. 이와 관련하여, 남한 주민이 외국기업과 합작하여 제3국 법인(예를 들어, 중국이나 러시아법인)을 설립한 후, 그 제3국 법인이 북한에 투자하는 경우 원칙적으로 「남북교류협력에 관한 법률」 제17조(협력사업의 승인 등)의 승인대상이 아니다. 하지만 남한 주민이 그 경영권 및 의사결정권을 장악하는 등 실질적으로 남한 주민이 북한 주민과 공동으로 사업을 하는 것으로 평가될 수 있는 경우에는 승인대상이 된다.[29]

29) 통일부 교류협력기획과, 『남북교류협력에 관한 법률 해설집』, 2009, 62~63쪽.

4 북한 투자법제의 세금관련 내용

세금과 관련된 구체적인 내용은 「외국투자기업 및 외국인세금법」, 동 시행규정 및 시행규정세칙, 개별 특수경제지대 세금규정 및 동 시행세칙, 「세관법」, 개별 특수경제지대 세관규정 등에서 규정하고 있다.

북한 투자법제에서는 세율혜택, 세금감면, 세금반환, 특혜관세제도 등에 대하여 원론적인 수준에서 규정하고 있다. 이러한 내용은 투자 확대를 위해 북한 당국이 적용하고 있는 세금정책을 개략적으로 보여주는 것이라고 할 수 있다. 이를 간략히 정리하면 아래 표와 같다.

<표 1-11> 북한 투자법제의 세금관련 내용

북한 투자법제	세금관련 내용
북남경제협력법	제19조(관세) 북남경제협력물자에는 관세를 부과하지 않는다. 그러나 다른 나라에서 공업지구와 관광지구에 들여온 물자를 그대로 북측의 다른 지역에 판매할 경우에는 관세를 부과할 수 있다. 제20조(세금납부 등) 북측 지역에서 남측당사자의 세금납부, 동산 및 부동산이용, 보험가입은 해당 법규에 따른다. 북남당국 사이의 합의가 있을 경우에는 그에 따른다.
외국인투자법	제8조(장려부문 투자의 우대) 장려하는 부문에 투자하여 창설한 외국인투자기업은 소득세를 비롯한 여러 가지 세금의 감면, 유리한 토지이용조건의 보장, 은행대부의 우선적 제공 같은 우대를 받는다. 제9조(특수경제지대에서의 특혜적인 경영활동조건 보장) 국가는 특수경제지대안에 창설된 외국투자기업에 물자구입 및 반출입, 제품판매, 노력채용, 세금납부, 토지이용 같은 여러 분야에서 특혜적인 경영활동조건을 보장하도록 한다. 제17조(세금의 납부) 외국투자가와 외국인투자기업, 외국기업, 외국투자은행은 기업소득세, 거래세, 재산세 같은 세금을 정해진데 따라 납부하여야 한다. 제18조(이윤의 재투자) 외국투자가는 이윤의 일부 또는 전부를 우리나라에 재투자할 수 있다. 이 경우 재투자부문에 대하여 이미 납부한 소득세의 일부 또는 전부를 돌려받을 수 있다.
합영법	제7조(합영기업에 대한 우대) 국가는 장려대상의 합영기업, 해외동포와 하는 합영기업에 대하여 세금의 감면, 유리한 토지이용조건의 보장, 은행대부의 우선적 제공 같은 우대를 하도록 한다. 제24조(관세의 부과) 합영기업이 생산과 경영활동에 필요한 물자를 다른 나라에서 들여오거나 생산한 제품을 다른 나라에 내가는 경우에는 관세

북한 투자법제	세금관련 내용
	를 부과하지 않는다. 그러나 관세를 면제받은 물자를 우리나라에서 판매할 경우에는 관세를 부과한다. 제37조(이윤의 분배) …… 이윤분배는 결산이윤에서 소득세를 바치고 예비기금을 비롯한 필요한 기금을 공제한 다음 출자몫에 따라 합영당사자들 사이에 나누는 방법으로 한다. 제38조(세금의 납부 및 감면) 합영기업은 정해진 세금을 납부하여야 한다. 장려부문의 합영기업은 일정한 기간 기업소득세를 감면받을 수 있다. 제41조(이윤의 재투자) 외국측 투자가는 이윤의 일부 또는 전부를 우리나라에 재투자할 수 있다. 이 경우 이미 납부한 소득세에서 재투자분에 해당한 소득세의 일부 또는 전부를 돌려받을 수 있다.
합작법	제5조(합작투자에 대한 우대) 국가는 장려대상의 합작기업, 해외동포와 하는 합작기업에 대하여 세금의 감면, 유리한 토지이용조건의 보장, 은행대부의 우선적 제공 같은 우대를 하도록 한다. 제12조(관세의 부과) 합작기업이 생산과 경영활동에 필요한 물자를 다른 나라에서 들여오거나 생산한 제품을 다른 나라에 내가는 경우에는 관세를 부과하지 않는다. 그러나 관세를 면제받은 물자를 우리나라에서 판매할 경우에는 관세를 부과한다. 제19조(세금납부) 합작기업은 정해진 세금을 납부하여야 한다. 장려부문의 합작기업은 일정한 기간 기업소득세를 감면받을 수 있다.
외국인기업법	제23조(세금의 납부) 외국인기업은 정해진 세금을 납부하여야 한다. 장려부문의 외국인기업은 일정한 기간 기업소득세를 감면받을 수 있다. 제24조(관세의 면제) 외국인기업이 생산과 경영활동에 필요한 물자를 들여오거나 생산한 제품을 내가는 경우에는 그에 대하여 관세를 적용하지 않는다. 제26조(투자 및 세금납부정형의 요해) 투자관리기관과 해당 재정기관은 외국인기업의 투자 및 세금납부정형을 요해할 수 있다.
외국투자은행법	제33조(외국투자은행에 대한 우대)[30] 외국투자은행은 다음과 같은 우대를 받는다. 1. 우리나라 은행과 기업에 유리한 조건으로 대부를 주었을 경우 그 이

30) 2018년 최종 수정보충 과정에서 내용이 변경되었다. 종전 2011년 「외국투자은행법」 제28조(외국투자은행에 대한 우대)의 규정은 다음과 같다.

1. 영업기간이 10년 이상인 경우 이익이 나는 첫해에는 기업소득세를 면제하며 그다음 2년간은 50% 범위에서 면제받을 수 있다.
2. 우리나라 은행과 기업에 유리한 조건으로 대부하여 얻은 이자수입에 대하여서는 영업세를 면제한다.
3. 은행을 경영하여 얻은 소득과 은행을 청산하고 남은 자금은 우리나라 영역 밖으로 제한 없이 송금할 수 있다.

북한 투자법제	세금관련 내용
	자소득에 대하여서는 기업소득세를 면제한다. 2. 이윤을 재투자하여 등록자본을 늘이였을 경우 재투자분에 해당한 기업소득세액의 50%를 전부 돌려준다. 3. 은행을 경영하여 얻은 소득과 은행을 청산하고 남은 자금은 우리나라 영역 밖으로 제한없이 송금할 수 있다.
개성공업지구법	제3조(투자당사자와 투자가의 경제활동조건보장원칙) …… 공업지구에서는 노력채용, 토지이용, 세금납부 같은 분야에서 특혜적인 경제활동 조건을 보장한다. 제33조(관세의 면제 및 부과사유) 공업지구에 들여오거나 공업지구에서 남측 또는 다른 나라로 내가는 물자와 공화국의 기관, 기업소, 단체에 위탁가공하는 물자에 대하여서는 관세를 부과하지 않는다. 다른 나라에서 들여온 물자를 그대로 공화국의 다른 지역에 판매할 경우에는 관세를 부과할 수 있다. 제43조(세금납부, 소득세율) 기업은 회계업무를 정확히 하며 기업소득세, 거래세, 영업세, 지방세 같은 세금을 제때에 납부하여야 한다. 공업지구에서 기업소득세율은 결산이윤의 14%로 하며 하부구조건설부문과 경공업부문, 첨단과학기술부문은 10%로 한다.
금강산국제관광특구법	제36조(세금) 국제관광특구에서 기업과 개인은 해당 법규에 정해진 세금을 물어야 한다. 비행장, 철도, 도로, 항만, 발전소건설 같은 특별장려부문기업에는 세금을 면제하거나 감면해준다. 제38조(관세면제 및 부과대상) 국제관광특구에서는 특혜관세제도를 실시한다. 국제관광특구의 개발과 기업경영에 필요한 물자, 투자가에서 필요한 정해진 규모의 사무용품, 생활용품에는 관세를 적용하지 않는다. 관세면제대상의 물자를 국제관광특구밖에 팔거나 국가에서 제한하는 물자를 국제관광특구 안에 들여오는 경우에는 관세를 부과한다.
라선경제 무역지대법	제5조(경제활동조건보장의 원칙) …… 국가는 토지이용, 노력채용, 세금납부, 시장진출 같은 분야에서 투자가에게 특혜적인 경제활동조건을 보장한다. 〔제5장 관세〕(제53조~제58조) 제53조(특혜관세제도의 실시) 경제무역지대에서는 특혜관세제도를 실시한다. 제54조(관세의 면제대상), 제55조(관세면제대상에 관세를 부과하는 경우), 제56조(수입원료, 자재와 부분품에 대한 관세부과), 제57조(물자의 반출입신고제), 제58조(관세납부문건의 보관기일) 등 세부내용은 생략함. 제67조(기업소득세율) 경제무역지대에서 기업소득세율은 결산이윤의 14%로 한다. 특별히 장려하는 부문의 기업소득세율은 결산이윤의 10%로 한다.

북한 투자법제	세금관련 내용
	第68조(기업소득세의 감면) 경제무역지대에서 10년 이상 운영하는 정해진 기업에 대하여서는 기업소득세를 면제하거나 감면하여준다. 기업소득세율 면제 또는 감면하는 기간, 감세율과 감면기간의 계산시점은 해당 규정에서 정한다. 第70조(개발기업에 대한 특혜) 개발기업은 관광업, 호텔업 같은 대상의 경영권취득에서 우선권을 가진다. 개발기업의 재산과 하부구조시설, 공공시설운영에는 세금을 부과하지 않는다. 第71조(재투자분에 해당한 소득세의 반환) 경제무역지대에서 이윤을 재투자하여 등록자본을 늘이거나 새로운 기업을 창설하여 5년 이상 운영할 경우에는 재투자분에 해당한 기업소득세액의 50%를 돌려준다. 하부구조건설부문에 재투자할 경우에는 납부한 재투자분에 해당한 기업소득세의 전부를 돌려준다.
황금평 · 위화도경제지대법	第5조(경제활동조건의 보장) …… 국가는 토지이용, 노력채용, 세금납부, 시장진출 같은 분야에서 투자가에게 특혜적인 경제활동조건을 보장하도록 한다. 第43조(기업의 세금납부의무와 기업소득세율) 경제지대에서 기업은 정해진 세금을 납부하여야 한다. 기업소득세율은 결산이윤의 14%로, 특별히 장려하는 부문의 기업소득세율은 결산이윤의 10%로 한다. 第62조(기업소득세의 감면) 경제지대에서 10년 이상 운영하는 정해진 기업에 대하여서는 기업소득세를 면제하거나 감면하여준다. 기업소득세율 면제 또는 감면하는 기간, 감세율과 감면기간의 계산시점은 해당 규정에서 정한다. 第64조(재투자분에 해당한 소득세반환) 경제지대에서 이윤을 재투자하여 등록자본을 늘이거나 새로운 기업을 창설하여 5년 이상 운영할 경우에는 재투자분에 해당한 기업소득세액의 50%를 돌려준다. 하부구조건설부문에 재투자할 경우에는 납부한 재투자분에 해당한 기업소득세액의 전부를 돌려준다. 第65조(개발기업에 대한 특혜) 개발기업은 관광업, 호텔업 같은 대상의 경영권취득에서 우선권을 가진다. 개발기업의 재산과 하부구조시설, 공공시설운영에는 세금을 부과하지 않는다. 第68조(특혜관세제도와 관세면제) 경제지대에서는 특혜관세제도를 실시한다. 가공무역, 중계무역, 보상무역을 목적으로 경제지대에 들여오는 물자, 기업의 생산과 경영에 필요한 물자와 생산한 수출상품, 투자가에게 필요한 사무용품과 생활용품, 경제지대건설에 필요한 물자 그밖에 정해진 물자에는 관세를 부과하지 않는다.

북한 투자법제	세금관련 내용
경제개발구법	제5조(투자가에 대한 특혜) …… 국가는 투자가에게 토지이용, 노력채용, 세금납부 같은 분야에서 특혜적인 경제활동 조건을 보장하도록 한다. 제45조(기업소득세율) 경제개발구에서 기업소득세율은 결산이윤의 14%로, 장려하는 부문의 기업소득세율은 결산이윤의 10%로 한다. 제53조(기업소득세의 감면) 경제개발구에서 10년 이상 운영하는 기업에 대하여서는 기업소득세를 덜어주거나 면제하여 준다. 제54조(재투자분에 해당한 소득세반환특혜) 투자가가 이윤을 재투자하여 등록자본을 늘이거나 새로운 기업을 창설하여 5년 이상 운영할 경우에는 재투자분에 해당한 기업소득세액의 50%를 돌려준다. 하부구조건설부문에 재투자할 경우에는 납부한 재투자분에 해당한 기업소득세액의 전부를 돌려준다. 제55조(개발기업에 대한 특혜) 경제개발구에서 개발기업은 관광업, 호텔업 같은 대상의 경영권 취득에서 우선권을 가진다. 개발기업의 재산과 하부구조시설, 공공시설운영에는 세금을 부과하지 않는다. 제56조(특혜관세제도와 관세면제대상) 경제개발구에서는 특혜관세제도를 실시한다. 경제개발구건설용 물자와 가공무역, 중계무역, 보상무역을 목적으로 들여오는 물자, 기업의 생산 또는 경영용 물자와 생산한 수출상품, 투자가 쓸 생활용품, 그밖에 국가가 정한 물자에는 관세를 부과하지 않는다.

자료: 국가정보원 엮음, 『북한법령집 하』, 국가정보원, 2020; 장명봉 편, 『최신 북한법령집』, 북한법연구회, 2015 등을 기초로 저자 작성.

제2편

「외국투자기업 및 외국인세금법」

외국투자기업 및 외국인세금법

(1993년 1월 31일 채택, 2015년 9월 9일 최종 수정보충)

第9장 도시경영세	第11장 세무사업에 대한 지도통제
第59조 도시경영세의 납부의무	第66조 지도통제의 기본요구
第60조 도시경영세의 과세대상	第67조 세무감독
第61조 도시경영세의 계산과 납부	第68조 연체료 부과
第10장 자동차리용세	第69조 영업중지
第62조 자동차리용세의 납부의무	第70조 몰수
第63조 자동차의 등록	第71조 벌금
第64조 자동차리용세액	第72조 행정적 또는 형사적 책임
第65조 자동차리용세의 납부	第73조 신소와 그 처리

「외국투자기업 및 외국인세금법」은 총 11개 장 73개 조문으로 구성되어 있는데 개별 세목에 대한 과세요건(납세의무자, 과세대상, 과세표준 및 세율)과 시행에 필요한 최소한의 내용을 규정하고 있다.

「외국투자기업 및 외국인세금법」은 1993년에 채택되어 2015년까지 총 7차례 수정보충되었는데 2011년 수정보충 과정에서 자원세가 추가되었고 조세불복 방법에서 소송을 통한 재판절차가 삭제되었다. 2015년 수정보충 과정에서는 세무관리기관에 대한 표현이'해당 재정기관' 및 '중앙재정지도기관'에서 '해당 세무기관'및 '중앙세무지도기관'으로 변경되었다(외세법 제2조).[1)]

「외국투자기업 및 외국인세금법 시행규정」은 1994년에 처음으로 채택되었으나, 2002년과 2016년에 두 번에 걸쳐 새롭게 채택되었다. 2016년에 채택된 현행 시행규정은 총 11개 장 75개 조문으로 구성되어 있다. 「외국투자기업 및 외국인세금법 시행규정세칙」은 2017년에 채택되었는데, 총 11개 장 100개 조문으로 구성되어 있다.

제2편 「외국투자기업 및 외국인세금법」의 내용은 2015년 9월 9일 최종 수정보충된 「외국투자기업 및 외국인세금법」, 2016년 2월 7일 새로 채택된 동 시행규정, 2017년 2월 5일 채택된 동 시행규정세칙을 중심으로 작성하였고, 2016년 4월 7일 채택된 「외국투자기업재정관리법」, 2016년 6월 20일 채택된 동 시행규정, 2017년 6월 24일 채택된 동 시행규정세칙의 관련 내용을 필요에 따라 추가하였다.

1) 「외국투자기업 및 외국인세금법 시행규정」은 2016년에 새로 채택되었는데, 2002년에 채택되었던 동 시행규정 제4조에서 "…해당 재정기관(이 아래부터는 세무기관이라 한다.)…"이라고 규정하여 재정기관과 세무기관을 동일한 것으로 표현하고 있다. 2002년의 동 시행규정 제7조에서는 "…재정성(이 아래부터는 중앙재정지도기관이라고 한다.)…"이라고 규정하고 있고, 2017년 채택 「외국투자기업 및 외국인세금법 시행규정세칙」 제1조에서는 "…재정성(이 아래부터는 중앙세무지도기관이라고 한다.)…"이라고 표현하고 있다. 결국 재정성은 중앙재정지도기관이면서 동시에 중앙세무지도기관이라고 할 수 있다.

제1장
총 칙

「외국투자기업 및 외국인세금법」의 총칙은 7개 조문으로 이루어져 있고, 동 시행규정 및 시행규정세칙의 총칙 부분은 각각 14개 및 13개 조문으로 구성되어 있다.

1 목적

「외국투자기업 및 외국인세금법」, 동 시행규정 및 시행규정세칙은 외국투자기업과 외국인에게 세금을 공정하게 부과하고 납세자들이 세금을 제때에 정확히 바치도록 하는데 이바지하는 것을 사명으로 한다(외세법 제1조; 외세규 제1조; 외세칙 제1조).

2 적용대상

「외국투자기업 및 외국인세금법」은 북한 영역에서 경제거래를 하거나 소득을 얻는 **외국투자기업(외국투자은행 포함)**과 **외국인(해외동포 포함)**에게 적용한다(외세법 제6조).

북한은 남측, 조선동포, 해외동포, 해외공민 등의 용어를 구별하여 사용하고 있다. 당초 「외국투자기업 및 외국인세금법」에서는 외국투자기업과 외국인을 적용대상으로 규정하고, 동 시행규정에서 추가적으로 '공화국 영역 밖의 조선동포'(1994년 시행규정) 또는 '해외조선동포'(2002년 시행규정)를 포함하는 것으로 규정하고 있었다. 여기서 '해외조선동포'에 남측 개인은 포함되지 않는다.[2)]

이와 같이 부문법과 시행규정에 분산되어 있던 내용은 2011년 「외국투자기업 및 외국인세금법」에 대한 수정보충 과정에서 외국인에 '해외동포'를 포함하는 것으로 정리되었다. 따라서 현행 「외국투자기업 및 외국인세금법」의 적용대상은 외국투자기업(외국투자은행 포함) 및 외국인(해외동포 포함)이며, 남측 법인이나 개인은 포함되지 않는다.

---

2) "해외조선동포에는 남조선동포를 제외한 다른 나라에 살고 있는 조선동포가 해당된다." 정철원, 『조선투자법안내(310가지 물음과 대답)』, 법률출판사, 2007, 211쪽.

3 납부의무자

앞서 살펴본 바와 같이 「외국투자기업 및 외국인세금법」에서는 세금납부의무자를 외국투자기업과 외국인으로 표현하면서, 외국투자기업에 외국투자은행을 포함하고 외국인에 해외동포를 포함하는 개념으로 사용하고 있다(외세법 제6조). 반면 「외국투자기업 및 외국인세금법 시행규정」 및 동 시행규정세칙에서는 납부의무자를 크게 세금납부의무자와 세금대리납부의무자로 구분하고 있다(외세규 제2조; 외세칙 제2조).

가. 세금납부의무자

세금납부의무자는 크게 기업과 개인으로 구분된다. 기업에 대해서는 '영구기업지' 개념이 중요하게 사용되고 있는데, 영구기업지란 '1년 이상 영업활동을 하여 소득을 얻는 장소'를 의미한다(외세칙 제2조 제1항 제1호).

영구기업지는 국제조세에서의 '고정사업장'(permanent establishment)이나 남한 「법인세법」상 '외국법인의 국내사업장'을 연상시킨다. 하지만 영구기업지는 외국기업의 북한 내 지사나 사무소뿐만 아니라 합영기업, 합작기업, 외국인기업 등 현지법인 자체를 포괄하는 개념이라는 점에서 고정사업장이나 국내사업장과는 차이가 있는 것으로 판단된다. 또한 영구기업지는 북한 내 외국투자기업 및 외국투자은행이 외국에 설치한 사무소나 국외투자기업도 포함한다.

세금납부의무자에 대한 구체적인 내용을 정리하면 다음과 같다(외세규 제2조; 외세칙 제2조).

<표 2-1> 세금납부의무자

구분		구체적인 내용
기업	외국투자기업	**북한 영역에 영구기업지를 둔** • 합작기업 • 합영기업 • 외국인기업 • 외국기업 (대리지사, 사무소, 대표부, 출장소, 기타 경제조직 포함)
	외국투자은행	**북한 영역에 영구기업지를 둔** • 합영은행 • 외국인은행 • 외국은행지점

구분		구체적인 내용
	외국투자기업의 지사	외국투자기업과 외국투자은행이 **북한 영역 혹은 다른 나라에 영구기업지를 둔** 지사, 대표부, 사무소, 출장소 등
	외국투자기업의 국외새끼회사*	외국투자기업과 외국투자은행이 **다른 나라에 영구기업지를 둔** 국외투자기업
	외국기업	북한에 **영구기업지를 두지 않았지만** 자본투자로 소득을 얻는 외국은행을 비롯한 외국기업
개인	외국인	북한 영역에 180일 이상 체류, 거주하면서 경제활동을 하여 소득을 얻는 외국인과 **다른 나라 국적**을 가진 해외동포
	해외공민	북한 영역에 180일 이상 체류, 거주하면서 경제활동을 하여 소득을 얻는 **북한 국적**을 가진 해외동포

* 「외국투자기업 및 외국인세금법 시행규정」 제2조 제1항에서는 국외새끼회사에 국외투자기업뿐만 아니라 대표부, 사무소, 출장소 같은 것도 포함되는 것으로 규정하고 있으나, 대표부 등은 동 시행규정세칙 제2조 제1항 제1호 ③에 따라 외국투자기업의 지사에 포함시키는 것이 합리적이라고 판단됨.

자료: 「외국투자기업 및 외국인세금법 시행규정」 및 동 시행규정세칙 관련 조문의 내용을 기초로 저자 작성.

세금납부의무자는 시행규정과 시행규정세칙, 세금징수 관련 세무관리법규에 맞게 세금납부신고서와 납부관련 자료들을 세무기관에 제출하고 승인받은데 따라 세금을 직접 신고납부 하여야 한다(외세규 제6조 제2항; 외세칙 제11조 제2항 제1호). 외국투자기업의 지사는 본사(외국투자기업)가 종합하여 세금을 납부하고, 외국기업의 지사는 지사가 신고납부하도록 규정하고 있다(외세칙 제23조).

한편, 북한 내 외국투자기업의 국외새끼회사(국외투자기업)를 세금납부의무자에 포함한 것은 둘 이상의 내국법인을 하나의 과세표준과 세액을 계산하는 단위로 하여 법인세를 신고·납부하는 남한의 연결납세방식과 유사해 보인다. 하지만 실제로 북한이 연결납세방식을 고려한 것은 아니라고 판단된다. 실제로 국외새끼회사 또는 국외투자기업과 관련하여 세금법규에서 규정하고 있는 내용은, ① 다른 나라에 창설한 합영 또는 합작기업으로부터 배당되는 이익금은 기업소득세 과세대상 기타소득에 포함된다는 것(외세칙 제23조 제2항)과 ② 국외투자기업개설비는 기업소득세 계산 목적의 공제대상 비용(기타지출)에 포함된다는 것(외세규 제13조 제2항; 외세칙 제19조 제2항 제7호) 이외에는 찾아보기 어렵다. 즉 북한이 국외새끼회사(국외투자기업) 자체를 세금납부의무자에 포함하고자 한 것이 아니고 그로부터의 배당 이익금을 과세대상 소득에 포함하고자 한 것으로 보인다.

마지막으로 개인인 세금납부의무자를 정의하면서, 180일 체류·거주 기간요건과 함께 '경제활동을 하여 소득을 얻는' 경우로 규정하고 있다. 즉 기간요건과 소득요건을 모두 충족해야 하는 것처럼 규정하고 있다. 하지만 세금납부의무자에 소득요건을 포함시킬 경우, 과세대상이 소득이 아닌 세목에 대하여는 논란의 여지가 있다. 또한 개인인 세금납부의무자는 거주자에 해당하는 것으로서 '비거주자'의 납세의무에 대해서는 별도의 내용이 없다.

나. 세금대리납부의무자

세금대리납부의무자는 세금납부의무자에게 수입금을 지불하는 단위로서, 외국투자기업, 외국인 또는 은행기관이 속한다(외세규 제2조 제4항). 시행규정세칙에서는 무역회사도 포함하고 있다(외세칙 제2조 제2항).

세금대리납부의무자는 세금납부의무자에게 수입금을 지불할 때마다 해당한 세금을 공제납부 하여야 하며, 세무기관이 세금납부의무자에게 적용하는 연체료, 벌금, 강제납부금 같은 세무기관의 징수금을 제때에 공제납부 하여야 한다(외세규 제6조 제2항; 외세칙 제11조 제2항 제2호).

4 세금의 분류

북한에서 부과하는 세금의 종류에는 기업소득세, 개인소득세, 재산세, 상속세, 거래세, 영업세, 자원세, 도시경영세, 자동차리용세 등 9개의 세목이 있다. 특수경제지대 세제 중에서 「개성공업지구 세금규정」 및 「금강산국제관광특구 세금규정」에는 자원세가 포함되어 있지 않고, 도시경영세와 자동차리용세가 지방세의 하위 항목으로 분류되어 있다.

이러한 세금은 과세당사자, 세금납부방법 및 세금원천에 따라 다음과 같이 구분된다.[3)]

① 세금을 부과하는 당사자에 따라 국세(중앙세)와 지방세로 나눈다.

② 세금납부방법(세금납부자, 실지부담자)에 따라 직접세와 간접세로 나눈다. 직접세에는 기업소득세, 개인소득세, 재산세, 상속세, 영업세가 있고, 간접세에는 거래세와 지방세(도시경영세, 자동차리용세)가 있다.

③ 세금원천에 따라 수입, 자본, 지출에 부과하는 세금으로 구분한다.

---

3) 정철원, 『조선투자법안내(310가지 물음과 대답)』, 법률출판사, 2007, 210~212쪽.

「외국투자기업 및 외국인세금법 시행규정세칙」의 내용을 기초로 세금납부의무자별 적용 세금을 정리하면 다음과 같다(외세칙 제3조).

<표 2-2> 세금납부의무자와 적용 세금

세목	기업			개인
	생산부문기업 (자원개발 제외)	자원개발기업	봉사부문기업	
기업소득세	○	○	○	
개인소득세				○
재산세	○	○	○	○
상속세				○
거래세	○*			
영업세			○*	**
자원세		○		**
도시경영세	○	○	○	○
자동차리용세	○	○	○	○

* 건설부문의 경우, 「외국투자기업 및 외국인세금법」과 「금강산국제관광특구 세금규정」에서는 생산부문과 함께 거래세 과세대상에 포함되어 있고, 「개성공업지구 세금규정」 및 「라선경제무역지대 세금규정」에서는 봉사부문과 함께 또는 그 일부로서 영업세 과세대상에 포함되어 있음.

** 「라선경제무역지대 세금규정」 및 동 시행세칙에서는 영업세와 자원세의 납부의무자에 개인이 포함되어 있음.

자료: 관련 법규의 내용을 기초로 저자 작성.

5 조약 규정의 우선적용

외국투자기업 및 외국인세금과 관련하여 북한과 해당 국가 사이에 체결한 조약에서 「외국투자기업 및 외국인세금법」, 동 시행규정 및 시행규정세칙과 다르게 정한 사항이 있을 경우에는 그에 따른다(외세법 제7조; 외세규 제7조; 외세칙 제12조). 시행규정 및 시행규정세칙의 내용을 구체적으로 살펴보면 다음과 같다.

① 다른 나라 정부와 2중과세방지협정을 비롯한 국제세무협정이 체결되는 경우 국제세무협정에 따른다(외세규 제7조 제1항; 외세칙 제12조 제1항).

② 북한 정부를 대표하여 중앙세무지도기관이 다른 나라와 세율, 세금특혜와 관련한 합의가 이루어지는 경우 그에 따른다(외세규 제7조 제2항; 외세칙 제12조 제2항).

한편, 투자당사자들 사이의 계약에서 「외국투자기업 및 외국인세금법 시행규정」 또는 「외국투자기업 및 외국인세금법 시행규정세칙」과 다르게 세금을 정하였을 경우에는 동 시행규정 또는 시행규정세칙을 적용한다(외세규 제7조 제3항; 외세칙 제12조 제3항). 명시적인 규정은 없으나 투자당사자 간의 계약에 따른 세금이 「외국투자기업 및 외국인세금법」과 다른 경우에도 당연히 동 법을 우선 적용한다고 할 수 있다.

요약하면, 북한 정부 또는 정부를 대표하는 중앙세무지도기관이 다른 나라와 세금과 관련하여 합의하거나 협정(조약)을 체결하는 경우에는 그러한 합의, 협정(조약)이 「외국투자기업 및 외국인세금법」, 동 시행규정 및 시행규정세칙에 우선하지만, 투자당사자 간의 계약에서 세금과 관련하여 「외국투자기업 및 외국인세금법」, 동 시행규정 및 시행규정세칙과 다르게 정한 경우에는 동 법, 시행규정 및 시행규정세칙이 우선한다는 것이다.

6 세무관리와 세무기관

외국투자기업과 외국인의 세무관리는 세무관련 법규를 집행하는 중앙세무지도기관과 해당 세무기관이 한다(외세법 제2조). 세무관리와 세무기관에 대한 시행규정 및 시행규정세칙의 내용을 살펴보면 다음과 같다.

가. 세무관리

세무관리에는 세금납부의무자에 대한 세금징수, 세무등록, 세무회계, 세무조사, 세무검열, 세금특혜승인 등이 포함된다(외세규 제3조; 외세칙 제4조).

나. 세무기관

세무기관에는 중앙세무지도기관과 경제개발구를 비롯한 특수경제지대에 조직된 세무국, 세무처, 세무소 등이 속한다. 세무기관은 세무관련 법규에 따라 세금납부의무자에 대한 세무관리사업을 책임지고 집행하는 감독통제기관이다. 세무기관 이외의 다른 기관 및 개인은 세무기관의 세무관리사업과 세금납부의무자의 재정관리사업에 간섭할 수 없다. (외세규 제3조 제1항~제4항; 외세칙 제4조 제1항~제4항)

7 세금납부의무자의 세무등록의무

외국투자기업은 정해진 질서에 따라 해당 세무기관에 세무등록을 하고 세무등록증을 발급받으며, 통합, 분리 또는 해산될 경우에는 세무변경등록 또는 등록취소 수속을 한다. 또한 북한에 체류하면서 소득을 얻는 외국인도 세무등록을 한다.(외세법 제3조)

가. 기업의 세무등록의무

(1) 기업 자체의 세무등록(외세규 제4조 제1항; 외세칙 제5조 제1항)

기업은 창설되거나 통합, 분리, 해산되는 경우, 해당 지역에 **거주등록을 한 날로부터 14 노동일**[4] **안으로 업종별, 영업장소별로** 세무등록과 그 변경, 취소등록을 하여야 한다.

① 기업 세무등록: 기업이 새로 창설되었을 경우 첫 세무등록을 하여야 하고, 다음 해 2월 안에 세무기관에서 세무등록증에 대한 국가납부확인을 받아야 한다.

② 기업 재등록: 첫 세무등록을 한 날부터 3년에 1회[5] 정기적으로 재등록을 하여야 한다. 재등록은 첫 세무등록을 할 때와 같이 하여야 한다.

③ 기업 변경등록: 기업의 소재지 변경, 기업의 통합·분리, 업종과 투자당사자, 거래은행과 돈자리번호가 변경되었을 경우

---

4) 기한 표시와 관련하여, 「외국투자기업 및 외국인세금법」에서 '일'로 표현하였던 부분이 동 시행규정 및 시행규정세칙에서는 대부분 '노동일'로 변경되었다. 예를 들어, 「외국투자기업 및 외국인세금법」 제13조 및 제14조에서는 "분기가 끝난 다음달 15일 안"으로 예정납부하여야 하고, "해산선포일부터 20일 안", "결산이 끝난 날부터 15일 안", "통합, 분리선포일부터 20일 안"으로 기업소득세를 확정납부한다고 규정하고 있다. 하지만 동 시행규정 및 시행규정세칙에서는 납부기한을 표현함에 있어서 '노동일'로 변경하여 '15 노동일 안', '20 노동일 안' 등으로 규정하고 있다(다만, 시행규정 제75조에서 신소처리 기한은 여전히 '30일 안'으로 표현하고 있음).
마르크스에 의하면, '노동일'은 하루 중에서 일하는 시간의 합계를 의미한다. 즉 노동자 자신의 노동력의 재생산을 위해 필요한 노동시간과 이를 초과해서 일하는 잉여노동시간의 합으로서 가변적이지만, 노동력의 정신적·육체적 한계를 고려할 때 24시간이 최대한도가 된다. 또한 북한의 경제사전에 의하면, '노동일'은 자기를 위한 노동시간과 사회를 위한 노동시간으로 구성되는데, 노동기간의 측정단위로 쓰일 때는 '1 노동일' 또는 '1 공수'라고 표현하며, 쉬는 날과 구별하여 일하는 날이라는 뜻으로도 쓰인다고 설명하고 있다. 사회과학원 경제연구소, 『경제사전 1』, 사회과학출판사, 1970, 600~601쪽; 사회과학원 주체경제학연구소, 『경제사전 1』, 사회과학출판사, 1985, 509쪽.
「외국투자기업 및 외국인세금법」과 달리 동 시행규정 및 시행규정세칙에서 '노동일'로 표현한 것은 정치경제학적 개념인 '노동일'을 염두에 둔 것일 수도 있지만, 실무적으로는 휴일에 대응되는 '근로일'을 의미하는 것으로 보인다. 실제로 ≪『조선민주주의인민공화국 법규집 (외국투자기업재정관리부문)』, 법률출판사, 2019≫에 실린 영문 법규에서도 '노동일'을 'working day'로 번역하고 있다. 「외국투자기업 및 외국인세금법」이 최종 수정보충된 2015년 이후인 2016년 및 2017년에 동 시행규정 및 시행규정세칙을 채택하면서 휴일을 제외한 근로일을 기준으로 기한을 규정하는 방식으로 정리한 것으로 판단된다.

5) 원문에서는 '1차'라고 표현하고 있는데, 실제 의미는 '1회'를 의미하는 것으로 보인다. 따라서 이 책에서는 관련 법규에서 '1차'로 표현한 내용을 모두 '1회'로 변경하여 기술하였다.

④ 기업 세무등록취소: 기업이 해산하였을 경우

영업장소가 위치하고 있는 행정구역의 말단 단위인 동(리)을 단위로 세무등록을 하여야 하고, 하나의 업종을 2개 이상의 영업장소에서 하는 경우에는 영업장소별로, 여러 개의 업종을 2개 이상의 영업장소에서 하는 경우에는 업종별,[6] 영업장소별로 하여야 한다.

한편, 「외국투자기업재정관리법 시행규정세칙」 제52조에 의하면, '세무등록을 하지 않고 기업을 운영하였을 경우' 재정청산사유에 해당하여 재정청산 대상이 된다.

(2) 기업의 자동차 세무등록 (외세규 제4조 제1항; 외세칙 제5조 제2항)

기업은 자동차를 소유하거나 이관, 폐기하는 경우 14 노동일 안에 자동차종류별로 세무등록과 그 변경, 취소등록을 하여야 한다. 자동차세무등록은 개별적자동차별로, 자동차기술검사문건별로 하여야 한다.

① 자동차 세무등록: 기업은 새로 자동차를 소유하였을 경우 자동차 첫 세무등록을 하고, 다음 해부터 해마다 2월 안에 세무기관에서 세무등록증에 대한 국가납부확인을 받아야 한다.

② 자동차 재등록: 첫 세무등록을 한 날부터 3년에 1회 정기적으로 재등록을 하여야 한다. 재등록은 첫 세무등록을 할 때와 같이 하여야 하며 세무등록증을 첨부하여야 한다.

③ 자동차 세무등록취소: 자동차를 이관하거나 폐기하였을 경우

나. 개인의 세무등록의무

(1) 개인의 세무등록 (외세규 제4조 제2항; 외세칙 제6조 제1항)

개인은 **1년에 180일 이상** 체류 · 거주 또는 출국하는 경우 **14 노동일 안**에 세금이 적용되는 재산별, 소득형태별로 세무등록과 취소등록을 하여야 한다.

① 개인 세무등록: 외국투자기업에 종사하거나 독자적인 경제거래를 위하여 1년에 180일 이상 처음 체류 또는 거주하는 경우 첫 외국인세무등록을 하여야 하고,[7] 다음부터 해마다 2월 안에 세무기관에서 세무등록증에 대한 국가납부확인을 받아야 한다.

---

6) 「외국투자기업 및 외국인세금법 시행규정세칙」 제5조 제1항 제3호 ②에서는 '업종별'이라는 표현이 없으나, 전체 조문의 취지에 비추어 업종별, 영업장소별로 하는 것으로 해석하는 것이 합리적일 것으로 판단된다.

7) 외국인세무등록이라고 표현하여 '해외공민'이 제외되는 것처럼 표현되어 있다. 하지만 해외공민도 세무관리 목적상 등록대상에 포함될 것으로 판단된다.

〈체류 · 거주기간의 계산〉

- 체류 및 거주수속을 한 날부터 다음해 기간까지 180일 이상 체류 및 거주하는 경우 세무등록을 하여야 한다.
- 체류 및 거주승인을 받은 기간에 임시로 출국하는 경우에도 그 일수를 체류 및 거주기간에 포함시킨다.

② 개인 재등록: 세무등록을 취소한 개인이 출국한 날부터 180일 안에 다시 1일이라도 입국하는 경우 세무등록을 다시 하여야 한다. 이 경우 세무등록은 첫 세무등록을 한 날부터 재등록된다.

③ 개인 세무등록취소: 세무등록을 한 개인은 180일 이상 다시 입국하지 않는 경우 개인세무등록을 취소하여야 한다. 출국하려는 개인이 출국하여 연속적으로 180일 이상 다시 입국하지 않는 경우 세무등록을 취소하여야 한다. 즉 출국한 후 180일 이상 다시 입국하지 않는 경우와 입국하지 않을 것으로 예상되는 경우 모두 세무등록을 취소하여야 한다는 것으로 해석된다. 출국기간이 180일 미만인 경우는 세무등록이 취소되지 않는다.

(2) 개인의 자동차 세무등록 (외세칙 제6조 제2항)

개인은 자동차 소유와 관련한 수속을 완료하였을 경우 자동차세무등록을 하여야 한다.

다. 세무등록절차

세금납부의무자는 중앙세무지도기관이 정한 양식에 맞게 해당 세무기관에 세무등록신청서를 제출하여야 하며, 세무기관은 세무등록신청서 또는 세무변경등록신청서를 접수한 때로부터 10 노동일 안에 세무등록문건을 발급하여야 한다(외세규 제4조 제3항 및 제5항; 외세칙 제9조).

세금납부의무자는 세무등록문건을 가지고 경영활동을 진행하여야 하며, 이를 빌려주거나 판매, 분실, 수정, 손상, 위조하지 말아야 한다(외세규 제4조 제4항; 외세칙 제8조).

(1) 기업의 세무등록절차 (외세칙 제7조 제1항)

① 해당 거주지역에 거주승인을 받은 기업은 거주승인을 받은 날부터 4 노동일 안에 관할지역의 세무기관에 세무등록신청서를 제출하여야 한다. 즉 기업은 4 노동일 안에 세무등록신청서를 제출하여야 하고, 세무기관은 그로부터 10 노동일 안에 세

무등록문건을 발급하여야 하므로, 결국 거주승인을 받은 날부터 14 노동일 안에 세무등록을 하는 것으로 해석된다.

한편, 「외국투자기업등록법」 제4장(세무등록)에 의하면, 외국투자기업은 주소등록을 한 날부터 20일 안으로 해당 재정기관에 세무등록신청서를 제출해야 하고(제23조), 세무등록신청서를 접수한 재정기관은 그것을 10일 안에 검토하고 세무등록을 승인하여 세무등록증을 발급하거나 부결하여 부결통지서를 보내야 하는 것(제24조)으로 규정하고 있다. 관련 법규 간의 불일치 사항에 대하여 정비가 필요해 보인다.

② 기업이 자동차를 기업의 고정재산에 등록하였을 경우 그 날부터 4 노동일 안에 관할지역의 세무기관에 세무등록신청서를 제출하여야 한다.

③ 기업은 첫 기업세무등록과 자동차세무등록을 한 날부터 3년이 지난 해의 2월 14 노동일 안에 관할지역의 세무기관에 재등록신청서를 제출하여야 한다.

(2) 개인의 세무등록절차 (외세칙 제7조 제2항)

① 개인이 자동차소유와 관련한 수속을 완료하였을 경우 그 날부터 4 노동일 안에 관할지역의 세무기관에 세무등록신청서를 제출하여야 한다.

② 개인은 자동차세무등록을 한 날부터 3년이 지난 해의 2월 14 노동일 안에 관할지역의 세무기관에 재등록신청서를 제출하여야 한다.

③ 개인은 자동차소유를 포기하였을 경우 취소등록신청서를 제출하여야 한다.

(3) 세무등록수수료

세금납부의무자는 세무등록을 하는 경우 세무기관에 세무등록수수료를 납부하여야 한다(외세칙 제8조).

8 세무회계와 세무회계문건

외국투자기업의 세무회계는 외국투자기업과 관련한 재정회계법규에 따르고, 재정회계계산과 관련한 서류를 정해진 기간까지 보관하며 중요계산장부는 기업의 해산이 종결되는 날까지 보관한다(외세법 제4조).

가. 세무회계

세금납부의무자는 「외국투자기업 및 외국인세금법 시행규정」과 중앙세무지도기관이 정한 세무회계방법, 「외국투자기업 및 외국인세금법 시행규정세칙」에서 정한 세무회계기준에 따라 세금을 계산하고 납부하여야 한다(외세규 제5조; 외세칙 제10조).

나. 세무회계문건

(1) 세무회계문건의 양식과 종류 (외세규 제5조; 외세칙 제10조 제1항 및 제2항)

세무회계문건의 양식은 중앙세무지도기관이 정한다. 세무회계문건에는 세금납부의무자의 세금납부신고서와 그 근거가 되는 모든 재정관리문건, 세무기관이 정한 세금계산문건, 납부와 관련한 모든 지시문, 승인문건, 세금납부확인서 등이 포함된다.

(2) 세무회계문건의 언어 (외세규 제5조; 외세칙 제10조 제3항)

세무회계문건은 조선글로 써야 하며 필요한 경우 다른 나라 말로 번역할 수 있다. 외국어로 작성하는 경우 번역문을 첨부하여야 한다.

(3) 세무회계문건의 보관 (외세규 제5조; 외세칙 제10조 제4항)

세무회계문건은 기업의 존속기간이 끝날 때까지 보관하여야 한다. 기업의 '존속기간'은 기업창설승인문건에 정한 기간으로 하며, 존속기간의 계산은 기업창설문건을 받은 날부터 한다.[8]

9 세금의 계산화폐와 납부방법

외국투자기업과 외국인이 납부하는 세금은 조선원 또는 정해진 화폐로 계산하여 해당 세무기관에 수익인이 직접 납부하거나 수익금을 지불하는 단위가 공제납부[9] 한다

8) 존속기간을 연장하려 할 경우에는 기간이 끝나기 6개월 전에 이사회 또는 공동협의기구에서 토의결정하거나 당사자들 사이에 합의한 다음 중앙경제협조관리기관에 존속기간연장신청문건을 제출하여 승인을 받아야 한다. 중앙경제협조관리기관은 문건을 받은 날부터 30일 안에 심사하고 승인여부를 결정하여 신청자에게 통지하여야 한다. 기업은 존속기간연장승인문건을 받은 날부터 20일 안에 해당 주소등록기관, 영업허가기관, 세무기관, 세관에 승인문건사본을 첨부하여 존속기간변경등록신청문건을 제출하여야 한다. 주소등록기관, 영업허가기관 및 세무기관은 존속기간변경등록신청문건에 따라 해당 변경등록을 한 후 주소등록증, 영업허가증, 세무등록증을 다시 발급해주어야 한다. 정철원, 『조선투자법안내(310가지 물음과 대답)』, 법률출판사, 2007, 170쪽; 조선대외경제투자협력위원회 편찬, 『조선민주주의인민공화국 투자안내』, 외국문출판사, 2016, 43쪽.

(외세법 제5조).

세금은 전환성화폐를 정해진 환율(국가기준환율)에 따라 교환한 조선원으로 중앙세무지도기관이 지정하는 은행의 국가세무돈자리에 환치[10]의 방법으로 납부한다(외세규 제6조 제1항; 외세칙 제11조 제1항).

10 기타

「외국투자기업 및 외국인세금법」과 동 시행규정은 동 시행규정세칙에 따라 집행된다(외세규 제8조; 외세칙 제13조).

「외국투자기업 및 외국인세금법 시행규정세칙」은 재정성 지시 제11호로 채택된 것으로서, 동 세칙에 대한 해석은 재정성(중앙세무지도기관)이 한다(외세칙 제1조).

개별 세목에 따라 일부 차이는 있으나, 전반적으로 「외국투자기업 및 외국인세금법 시행규정」 및 동 시행규정세칙에서 ① 세금의 계산시점 또는 계산기한, ② 신고서에 대한 세무기관의 승인기한 그리고 ③ 세금의 납부기한을 구분하여 규정하고 있다. 결과적으로 납부절차 또는 관련 기한에 대한 해석 및 적용이 다소 복잡하게 된 것으로 보인다. 또한 납부기한에 대한 용어 표현도 「외국투자기업 및 외국인세금법 시행규정」에서는 '납부기일'로 표현하고 있고, 동 시행규정세칙에서는 '납부날자'(남한식 표현은 납부날짜)로 표현하고 있다.

9) 원천징수의무자의 원천징수를 의미한다.

10) 환치(換置): 〈북한어〉 현금으로 거래하지 아니하고 장부에서의 한 계좌에서 다른 계좌로 자금을 옮겨 놓음. 또는 그런 일. https://ko.dict.naver.com; 네이버 국어사전 (검색일자 2019년 7월 11일).

제2장 기업소득세

기업소득세 부분은 「외국투자기업 및 외국인세금법」 12개 조문, 동 시행규정 12개 조문, 그리고 동 시행규정세칙 15개 조문으로 구성되어 있다. 기업소득세 계산 목적의 이윤(과세표준)을 확정하기 위한 공제대상 비용의 구체적인 내용은 「외국투자기업재정관리법」과 동 시행규정 및 시행규정세칙에 규정되어 있다.

제1절 기업소득세 총칙

1 기업소득세의 납부의무자

북한에서 **경영활동을 하여 얻은 소득**과 **기타소득**[11]이 있는 외국투자기업은 기업소득세 납부의무가 있다(외세법 제8조). 기업소득세의 세금납부의무자는 기업이며, 기업은 **북한 영역이나 다른 나라에서 얻은 소득**에 대하여 기업소득세를 납부하여야 한다(외세규 제9조; 외세칙 제14조).

남한의 경우 국내에 본점, 주사무소 또는 사업의 실질적 관리장소를 두고 있는 '내국법인'은 전세계 소득에 대하여 납세의무가 있고, '외국법인'의 경우 국내원천소득에 대해서만 남한에서 납세의무가 있다. 이와 유사하게 상기 규정은 북한의 내국법인에 해당하는 '기업'은 북한 영역 및 다른 나라에서 얻은 소득, 즉 전세계 소득에 대하여 북한에서 기업소득세 납세의무가 있다는 것이다.

상기 규정은 북한의 '기업'에 대한 거주지국 과세원칙(residence principle)을 규정한 것이라고 할 수 있는데, 외국법인(외국기업)에 대한 원천지국 과세원칙(source principle)에 대하여는 별도의 내용을 포함하고 있지 않다.

11) 세금관련 법규에 따라 '기타 소득' 또는 '기타소득'으로 표현하고 있는데, 이 책에서는 모두 '기타소득'으로 표현하였다.

2 기업소득세의 계산기간

기업소득세의 계산기간은 매해 1월 1일부터 12월 31일까지 혹은 1년을 4등분한 분기이다(외세법 제12조; 외세규 제12조; 외세칙 제18조).

① 분기별 계산기간은 매해 1/4분기(3개월), 2/4분기(6개월), 3/4분기(9개월), 4/4분기(12개월)이다.
② 새로 창설된 기업의 기업소득세 계산기간은 기업창설 날부터 그해 4/4분기까지이다.
③ 해산되는 기업의 기업소득세 계산기간은 매해 1/4분기부터 해산을 선포한 분기의 날까지이다.

3 기업소득세의 과세대상 소득

기업소득세의 과세대상은 기업이 경영활동을 하는 과정에서 화폐나 물자형태로 얻은 소득으로서 기본소득과 기타소득이 포함된다(외세법 제9조; 외세규 제10조 제1항; 외세칙 제15조). 관련 법규의 내용을 정리하면 다음과 같다.

가. 기본소득

기본소득은 기업의 재정관리와 관련된 법규에서 정한 업종과 관련된 기본수입에서 표준원단위소비기준에 따르는 원료 및 자재비, 연료비, 동력비와 세무기관에 등록한 감가상각방법에 따라 적립한 감가상각금을 공제하고 남은 금액으로서 다음과 같은 것이 속한다.

① 생산부문의 생산물판매소득
② 건설, 탐사, 개발부문의 건설물인도소득
③ 과학연구 및 기술개발부문의 생산물판매소득
④ 정보산업부문의 생산물판매소득
⑤ 출판, 인쇄부문의 생산물판매소득
⑥ 교통운수, 체신, 동력부문의 운임 및 요금소득
⑦ 상업(무역포함)부문의 상품판매소득

⑧ 금융, 보험부문의 소득
⑨ 급양, 편의, 관광, 광고, 유희오락, 호텔업종과 같은 편의봉사부문의 소득
⑩ 외국기업의 대리지사, 사무소 소득
⑪ 이 밖의 승인된 업종범위 안에서 기업활동을 하여 얻은 소득

나. 기타소득

기타소득(=기타수입)은 기업의 재정관리와 관련된 법규에서 정한 업종과 관련이 없이 이루어지는 수입으로서 다음과 같은 것이 속한다.

① 고정재산 및 유동재산 판매수입
② 배당수입
③ 이자수입
④ 고정재산 및 부동산 임대소득
⑤ 특허권사용료수입
⑥ 국외투자기업 및 지사수입
⑦ 무상물자판매수입
⑧ 무역수입
⑨ 환자시세편차리익금수입
⑩ 위약금수입
⑪ 종업원들에게 적용한 벌금수입
⑫ 이 밖에 업종과 관련이 없이 이루어지는 모든 수입

제2절 기업소득세의 과세표준과 세율

1 과세표준의 계산구조와 적용 세율

가. 기본적인 계산구조

기업소득세 계산을 위한 결산이윤은 '과세표준'에 해당한다. 결산이윤은 총수입에서 ① 원가, ② 세금 및 국가납부금 및 ③ 기타지출 등의 비용을 공제하여 계산한다(외재규 제29조; 외재칙 제32조). 결산이윤에 적용하는 기업소득세의 표준세율은 25%이다(외세법 제10조). 이러한 기본적인 계산구조를 정리하면 아래와 같다.

총수입금
(-) 원가

= 이윤
(-) 세금 및 국가납부금
(-) 기타지출

= 결산이윤(과세표준)
(×) 25% 세율

= 기업소득세

총수입금에 포함되는 과세대상 소득에는 경영활동을 하는 과정에서 얻은 기본소득과 기타소득이 포함된다. 기본소득은 '이 밖의 승인된 업종범위 안에서 기업 활동을 하여 얻은 소득'(외세칙 제15조 제1항 ⑪)을 포함하고 있고, 기타소득은 '이 밖에 업종과 관련이 없이 이루어지는 모든 수입'(외세칙 제15조 제2항 ⑫)을 포함하고 있다. 결과적으로 북한의 과세대상 소득은 포괄적인 개념으로서, 남한과 유사하게 순자산증가설[12]을 따르고 있는

12) 과세소득의 개념은 순자산증가설과 소득원천설로 구분된다. 순자산증가설은 일정 기간에 있어서의 순자산의 증가를 소득으로 보는 포괄적 개념에 기초한 것으로서, 일시적・우발적인 성격의 소득까지 모두 과세소득의 범위에 포함하는 것이다. 소득원천설은 소득을 노동・사업 또는 재산과 같은 특정의 원천으로부터 주기적 또는 반복적으로 유입되는 수입으로 정의한다. 김완석・정지선, 『소득세법론 (개정23판)』, 삼일인포마인, 2017, 39~40쪽; 임승순, 『조세법 (제20판)』, 박영사, 2020, 623쪽.
남한의 경우 순자산증가설에 입각하여 각 사업연도의 익금 총액에서 손금 총액을 공제하여 계산된 각 사업연도 소득에서 이월결손금, 비과세소득 및 소득공제액을 차례로 공제한 금액을 과세표준으로 한다

것으로 보인다.

「외국투자기업 및 외국인세금법」 제12조에서는 총수입금에서 원가를 차감한 상태를 '이윤'으로 구분하고, 이윤에서 추가적으로 거래세 또는 영업세, 기타지출을 공제하여 '결산이윤'을 계산하는 구조로 설명하고 있다. 즉 이윤과 과세표준에 해당하는 결산이윤을 구분하고 있다. 하지만, 2016년 채택된 동 시행규정 및 2017년 채택된 동 시행규정세칙에서는 공제항목을 단계구분 없이 포괄적으로 설명하면서 이윤과 결산이윤을 구별되는 개념으로 사용하지 않고 혼용하고 있다.

상기 계산구조에서 원가는 원료 및 자재비, 연료 및 동력비, 노력비,[13] 감가상각금, 물자구입경비, 기업관리비, 보험료, 판매비 등을 포함한다(외세법 제12조). 2015년 최종 수정보충된 「외국투자기업 및 외국인세금법」에서는 '거래세와 영업세'만을 공제대상 세금으로 열거하고 있으나, 2016년 채택된 동 시행규정 및 2017년 채택된 동 시행규정세칙에서는 '세금 및 국가납부금' 항목으로 표현하고 추가적으로 자원세, 도시경영세, 자동차리용세, 관세 등의 세금과 사회보험료, 토지사용료, 도로사용료, 양식장사용료, 오염물질배출보상료, 각종 수수료 등의 국가납부금도 공제대상으로 예시하고 있다(외세규 제13조 제2항; 외세칙 제19조 제2항 제6호).

한편, 종전 2002년 「외국투자기업 및 외국인세금법 시행규정」 제32조에서는 외국투자기업이 경영손실을 냈을 경우 다음해의 결산이윤에서 공제할 수 있고 다음해에도 공제하지 못하였을 경우 연속하여 해마다 공제할 수 있으나 4년[14]을 넘을 수 없다는 '이월결손금 공제' 규정을 두고 있었다. 하지만, 이러한 내용은 2016년에 새로 채택된 「외국투자기업 및 외국인세금법 시행규정」에서는 삭제되어 현재는 이월결손금 공제 규정이 존재하지 않는데, 실제로 이월결손금 공제를 적용하지 않는 것인지 명확하지 않다.

나. 외국투자기업

합영기업과 합작기업, 외국인기업, 외국투자은행 등 외국투자기업에 적용하는 기업소득세는 기본소득과 기타소득[15]을 합한 기업의 총소득에서 노력비, 물자구입경비, 판매

(남한 「법인세법」 제13조).

13) 사회주의 예산수입체계에서는 노동보수(임금, 급여)를 '생활비'로 표현하는데, 대외세법에서는 '노력비'로 표현하고 있다.

14) 「외국투자기업재정관리법 시행규정세칙」 제52조에 의하면, 경영손실이 연속 4년째 났을 경우 재정청산 대상이 된다.

15) 기타소득에 대하여 「외국투자기업 및 외국인세금법 시행규정」 제10조에서는 "…고정재산 및 유동재산 판매수입, 배당수입, 이자수입 … 같은 수입으로 얻은 소득"으로 표현하고 있고, 동 시행규정세칙 제15

비, 기업관리비, 세금 및 국가납부금, 기타지출(공제가 허용된 기타지출)을 공제하고 확정한 이윤에 적용한다(외세규 제10조 제2항; 외세칙 제16조 제1항).

「외국투자기업 및 외국인세금법 시행규정」 및 동 시행규정세칙에 따라 결산이윤(과세표준)을 확정한 경우에는 표준세율 25%를 적용하며, 동 시행규정 및 시행규정세칙을 따르지 않고 외국투자관련 재정회계법규에 따라 이윤확정을 한 경우에는 「외국투자기업 및 외국인세금법 시행규정」 및 동 시행규정세칙에 따라 계산된 이윤의 25%를 적용한다(외세규 제11조 제1항; 외세칙 제17조 제1항). 이는 당초 「외국투자기업 및 외국인세금법 시행규정」 및 동 시행규정세칙에 따라 결산하지 않은 경우, 동 시행규정 및 시행규정세칙에 따른 별도의 세무조정과정을 거쳐서 이윤(과세표준)을 재계산하여야 한다는 것으로 해석된다.

다. 외국기업

외국기업은 기본소득과 기타소득에 대하여 기업소득세를 따로 계산한다. 기본소득에 대한 기업소득세는 기업관리비와 기타지출, 세금 및 국가납부금을 공제하고 확정한 이윤에 적용한다. 업종과 관련없이 얻은 기타소득에는 지출된 비용을 공제하지 않고 기타소득액(기타수입금)에 적용한다.(외세규 제10조 제3항; 외세칙 제16조 제2항)

외국기업의 기본소득에 대하여는 확정한 이윤에 25%의 세율을 적용한다(외세칙 제17조 제2항 제1호). 외국기업이 얻은 배당소득, 이자소득, 임대소득, 특허권사용료 등의 기타소득에 대하여는 공제비용 없이 기타소득액(기타수입액)에 20%의 세율을 적용한다(외세법 제11조; 외세규 제11조 제2항; 외세칙 제17조 제2항 제2호).

라. 요약

위에서 살펴본 기업소득세 과세표준의 계산구조 및 적용 세율을 정리하면 다음과 같다.

조에서는 "…업종과 관련이 없이 이루어지는 수입으로서 다음과 같은 것이 속한다. ① 고정재산 및 유동재산 판매수입 … ⑫ 이밖에 업종과 관련이 없이 이루어지는 모든 수입"으로 표현하고 있다. 또한 동 시행규정 제10조 및 시행규정세칙 제16조에서는 외국기업의 기타소득에 대하여는 관련 "지출된 비용을 공제하지 않은 기타소득액(기타수입금)"이라고 표현하여 기타소득과 기타수입을 동일한 것으로 표현하면서 총액(gross)으로 정의하고 있다. 하지만 고정재산 및 유동재산 판매수입의 경우 장부상의 금액이 차감된 순액(net) 또는 차익개념이 적용되어야 할 것으로 판단된다.

<표 2-3> 기업소득세 과세표준의 계산 및 적용 세율

외국투자기업 (합영 · 합작 · 외국인기업, 외국투자은행)	외국기업	
	기본소득	기타소득
기본수입	**기본수입**	
(−) 원료 및 자재비 (표준원단위소비기준)	(−) 원료 및 자재비 (좌동)	
(−) 연료비 (표준원단위소비기준)	(−) 연료비 (좌동)	
(−) 동력비 (표준원단위소비기준)	(−) 동력비 (좌동)	
(−) 감가상각금 (세무기관 등록 감가상각방법)	(−) 감가상각금 (좌동)	
= 기본소득	**= 기본소득**	
(+) 기타소득 (=기타수입)		**기타소득**
= 총소득		
(−) 노력비	(−) 노력비*	
(−) 물자구입경비	(−) 물자구입경비*	
(−) 판매비	(−) 판매비*	
(−) 기업관리비	(−) 기업관리비	
(−) 세금 및 국가납부금	(−) 세금 및 국가납부금	
(−) 기타지출 (공제가 허용된 기타지출)	(−) 기타지출 (좌동)	
= 결산이윤 (과세표준)	**= 결산이윤 (과세표준)**	
(×) 25% 세율	(×) 25% 세율	(×) 20% 세율

* 「외국투자기업 및 외국인세금법 시행규정」 및 동 시행규정세칙에는 외국기업에 대해서 노력비, 물자구입경비 및 판매비가 공제대상 비용 항목으로 열거되어 있지 않은데, 이러한 비용 항목이 공제대상에서 제외된 이유가 명확하지 않다. 시행규정 및 시행규정세칙 채택과정에서 단순 누락된 것으로 추정하여 공제대상 비용으로 포함시켰다.

자료: 관련 법규의 내용을 기초로 저자 작성.

2 재정수입 및 비용지출의 확정

「외국투자기업 및 외국인세금법 시행규정」 제13조 및 동 시행규정세칙 제19조에서는 '기업소득세 계산원칙과 방법'이라고 표현하고 있으나, 실제 내용은 재정수입과 비용지출의 확정에 의한 '결산이윤(과세표준)의 계산원칙과 방법'이라고 할 수 있다.

기본적인 원칙으로서 이윤은 재정수입의 확정시점과 비용지출의 확정시점에 맞게 계산하여야 하며, 재정수입 및 비용지출의 확정과 관련된 원칙을 정리하면 다음과 같다(외세규 제13조 제1항; 외세칙 제19조 제1항).

가. 재정수입의 확정

(1) 재정수입의 확정시점

세금납부의무자가 거래자에게 생산물을 판매하기 위하여 상품출하를 시작한 날 또는 봉사제공을 시작한 날.

(2) 재정수입금의 가치

최종적으로 생산물 또는 봉사대금을 출납 혹은 금고, 은행돈자리에 입금한 현금과 무현금액 또는 대치물자로 창고에 입고된 자연물질적형태의 화폐적 가치(시행규정세칙에서는 '창고에 입고된 대치물자의 화폐적 가치'로 표현).

(3) 재정수입 확정의 근거문건

세금납부의무자는 수입확정시점에 맞게 계약서, 세관수속문건, 영수증, 계산서, 전표에 근거하여 재정수입을 확정하여야 한다.

나. 비용지출의 확정

(1) 비용지출의 확정시점

출납이나 금고, 은행돈자리, 창고에서 화폐자금이나 상품, 작업, 봉사, 대치물자와 같은 화폐로 평가될 수 있는 형태를 거래자에게 실지 넘겨준 날.

(2) 비용지출 확정의 근거문건

세금납부의무자는 비용지출의 확정시점에 맞게 영수증이나 전표와 같은 근거문건에 따라 지출금액을 확정하여야 한다.

3 이윤(과세표준)의 확정

앞서 살펴본 바와 같이, 「외국투자기업 및 외국인세금법 시행규정」 및 동 시행규정세칙에 따라 결산을 하여 기업소득세 계산 목적의 이윤(과세표준)을 확정한다. 하지만 외국투자관련 재정회계법규에 따라 결산을 한 경우에는 「외국투자기업 및 외국인세금법 시행규정」 및 동 시행규정세칙에 따라 별도의 세무조정과정을 거쳐서 기업소득세 계산 목적의 이윤(과세표준)을 재계산하여야 하는 것으로 해석된다.(외세규 제11조 제1항; 외세칙 제17조 제1항)

제3절 공제대상 비용

1 기업의 비용 및 공제대상 판단기준

가. 재정결산 목적의 비용항목

기업의 비용은 ① 원가, ② 세금 및 국가납부금 및 ③ 기타지출로 구성된다(외재규 제29조; 외재칙 제32조).

(1) 원가 (외재규 제30조; 외재칙 제34조)

기업의 원가항목에는 원료 및 자재비, 연료비, 동력비, 감가상각금, 노력비, 물자구입경비, 판매비, 기업관리비와 같이 업종을 수행하기 위하여 자체로 정한 기준에 따라 지출한 비용이 속한다.「외국투자기업재정관리법 시행규정세칙」 제34조는 업종별 원가항목을 아래와 같이 규정하고 있다.

① 생산업종 및 급양업종(외재칙 제34조 제1항): 원료 및 자재비, 연료비, 동력비, 감가상각금, 노력비, 물자구입경비, 판매비, 기업관리비가 포함된다.

② 상업업종(외재칙 제34조 제2항): 상품구입비(=상품가격×수량), 감가상각금, 노력비, 물자구입경비, 기업관리비가 포함된다. 감가상각금, 노력비, 물자구입경비, 기업관리비는 생산업종의 해당 항목과 같이 적용할 수 있다. 판매비가 포함되어 있지 않은데, 예시적 열거이거나 단순 누락일 가능성이 높아 보인다.「외국투자기업재정관리법 시행규정」 제30조 제7항에서는 판매비에 대하여 생산물과 '상품'을 판매하는 과정에서 지불하게 되는 비용으로 설명하고 있다.

③ 편의업종(외재칙 제34조 제3항): 원료 및 자재비, 감가상각금, 노력비, 물자구입경비, 기업관리비가 포함된다. 원료 및 자재비는 물자원단위소비기준에 속한 물자를 구입하는데 지출되는 비용이다. 감가상각금, 노력비, 물자구입경비, 기업관리비는 생산업종의 해당 항목과 같이 적용할 수 있다.

④ 금융 등 봉사업종(외재칙 제34조 제4항): 감가상각금, 노력비와 기업관리비가 포함된다.

(2) 세금 및 국가납부금 (외재규 제31조; 외재칙 제43조)

기업의 세금항목에는 기업소득세를 제외한 재산세, 거래세, 영업세, 자원세, 도시경영세, 자동차리용세, 관세가 포함된다. 국가납부금에는 기업이 부담하는 사회보험료, 토지사용료, 도로사용료, 양식장사용료, 오염물질배출보상료, 각종 수수료와 같은 납부금이 속한다.

(3) 기타지출 (외재규 제32조; 외재칙 제44조)

기타지출 항목에는 연상비, 이자, 요금, 환자시세편차손실금, 국외투자기업개설비, 합숙 및 기능공학교운영비, 출퇴근버스비, 직업동맹사업비, 원가초과비, 연체료, 위약금, 벌금 등 업종과 관련없이 지출된 비용이 속한다.

나. 기업소득세 계산 목적의 공제대상 판단기준

「외국투자기업재정관리법 시행규정세칙」 제49조, 「외국투자기업 및 외국인세금법 시행규정」 제13조 제2항 및 동 시행규정세칙 제19조 제2항에서는 기업소득세를 계산하기 위한 이윤(과세표준)의 확정과정에서 다음과 같은 공제대상 비용 판단기준을 적용하도록 규정하고 있다.

(1) 세금법규 기준

기업소득세는 세금법규에 따라 계산한 이윤에 세율을 적용하여 계산하여야 한다(외재칙 제49조 제1항). 즉 재정결산 목적의 이윤이 아니라 세금법규에 따라 계산한 이윤이 과세표준이 된다는 것이다.

(2) 공제제외 대상

기업소득세를 계산하기 위한 이윤의 확정에서 다음과 같은 비용을 공제하여 이윤을 줄이지 말아야 한다(외재칙 제49조 제2항).

① 기준을 초과하는 원가항목별 비용은 이윤 계산에 포함시키지 말아야 한다(외재칙 제49조 제2항 제1호; 외세규 제13조 제2항; 외세칙 제19조 제2항 제1호~제5호 및 제7호).

② 세금 및 국가납부금 항목에서 실지로 납부하지 않고 조성한 항목은 이윤 계산에 포함시키지 말아야 한다(외재칙 제49조 제2항 제2호; 외세규 제13조 제2항; 외세칙 제19조 제2항 제6호 ③).

③ 기타지출 항목 중에서 원가초과비와 연체료, 위약금, 벌금은 이윤 계산에 포함시키지 말아야 한다(외재칙 제49조 제2항 제3호; 외세규 제13조 제3항; 외세칙 제19조 제2항 제7호 ③).

④ 「외국투자기업재정관리법 시행규정세칙」에서 정하지 않은 비용은 이윤 계산에 포함시키지 말아야 한다(외재칙 제49조 제2항 제4호).[16] 즉 「외국투자기업재정관리법 시행규정세칙」에 따른 재정결산 목적상의 공제대상 비용에 해당하지 않는다면, 기업소득세 계산 목적의 이윤 확정을 위한 공제대상 비용에도 포함되지 않는다는 것이다.[17] 또한 「외국투자기업 및 외국인세금법 시행규정」 및 동 시행규정세칙에서 정하지 않은 비용은 과세대상 이윤 계산에서 공제비용으로 될 수 없다(외세규 제13조 제2항; 외세칙 제19조 제2항 제7호 ③).

⑤ 2중적으로 계산한 비용은 이윤 계산에 포함시키지 말아야 한다(외재칙 제49조 제2항 제5호; 외세규 제13조 제3항; 외세칙 제19조 제2항 제7호 ③).

요약하면, 기업소득세 계산 목적의 이윤 확정을 위한 공제대상 비용은 **재정결산 목적상 공제대상 비용이면서 세금관련법규에서 별도로 공제제외 대상으로 규정하지 않은 비용**이라고 할 수 있다.

「외국투자기업재정관리법 시행규정」 제4장(제29조~제33조)에서 재정결산 목적상의 공제대상 비용에 대하여 규정하고 있으나, 보다 구체적인 내용은 동 시행규정세칙 제4장(제32조~제44조)에서 규정하고 있다. 아래에서는 각 비용 항목별로 **「외국투자기업재정관리법 시행규정」 제4장 및 동 시행규정세칙 제4장**에서 규정하고 있는 재정결산 목적의 비용 항목에 대하여 먼저 정리한 후, 기업소득세 계산 목적의 이윤(과세표준)을 확정하기 위한 공제대상 비용을 **「외국투자기업 및 외국인세금법 시행규정」 제13조 및 동 시행규정세칙 제19조**를 중심으로 정리해보고자 한다.

---

16) 「외국투자기업재정관리법 시행규정세칙」 제44조는 '기타지출'의 세부항목을 설명하고 있는데 제13항에서 '기타' 항목을 규정하면서, "기타에는 원가와 기타지출, 세금 및 국가납부금 항목에 속하지 않은 모든 비용지출이 포함된다."는 포괄(catch-all) 규정을 두고 있다. 결과적으로 「외국투자기업재정관리법 시행규정세칙」에서 정하지 않은 비용은 이윤 계산에 포함시키지 말아야 한다는 내용은 재정결산 목적상 공제대상인 경우에만 기업소득세 계산 목적상 공제대상이 된다는 것을 확인하는 규정이라고 할 수 있다.

17) 재정결산 목적의 이윤 계산은 기업회계에 해당하고 기업소득세 계산 목적의 이윤 확정은 세무회계에 해당한다. 통상 기업회계와 세무회계의 차이조정 과정을 '세무조정'이라고 한다. 세무조정 방식에는 '결산조정'과 '신고조정'이 있는데, 결산조정은 기업의 결산서에 반영한 경우에만 세법 규정에 따라 이를 인정하는 것으로서 실질적으로는 결산절차의 일환이다. 신고조정은 기업회계 상 수익 또는 비용에 해당하지 않아서 결산서에 반영되지 않은 것을 세법상으로만 익금이나 손금으로 조정하는 것을 의미한다. 북한의 관련 법규에는 결산조정 개념만 있고 신고조정 개념은 없는 것으로 보인다.

2 원료 및 자재비, 연료비, 동력비

가. 재정결산 목적의 원료 및 자재비, 연료비, 동력비

(1) 원료 및 자재비 (외재규 제30조 제1항; 외재칙 제35조 제1항 및 제2항)

물자원단위소비기준에 속한 기본원료자재와 보조원료자재를 구입하는데 지출되는 비용이다. 원료 및 자재비의 확정은 기업이 자체로 세운 물자원단위소비기준에 맞게 하여야 한다.

(2) 연료비 (외재규 제30조 제2항; 외재칙 제36조 제1항 및 제2항)

물자원단위소비기준에 속한 석탄, 중유, 피치, 디젤유, 가스와 같은 연료구입에 드는 비용이다. 윤전기재의 운행과 난방보장을 위한 휘발유, 디젤유, 모빌유, 석탄, 가스 등을 구입하는데 지출한 비용은 포함하지 않는다. 연료비의 확정은 기업이 자체로 세운 물자원단위소비기준에 맞게 하여야 한다.

(3) 동력비 (외재규 제30조 제3항; 외재칙 제37조 제1항 및 제2항)

전동기, 압축기, 고압설비와 같이 물자원단위소비기준에 속한 동력사용과 관련하여 지출한 전기사용료와 같은 비용이다. 조명, 난방과 같이 비생산적 전기사용료는 포함되지 않는다. 동력비의 확정은 기업이 자체로 세운 물자원단위소비기준에 맞게 하여야 한다.

(4) 원가초과비 (외재칙 제35조 제4항, 제36조 제3항, 제37조 제3항)

재정결산시 물자원단위소비기준보다 적게 지출하였을 경우 해당 항목에서 실지 지출된 비용만큼 확정하여야 하며, (파손이나 분실, 오작을 비롯하여) 과잉지출하였을 경우에는 해당 항목에서 확정하지 말고 기타지출 항목의 원가초과비로 처리하여야 한다.

나. 기업소득세 계산 목적의 원료 및 자재비, 연료비, 동력비

기업소득세 계산 목적의 이윤(과세표준)을 확정하기 위한 공제대상 원료 및 자재비, 연료비 및 동력비의 내용을 정리하면 다음과 같다(외세규 제13조 제2항; 외세칙 제19조 제2항 제1호).

(1) 물자원단위소비기준

물자원단위소비기준에 맞게 지출된 비용만큼 계산하여야 한다. 따라서 윤전기재의 운행과 난방보장을 위한 휘발유, 디젤유, 모빌유, 석탄, 가스 등의 구입비용, 조명, 난방과 같이 비생산적 전기사용료는 물자원단위소비기준에 속하지 않으므로 공제대상 원료 및 자재비, 연료비 및 동력비에 포함되지 않는다.

(2) 실지지출 비용(소비기준 한도)

실지 지출한 비용이 물자원단위소비기준보다 낮을 때에는 실비로 계산하며, 초과하였을 경우에는 소비기준만큼 확정하여야 한다.

(3) 원가초과비

용도에 맞지 않거나 초과된 비용은 공제비용이 될 수 없다. 해당 부분은 기타지출 항목의 원가초과비로 처리하여 공제대상에서 제외된다.

3 감가상각금

가. 재정결산 목적의 감가상각금

고정재산은 비감가상각고정재산과 감가상각고정재산으로 구분되는데, 감가상각고정재산은 비감가상각고정재산을 제외한 모든 고정재산이 속한다(외재칙 제18조 제3항 제2호). 감가상각금은 감가상각고정재산에 대하여 대보수하거나 갱신하기 위하여 자체로 정한 적립방법에 따라 적립하는 비용이다(외재규 제30조 제4항; 외재칙 제38조 제1항).

(1) 감가상각 제외대상

① 비감가상각고정재산(외재칙 제18조 제3항 제1호, 제38조 제2항 제1호)
- 고정재산등록가치가 150,000원(국가기준환율에 따라 전환성외화로 교환될 수 있는 금액) 이하인 유형고정재산
- 공구, 기구, 집기류와 같은 이용 중인 유형고정재산
- 사무용비품을 비롯하여 생산과 봉사활동에 직접 참가하지 않는 유형고정재산
- 토지이용권, 자원개발권과 같은 무형고정재산 등

② 생산 또는 경영활동에 이용되지 않고 있는 고정재산(외재칙 제38조 제2항 제2호)

③ 감가상각금으로 시초가치를 보상한 고정재산(외재칙 제38조 제2항 제3호)

(2) 감가상각방법

감가상각금의 확정은 감가상각고정재산에 대하여 정액상각법, 비례식상각법 및 정률상각법 중에서 기업이 자체적으로 합리적인 방법을 선택하여 적용한다(외재칙 제38조 제3항). 무형고정재산에 대한 감가상각방법의 결정, 도덕적 마멸[18]을 가져올 수 있는 유형고정재산의 감가상각방법을 달리 정하려고 할 때는 중앙세무지도기관과 합의하여야 한다(외재칙 제38조 제3항 제3호).

① 정액상각법: 건물, 구축물에 적용하며, 감가상각금총액을 사용기간(내용연한)으로 나누거나 감가상각금총액에 연 감가상각률을 곱하는 방법이다(외재칙 제38조 제3항 제1호).

- 감가상각금총액 = 고정재산가격(혹은 합의한 가격) x 1대
- 연 감가상각금 = 감가상각금총액/내용연한
  = 감가상각금총액 x 연 감가상각률
- 월 감가상각금 = 연 감가상각금/12

한편, 외국투자기업에 대하여는 건물 25년, 설비 10년, 윤전설비 4~5년 등으로 사용연한을 규정함으로써 가속감가상각을 허용하고 있다.[19]

② 비례식상각법: 기계설비나 운수수단에 적용하며, 생산량에 단위당 감가상각액을 곱하는 방법이다(외재칙 제38조 제3항 제2호).

- 연 감가상각금 = 연 생산량 x 1t당 감가상각액
- 월 감가상각금 = 연 감가상각금/12

③ 정률상각법

(3) 감가상각금의 적립 및 이용

감가상각금은 매월 적립하며 고정재산의 보수 또는 갱신에 이용한다(외재칙 제38조 제4항 제1호~제4호).

---

18) '도덕적 마멸'은 물리적 마멸에 대비되는 개념으로서, 기술발전에 따른 경제적 노화, 기술적 노화, 생태환경적 요구에 의한 노화 등을 의미한다. 음철, "새 세기 기술수단의 도덕적마멸의 특징," 『경제연구』, 2011년 제4호, 26~27쪽.

19) 조선대외경제투자협력위원회, 『조선민주주의인민공화국 투자안내』, 2016, 76쪽.

① 감가상각금은 기업의 존속기간까지 계산·적립하여야 한다.

② 투자받은 고정재산은 조업을 시작한 달부터 계산·적립하여야 한다.

③ 조업기간 도중에 양도받았거나 무상지원 받은 고정재산, 새로 갱신하였거나 보수한 고정재산은 사용을 시작한 달부터 계산·적립하여야 한다.

④ 감가상각금은 고정재산을 보수하거나 갱신하는데 이용하여야 한다.

(4) 감가상각방법의 변경 등

감가상각방법은 중앙세무지도기관에 등록하고 한번 선택한 방법을 변경하지 말아야 하며, 부득이 적립금액을 늘이려고 할 경우에는 중앙세무지도기관의 승인을 받아야 한다(외재칙 제38조 제5항).

자본주의 회계의 감가상각방법에서 일반적으로 고려되는 '잔존가치'에 대한 내용이 규정되어 있지 않다. 이는 자본주의 회계에서 감가상각이 잔존가치를 제외한 고정재산 원가를 사용기간에 배분하는 성격인 반면, 북한에서는 고정재산의 대보수 또는 갱신을 위해 적립하는 것이라는 관점이 강하기 때문으로 보인다.[20]

나. 기업소득세 계산 목적의 감가상각금

기업소득세 계산 목적의 이윤(과세표준)을 확정하기 위한 공제대상 감가상각금을 정리하면 다음과 같다(외세규 제13조 제2항; 외세칙 제19조 제2항 제2호).

(1) 세무기관에 등록한 감가상각방법대로 변동없이 계산한 금액만큼 확정하여야 한다.

(2) 세무기관에 등록하지 않은 고정재산 또는 감가상각대상이 아닌 고정재산에 감가상각을 적용하였을 경우, 정상적인 감가상각액을 초과한 금액은 공제비용이 될 수 없다.

4 노력비

가. 재정결산 목적의 노력비

노력비는 정해진 최저기준 이상으로 자체로 정하여 생산과 경영활동에 참가한 모든 종업원들(양성, 실습, 임시채용, 자위경비노력 포함)에게 지불하는 노임과 가급금, 장려

20) 개성공업지구의 경우, 「개성공업지구 기업재정규정」 제11조, 「개성공업지구 기업재정규정시행세칙」 제42조 및 제44조, 「개성공업지구 기업회계기준」 제62조 등에서 잔존가치에 대한 내용을 규정하고 있다. 하지만 라선경제무역지대의 경우, 감가상각방법에 대한 구체적인 내용을 규정하고 있지 않다.

금의 합계이다(외재규 제30조 제5항).

「외국투자기업재정관리법 시행규정세칙」 제39조에서는 노력비의 계산방법에 대하여 북한측 1인당 노력비와 외국측 1인당 노력비의 계산방식에 대하여 아래와 같이 구분하여 규정하고 있다.

(1) 직제 · 직종별 북한측 1인당 노력비 (외재칙 제39조 제1항 제1호)

북한측 종업원들의 1인당 월노력비 금액은 국가가 정한 최저기준금액과 기업이 자체로 계산한 초과금액의 합계로 계산한다. 초과금액은 기본생활비와 가급금, 장려금, 기술봉사비의 합계로 계산한다. 기본생활비는 기업이 직제, 직종에 따라 자체로 정한 초과금액[21]에 기업이 얻은 월판매수입계획수행률, 개인의 생산 및 봉사계획수행률, 개인이 월에 받은 평균점수를 곱하여 계산한다. 이를 계산공식으로 정리하면 다음과 같다.

월노력비 금액 = 국가가 정한 최저기준금액 + 기업자체 계산 초과금액
• 기업자체 계산 초과금액 = ①기본생활비 + ②가급금 + ③장려금 + ④기술봉사비

① 기본생활비 = 직제 · 직종별 기업자체 기준 초과금액 x (월판매수입계획수행률/100) x (월개인계획수행률/100) x (평균점수/100)

⇨ 월판매수입계획수행률: 기업이 중앙세무지도기관에 등록한 재정계획에서 연판매수입금액의 12분의 1 혹은 해당 분기의 3분의 1에 대한 실적의 백분율로 계산한다.
월판매수입계획수행률(%) = (월실적/월판매수입계획) x 100
월판매수입계획 = 연판매수입계획/12 또는 분기판매수입계획/3

⇨ 월 개인의 생산 및 봉사계획수행률: 기업이 정해준 생산 및 봉사계획을 수행한 실적을 백분율로 계산한다.
월개인계획수행률(%) = (월실적/월개인계획) x 100

⇨ 개인이 받은 평균점수: 하루 점수 100점을 기준하여 월에 평가받은 점수의 합계를 법정노동일수로 나눈 값으로 계산한다.
평균점수 = 하루 평가점수의 월합계/월법정노동일수

② 가급금: 힘든 작업, 위험한 작업, 야간 작업을 하거나 근속연한에 도달한 직제, 직종에 대하여 기업이 자체로 정한 기준에 따라 적용한다.

③ 장려금: 질 좋은 제품을 생산하였거나 원가저하에 직접 기여한 종업원들에게 기업이 자체로 정한 기준에 따라 적용한다.

④ 기술봉사비: 새로운 제품을 개발하거나 과학기술성과를 생산에 도입한 기술자, 특별한 기술기능으로 생산을 늘이는데 직접 이바지한 종업원들에게 기업이 자체로 정한 기준에 따라 적용한다.

---

21) 기본생활비가 초과금액의 일부를 구성하는데, 초과금액을 기초로 기본생활비를 계산하는 것으로 설명하고 있다. 기본생활비 계산의 기초가 되는 초과금액은 직제, 직종별 기준금액을 의미하고 월노력비의 구성항목인 초과금액은 실제로 계산된 금액을 의미하는 것으로 보인다.

북한측 종업원들에 대한 월외화노력비는 매월 5 노동일 전에 ≪월종업원 외화로력비 및 생활비계산서≫ 양식에 따라 거래은행에서 내화로 교환하여 노동보수자금원천으로 적립하고 지불하여야 한다(외재칙 제39조 제2항 제1호).

(2) 직세 · 직종별 외국측 1인당 노력비 (외재칙 제39조 제1항 제2호)

외국인종업원들의 1인당 월노력비 금액은 노동계약에 맞게 노력비와 가급금, 장려금 등의 합계로 계산한다. 노력비는 노동계약 당시 계약서에 반영된 절대액에 개인의 생산 및 봉사계획수행률과 개인이 월에 받은 평균점수를 곱하여 계산한다. 개인이 기술봉사 형태로 기업의 경영활동에 참가하는 경우 노력비는 기술봉사비로 계산하여야 한다. 이를 계산공식으로 정리하면 다음과 같다.

월외화노력비 금액(€) = ① 노력비 + ② 가급금 + ③ 장려금

① 노력비 = 노동계약금액 × (생산봉사계획수행률/100) × (평균점수/100)
기술봉사형태인 경우, 기술봉사비(노력비) = 기술봉사계약금액 × (기술봉사계획수행률/100) × (평균점수/100)
② 가급금: 힘든 작업, 위험한 작업, 야간 작업을 하거나 근속연한에 도달한 직제, 직종에 대하여 기업이 자체로 정한 기준에 따라 적용한다.
③ 장려금: 질 좋은 제품을 생산하였거나 원가저하에 직접 기여한 종업원들에게 기업이 자체로 정한 기준에 따라 적용한다.

외국인종업원들에 대한 월외화노력비는 세무등록증을 첨부하여 거래은행에 신청하여야 한다. 거래은행은 외국인종업원들의 세무등록증을 확인한 다음 현금을 출금하여야 하고, 기업은 외국인종업원들에게 지급한 노력비가 개인소득세의 과세대상이 될 때는 **개인소득세를 공제납부하고** 노력비를 지불하여야 한다.(외재칙 제39조 제2항 제2호)

(3) 상벌의 적용 (외재칙 제39조 제1항 제3호)

기업은 노력비를 계산할 때 종업원들이 노동행정규율을 지킨 정형, 생산문화, 생활문화사업에 이바지한 정형에 대하여 일정한 금액을 더하거나 더는 방법으로 상벌을 적용하여야 한다.

(4) 특수한 예외적 상황

재정수입이 「외국투자기업재정관리법 시행규정세칙」의 규정과 다르게 이루어지는 경우, 일부 종업원이 기업의 경영활동에 참가하지 못한 경우, 정부간 협정이나 국가의 조치 또는 계약에 따라 북한측 종업원들의 월외화노력비 기준을 인위적으로 높이 정한 경우에는 「외국투자기업재정관리법 시행규정세칙」 제39조 제3항 제1호, 제2호 및 제3호에 별도로 규정된 내용에 따른다.

나. 기업소득세 계산 목적의 노력비

기업소득세 계산 목적의 이윤(과세표준)을 확정하기 위한 공제대상 노력비를 정리하면 다음과 같다(외세규 제13조 제2항; 외세칙 제19조 제2항 제3호).

(1) 실지 지불한 노력비 금액만큼 계산하여야 한다.

(2) 조성만 하고 실지 지출하지 않은 노력비는 공제비용이 될 수 없다.

5 물자구입경비

가. 재정결산 목적의 물자구입경비

(1) 물자구입경비 (외재규 제30조 제6항; 외재칙 제40조 제1항)

물자구입경비에는 원료, 자재, 상품과 같은 물자를 구입하는 과정에서 자동차, 기차, 배, 비행기 등의 수송수단을 이용한데 대하여 지불하는 운임과 창고, 국경교두 및 항만, 비행장에서 노력과 창고를 이용한 것과 관련하여 지불하게 되는 상하차비, 보관비 등이 속한다.

(2) 물자구입경비의 확정 (외재칙 제40조 제2항)

물자구입경비는 기업이 자체로 세운 기준에 맞게 거래자들과의 계약에 따라 지불한 금액으로 확정한다.

(3) 원가초과비 (외재칙 제40조 제3항)

재정결산시 기준보다 적게 지출하였을 경우 이 항목에서 실지 지출된 비용만큼 확정하여야 하며, 과잉지출하였을 경우에는 이 항목에서 확정하지 말고 기타지출 항목의 원가초과비로 처리하여야 한다.

나. 기업소득세 계산 목적의 물자구입경비

기업소득세 계산 목적의 이윤(과세표준)을 확정하기 위한 공제대상 물자구입경비를 정리하면 다음과 같다(외세규 제13조 제2항; 외세칙 제19조 제2항 제4호).

(1) 기업이 자체로 세운 기준에 맞게 거래자들과 계약에 따라 실지 지불한 금액으로 계산하여야 한다.

(2) 기업이 자체로 세운 기준과 거래자들과의 계약을 초과하는 비용은 공제비용이 될 수 없다. 해당 부분은 기타지출 항목의 원가초과비로 처리하여 공제대상에서 제외된다.

6 판매비

가. 재정결산 목적의 판매비

(1) 판매비 (외재규 제30조 제7항; 외재칙 제41조 제1항)

판매비는 생산제품과 상품을 판매하는 과정에서 자동차, 기차, 배, 비행기 등의 수송수단 이용과 관련한 운임과 창고, 국경교두 및 항만, 비행장에서 지불하게 되는 상하차비, 보관비, 판매제품의 추가적 포장과 관련하여 지출하게 되는 포장비, 용기손모 및 수리비, 재가공비 등이 속한다.

(2) 판매비의 확정 (외재칙 제41조 제2항)

판매비는 기업이 자체로 세운 기준에 맞게 확정하여야 한다.

(3) 원가초과비 (외재칙 제41조 제3항)

재정결산시 기준보다 적게 지출하였을 경우 이 항목에서 실지 지출된 비용만큼 확정하여야 하며, 과잉지출하였을 경우에는 이 항목에서 확정하지 말고 기타지출 항목의 원가초과비로 처리하여야 한다.

나. 기업소득세 계산 목적의 판매비

기업소득세 계산 목적의 이윤(과세표준)을 확정하기 위한 공제대상 판매비를 정리하면 다음과 같다(외세규 제13조 제2항; 외세칙 제19조 제2항 제4호).

(1) 기업이 자체로 세운 기준에 맞게 거래자들과 계약에 따라 실지 지불한 금액으로 계산하여야 한다.

(2) 기업이 자체로 세운 기준과 거래자들과의 계약을 초과하는 비용은 공제비용이 될 수 없다. 해당 부분은 기타지출 항목의 원가초과비로 처리하여 공제대상에서 제외된다.

7 기업관리비

가. 재정결산 목적의 기업관리비

(1) 기업관리비의 종류 (외재규 제30조 제8항; 외재칙 제42조 제1항)

기업관리비는 사무용품비, 비품비, 노동보호비, 여비, 대외사업비, 통신비, 난방비, 용수비, 조명비, 연유비, 설비유지비, 건물유지비, 선전비 등 기업의 행정관리와 관련하여 지출하는 비용이다.

① 사무용품비: 사무용품 구입에 드는 비용

② 비품비: 사무용, 영업용, 경영용 비품 구입에 지출되는 비용

③ 노동보호비:

- 종업원들에 공급하는 노동보호용구, 작업필수품, 영양식료품, 보호약제, 해독약제, 피부보호제, 세척제 등 노동보호물자 구입과 노동안전 및 보호시설의 설치에 드는 비용
- 작업복(판매복, 접대복 등의 봉사복 포함), 작업모, 노동화와 같은 작업필수품과 영양식료품(영양제식사 포함), 보호약제, 해독약제, 피부보호제, 세척제 등 노동보호물자는 해당 노동법규나 자체로 정한 기준에 따라 무상으로 공급할 수 있다.

④ 여비: 사업상 용무로 국내 또는 국외출장을 다니는 일꾼들이 출장기간 운수수단의 이용, 숙식, 통신 등과 관련하여 지출하는 비용

- 외국투자기업은 비생산적 지출을 최대한 줄이는 원칙에서 여비의 항목별 지출기준을 자체로 정한데 따라 지출하여야 한다.
- 국내출장을 다니는 일꾼들의 여비기준은 기업이 자체로 정한 기준에 따라, 국외출장을 가는 일꾼들의 여비는 정해진 기준에 따라 기업이 자체로 정하여 지출하여야 한다.

- 근거없이 지출기준을 초과하였거나 정해진 항목 밖에 지출하였을 경우, 항목 밖의 지출액은 책임있는 당사자가 변상하여야 한다.

⑤ 대외사업비: 대표단 영접비, 여비, 교제비, 정기 및 비정기 이사회 기간의 상대방 이사 체류비(면담비, 연회 및 동석식사비, 택시비, 통신비, 기념품구입비 등), 안내 성원의 사업보장비(하루 1끼 정도의 식사비), 제품판로의 개척 및 촉진을 위한 사업비
- 기업의 생산 및 경영활동과 관련하여 지출을 최대한 줄이는 원칙에서 대외사업비를 자체로 정한 항목별 기준에 따라 기본수입의 1% 범위에서 지출할 수 있다.
- 근거없이 지출기준을 초과하였거나 항목 밖의 지출액은 책임있는 본인이 보상하여야 한다.

⑥ 통신비: 기업에 자체교환대가 있을 경우의 교환대유지비, 전화사용료, 전화를 새로 놓거나 옮기는데 드는 비용, 국제통신과 관련한 팩스(Fax), 전자우편, 전화사용료
- 통신비는 사용요금에 따라 실지 지출한 비용으로 확정한다.

⑦ 난방비: 난방사용료 지불금액과 자체로 난방을 보장할 때 지출하는 연료구입비
- 난방비는 자체로 정해진 사용요금과 자체난방을 이용하는 경우 자체로 정한 기준에 따라 실지 지출한 비용으로 확정한다.

⑧ 용수비: 물사용과 관련한 사용료지불금액

⑨ 조명비: 조명용전기사용료와 전등구입비

⑩ 연유비: 기업의 수송수단을 이용하는데 필요한 휘발유, 디젤유, 윤활유 등을 구입하는 비용

⑪ 설비유지비: 설비와 수송수단 유지를 위한 중·소보수에 지출되는 비용(설비의 개조 및 대보수에 지출되는 비용 제외)

⑫ 건물유지비: 건물의 중·소보수(구조변경과 증축 제외)와 관련하여 지출되는 비용과 건물을 빌려 쓰는 경우 다른 기관에 지불하는 임대료

⑬ 선전비: 직관물제작비, 신문 및 도서구입비, 행사용 꽃바구니 구입비, 유선방송시설 설치 및 유지비, 생산과 봉사를 소개하기 위한 광고, 상표, 소개물, 안내표, 가격표, 장식품 등을 구입하거나 설치하는데 드는 비용, 계절에 따라 진행되는 상품전람회와 관련하여 지출되는 비용 등

(2) 기업관리비의 확정 (외재칙 제42조 제2항)

기업관리비는 세부항목별로 기업이 자체로 세운 기준에 맞게 확정하여야 한다.

(3) 원가초과비 (외재칙 제42조 제3항)

재정결산시 세부항목별 기준보다 적게 지출하였을 경우 이 항목에서 실지 지출된 비용만큼 확정하여야 하며, 과잉지출하였을 경우에는 이 항목에서 확정하지 말고 기타지출 항목의 원가초과비로 처리하여야 한다.

나. 기업소득세 계산 목적의 기업관리비

기업소득세 계산 목적의 이윤(과세표준)을 확정하기 위한 공제대상 기업관리비를 정리하면 다음과 같다(외세규 제13조 제2항; 외세칙 제19조 제2항 제5호).

(1) 외국투자기업재정관리법규[22]에 따라 계산하여야 한다. 「외국투자기업재정관리법 시행규정세칙」에 의하면, 기업관리비는 **여비 항목별 지출기준, 대외사업비 항목별 기준 (기본수입의 1% 범위)** 등과 같이 기업이 자체로 세운 기준에 맞게 확정하여야 한다.

(2) 실지 지출한 비용이 정한 기준보다 낮을 경우 실비로 계산하며, 초과하였을 경우에는 기준만큼 확정하여야 한다.

(3) 용도에 맞지 않거나 초과된 비용은 공제비용이 될 수 없다. 해당 부분은 기타지출 항목의 원가초과비로 처리하여 공제대상에서 제외된다.

8 세금 및 국가납부금

가. 재정결산 목적의 세금 및 국가납부금

(1) 세금 (외재규 제31조; 외재칙 제43조 제1항)

세금 항목에는 기업소득세를 제외한 재산세, 거래세, 영업세, 자원세, 도시경영세, 자동차리용세, 관세가 포함된다. 「외국투자기업재정관리법 시행규정세칙」 제43조에서는

22) 「외국투자기업 및 외국인세금법 시행규정」 제13조에서는 '이 규정세칙에서 정한 기준'이라고 표현하고 있고, 동 시행규정세칙 제19조에서는 '외국투자기업재정관리법규에 따라 계산'한다고 표현하고 있다. 동 시행규정에서 '이 규정세칙…'이라고 표현한 것은 오류로 보인다. 「외국투자기업 및 외국인세금법 시행규정세칙」에는 별도의 기준이 규정되어 있지 않고, 세부적인 내용은 「외국투자기업재정관리법」, 동 시행규정 및 시행규정세칙에 규정되어 있다.

업종과 관련이 없이 고정재산과 유동재산을 판매하였을 경우 재산세도 포함된다는 내용을 추가적으로 규정하고 있다.[23)]

결국 기업소득세를 제외하고 기업이 국가에 납부하는 모든 세금은 재정결산 목적상 비용공제가 가능하다고 할 수 있다.

(2) 국가납부금 (외재규 제31조; 외재칙 제43조 제2항)

국가납부금 항목에는 기업이 부담하는 사회보험료와 토지사용료, 도로사용료, 양식장사용료, 오염물질배출보상료, 각종 수수료 등의 납부금이 속한다.

나. 기업소득세 계산 목적의 세금 및 국가납부금

기업소득세 계산 목적의 이윤(과세표준)을 확정하기 위한 공제대상 세금 및 국가납부금을 정리하면 다음과 같다(외세규 제13조 제2항; 외세칙 제19조 제2항 제6호).

(1) 공제대상 세금

2017년 6월 24일 채택된 「외국투자기업재정관리법 시행규정세칙」 제43조에 따르면, 재정결산 목적상으로 기업소득세를 제외하고 국가에 납부하는 모든 세금을 비용으로 공제할 수 있는 것으로 판단된다.

하지만 기업소득세 계산 목적의 이윤(과세표준)을 확정하기 위한 공제대상 세금과 관련하여, 2015년 최종 수정보충된 「외국투자기업 및 외국인세금법」 제12조에서는 '거래세와 영업세'만을 열거하고 있고, 2016년 채택된 동 시행규정 및 2017년 2월 5일 채택된 동 시행규정세칙에서는 '거래세, 영업세, 자원세, 도시경영세, 자동차리용세, 관세 같은 세금'이라고 표현하여 기업관련 세금 항목 중에서 재산세를 명시적으로 열거하고 있지 않다. 이는 종전 「외국투자기업 및 외국인세금법」에서는 '외국인'만 재산세 납부의무자에 포함하고 있었는데 2015년 수정보충 과정에서 '외국투자기업'을 납부의무자에 포함하면서 관련 조문을 정리하지 못하여 발생한 문제로 판단된다.

「법제정법」 제45조~제46조에 따르면, 법문건의 효력은 헌법, 부문법, 규정, 세칙의 순서로 높다. 또한 동법 제51조에 의하면 한 기관이 낸 법문건에서 후에 나온 법규범과 먼저 나온 법규범이 서로 다를 경우에는 후에 나온 법규범을 적용한다고 규정하고 있

---

23) 「외국투자기업 및 외국인세금법 시행규정」 제26조 및 동 시행규정세칙 제43조에 의하면, 기업은 외국투자기업재정관리법규에서 규정한 고정재산과 유동재산을 업종과 관련없이 판매(이관, 폐기 포함)하여 수입이 이루어지는 경우에 재산세 납부의무가 있다.

다. 부문법인 2015년 최종 수정보충된 「외국투자기업 및 외국인세금법」의 효력 순위가 가장 높다는 관점에서는 '거래세와 영업세'만이 공제대상 비용(세금)이 된다. 하지만 현실적으로 부문법, 규정 및 세칙의 내용이 일관된 체계로 정비되어 있다고 보기 어렵고, 효력 순위에 대한 「법제정법」상의 일반원칙이 제대로 지켜지고 있다고 보기도 어렵다. 따라서 2015년 9월 9일에 최종 수정보충된 부문법인 「외국투자기업 및 외국인세금법」을 기초로 재정성이 2017년에 채택한 시행규정세칙의 내용을 무시할 수는 없다.

북한 당국의 최종 입장은 2017년 채택된 시행규정세칙에 반영되어 있고, 오히려 부문법이 제때 수정보충되지 못한 것일 수도 있다. 시행규정세칙의 내용을 중심으로 공제대상 비용(세금)을 판단한다면, 2017년 6월 24일 채택한 「외국투자기업재정관리법 시행규정세칙」이 가장 최근에 나온 법규범으로서 우선적으로 적용되어야 한다고 할 수 있다. 「외국투자기업재정관리법 시행규정세칙」 제43조에서 재정결산 목적상 재산세를 공제비용에 포함하고 있고, 제49조에서는 실지 납부하지 않고 조성한 세금만 공제대상 세금에서 제외하고 있다.

따라서 종합적으로 판단할 때, **기업소득세를 제외하고 재산세를 포함하여 기업이 실지 납부한 모든 세금이 공제대상 비용**이 된다고 해석할 수 있다.

(2) 공제대상 국가납부금

기업이 부담하는 사회보험료, 토지사용료, 도로사용료, 양식장사용료, 오염물질배출보상료, 각종 수수료 등은 조성액이 아니라 실지 납부한 실적으로 계산하여야 한다.

(3) 실지 납부하지 않은 세금 및 국가납부금의 공제 제외

조성만 하고 실지 지불·납부하지 않은 세금 및 국가납부금은 공제비용이 될 수 없다. 기업소득세 계산에 대하여 규정하고 있는 「외국투자기업재정관리법 시행규정세칙」 제49조에도 동일한 내용이 포함되어 있다.

9 기타지출

가. 재정결산 목적의 기타지출

재정결산 목적상 기타지출 항목에는 연상비, 이자, 요금, 환자시세편차손실금, 국외투자기업개설비, 합숙 및 기능공학교운영비, 출퇴근버스비, 직업동맹사업비, 원가초과비, 연체료, 위약금, 벌금 등 업종에 관련이 없이 지출된 모든 비용이 속한다(외재규 제32조;

외재칙 제44조).

(1) 연상비 (외재규 제32조 제1항; 외재칙 제44조 제1항)

① 조업준비기간에 지출한 비용을 보상하지 못하였을 경우, 연상재산으로 계산하고 조업을 한 이후 이 항목에서 존속기간 안에 균등처리하여야 한다.

② 불가항력적 사유 같은 기업의 책임에 속하지 않는 원인으로 상품, 원료, 자재를 비롯한 유동재산의 사용가치가 상실하였을 경우, 연상재산으로 계산하고 이 항목에서 존속기간 안에 균등처리하여야 한다.

③ 불가항력적 사유 같은 기업의 책임에 속하지 않는 원인으로 고정재산에 속하는 설비를 폐기하거나 불필요한 설비를 판매하는 과정에 손실이 발생하였을 경우, 연상재산으로 계산하고 이 항목에서 존속기간 안에 균등처리하여야 한다.

④ 대상기업(채권자기업)이 파산당한 것과 같이 채권을 받지 못하여 손실이 발생하였을 경우, 연상재산으로 계산하고 이 항목에서 존속기간 안에 균등처리하여야 한다.

⑤ 「외국투자기업재정관리법 시행규정세칙」에는 예시되어 있지 않으나, 동 시행규정 제32조 제1항에서는 '조업기간에 경영손실로 계산된 금액', '기업의 경영활동과 관련한 대상건설비'도 연상비에 포함되는 것으로 규정하고 있다.

⑥ 연상비에 속하는 비용은 당해 연도 비용으로 확정하지 말아야 하며 존속기간 안에 균등처리하여야 한다. 이러한 연상재산에 대한 균등처리 규정과 관련하여, 기업의 '존속기간'은 기업창설승인문건에 정한 기간으로 하며, 존속기간의 계산은 기업창설문건을 받은 날부터 한다.[24]

(2) 이자 (외재규 제32조 제2항; 외재칙 제44조 제2항)

① 이자는 은행기관과의 대부상환계약에 따라 지불하는 금액 중에서 원금을 제외한 이자비용이 포함된다. 은행 밖의 기관으로부터 이자지불조건와 같은 형태로 차입자본을 받아 이용하는 경우 건당 중앙세무지도기관(시행규정에서는 '해당 세무기관'으로 표현)에 등록하여야 한다.

② 이자는 실지 지불한 금액에 맞게 처리하여야 한다.

---

24) 정철원, 『조선투자법안내(310가지 물음과 대답)』, 법률출판사, 2007, 170쪽; 조선대외경제투자협력위원회 편찬, 『조선민주주의인민공화국 투자안내』, 외국문출판사, 2016, 43쪽.

(3) 요금 (외재규 제32조 제3항; 외재칙 제44조 제3항)

① 요금에는 검증기관과 세관, 품질감독 등의 기관에 봉사를 받은 대가로 지불하는 비용이 포함된다.

② 요금은 국가가격기관이 정한 요금수준에 따라 지불한 금액으로 처리하여야 한다.

(4) 환자시세편차손실금 (외재규 제32조 제4항; 외재칙 제44조 제4항)

① 환자시세편차손실금은 거래은행의 환율변동으로 돈자리에서 부득이하게 발생하는 손실비용이다.

② 환자시세편차손실금은 돈자리에서 실지 계산된 금액으로 처리하여야 한다.

(5) 국외투자기업개설비 (외재규 제32조 제5항; 외재칙 제44조 제5항)

① 국외투자기업개설비에는 기업이 다른 나라에 새로 조직하는 국외투자기업이 해당 나라에 등록하는데 필요한 수수료 등 수속비용이 포함된다.

② 건물임대비를 비롯한 기업의 종업원들의 생활유지와 관련한 비용은 포함되지 않는다.

③ 국외투자기업개설비는 현지 나라에 등록하는데 지출한 항목별로 계산하여야 한다.

(6) 합숙 및 기능공학교운영비 (외재규 제32조 제6항; 외재칙 제44조 제6항)

① 합숙 및 기능공학교운영비에는 기업이 실지 운영하는 합숙 및 기능공학교유지와 관련하여 지출되는 비용이 속한다.

② 합숙 및 기능공학교운영비는 기업이 자체로 정한 기준에 맞게 계산하여야 한다.

(7) 출퇴근버스비 (외재규 제32조 제7항; 외재칙 제44조 제7항)

① 출퇴근버스비에는 출퇴근시 공공운수수단을 이용하는 종업원들에게 통근차표를 팔아줄 때 기업이 일부 부담하는 보상금이 속한다.

② 출퇴근버스비는 기업이 실지 부담한 비용에 따라 계산하여야 한다.

(8) 직업동맹사업비 (외재규 제32조 제8항; 외재칙 제44조 제8항)

① 직업동맹사업비에는 기업에 조직된 직업동맹의 활동과 관련하여 지출되는 비용이 속한다.

② 직업동맹사업비는 직업동맹이 정한 기준에 따라 기업이 실지 지불한 비용으로 계산하여야 한다.

(9) 원가초과비 (외재규 제32조 제9항; 외재칙 제44조 제9항)

① 원가초과비에는 원가항목에 포함된 항목이 기준보다 과잉지출된 비용이 속한다.

② 원가초과비는 재정결산시 해당 기준보다 초과된 원가항목별 비용으로 계산하여야 한다.

(10) 연체료 (외재규 제32조 제10항; 외재칙 제44조 제10항)

① 연체료에는 세금과 국가납부금, 대부상환을 정해진 날까지 하지 못하여 중앙세무지도기관(시행규정에서는 '해당 세무기관'으로 표현)과 은행기관에 추가적으로 지불하는 비용이 포함된다.

② 연체료는 실지 지불한 금액으로 계산하여야 한다.

(11) 위약금 (외재규 제32조 제11항; 외재칙 제44조 제11항)

① 위약금에는 계약위반으로 지불하는 비용이 포함된다.

② 위약금은 실지 지불한 금액으로 계산하여야 한다.

(12) 벌금 (외재규 제32조 제12항; 외재칙 제44조 제12항)

① 벌금에는 세금법규와 재정관리법규를 비롯한 해당 법규를 위반한 행위로 부과받은 추가적 비용이 포함된다. 개별적 성원들에게 부과되는 벌금은 기업의 비용으로 지출할 수 없다.

② 벌금은 실지 지불한 금액으로 계산하여야 한다.

(13) 기타 (외재칙 제44조 제13항)

① 기타에는 원가와 기타지출, 세금 및 국가납부금 항목에 속하지 않은 모든 비용지출이 포함된다. 「외국투자기업재정관리법 시행규정」에는 이러한 '기타' 항목에 대한 규정이 없는데, 동 시행규정세칙이 나중에 만들어지면서 보완된 내용으로 보인다.

② 기타는 실지 지불한 비용으로 계산하여야 한다.

나. 기업소득세 계산 목적의 기타지출

기업소득세 계산 목적의 이윤(과세표준)을 확정하기 위한 공제대상 기타지출을 정리하면 다음과 같다(외세규 제13조 제2항; 외세칙 제19조 제2항 제7호).

(1) ① 존속기간에 균등처리한 연상비, ② 대부상환계약서에 반영된 이자금액, ③ 국

가가격기관이 정한 요금, ④ 1개월 1회 정상적으로 처리한 환자시세편차손실금, ⑤ 항목에 맞는 국외투자기업개설비, ⑥ 규약에 반영된 합숙 및 기능공학교운영비, ⑦ 정상적으로 지출되는 출퇴근버스비, ⑧ 계약에 따르는 직업동맹사업비만을 계산하여야 한다(한정적 열거). **열거된 항목만을 공제대상 비용으로 계산하여야 한다**고 명확히 규정하고 있다.

(2) 실지 지출한 비용이 지출항목의 금액[25)]보다 적은 경우 실비로 계산하며, 초과된 비용은 공제비용이 될 수 없다.

(3) 기타지출 항목에서 원가초과비와 연체료, 위약금, 벌금, 「외국투자기업 및 외국인세금법 시행규정」 또는 동 시행규정세칙에서 정하지 않은 비용, 2중적으로 계산한 비용은 공제비용이 될 수 없다.

제4절 기업소득세의 납부

1 외국투자기업의 기업소득세 납부

기업은 기업소득세를 분기마다 예정납부하여야 하고, 연간결산에 따라 기업소득세를 확정납부할 때 미납액을 추가납부하며 과납액을 반납받는다(외세법 제13조 및 제14조; 외세규 제14조 및 제15조; 외세칙 제21조 및 제22조).

가. 이윤 확정과 기업소득세 계산

기업소득세는 정해진 날짜에 정확히 계산하여야 하며,[26)] 분기 예정납부 및 연간 확정납부에 대한 이윤의 확정 및 기업소득세 계산기한은 다음과 같다(외세규 제13조 제4항; 외세칙 제20조).

(1) 분기이윤 확정과 예정납부 기업소득세

분기에 예정납부하는 기업소득세는 **분기가 끝나는 다음달 10 노동일 안**에 이윤을 계산확

25) 균등처리 계산한 연상비, 대부상환계약서상의 이자금액, 국가가격기관이 정한 요금 등 기준이 되는 금액을 의미하는 것으로 보인다.

26) "정해진 날자에 정확히 계산하여야" 한다는 표현은 특정 계산시점을 의미하는 것으로 해석될 수 있으나, 실제 내용은 특정 계산시점이 아닌 '계산기한'을 의미하는 것이다.

정하고 그 이윤에 세율을 적용하여 계산한다.

(2) 연간이윤 확정과 확정납부 기업소득세

연(年)에 확정납부하는 기업소득세는 **다음 해 2월 10 노동일 안**에 이윤을 계산확정하고 그 이윤에 세율을 적용하여 계산한다.

(3) 재정결산 목적상의 이윤 확정

재정결산 목적상의 이윤 확정과 관련하여, 「외국투자기업재정관리법」 제30조 및 동 시행규정 제34조에서는 분기이윤 확정은 분기가 끝나는 다음 달 15일 안에, 연간이윤 확정은 다음 해 2월 안에 한다고 규정하고 있다. 동 시행규정세칙 제45조에서는 분기이윤은 분기가 끝난 다음 달 15 노동일 안에, 연간이윤은 연간재정결산 연도가 끝난 다음 해 2월 15 노동일 안에 확정하여야 한다고 규정하고 있다.

이와 같이, 「외국투자기업재정관리법」과 동 시행규정 및 시행규정세칙에서 규정하고 있는 재정결산 목적의 이윤 확정시점이 「외국투자기업 및 외국인세금법 시행규정」 및 동 시행규정세칙에서 규정하고 있는 기업소득세 계산 목적의 이윤 확정시점 보다 늦다. 기업소득세 계산보다 재정결산이 먼저 이루어져야 하므로 이러한 법규 간의 차이는 정비되어야 할 것으로 보인다.

나. 기업소득세의 분기 예정납부

기업은 기업소득세를 1/4분기(3개월), 2/4분기(6개월) 및 3/4분기(9개월)에 분기마다 1회 예정납부하여야 하며, 그 절차는 다음과 같다.

(1) 기업소득세납부신고서 등의 제출 및 승인

기업은 기업소득세를 계산한 날부터 1 노동일 안에 기업소득세납부신고서와 분기재정결산문건 등 세무기관이 요구하는 모든 재정관리문건들을 제출하여 승인받아야 한다 (외세규 제14조 제1항; 외세칙 제21조 제1항).

① 분기이윤을 정확히 계산할 수 없는 경우:

「외국투자기업 및 외국인세금법 시행규정세칙」 제21조 제1항 제1호에서 "… **지난해 같은 분기에 납부한** 기업소득세액의 25%에 해당한 기업소득세납부신고서를 제출하여야 한다."고 규정하고 있는데, 이 표현은 잘못된 것으로 보인다. 종전 2002년 채택 「외국투자기업 및 외국인세금법 시행규정」 제22조의 "… **지난해 납부한**

기업소득세액의 25% 해당 금액…"을 잘못 옮긴 것으로 추정된다. 분기별 예정납부이므로 '지난해 납부한 기업소득세액의 25%'(종전 2002년 규정의 표현) 또는 '지난해 같은 분기에 납부한 기업소득세액'으로 수정되어야 할 것으로 판단된다.

② 전년도 같은 분기에 납부한 기업소득세가 없는 경우:
재정계획에 예견된 분기이윤의 75% 금액에 해당 세율을 적용하여 기업소득세납부신고서를 제출하여야 한다(외세칙 제21조 제1항 제2호).

(2) 기업소득세의 예정납부

기업은 세무기관의 승인을 받은 날로부터 1 노동일 안에 기업소득세를 국가세무돈자리에 납부하여야 한다. 기업소득세의 납부확정시점은 국가세무돈자리에 세금이 입금된 날이다.(외세규 제14조 제2항; 외세칙 제21조 제2항)

(3) 오류 수정시의 예정납부기일

기업은 이윤계산과 세율적용을 과실에 의해 잘못하여 수정하는 경우에도 기업소득세의 납부기일(납부날짜)은 분기가 끝나는 다음 달 15 노동일을 초과할 수 없다(외세규 제14조 제3항; 외세칙 제21조 제3항).

(4) 기업소득세 예정납부기일의 연장

불가피한 사정으로 분기에 예정납부할 기업소득세를 정해진 날까지 납부하지 못할 경우에는 미납된 세금과 연체료를 따로 납부하는 조건으로 세금납부담보서를 세무기관에 제출하여 승인을 받아 납부기일(납부날짜)을 연장할 수 있으나, 25 노동일을 초과할 수 없다(외세규 제14조 제4항; 외세칙 제21조 제4항). 여기서 25 노동일의 기산일이 명확하지 않기 때문에, 추가적으로 25 노동일을 연장할 수 있는지 아니면 당초 납부기한을 포함하여 총합계 25 노동일을 의미하는지 확실하지 않다.

(5) 미납 세금과 연체료의 강제징수

세금납부의무자가 정당한 이유가 없거나 세무기관의 승인을 받지 않고 세금계산날부터 25 노동일이 지나도록 세금납부신고서를 제출하지 않거나 세금을 납부하지 않았을 경우, 미납된 세금과 연체료를 모두 강제징수한다(외세규 제70조 제2항; 외세칙 제93조 제3항). 하지만 불가피한 경우 세금납부담보서를 세무기관에 제출하여 승인을 받아서 납부기일을 연장한다면 이러한 강제징수 규정이 적용되지 않는 것으로 판단된다.

(6) 기업소득세 예정납부 관련 기한 요약

위에서 논의한 예정납부 관련 기한을 그림으로 정리하면 다음과 같다.

<그림 2-1> 외국투자기업의 기업소득세 예정납부

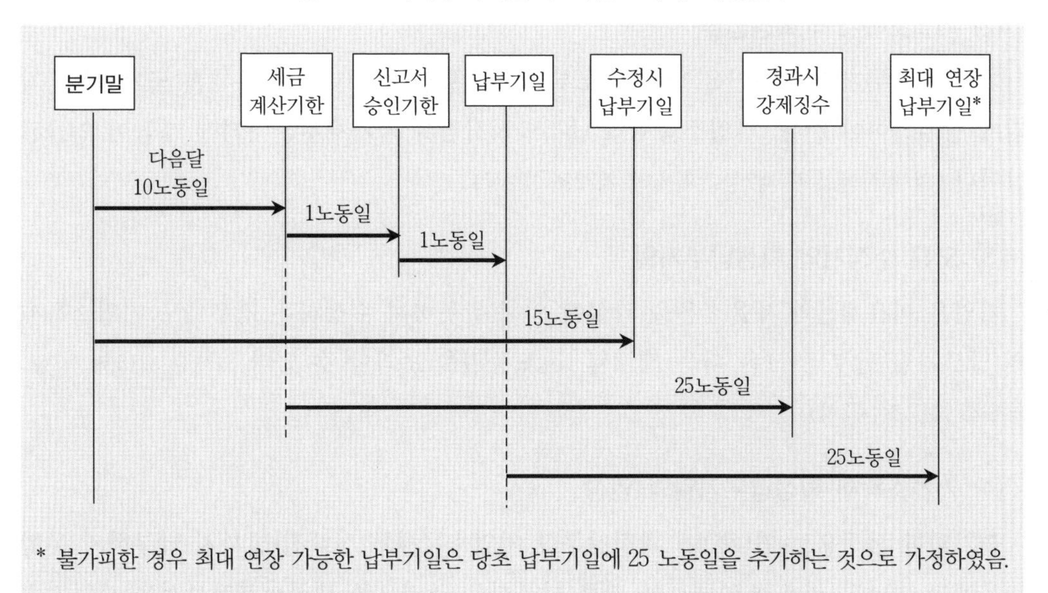

* 불가피한 경우 최대 연장 가능한 납부기일은 당초 납부기일에 25 노동일을 추가하는 것으로 가정하였음.

자료: 관련 법규 내용을 기초로 저자 작성.

다. 기업소득세의 확정납부

기업은 기업소득세를 1년에 1회 확정납부하여야 하며, 그 절차는 다음과 같다.

(1) 기업소득세납부신고서 등의 제출 및 승인

기업은 기업소득세를 계산한 날부터 1 노동일 안에 기업소득세납부신고서와 연간재정결산문건 등 세무기관이 요구하는 모든 재정관리문건들을 제출하여 승인받아야 한다(외세규 제15조 제1항; 외세칙 제22조 제1항).

① 한 생산주기가 1년을 넘거나 계절성을 띠는 경우:

「외국투자기업 및 외국인세금법 시행규정세칙」 제22조 제1항 제1호에 의하면, "… 1년을 주기로 **지난해에 납부한 기업소득세액의 25%**에 해당한 기업소득세납부신고서를 제출하여야 한다."고 규정하고 있는데, 이 표현은 잘못된 것으로 보인다. 연간 확정납부 상황으로서 "… 1년을 주기로 **지난해에 납부한 기업소득세액**에 해당한 기업소득세납부신고서를 제출하여야 한다."는 표현을 의도했던 것으로 추정된다.

② 전년도에 납부한 기업소득세가 없는 경우:
재정계획에 예견된 연간이윤의 75% 금액에 해당 세율을 적용하여 기업소득세납부신고서를 제출하여야 한다.

(2) 기업소득세의 확정납부

기업은 세무기관의 승인을 받은 날로부터 1 노동일 안에 기업소득세를 국가세무돈자리에 납부하여야 한다. 기업소득세의 납부확정시점은 국가세무돈자리에 세금이 입금된 날이다.(외세규 제15조 제2항; 외세칙 제22조 제2항)

(3) 오류 수정시의 확정납부기일

기업은 이윤계산과 세율적용을 과실에 의해 잘못하여 수정하는 경우에도 기업소득세의 납부기일(납부날짜)은 다음 해 2월 15 노동일을 초과할 수 없다(외세규 제15조 제3항; 외세칙 제22조 제3항).

(4) 기업소득세 확정납부기일의 연장

불가피한 사정으로 연(年)에 확정납부할 기업소득세를 정해진 날까지 납부하지 못할 경우에는 미납된 세금과 연체료를 따로 납부하는 조건으로 세금납부담보서를 세무기관에 제출하여 승인을 받아 납부기일(납부날짜)을 연장할 수 있으나, 75 노동일을 초과할 수 없다(외세규 제15조 제4항; 외세칙 제22조 제4항). 여기서 75 노동일의 기산일이 명확하지 않기 때문에, 추가적으로 75 노동일을 연장할 수 있는지 아니면 당초 납부기한을 포함하여 총합계 75 노동일을 의미하는지 확실하지 않다.

(5) 미납 세금과 연체료의 강제징수

세금납부의무자가 정당한 이유가 없거나 세무기관의 승인을 받지 않고 세금계산날부터 25 노동일이 지나도록 세금납부신고서를 제출하지 않거나 세금을 납부하지 않았을 경우, 미납된 세금과 연체료를 모두 강제징수한다(외세규 제70조 제2항; 외세칙 제93조 제3항). 하지만 불가피한 경우 세금납부담보서를 세무기관에 제출하여 승인을 받아서 납부기일을 연장한다면 이러한 강제징수 규정이 적용되지 않는 것으로 판단된다.

(6) 기업소득세 확정납부 관련 기한 요약

위에서 논의한 확정납부 관련 기한을 그림으로 정리하면 다음과 같다.

<그림 2-2> 외국투자기업의 기업소득세 확정납부

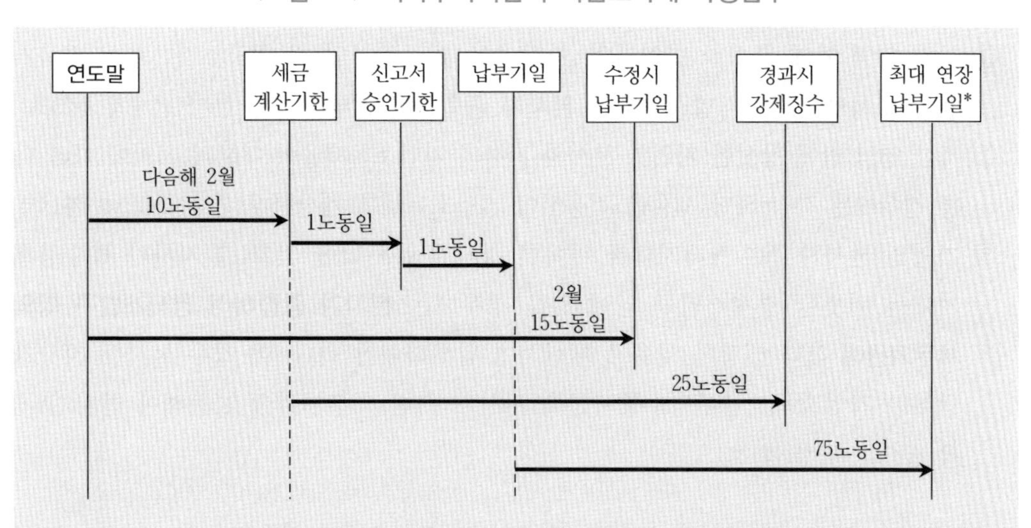

* 불가피한 경우 최대 연장 가능한 납부기일은 당초 납부기일에 75 노동일을 추가하는 것으로 가정하였음.

자료: 관련 법규 내용을 기초로 저자 작성.

(7) **특수한 상황**(외세규 제15조 제5항; 외세칙 제22조 제5항)

① 작업기간이 1년 이상 걸리는 건설 및 조립공사, 대형기계설비의 가공 및 제작과 같은 작업을 하는 기업의 기업소득세는 1년에 1회 확정납부하여야 한다.

② 기업이 해산될 경우에는 **해산을 선포한 날부터 20 노동일 안**으로 세무기관에 세금납부담보를 세우며, **결산서를 작성한 날로부터 15 노동일 안**으로 기업소득세를 납부하여야 한다.

③ 기업이 통합하거나 분리될 경우 그 시기까지 결산하고 **통합, 분리를 선포한 날부터 20 노동일 안**으로 기업소득세를 납부하여야 한다.

④ 기업이 기업소득세를 확정납부할 때 미납금을 추가납부하며 과납액은 반환받는다.

2 외국투자기업 지사 등의 기업소득세 납부

외국투자기업(외국투자은행 포함)의 지사 등이 얻은 소득과 관련된 기업소득세에 대하여는 「외국투자기업 및 외국인세금법 시행규정세칙」에서 다음과 같이 규정하고 있다(외세칙 제23조).

가. 외국투자기업의 지사

① 북한 영역 안에 창설한 합영기업, 합작기업, 외국인기업 및 외국투자은행의 지사가 얻은 소득에 대한 기업소득세는 **본사가 종합하여 납부**하여야 한다(외세칙 제23조).
② 북한 영역 안에 창설한 기업의 본사와 지사의 기업소득세율이 부문과 지역에 따라 다른 경우에는 각각 해당 세율을 적용하여 기업소득세를 계산한다(외세칙 제23조 제1항).
③ 기업의 본사가 특수경제지대를 비롯한 경제개발구 밖에 있고 그 지사가 특수경제지대를 비롯한 경제개발구 안에 있을 경우에는 **본사가 종합하여 경제개발구 밖의 세무기관에** 각각 해당한 세율로 계산하여 납부하여야 한다. 이 경우 본사는 지사가 납부한 기업소득세납부영수증사본을 지사가 속한 세무기관에 제출해야 한다.(외세칙 제23조 제1항 제1호)

나. 외국투자기업의 국외투자기업

북한 영역 안의 기업이 다른 나라에 합영, 합작기업을 창설하였을 경우, 그로부터 배당되는 이익금은 기타소득으로 계산하여 해당하는 세율과 방법에 따라 기업소득세를 납부하여야 한다(외세칙 제23조 제2항).

3 외국기업의 기업소득세 납부

가. 외국기업의 지사

외국기업의 지사가 얻은 소득에 대한 기업소득세는 지사가 신고납부한다(외세칙 제23조 제1항 제2호).

나. 외국기업의 기타소득

외국기업이 북한에서 배당소득, 이자소득, 임대소득, 특허권사용료 같은 기타소득을 얻었을 경우, 20%의 세율을 적용하여 계산한 기업소득세를 세금납부의무자가 신고납부하거나 수입금을 지불하는 세금대리납부의무자가 공제납부하여야 한다(외세법 제11조 및 제15조; 외세규 제16조; 외세칙 제24조).

(1) 기업소득세납부신고서 등의 제출 및 승인

기타소득에 대한 기업소득세를 신고납부하는 경우, 소득을 확정한 시점, 수입을 확정한 시점부터 1 노동일 안에 기업소득세납부신고서와 해당 근거문건을 세무기관에 제출하여 승인받아야 한다(외세규 제16조 제1항; 외세칙 제23조 제1항). 기타소득에 대한 소득·수입을 확정한 시점이 언제인지 별도의 규정이 없다. 하지만 기타소득은 별도의 공제비용 없이 기타소득액(기타수입액)에 세율을 적용하는 것이므로 지불하는 날이 소득·수입 확정일이 될 것으로 판단된다.

(2) 기업소득세의 납부

세무기관의 승인을 받은 날로부터 1 노동일 안에 기업소득세를 국가세무돈자리에 납부하여야 한다(외세규 제16조 제1항; 외세칙 제23조 제1항). 기업소득세의 납부확정시점은 국가세무돈자리에 세금이 입금된 날이다(외세칙 제23조 제1항).

(3) 오류 수정시의 납부기일

기업은 소득, 수입의 확정과 세율적용을 과실에 의해 잘못하여 수정하는 경우에도 기업소득세의 납부기일(납부날짜)은 소득, 수입을 확정한 시점부터 15 노동일을 초과할 수 없다(외세규 제16조 제2항; 외세칙 제23조 제2항).

(4) 기업소득세 납부기일의 연장

불가피한 사정으로 기업소득세를 정해진 날까지 납부하지 못할 경우에는 미납된 세금과 연체료를 따로 납부하는 조건으로 세금납부담보서를 세무기관에 제출하여 승인을 받아 납부기일(납부날짜)을 연장할 수 있으나, 25 노동일을 초과할 수 없다(외세규 제16조 제3항; 외세칙 제23조 제3항). 여기서 25 노동일의 기산일이 명확하지 않기 때문에, 추가적으로 25 노동일을 연장할 수 있는지 아니면 당초 납부기한을 포함하여 총합계 25 노동일을 의미하는지 확실하지 않다.

(5) 미납 세금과 연체료의 강제징수

세금납부의무자가 정당한 이유가 없거나 세무기관의 승인을 받지 않고 세금계산날부터 25 노동일이 지나도록 세금납부신고서를 제출하지 않거나 세금을 납부하지 않았을 경우, 미납된 세금과 연체료를 모두 강제징수한다(외세규 제70조 제2항; 외세칙 제93조 제3항). 하지만 불가피한 경우 세금납부담보서를 세무기관에 제출하여 승인을 받아서 납부기일을 연장한다면 이러한 강제징수 규정이 적용되지 않는 것으로 판단된다. 여기서 외국기업의 기타소득에 대한 세금계산날에 대하여는 별도의 규정이 없지만, 지불하는 날, 소득·수입 확정일 및 세금계산날이 모두 동일할 것으로 판단된다.

(6) 세금대리납부의무자의 공제납부

기타소득에 대한 기업소득세를 공제납부하는 경우, 수입금을 지불하는 세금대리납부의무자는 기타소득을 지불하는 날에 공제납부하여야 한다(외세규 제16조 제4항; 외세칙 제23조 제4항).

(7) 외국기업의 기타소득에 대한 기업소득세 납부 관련 기한 요약

위에서 논의한 외국기업의 기타소득에 대한 기업소득세 납부 관련 기한을 그림으로 정리하면 다음과 같다.

<그림 2-3> 외국기업의 기타소득에 대한 기업소득세 납부

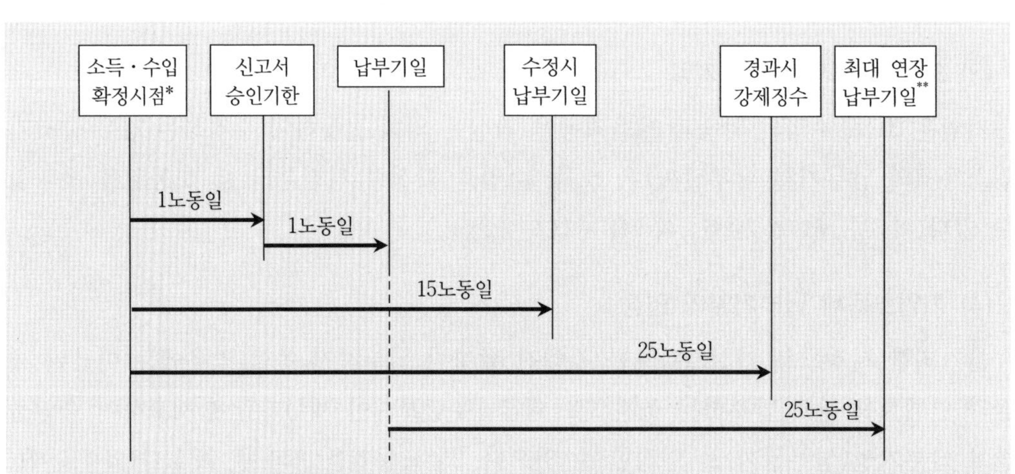

* 별도 규정은 없으나, 기타소득을 지불하는 날, 소득·수입 확정시점 및 세금계산날이 모두 동일할 것으로 추정함. 세금대리납부의무자는 기타소득을 지불하는 날(=소득·수입 확정시점) 공제납부함.

** 불가피한 경우 최대 연장 가능한 납부기일은 당초 납부기일에 25 노동일을 추가하는 것으로 가정하였음.

자료: 관련 법규 내용을 기초로 저자 작성.

제5절 기업소득세의 특혜

1 기업소득세 특혜의 종류

기업소득세의 적용에 대한 특혜조치에는 세율특혜, 세금면제, 세금감면, 세금반환(환급) 등이 있다(외세법 제16조).

가. 세율특혜

세율특혜는 표준세율 25% 보다 낮추어주는 방법으로 적용한다(외세규 제17조 제1항; 외세칙 제25조 제1항).

(1) 특수경제지대 밖에 해외공민이 투자하여 창설한 기업: 20%

경제개발구를 비롯한 특수경제지대[27] 밖에 창설된 기업의 외국측 투자가가 해외공민인 경우 20%의 세율을 적용한다(외세규 제17조 제1항; 외세칙 제25조 제1항 제1호). 이 경우 외국측 투자가가 북한 국적소유자라는 해외동포영접부문의 신분확인문건과 계약서 사본을 첨부한 기업소득세율적용신청문건을 세무기관에 제출해야 한다(외세칙 제25조 제1항 제1호).

(2) 특수경제지대에 창설된 외국투자기업: 14%

경제개발구를 비롯한 특수경제지대 안의 세금납부의무자에 대해서는 14%의 세율을 적용한다(외세법 제16조 제1항; 외세규 제17조 제1항; 외세칙 제25조 제1항 제2호).

(3) 장려부문 기업: 10%

첨단기술부문, 하부구조건설부문, 과학연구부문 등 장려부문 기업에 대해서는 10%의 세율을 적용한다(외세법 제16조 제1항; 외세규 제17조 제1항; 외세칙 제25조 제1항 제3호). 이 경우 해당 기관의 확인문건을 첨부한 기업소득세율적용신청문건을 세무기관에 제출해야 하고, 세무기관은 기업소득세율적용신청문건을 접수한 날부터 10 노동일 안에 기업소득세율을 정하여 주어야 한다(외세칙 제25조 제1항 제3호).

---

27) 「외국투자기업 및 외국인세금법 시행규정세칙」 제25조에서는 "특수경제지대를 비롯한 경제개발구"로 표현하고 있는데, 이는 부정확한 표현으로 보인다. 특수경제지대는 이미 경제개발구를 포함하는 개념으로서, 「외국투자기업 및 외국인세금법 시행규정」 제17조의 "경제개발구를 비롯한 특수경제지대"라는 표현이 정확한 것이다.

나. 세금면제 또는 감면

(1) 차관 · 대부 이자소득

다른 나라 정부, 국제금융기구가 차관을 주었거나 다른 나라 은행이 기업에 유리한 조건으로 대부를 주었을 경우, 북한에 상주기구를 두지 않고 소득을 얻은 외국은행을 비롯한 외국기업에 대해서는 그 이자소득에 대하여 기업소득세를 면제한다(외세법 제16조 제2항; 외세규 제17조 제2항; 외세칙 제25조 제2항 제1호).

(2) 장려부문

장려부문에 투자하여 (존속기간이) 15년 이상 운영하는 기업에 대해서는 기업소득세를 3년간 면제하고, 그 다음 2년간은 50% 범위에서 덜어줄 수 있다(시행규정세칙: 덜어 준다)(외세법 제16조 제3항; 외세규 제17조 제2항 및 제3항; 외세칙 제25조 제2항 제2호 및 제3항 제1호).

(3) 생산부문

국가가 제한하는 업종을 제외한 생산부문에 투자하여 10년 이상 운영하는 기업에 대해서는 기업소득세를 2년간 면제하여 줄 수 있다(시행규정세칙: 면제하여 준다)(외세법 제16조 제4항; 외세규 제17조 제2항; 외세칙 제25조 제2항 제3호).

(4) 봉사부문

정해진 봉사부문에 투자하여 10년 이상 운영하는 기업: 기업소득세를 1년간 면제하여 줄 수 있다(시행규정세칙: 면제하여 준다)(외세법 제16조 제5항; 외세규 제17조 제2항; 외세칙 제25조 제2항 제4호).

상기 (2), (3) 및 (4)에 대하여, 「외국투자기업 및 외국인세금법」 제16조 및 동 시행규정 제17조에서는 '덜어줄 수 있다.' 또는 '면제하여 줄 수 있다.'고 표현하고 있으나, 동 시행규정세칙 제25조에서는 '덜어 준다.' 또는 '면제하여 준다.'고 표현하고 있다. 이러한 표현을 문언대로 해석한다면 차이가 있지만 실제 차이를 두고자 한 것인지는 명확하지 않다. 실제 적용상 차이를 두고자 한 것이라면, 부문법과 시행규정에서는 특혜 부여의 근거를 규정하고 시행규정세칙에서 확정적으로 특혜를 부여하는 방식을 취한 것일 수 있다.

또한 상기 (2), (3) 및 (4)에서 '15년 이상' 또는 '10년 이상' 운영하는 기업은 기업창설승인문건에 정한 '존속기간'[28]이 15년 또는 10년 이상이라는 의미로 보인다. 실제로

28) 기업의 '존속기간'은 기업창설승인문건에 정한 기간으로서, 기업창설승인문건을 받은 날부터 계산한다. 정철원, 『조선투자법안내(310가지 물음과 대답)』, 법률출판사, 2007, 170쪽; 조선대외경제투자협력위원

상기 (2) 장려부문 투자에 대해서는 동 시행규정 및 시행규정세칙에서 '존속기간'임을 표시하고 있다.

다. 이윤 재투자와 세금감면 또는 반환

(1) 존속기간이 10년 이상 되는 장려부문 기업의 투자당사자들이 분배받는 이윤을 재투자하여 등록자본을 늘이는 경우, 투자확정시점에 맞게 재투자분에 해당한 기업소득세액의 전부를 덜어주거나 반환하여 준다(외세법 제16조 제6항; 외세규 제17조 제3항; 외세칙 제25조 제3항 제2호 및 제3호).

(2) 존속기간이 10년 이상 되는 기업의 투자당사자들이 분배받는 이윤을 재투자하여 등록자본을 늘이거나 새로운 기업을 창설하여 10년 이상 운영하는 경우, 투자확정시점에 맞게 재투자분에 해당한 기업소득세액의 50%를 덜어주거나 반환하여 준다(외세법 제16조 제6항; 외세규 제17조 제3항; 외세칙 제25조 제3항 제2호 및 제3호).

2 기업소득세 특혜의 적용기간 및 절차

가. 적용기간

(1) 기업창설승인에 따라 조직되는 외국투자기업(합영기업과 합작기업, 외국인기업, 외국투자은행)의 감면기간은 **기업창설이 승인된 다음해부터** 적용한다(외세법 제17조; 외세규 제18조 제1항; 외세칙 제26조 제1항).

(2) 기업등록에 따라 경영허가를 받은 외국기업, 외국은행의 지점 같은 기업은 **경영허가를 받은 해부터** 적용한다(외세규 제18조 제2항; 외세칙 제26조 제2항).

(3) 북한에 영구기업지를 가지고 있지 않지만, 소득을 얻는 외국은행을 비롯한 외국기업은 **소득을 처음 얻은 해부터** 적용한다(외세규 제18조 제3항; 외세칙 제26조 제3항).

나. 적용절차

(1) 기업소득세 감면신청서의 제출

기업소득세를 감면받으려는 외국투자기업은 해당 세무기관에 기업소득세감면신청서

회 편찬, 『조선민주주의인민공화국 투자안내』, 외국문출판사, 2016, 43쪽.

와 경영기간, 재투자액을 증명하는 확인문건을 제출해야 한다(외세법 제18조; 외세규 제19조 제1항; 외세칙 제27조 제1항). 경영기간, 재투자액을 증명하는 확인문건 제출에 대하여는 「외국투자기업 및 외국인세금법」 제18조에서만 규정하고 있고, 동 시행규정 및 시행규정세칙에는 관련 내용이 없다.

기업소득세감면신청서에는 기업의 명칭과 창설일, 소재지, 업종, 이윤이 발생한 연도, 총투자액, 거래은행, 돈자리번호 같은 것을 밝힌다(외세법 제18조).

(2) 세무기관의 승인

세무기관은 「외국투자기업 및 외국인세금법 시행규정」 및 동 시행규정세칙과 관련기관의 확인문건에 근거하여, 기업소득세감면신청서를 검토·확인한 다음 상급세무기관의 심의를 받아 기업소득세감면승인문건을 시달하여야 한다(외세규 제19조 제2항; 외세칙 제27조 제2항).

3 기업소득세 감면세액의 회수

세금감면 및 재투자에 따른 세금반환과 관련하여 **'감면기간'에 해산, 통합, 분리되거나 재투자한 자본을 거두어들이는 경우** 해당 기업의 감면세액을 회수(추징)한다고 규정하고 있다(외세법 제19조; 외세규 제20조; 외세칙 제28조).

그런데 「외국투자기업재정관리법 시행규정세칙」 제54조 제4항 제1호에 의하면, **존속기간이 만기되기 전에 청산[29)]되는 특혜대상기업**은 중앙세무지도기관으로부터 면제받았거나 감소받은 세금과 국가납부금을 전액 조성, 납부하여야 한다고 규정하고 있다. 따라서 실제 세금면제나 세금감소가 적용된 '감면기간'뿐만 아니라 '존속기간' 요건을 충족하지 못할 경우에도 감면세액의 추징 대상이 된다고 할 수 있다. 이러한 내용은 기업재정관리법규가 아니라 세금관련법규에서 명확하게 정리할 필요가 있다고 판단된다.

가. 일반 기업 감면세액의 회수

기업소득세를 감면받은 외국투자기업이 '감면기간'에 해산, 통합, 분리되거나 재투자한 자본을 거두어들이는 경우에는 이미 감면하여주었던 기업소득세를 회수하거나 추가로 물린다.

29) 「외국투자기업재정관리법 시행규정세칙」 제52조의 재정청산사유에는 "불가항력적 사유에 의한 파산, 통합, 분리, 투자당사자들이 기업을 해산하기로 합의하였을 경우"가 포함되어 있다.

세금관련법규의 표현은 '감면기간'으로 되어 있으나, 「외국투자기업재정관리법 시행규정세칙」 제54조를 고려할 경우, '존속기간'이 10년 이상으로서 국가제한 업종 이외의 생산부문 또는 정해진 봉사부문에 투자하여 2년(생산부문) 또는 1년간(봉사부문) 감면받은 기업이 그러한 '존속기간' 내에 해산, 통합, 분리되는 경우 감면세액을 추징한다는 의미로 해석될 수 있다.

나. 장려부문 기업 감면세액의 회수

기업이 '장려부문 특혜조항에 부합되는 기간' 안에 자본을 거두어들여 등록자본을 줄인 경우와 해산, 파산, 통합, 분리되는 경우, 이미 감면해주었던 기업소득세를 회수하거나 추가로 물린다.

법규 상 '장려부문 특혜조항에 부합되는 기간'은 '감면기간' 5년(=3년+2년)을 의미하는 것일 수 있다. 하지만 「외국투자기업재정관리법 시행규정세칙」 제54조를 고려할 경우, '존속기간'이 15년 이상으로서 장려부문에 투자한 기업이 그러한 '존속기간' 내에 등록자본을 줄이거나 해산, 파산, 통합, 분리되는 경우, 처음 3년간 전액 감면받은 세액과 그 이후 2년간 감면받은 세액 50%를 추징한다는 의미로 해석될 수 있다.

다. 재투자 관련 감면세액의 회수

기업이 '재투자와 관련한 특혜조항에 부합되는 기간' 안에 자본을 거두어들여 등록자본을 줄인 경우와 해산, 통합, 분리되는 경우, 이미 감면해주었던 기업소득세를 회수하거나 추가로 물린다.

법규 상 '재투자와 관련한 특혜조항에 부합되는 기간'은 재투자와 관련하여 실제 감면이 적용되는 '감면기간'을 의미하는 것일 수 있다. 하지만 「외국투자기업재정관리법 시행규정세칙」 제54조를 고려할 경우, 재투자로 등록자본을 늘이거나 새로운 기업을 창설하여 재투자분에 해당하는 세액 전액(장려부문 기업) 또는 세액 50%(일반 기업)에 대하여 감면을 받은 기업이 '존속기간'이 끝나기 전에 다시 등록자본을 줄이거나 해산, 통합, 분리되는 경우 또는 재투자하여 새로 창설한 기업을 10년 이상 운영하지 못하는 경우(10년 내에 해산, 통합, 분리 등), 해당 감면세액을 추징한다는 의미로 해석될 수 있다.

제3장

개인소득세

개인소득세 부분은 「외국투자기업 및 외국인세금법」 8개 조문, 동 시행규정 5개 조문, 그리고 동 시행규정세칙 14개 조문으로 구성되어 있다.

1 개인소득세의 납부의무자

북한에 장기체류하거나 거주하면서 소득을 얻은 외국인은 개인소득세를 납부하여야 하며, **북한에 1년 이상 체류하거나 거주하는 외국인**은 북한 영역 밖에서 얻은 소득에 대하여서도 개인소득세를 납부하여야 한다(외세법 제20조).

종전 2002년 「외국투자기업 및 외국인세금법 시행규정」 제35조에서도 동일한 취지의 내용을 규정하고 있었다. 하지만 2016년 새로 채택된 「외국투자기업 및 외국인세금법 시행규정」과 2017년 채택된 동 시행규정세칙에서는 ① 개인소득세의 세금납부의무자는 개인이며 ② **북한에 180일 이상 체류하거나 거주하는 개인**은 북한 영역이나 밖에서 얻은 소득에 대하여 개인소득세를 납부하여야 한다고 규정하고 있다(외세규 제21조; 외세칙 제29조). 즉 북한에 체류 또는 거주하면서 소득을 얻은 개인(외국인)은 기본적으로 개인소득세의 납부의무가 있는데, 180일 이상 체류 또는 거주하는 '거주자'는 전세계 소득에 대하여 북한에서 개인소득세 납부의무가 있다는 것이다.[30]

결과적으로 「외국투자기업 및 외국인세금법」과 동 시행규정 및 시행규정세칙의 내용이 다른 상황이다. 하지만 「법제정법」에 따른 부문법-규정-세칙 간의 효력 우선순위에 대한 일반원칙이 현실에서 제대로 지켜지고 있다고 보기 어렵고, 「외국투자기업 및 외국인세금법」이 제때 수정보충되지 못한 것일 수 있다. 따라서 2016~2017년 채택된 「외국투자기업 및 외국인세금법 시행규정」과 동 시행규정세칙의 내용을 기준으로 판단하는 것이 보다 적절하다고 판단된다.

한편 종전 2002년 「외국투자기업 및 외국인세금법 시행규정」 제35조에서 체류하거나 거주하는 기간에 임시로 출국하는 경우에는 그 일수를 체류 또는 거주기간에 포함시킨

30) 참고로 남한 「소득세법」 제1조의 2에서는 '국내에 주소를 두거나 183일 이상의 거소(居所)를 둔 개인'을 거주자로 정의하고 있다.

다는 내용이 있었는데, 2016년 채택 시행규정에서는 삭제되었다. 하지만 일시적 또는 임시 출국하는 기간을 거주기간에 포함하는 것은 합리성이 있는 것으로서 시행규정을 새로 채택하는 과정에서 단순 누락된 것으로 보인다.

마지막으로 북한은 '거주자'의 전세계 소득에 대한 개인소득세 납부의무는 규정하고 있으나, '비거주자'의 개인소득세 납부의무,[31] 즉 비거주자에 대한 원천지국 과세원칙(source principle)에 대해서는 관련 규정을 포함하고 있지 않다.

2 개인소득세의 과세대상 및 과세표준

개인소득세의 과세대상[32]은 개인이 법인이나 자연인으로부터 화폐나 현물형태로 받은 소득이다(외세규 제22조). 「외국투자기업 및 외국인세금법」 제22조에서는 8가지 항목을 과세대상으로 열거하고 있는데, 기본적으로 소득원천설에 입각한 열거주의 과세방식인 것으로 보인다.

「외국투자기업 및 외국인세금법 시행규정」 및 동 시행규정세칙에서는 세율이 직접 적용되는 '과세표준'도 '과세대상'이라는 용어로 표현하고 있으나, 이를 구분하여 정리해 보면 다음과 같다.

(1) 노동보수소득 (외세규 제22조 제1항; 외세칙 제30조)

① 과세대상: 노동계약을 맺고 일정한 노력을 제공한 대가로 노임(노력비), 가급금, 장려금, 상금 같은 형태로 월에 얻은 모든 수입금과 강의, 강연, 저술, 번역, 설계, 제도, 설치, 수예, 조각, 그림, 창작, 공역, 회계, 체육, 의료, 상담과 같은 일을 하여 얻은 수입금

---

31) 남한 「소득세법」 제2조 제1항에서는 '비거주자로서 국내원천소득이 있는 개인'도 국내에서 소득세를 납부할 의무를 진다고 규정하고 있다.

32) 종전 2002년 채택 「외국투자기업 및 외국인세금법 시행규정」 제42조에서는 아래와 같이 개인소득세의 비과세소득에 대한 규정이 있었다. 하지만 2016년에 새로 채택된 시행규정에서는 삭제되었는데, 아래 ②항의 비과세 이자소득은 2017년에 채택된 동 시행규정세칙 제41조 제6항에 포함되었다.
≪2002년 채택 「외국투자기업 및 외국인세금법 시행규정」 제42조≫
외국투자가와 외국인은 다음과 같은 소득의 개인소득세를 납부하지 않는다.
① 공화국정부와 자기 나라 정부사이에 맺은 협정에 의하여 개인소득세를 납부하지 않기로 한 소득
② 공화국의 금융기관으로부터 받은 저축성예금의 이자와 보험보상금
③ 라선경제무역지대안에서 비거주자들 사이의 거래업무를 하는 은행에 비거주자가 한 예금의 이자
④ 외국인이 노임을 본국에서 받고 공화국 영역 안에서는 받지 않을 경우에는 세무기관이 승인한 감면금액

② 과세표준: 월에 얻은 노동보수소득에서 **€500를 공제**하고 남은 소득

(2) 이자소득 (외세규 제22조 제2항; 외세칙 제31조)

① 과세대상: 개인이 은행기관을 비롯한 다른 기관, 개인으로부터 예금이자를 받거나 다른 기관, 개인에게 대부이자 형태로 얻은 모든 수입금

② 비과세소득: 북한 금융기관에 저축성예금을 한데 대하여 받은 이자와 보험보상금은 개인소득세를 면제한다(외세칙 제41조 제6항).

③ 과세표준: 분기에 얻은 이자소득

(3) 배당소득 (외세규 제22조 제3항; 외세칙 제32조)

① 과세대상: 개인이 소유한 자본을 기업 밖의 기관, 기업체, 개인에게 투자한 대가로 이익배당금, 기타배당금 같은 형태로 얻은 모든 수입금

② 비과세소득: 개인이 외국투자기업, 외국투자은행에 자본을 투자하여 분기 혹은 연(年)에 1회 이윤을 현물 혹은 화폐형태로 배당받은 이윤분배금은 개인소득세를 면제한다(외세칙 제41조 제3항).

③ 과세표준: 분기 혹은 연(年)에 얻은 배당소득. 세액계산 및 납부에 대한 규정은 모두 분기를 기준으로 규정하고 있다.

(4) 고정재산임대소득 (외세규 제22조 제4항; 외세칙 제33조)

① 과세대상: 건물, 기계설비, 자동차, 선박과 같은 재산을 임대해준 대가로 얻은 수입금

② 과세표준: 분기에 개인이 얻은 고정재산임대소득에서 **20%(노력비와 포장비, 수수료 등의 비용)의 금액을 공제**하고 남은 소득

(5) 재산판매소득 (외세규 제22조 제5항; 외세칙 제34조)

① 과세대상: 개인이 소유한 고정재산과 유동재산을 다른 기관이나 개인에게 판매하여 얻은 수입금

② 과세표준: 월에 얻은 재산판매소득. 개념적으로는 고정재산이나 유동재산의 원가를 차감한 처분이익(net)이 과세표준이 되어야 할 것으로 보이는데, 재산판매소득 총액(gross)을 과세표준으로 보는 것은 개인에 대하여 객관적인 원가 정보를 확인하는 것이 실무적으로 어렵기 때문인 것으로 판단된다.

(6) 지적소유권과 기술비결의 제공에 의한 소득 (외세규 제22조 제6항; 외세칙 제35조)

① 과세대상: 자기가 소유하고 있는 특허권을 비롯한 재산권, 특허수속을 하지 않았거나 공개되지 않은 기술(문헌, 기능, 경험 포함), 소설을 비롯한 문학예술작품을 양도하거나 봉사, 제공하여 얻은 모든 수입금

② 과세표준: 분기에 얻은 지적소유권 및 기술비결제공에 의한 소득

(7) 경영과 관련한 봉사제공에 의한 소득 (외세규 제22조 제7항; 외세칙 제36조)

① 과세대상: 개인이 법인의 경영활동과 관련하여 기술고문, 기능공양성, 상담 같은 경영봉사를 제공한 대가로 얻은 모든 수입금

② 과세표준: 분기에 얻은 경영과 관련한 봉사제공에 의한 소득

(8) 증여소득 (외세규 제22조 제8항; 외세칙 제37조)

① 과세대상: 개인이 화폐재산, 현물재산, 지적소유권, 기술비결과 같은 재산과 재산권을 무상으로 받은 수입금

② 과세표준: 월에 얻은 증여소득에서 **€5,000를 공제**하고 남은 소득. 증여소득을 현물재산 또는 재산권으로 받았을 경우 국제시장가격에 준하여 소득액을 규정한다.

3 개인소득세의 세율 및 세액 계산

개인소득세의 세율은 소득의 형태에 따라 적용하며(외세법 제22조; 외세규 제23조; 외세칙 제38조), 개인소득세는 정해진 날짜에 정확히 계산하여야 한다(외세규 제24조; 외세칙 제39조). 아래에서는 소득 형태별 적용 세율과 세액의 '계산시점 또는 계산기한'을 관련 규정을 기초로 정리하였다.

(1) 노동보수소득에 대한 개인소득세

매월 노동보수액을 계산한 날 월수입금에서 기준금액(€500)을 공제하고 남은 일정한 금액마다 5~30%까지의 누진세율을 적용하여 계산한다(외세규 제23조 제1항 및 제24조 제1항; 외세칙 제38조 제1항 및 제39조 제1항).

(2) 이자소득, 배당소득, 지적소유권과 기술비결의 제공에 의한 소득, 경영과 관련한 봉사제공에 의한 소득에 대한 개인소득세

매분기 분기가 끝나는 다음달 2 노동일 안에 분기수입금액에 20% 세율을 적용하여

계산한다(외세규 제23조 제2항 및 제24조 제2항; 외세칙 제38조 제2항 및 제39조 제2항).

(3) 고정재산임대소득에 대한 개인소득세

매분기 분기가 끝나는 다음달 2 노동일 안에 분기수입금(임대료)에서 노력비, 포장비, 수수료 같은 비용으로 20% 공제 후 20% 세율을 적용하여 계산한다(외세규 제23조 제3항 및 제24조 제2항; 외세칙 제38조 제3항 및 제39조 제2항).

(4) 재산판매소득에 대한 개인소득세

매월 다음달 2 노동일 안에 월수입금에 25% 세율을 적용하여 계산한다(외세규 제23조 제4항 및 제24조 제3항; 외세칙 제38조 제4항 및 제39조 제3항).

(5) 증여소득에 대한 개인소득세

매월 다음달 2 노동일 안에 월수입금에서 기준금액(€5,000)을 공제하고 남은 일정한 금액마다 2~15%까지의 누진세율을 적용하여 계산한다(외세규 제23조 제5항 및 제24조 제4항; 외세칙 제38조 제5항 및 제39조 제4항).

4 개인소득세의 납부기한 및 납부방법

개인소득세의 납부기한 및 납부방법과 관련하여, 2016~2017년에 채택된 「외국투자기업 및 외국인세금법 시행규정」 및 동 시행규정세칙의 내용은 2015년에 최종 수정보충된 「외국투자기업 및 외국인세금법」과 차이가 있다.

「외국투자기업 및 외국인세금법」에서는 소득 형태별로 납부방법과 납부기한을 규정하였으나, 2016~2017년 채택한 동 시행규정 및 시행규정세칙에서는 납부의무자별, 즉 세금대리납부의무자(지불단위)의 공제납부와 세금납부의무자(수익인)의 신고납부로 구분하여 규정하고 있다. 또한 동 시행규정 및 시행규정세칙에는 앞서 살펴본 바와 같이 소득 형태별로 개인소득세의 '계산시점 또는 계산기한'에 대한 내용이 포함되었다. 이러한 **개인소득세의 계산시점 또는 계산기한이 다시 납부기한의 기산일이 되는 구조**로 설계한 것으로 판단된다.

다른 부분에서도 부문법과 시행규정 및 시행규정세칙의 내용에 차이가 있는 경우가 다수 발견되지만, 개인소득세의 납부기한 및 납부방법에 대하여는 현재의 법규를 그대로 적용할 경우 많은 혼선이 발생할 것으로 보인다. 조속한 정비가 필요하다고 판단된다.

가. 「외국투자기업 및 외국인세금법」의 내용

개인소득세의 납부기한[33]과 납부방법은 다음과 같다.

(1) 노동보수에 대한 개인소득세

노동보수를 지불하는 단위가 노동보수를 지불할 때 개인소득세를 공제하여 5일 안으로 납부하거나 수익인이 노동보수를 지불받아 10일 안으로 납부한다(외세법 제27조 제1항).

(2) 재산판매소득, 증여소득에 대한 개인소득세

소득을 얻은 날부터 30일 안으로 수익인이 신고납부한다(외세법 제27조 제2항).

(3) 이자소득, 배당소득, 고정재산임대소득, 지적소유권과 기술비결의 제공에 의한 소득, 경영과 관련한 봉사제공에 의한 소득에 대한 개인소득세

분기마다 계산하여 다음달 10일 안으로 수익금을 지불하는 단위가 공제납부하거나 수익인이 신고납부한다(외세법 제27조 제3항).

나. 「외국투자기업 및 외국인세금법 시행규정」 및 동 시행규정세칙의 내용

개인소득세는 세금대리납부의무자가 공제납부하거나 세금납부의무자가 신고납부하여야 한다(외세규 제25조; 외세칙 제40조). 개인소득세의 납부확정시점은 국가세무돈자리에 세금이 입금된 날이다(외세칙 제40조 제1항 및 제2항 제3호).

(1) 세금대리납부의무자

세금대리납부의무자가 개인에게 지불하는 소득을 계산한 날부터 5 노동일 안에 개인소득세납부신고서와 근거문건을 세무기관에 제출하여 승인받아 국가세무돈자리에 납부하여야 한다(외세규 제25조 제1항; 외세칙 제40조 제1항). 소득이 계산되면 바로 세액계산이 가능하다는 점에서 '소득을 계산한 날'은 '개인소득세의 계산시점'(세액계산일)과 동일한 것으로 추정된다.

---

33) 「외국투자기업 및 외국인세금법」 제27조에서는 '납부기간'으로 표현하고 있고, 동 시행규정 제25조에서는 '납부기일'로 표현하고 있으며, 동 시행규정세칙 제40조에서는 '납부날자'(남한식 표현은 '납부날짜')로 표현하고 있다. 하지만 실제 내용은 특정 납부시점이 아닌 '납부기한'을 의미하는 것이다. 가급적 법규상의 표현을 존중하되, 일반적인 상황에서는 '납부기한'으로 표현하였다.

(2) 세금납부의무자

세금납부의무자가 직접 납부하려는 경우, 개인은 개인소득세를 계산한 날부터 10 노동일 안에 개인소득세납부신고서와 근거문건을 해당 세무기관에 제출하여 승인받아 국가세무돈자리에 납부하여야 한다(외세규 제25조 제2항; 외세칙 제40조 제2항). **기업소득세와 달리 신고서 승인기한과 납부기한을 구분하고 있지 않다.** 노동보수소득의 경우를 제외하고 세액계산에 2 노동일을 부여하고 있으므로 최대 12 노동일이 납부기한이 될 수 있다.

(3) 다른 나라에서 얻은 소득에 대한 개인소득세 신고납부

개인이 북한 영역 밖에서 얻은 소득의 개인소득세는 세금납부의무자가 분기마다 계산하여 소득이 있은 다음 분기 첫 달 25 노동일 안으로 세무기관에 신고납부하여야 한다(외세규 제25조 제2항; 외세칙 제40조 제2항 제1호).

(4) 납부기한의 연장

불가피한 사정으로 개인소득세를 정해진 기일까지 납부하지 못할 경우에는 미납된 세금과 연체료를 따로 납부하는 조건으로 세금납부담보서를 세무기관에 제출하여 승인을 받아 납부기일(납부날짜)을 연장할 수 있으나 25 노동일을 초과할 수 없다(외세규 제25조 제4항; 외세칙 제40조 제4항). 여기서 25 노동일의 기산일이 명확하지 않기 때문에, 추가적으로 25 노동일을 연장할 수 있는지 아니면 당초 납부기한을 포함하여 총합계 25 노동일을 의미하는지 확실하지 않다.

(5) 미납 세금과 연체료의 강제징수

세금납부의무자가 정당한 이유가 없거나 세무기관의 승인을 받지 않고 세금계산날부터 25 노동일이 지나도록 세금납부신고서를 제출하지 않거나 세금을 납부하지 않았을 경우, 미납된 세금과 연체료를 모두 강제징수한다(외세규 제70조 제2항; 외세칙 제93조 제3항). 하지만 불가피한 경우 세금납부담보서를 세무기관에 제출하여 승인을 받아서 납부기일을 연장한다면 이러한 강제징수 규정이 적용되지 않는 것으로 판단된다.

5 개인소득세의 계산 및 납부 요약

개인소득세의 과세표준, 세율, 납부방법 및 납부기한을 요약하면 다음과 같다.

<표 2-4> 개인소득세의 계산 및 납부 요약

과세대상	과세표준 (규정・세칙)	세율	세액 계산기한 (규정・세칙)	납부기한* (규정・세칙)	납부기한 (부문법)
노동보수	월노동보수액 - €500	5~30%	매월 노동보수액 계산일 (=세액계산일)	매월 소득계산일부터 5 노동일안 공제납부	매월 지불단위 5일안 공제납부
				매월 세액계산일부터 10 노동일안 신고납부	매월 지불받아 10일안 신고납부
이자소득	(해당 금액)	20%	분기별 다음달 2 노동일안	분기별 소득계산일부터 5 노동일안 공제납부	분기별 다음달 10일안 공제납부
				분기별 세액계산일부터 10 노동일안 신고납부	분기별 다음달 10일안 신고납부
배당소득	(해당 금액)	20%	분기별 다음달 2 노동일안	분기별 소득계산일부터 5 노동일안 공제납부	분기별 다음달 10일안 공제납부
				분기별 세액계산일부터 10 노동일안 신고납부	분기별 다음달 10일안 신고납부
고정재산 임대소득	임대료 - 20%	20%	분기별 다음달 2 노동일안	분기별 소득계산일부터 5 노동일안 공제납부	분기별 다음달 10일안 공제납부
				분기별 세액계산일부터 10 노동일안 신고납부	분기별 다음달 10일안 신고납부
재산판매 소득	(해당 금액)	25%	매월 다음달 2 노동일안	매월 소득계산일부터 5 노동일안 공제납부	(공제납부 해당 없음)
				매월 세액계산일부터 10 노동일안 신고납부	소득얻은 날부터 30일안 신고납부
지적소유권과 기술비결 제공 소득	(해당 금액)	20%	분기별 다음달 2 노동일안	분기별 소득계산일부터 5 노동일안 공제납부	분기별 다음달 10일안 공제납부
				분기별 세액계산일부터 10 노동일안 신고납부	분기별 다음달 10일안 신고납부
경영 관련 봉사제공 소득	(해당 금액)	20%	분기별 다음달 2 노동일안	분기별 소득계산일부터 5 노동일안 공제납부	분기별 다음달 10일안 공제납부
				분기별 세액계산일부터 10 노동일안 신고납부	분기별 다음달 10일안 신고납부

과세대상	과세표준 (규정 · 세칙)	세율	세액 계산기한 (규정 · 세칙)	납부기한* (규정 · 세칙)	납부기한 (부문법)
증여소득	월수입금 - €5,000	2~15%	매월 다음달 2 노동일안	매월 소득계산일부터 5 노동일안 공제납부	(공제납부 해당 없음)
				매월 세액계산일부터 10 노동일안 신고납부	소득얻은 날부터 30일안 신고납부
국외소득	-	-	-	분기별 다음 분기 첫달 25 노동일 안 신고납부	-

* 공제납부는 세금대리납부의무자의 공제납부를 의미하며, '소득계산일'은 '세액계산일'과 동일한 것으로 추정함. 불가피한 경우 납부기한을 25 노동일까지 연장 가능함.
자료: 관련 법규 내용을 기초로 저자 작성.

6 개인소득세의 외국납부세액 공제

세금납세의무자가 다른 나라에서 개인소득세를 납부하였을 경우, 「외국투자기업 및 외국인세금법 시행규정」 및 동 시행규정세칙에 따라 계산한 개인소득세 범위 안에서 세금공제를 신청할 수 있고, 세무기관의 승인을 받아 공제하여 줄 수 있다. 세금공제신청문건에는 해당한 내용을 밝히고, 해당 나라의 세무기관이 발급한 세금납부확인문건(원본)을 첨부하여야 한다.(외세규 제25조 제2항; 외세칙 제40조 제2항 제2호)

7 개인소득세의 특혜

개인소득세의 특혜는 세무기관의 승인에 따라 적용하는데, 기업은 기업에 속한 개인의 명단과 소득을 월에 1회 세무기관에 제출하여야 하며 세무기관은 기업에 속한 개인에게 5 노동일 안에 해당 확인서를 발급해주어야 한다(외세칙 제42조). 개인소득세에 대한 특혜로 규정하고 있는 내용은 다음과 같다.

(1) 노동보수

개인이 얻은 노동보수의 월수입금이 €500 보다 낮은 경우 개인소득세를 면제하며, 월수입금 중에서 €500는 개인소득세 과세대상에서 면제한다(외세칙 제41조 제1항~제2항). 북한에서 월 €500까지의 노동보수는 과세되지 않는다는 것으로서, €500는 노동보수에 대한 개인소득세의 과세최저한 또는 면세점에 해당한다. 과세최저한은 소득세가 과세되는 최저의 금액을 의미하며, 면세점은 소득세가 과세되지 않는 최고의 금액을 의미한다.

(2) 배당소득

개인이 외국투자기업, 외국투자은행에 자본을 투자하여 분기 혹은 연(年)에 1회 이윤을 현물 혹은 화폐형태로 배당받은 이윤분배금은 개인소득세를 면제한다(외세칙 제41조 제3항). 외국인(해외동포 포함)의 자본투자를 촉진시키기 위한 정책이라고 할 수 있다.

(3) 고정재산임대소득

개인이 얻은 고정재산임대수입금에서 20%의 금액은 개인소득세 과세대상에서 면제한다(외세칙 제41조 제4항). 「외국투자기업 및 외국인세금법 시행규정세칙」 제33조에 의하면 고정재산임대수입에서 노력비, 포장비, 수수료 같은 비용으로 20%를 공제하고 남은 금액을 과세대상으로 한다고 규정하고 있다. 이러한 20% 공제는 고정재산임대수입에 대하여 일률적으로 적용하는 '필요경비 개산공제(必要經費 概算控除)' 성격이라고 할 수 있다.

(4) 증여소득

개인이 증여받은 수입금이 €5,000보다 낮은 경우 개인소득세를 면제한다(외세칙 제41조 제5항). 남한의 증여세 계산에서 제반 공제항목을 적용하듯이 €5,000를 일률적으로 공제하여 과세표준을 계산한다. 여기서 €5,000는 증여수입에 대한 개인소득세의 과세최저한 또는 면세점에 해당한다.

(5) 이자소득

북한 금융기관에 저축성예금을 한데 대하여 받은 이자와 보험보상금은 개인소득세를 면제한다(외세칙 제41조 제6항). 외국인(해외동포 포함)이 북한 금융기관으로부터 받은 이자소득에 대한 개인소득세를 면제한다는 것으로서, 외국인 자금의 유입을 촉진시키기 위한 정책이라고 할 수 있다.

(6) 불가항력 손실

불가항력 조건으로 개인소득세의 과세대상에서 손실을 입었을 경우 1년간 개인소득세를 면제한다(외세칙 제41조 제6항). 통상적인 세제혜택이라기보다 재해 등 불가항력적 손실에 대한 특별조치 성격으로 보인다. 남한에서는 사업자가 천재지변이나 그 밖의 재해로 인하여 재산총액의 20% 이상에 해당하는 자산을 상실하여 납세가 곤란하다고 인정되는 경우 '재해손실세액공제'를 적용한다(남한 「소득세법」 제58조).

제4장 재산세

재산세 부분은 「외국투자기업 및 외국인세금법」 7개 조문, 동 시행규정 7개 조문, 그리고 동 시행규정세칙 7개 조문으로 구성되어 있다. 기업의 재산평가 및 재산등록에 대한 내용은 「외국투자기업재정관리법」과 동 시행규정 및 시행규정세칙에 규정되어 있다.

1 재산세의 납부의무자

외국투자기업과 외국인은 북한에서 소유하고 있는 재산에 대하여 재산세를 납부하여야 한다(외세법 제28조). 종전 「외국투자기업 및 외국인세금법」 제25조는 '외국인'만 재산세 납부의무자에 포함하고 있었는데, **2015년 수정보충 과정에서 '외국투자기업'도 납부의무자에 포함**되었다. 2016~2017년 채택한 「외국투자기업 및 외국인세금법 시행규정」 제26조 제1항 및 동 시행규정세칙 제43조 제1항에서도 재산세의 세금납부의무자는 개인과 기업이라고 명확히 규정하고 있다. 또한 세금납부의무자 구분에 따른 적용 세목을 열거하고 있는 동 시행규정세칙 제3조 제1항에서도 재산세를 기업에게 적용되는 세목에 포함하고 있다.

2015년 수정보충 후의 「외국투자기업 및 외국인세금법」 제30조 재산등록 규정에서는 외국인만 명시하고 있고 여전히 외국투자기업에 대한 내용이 없다. 하지만 이는 단순누락 또는 입법 미비일 가능성이 높고, 재산세와 관련된 모든 규정에 외국투자기업도 해당되는 것으로 해석하는 것이 타당할 것으로 보인다. 재산세의 납부의무자는 다음과 같다.

가. 개인

북한에서 건물과 선박, 비행기 같은 고정재산을 소유하고 있는 개인은 재산세 납부의무가 있다(외세규 제26조 제2항; 외세칙 제43조 제2항). 재산소유자가 출국하였을 경우에는 대리인 혹은 재산관리자가 대리납부하여야 한다(외세규 제32조 제1항; 외세칙 제49조 제1항 제2호).

나. 기업

외국투자기업재정관리법규에서 규정한 고정재산과 유동재산을 업종과 관련이 없이 판매(이관, 폐기 포함)하여 수입을 얻은 기업은 재산세 납부의무가 있다(외세규 제26조 제3항; 외세칙 제43조 제3항). 고정재산을 임대하여 수입을 얻은 기업도 재산세 납부의무가 있다(외세규 제29조 제2항; 외세칙 제46조 제2항 제2호).

앞서 살펴본 바와 같이, 종전 「외국투자기업 및 외국인세금법」 제25조에서는 재산세 납부의무자에 기업이 포함되지 않았고, 외국인들의 기업활동을 장려하기 위하여 외국인이 북한 영역 안에 가지고 있으면서 경영활동에 이용되지 않는 건물과 선박, 비행기에 대해서만 재산세를 부과한 것으로 설명하고 있다.[34] 하지만 2015년 「외국투자기업 및 외국인세금법」 수정보충 과정에서 기업도 재산세 납부의무자에 포함되었다.

2 재산세의 과세대상

재산세의 과세대상은 북한에 등록한 건물과 선박, 비행기 같은 재산으로서(외세법 제29조), 세금납부의무자별로 정리하면 다음과 같다.

가. 개인의 재산세 과세대상

개인에게 적용하는 재산세의 과세대상은 건물과 선박, 비행기 같은 고정재산이다(외세규 제27조 제1항; 외세칙 제44조 제1항). 개인이 이러한 고정재산을 소유하고 있는 경우뿐만 아니라 재산을 임대하여 주었거나 저당잡혔을 경우에도 재산세 과세대상에 해당한다(외세규 제32조 제1항; 외세칙 제49조 제1항 제1호).

구체적으로 재산세 과세대상은 개인이 소유한 재산으로서, ① 살림집과 별장, 부속건물 등과 같은 건물, ② 유람선과 자가용배 등과 같은 선박, ③ 자가용비행기 등과 같은 비행기가 속한다(외세규 제27조 제1항; 외세칙 제44조 제1항).

나. 기업의 재산세 과세대상

기업에 적용하는 재산세의 과세대상은 업종과 관련이 없이 얻은 고정재산 및 유동재산 판매수입금이다(외세규 제27조 제2항; 외세칙 제44조 제2항). 기업이 업종과 관련없이 고정재산을 임대하여 주었을 경우에도 재산세 과세대상에 해당한다(외세규 제29조 제2항;

34) 정철원, 『조선투자법안내(310가지 물음과 대답)』, 법률출판사, 2007, 229쪽.

외세칙 제46조 제2항 제2호).

업종과 관련없이 고정재산과 유동재산을 판매하여 얻은 수입이나 고정재산을 임대하여 주고 얻은 수입은 기타소득으로서 기업소득세의 과세대상이다(외세법 제9조; 외세규 제10조 제1항; 외세칙 제15조 제2항). 따라서 기업소득세가 과세되는 재산판매수입이나 고정재산임대수입에 대하여 추가적으로 재산세를 과세하는 것은 소득에 대한 이중과세로 보인다. 해당 재산의 소유에 초점을 둔 재산세 형태로 정비할 필요가 있다고 판단된다.

다. 과세제외 대상

국가적 조치에 따라 재산소유권이 국가소유로 변동되는 것과 관련하여 국가보상으로 얻은 수입에는 재산세를 적용하지 않는다(외세규 제26조 제4항; 외세칙 제43조 제4항).

3 재산평가 및 재산등록

가. 재산평가

재산세 과세대상 재산의 등록을 위한 재산평가에 대한 내용은 다음과 같다

(1) 개인의 재산평가(외세규 제28조 제1항; 외세칙 제45조 제1항)

개인이 재산을 등록하는 가치는 재산을 소유하는데 실지 지출된 비용 혹은 국제시장가격에 준한 평가값으로 계산하여야 한다.

① 개인이 북한 영역에서 재산을 구입하여 소유하였거나 다른 나라에서 구입하여 소유한 경우 재산등록가치는 영수증에 근거한 시초가치에 재산을 구입하거나 수송하는데 지출된 비용을 합하여 정하여야 한다.

② 개인이 다른 나라에서 이용하던 재산을 구입하거나 이용하던 재산을 북한에 들여온 경우 국제시장가격에 준한 평가값에 구입하거나 수송하는데 지출된 비용을 합하여 정하여야 한다.

(2) 기업의 재산평가

기업의 재산평가에 대하여는 「외국투자기업 및 외국인세금법」과 동 시행규정 및 시행규정세칙에 관련 내용이 없다. 기업의 재산등록 관련 내용이 규정되어 있는 「외국투자기업재정관리법」과 동 시행규정 및 시행규정세칙에 최소한의 내용이 함께 규정되어 있다(외재법 제16조; 외재규 제19조 및 제22조; 외재칙 제19조 제1항 및 제24조).

① 기업 고정재산의 등록가치는 실지 계약서와 영수증, 계산서에 첨부된 시초가격에 지출된 비용을 합하여 정하여야 한다.

② 기업의 유동재산가치는 해당 시기 국제시장가격과 원산지의 계산서에 준하여 투자당사자들이 합의하여 정하여야 한다.

나. 재산등록

세금납부의무자는 재산세의 과세대상 재산을 세무기관에 등록하여야 한다.

(1) 개인의 재산등록 의무 (외세법 제30조; 외세규 제28조; 외세칙 제45조)

① 최초등록: 개인재산등록신청문건을 재산을 소유한 날부터 20 노동일 안에 세무기관에 제출하여야 한다.[35)]

② 등록내용: 개인재산등록신청문건에는 신청자명, 국적, 민족별, 주소, 재산명, 단위, 수량, 건평, 처음값, 대보수비, 내용연한, 사용한 연한, 건설(제작)연도, 평가한 가치 등을 밝혀야 한다.

③ 재등록: 등록가치를 매년 1월 1일 현재로 평가하여 2월안으로 재등록을 하여야 한다.

④ 변경등록: 재산을 대보수하여 재산등록가치가 변경되었을 경우 20 노동일 안으로 변경등록을 하여야 한다.

⑤ 재산 페기하였거나 양도하였을 경우: 20 노동일 안에 취소 및 변경수속을 하여야 한다.

요약하면, 개인은 재산을 소유한 날부터 20 노동일 안에 등록하고, 매년 1월 1일 기준으로 재평가하여 2월 안에 재등록하며, 연도 중에 대보수하여 등록가치가 변경된 경우에는 20 노동일 안에 변경등록으로 해야 하고, 폐기 또는 양도시에도 20 노동일 안에 취소 및 변경수속을 해야 한다는 것이다.

(2) 기업의 재산등록 의무

2015년 수정보충 후의 「외국투자기업 및 외국인세금법」 제30조 재산등록 규정에서는 외국인만 명시하고 있고 외국투자기업에 대한 내용이 없다. 하지만 2016~2017년 채택

35) 종전 2002년 채택 「외국투자기업 및 외국인세금법 시행규정」 제45조에는 "상속 또는 증여에 의하여 재산을 넘겨받은 당사자가 북한 영역 밖에 있을 경우 재산의 소유자 또는 관리자가 재산을 등록하여야 한다."는 내용이 포함되어 있었다. 본 내용은 2016년 채택 「외국투자기업 및 외국인세금법 시행규정」에서는 삭제되었다.

된 동 시행규정 및 시행규정세칙에서는, "기업은 재산을 외국투자기업재정관리법규에 따라 등록하여야 한다."고 기업의 재산등록의무를 규정하고 있다(외세규 제28조 제3항; 외세칙 제45조 제3항). 2015년 수정보충 과정에서 「외국투자기업 및 외국인세금법」에는 기업의 재산등록 의무를 반영하지 못했고, 동 시행규정 및 시행규정세칙에서는 관련 내용을 외국투자기업재정관리법규에 위임하는 방식을 취한 것이다.

① 고정재산 등록 (외재법 제16조~제17조; 외재규 제19조~제21조; 외재칙 제19조~제21조)

- 기업은 고정재산을 장소별, 형태별로 구분하여 고정재산등록대장에 등록하고 해당 관리기관과 중앙세무지도기관에 통지하여야 한다.
- 기업은 투자완료시점으로부터 3 노동일 안에 고정재산을 유형고정재산과 무형고정재산으로 구분하여 장소별, 형태별, 투자가별, 감가상각고정재산과 비감가상각고정재산별로 고정재산등록대장에 등록하여야 한다.
- 고정재산등록대장에는 등록날짜, 등록번호, 고정재산명, 규격, 시초금액, 내용연한, 설치장소, 생산연월일, 생산지, 취득연월일 같은 내용을 밝혀야 한다.
- 고정재산의 등록과 계산은 재정회계부서가 하며 현물관리는 해당 관리부서 또는 취급자가 하여야 한다.
- 기업은 내부등록(고정재산등록대장)을 끝낸 날부터 20 노동일 안에 ≪XXX회사 고정재산등록신청서≫를 해당 관리기관과 중앙세무지도기관에 제출하고 등록하여야 한다.
- 기업은 해마다 고정재산을 실사하여야 한다.
- 기업은 이사회결정에 따라 등록된 고정재산을 폐기하거나 양도, 저당할 수 있다. 등록된 고정재산을 폐기하거나 양도하려고 할 경우에는 ≪XXX회사 고정재산변경등록신청서≫를 중앙세무지도기관에 제출하고 합의를 받은 다음 고정재산등록대장에서 삭제하여야 한다. 불가피한 사정으로 등록된 고정재산을 저당하려고 할 경우 사전에 중앙세무지도기관과 합의하여야 한다.

② 유동재산 등록 (외재법 제18조~제19조; 외재규 제22조~제24조; 외재칙 제22조~제26조)

- 유동재산은 현물재산과 화폐재산으로 구분되며, 유동재산등록대장에 등록하여야 한다. 현물재산에는 원료 및 자재, 연료, 용기 및 포장재, 미성품, 반제품, 완제품 같은 재산이 포함되고, 화폐재산에는 현금과 은행예금, 기타 화폐재산으로 인정되는 재산이 포함된다.
- 유동재산등록대장에는 등록날짜, 등록번호, 유동재산명, 규격, 단가, 수량, 금액

등을 밝혀야 한다.

- 현물재산은 투자완료인정시점(시행규정에서는 '출자완료확정시점'으로 표현)으로부터 1 노동일 안(시행규정에서는 '3 노동일 안'으로 규정)에 등록하며, 화폐재산은 투자완료인정시점에 맞게 등록하여야 한다.
- 기업의 현금, 은행예금과 같은 화폐재산에 대한 관리는 재정회계일꾼이 하며 현금은 거래은행에 입금시켜 관리하여야 한다.
- 기업은 유동재산에 대한 실사를 월마다 진행하며 실사결과 유동재산이 남거나 모자라는 경우에는 해당한 대책을 세워야 한다.
- 기업은 유동재산에 대한 재평가를 할 수 있다. 유동재산을 재평가하거나 폐기하려는 경우 회계검증기관의 검증을 거쳐 중앙세무지도기관의 합의를 받아야 한다.

4 재산세의 과세표준

재산세의 과세표준[36]은 해당 세무기관에 등록된 값 혹은 재산판매수입금으로 한다. 또한 기업의 고정재산임대수입도 재산세 과세표준에 해당한다.(외세법 제31조; 외세규 제29조; 외세칙 제46조)

가. 개인의 재산세 과세표준

개인이 소유한 재산의 가치가 변경되었으나 제때에 변경등록하지 않았을 경우 해당 세무기관에 등록된 값으로 한다(외세규 제29조 제1항; 외세칙 제46조 제1항).

나. 기업의 재산세 과세표준

(1) 기업이 업종과 관련이 없이 고정재산을 판매하였을 경우 세무기관에 등록된 값으로 한다(외세규 제29조 제2항; 외세칙 제46조 제2항 제1호). 고정재산 판매의 경우 세무기관에 등록된 값으로 판매가 이루어지는 상황을 전제한 것으로 판단된다.

(2) 기업이 업종과 관련이 없이 고정재산을 임대하여 주었거나 유동재산을 판매하였을 경우 수입금으로 한다(외세규 제29조 제2항; 외세칙 제46조 제2항 제2호).

36) 「외국투자기업 및 외국인세금법」, 동 시행규정 및 시행규정세칙의 관련 조문에는 '과세대상'으로 표현되어 있으나, 실질적으로 '과세표준'에 해당한다.

(3) 재산판매수입금(과세표준)의 확정시점은 기업이 재산을 판매하기 시작한 날이며 수입금의 가치는 최종적으로 대금을 자기의 출납 혹은 금고, 은행돈자리에 입금된 현금과 무현금액 또는 창고에 입고된 대치물자(자연물질적 형태)의 화폐적 가치이다. 기업은 재산판매수입금의 확정시점에 맞게 계약서, 영수증, 계산서, 전표 등과 같은 근거문건에 준하여 수입금을 확정하여야 한다.(외세규 제31조 제2항; 외세칙 제48조 제2항)

다. 과세표준의 표시 화폐

재산세의 과세표준은 조선원으로 계산하여야 한다. 재산과 재산판매수입금이 외화일 경우 국가기준환율에 따라 조선원으로 계산하여야 한다.(외세칙 제46조 제3항)

5 재산세의 세율 및 세액 계산

재산세의 세율은 1~1.4%로 하며, 재산세는 등록한 다음 달부터 해당 세무기관에 등록된 값에 정한 세율을 적용하여 계산한다(외세법 제32조~제33조).

가. 재산세의 세율

재산세의 세율은 다음과 같다

(1) 개인의 재산세 세율 (외세규 제30조 제1항; 외세칙 제47조 제1항)

① 건물: 등록된 재산값의 1%

② 선박과 비행기: 등록된 재산값의 1.4%

(2) 기업의 재산세 세율 (외세규 제30조 제2항; 외세칙 제47조 제2항)

해당 과세대상(과세표준)의 1.4%

나. 재산세의 세액 계산

재산세는 정해진 날짜에 정확히 계산하여야 한다(외세규 제31조; 외세칙 제48조).

(1) 개인의 재산세 세액 계산 (외세규 제31조 제1항; 외세칙 제48조 제1항)

개인이 납부하는 재산세는 다음해 1월 3 노동일 안으로 세무기관에 등록된 건물, 선박, 비행기 같은 재산값에 세부적으로 정한 세율을 적용하여 계산한다.

(2) 기업의 재산세 세액 계산(외세규 제31조 제2항; 외세칙 제48조 제2항)

① 고정재산판매와 관련한 재산세의 계산날짜는 기업이 고정재산을 판매하기로 계약을 체결한 날이며, 세무기관에 등록한 재산값에 1.4%의 세율을 적용하여 계산한다.

② 고정재산임대와 관련한 재산세의 계산날짜는 기업이 고정재산임대와 관련하여 체결한 계약서의 수입주기날이며, 이 금액에 1.4%의 세율을 적용하여 계산한다.

③ 유동재산판매와 관련한 재산세의 계산날짜는 재산판매수입금의 확정시점(판매 시작한 날)이며, 수입금에 1.4%의 세율을 적용하여 계산한다.

6 재산세의 납부기한 및 납부방법

재산세는 정해진 기간 안에 신고납부하거나 공제납부하여야 한다(외세규 제32조; 외세칙 제49조).

가. 개인의 재산세 납부

재산세는 해마다 1월 안으로 재산소유자가 해당 세무기관에 납부한다(외세법 제34조). 종전 「외국투자기업 및 외국인세금법」 제30조에서는 '분기가 끝난 다음달 20일 안'으로 재산소유자(개인)가 납부하는 것으로 규정하고 있었으나, 2015년 수정보충 과정에서 '해마다 1월 안'에 납부하는 것으로 변경되었다.

개인이 납부하는 재산세는 다음해 1월 3 노동일 안으로 세율을 적용하여 계산하도록 하고 있고(외세규 제31조 제1항; 외세칙 제48조 제1항), 해마다 1월 안에 세금을 계산한 날부터 3 노동일 안에 재산세납부신고서와 근거문건을 세무기관에 제출하여 승인받아 국가세무돈자리에 납부하여야 한다(외세규 제32조 제1항; 외세칙 제49조 제1항). 요약하면, 해마다 1월 3 노동일 안으로 세금을 계산하고, 세금을 계산한 날부터 다시 3 노동일 안에 승인받아서 납부해야 한다. 결과적으로 조문의 표현대로 해석한다면, 해마다 1월 최대 6 노동일 안에 납부하면 되는 것으로 판단된다.

개인이 재산을 임대하여 주었거나 저당잡혔을 경우에도 재산세를 납부해야 하며, 재산소유자가 출국하였을 경우에는 대리인 혹은 재산관리자가 대리납부하여야 한다. 개인의 재산세 납부확정시점은 국가세무돈자리에 세금이 입금되는 날이다.(외세규 제32조 제1항; 외세칙 제49조 제1항 제1호~제3호)

나. 기업의 재산세 납부

기업의 재산세 납부와 관련하여, 「외국투자기업 및 외국인세금법」에는 별도의 내용이 없고 동 시행규정 및 시행규정세칙에서 규정하고 있는데, 세금의 계산시점 또는 계산기한, 세무기관의 승인기한 그리고 세금의 납부기한(납부기일, 납부날짜)을 구분하여 규정하고 있다.

(1) 기업의 재산세 납부기한 및 납부방법

기업은 재산세를 계산한 날(고정재산 판매계약 체결일, 고정재산 임대계약서 상의 수입주기날 및 유동재산의 판매를 시작한 날)부터 1 노동일 안에 재산세납부신고서와 근거문건을 세무기관에 제출하고 승인받아야 하고, 승인받은 날로부터 1 노동일 안에 재산세를 국가세무돈자리에 납부하여야 한다(외세규 제32조 제2항; 외세칙 제49조 제2항 제1호~제2호). 결국 재산세를 계산한 날로부터 2 노동일 안에 세무기관의 승인을 거쳐서 납부하면 되는 것으로 해석된다.

기업의 재산세 납부확정시점은 국가세무돈자리에 세금이 입금되는 날이다(외세칙 제49조 제2항 제5호).

(2) 오류 수정시의 납부기한

기업은 재산세의 계산을 과실에 의해 잘못하여 수정하는 경우에도 납부날짜는 세금을 계산한 날부터 2 노동일을 초과할 수 없다(외세규 제32조 제1항; 외세칙 제49조 제2항 제3호). 현재 조문을 문언대로 해석한다면, 오류가 발생하여 수정하는 경우에도 당초의 납부기한을 그대로 준수해야 한다는 것이다.

(3) 납부기한의 연장

불가피한 사정으로 재산세를 정해진 날까지 납부하지 못할 경우에는 미납된 세금과 연체료를 따로 납부하는 조건으로 세금납부담보서를 세무기관에 제출하여 승인을 받아 납부기일(납부날짜)을 연장할 수 있으나 25 노동일을 초과할 수 없다(외세규 제32조 제3항; 외세칙 제49조 제3항). 여기서 25 노동일의 기산일이 명확하지 않기 때문에, 추가적으로 25 노동일을 연장할 수 있는지 아니면 당초 납부기한을 포함하여 총합계 25 노동일을 의미하는지 확실하지 않다.

(4) 미납 세금과 연체료의 강제징수

세금납부의무자가 정당한 이유가 없거나 세무기관의 승인을 받지 않고 세금계산날부터 25 노동일이 지나도록 세금납부신고서를 제출하지 않거나 세금을 납부하지 않았을 경우, 미납된 세금과 연체료를 모두 강제징수한다(외세규 제70조 제2항; 외세칙 제93조 제3항). 하지만 불가피한 경우 세금납부담보서를 세무기관에 제출하여 승인을 받아서 납부기일을 연장한다면 이러한 강제징수 규정이 적용되지 않는 것으로 판단된다.

(5) 세금대리납부의무자의 공제납부

세금대리납부의무자는 수입금을 기업에 지불할 때마다 세금납부의무자의 재산세를 공제하여 국가세무돈자리에 납부하여야 한다(외세규 제32조 제2항; 외세칙 제49조 제2항 제4호).

개인의 경우와 달리 기업의 경우 재산 '소유' 자체가 아닌 재산의 '판매 또는 임대' 수입금에 대하여 과세하는 형태로서 공제납부 방식이 적용가능 하다. 그런데 기업에 대하여는 수입금을 지불하는 단위, 즉 세금대리납부의무자가 항상 공제납부하는 것인지, 해당 기업이 수입금을 받아서 신고납부할 수도 있는 것인지 명확하지 않다. 기업에 대하여 세금대리납부의무자의 공제납부 방식이 적용된다면, 재산세납부신고서와 근거문건을 세무기관에 제출하고 승인받는 절차까지 세금대리납부의무자가 진행해야 하는 것인지 논란의 소지가 있어 보인다.

제5장

상속세

상속세 부분은 「외국투자기업 및 외국인세금법」 6개 조문, 동 시행규정 6개 조문, 그리고 동 시행규정세칙 8개 조문으로 구성되어 있다.

1 상속세의 납부의무자

「외국투자기업 및 외국인세금법」 제35조에서는 ① 외국인이 북한 영역에 있는 재산을 상속받는 경우와 ② 북한에 거주하고 있는 외국인이 북한 영역 밖에 있는 재산을 상속받았을 경우 상속세를 납부하여야 한다고 규정하고 있다.

그런데 동 시행규정 제33조와 동 시행규정세칙 제50조에서는 **개인인 세금납부의무자**가 북한에 있는 재산을 상속받거나 다른 나라에 있는 재산을 상속받아 북한에 들여오는 경우 상속세를 납부하여야 한다고 표현하고 있다. 이와 관련하여 개인인 세금납부의무자는 **북한 영역에 180일 이상 체류, 거주**하면서 **경제활동을 하여 소득을 얻는** ① 외국인과 다른 나라 국적을 가진 해외동포 또는 ② 북한 국적을 가진 해외동포(해외공민)를 의미한다(외세규 제2조 제2항; 외세칙 제2조 제1항 제2호).

따라서 「외국투자기업 및 외국인세금법」 제35조에 의하면, 거주자인 상속인은 모든 상속재산에 대하여 상속세 납부의무가 있고, 비거주자인 상속인은 북한 영역에 있는 상속재산에 대하여만 상속세 납부의무가 있는 것으로 해석된다. 하지만 「외국투자기업 및 외국인세금법 시행규정」 제33조 및 동 시행규정세칙 제50조에서 규정한 상속세 납부의무자를 문언대로 해석한다면 180일 이상의 체류・거주기간을 충족하는 거주자인 상속인만을 포함하는 것으로 판단된다.[37] 하지만 비거주자인 상속인이 북한 영역에 있는 재산을 상속받는 경우를 상속세 납부의무에서 제외하고자 한 것은 아닐 것으로 추정된다.

또한 조문의 표현대로 해석한다면 개인인 세금납부의무자는 체류・거주 기간요건뿐

37) 남한 「상속세 및 증여세법」 제3조에서는, 피상속인이 거주자인 경우에는 모든 상속재산에 대하여 상속세를 부과하고, 피상속인이 비거주자인 경우 국내에 있는 모든 상속재산에 대하여 상속세를 부과한다고 규정하고 있다. 즉, 과세대상 상속재산의 범위는 '피상속인'이 거주자인가 비거주자인가에 따라 달라지며, '상속인'이 거주자인가 비거주자인가는 과세대상의 범위와 관련이 없다.

만 아니라 '경제활동을 하여 소득을 얻는' 소득요건을 포함하는 개념이다. 하지만 북한 당국이 소득요건까지 충족해야 상속세 납부의무자가 되도록 의도한 것은 아닐 것으로 추정된다.

이러한 상속세 납부의무와 관련하여, 「외국투자기업 및 외국인세금법」과 동 시행규정 및 시행규정세칙의 관련 조문을 정비할 필요가 있다고 판단된다.

2 상속세의 과세대상

상속세의 과세대상(상속재산)에는 동산, 부동산, 화폐재산, 유가증권, 예금 및 저금, 보험금, 지적소유권, 채권과 같은 재산과 재산권이 포함된다(외세칙 제50조 제2항).

3 상속재산의 평가

상속재산값의 평가는 해당 재산을 상속받을 당시의 국제시장가격으로 하며(외세법 제37조; 외세규 제35조; 외세칙 제52조), 구체적인 내용은 다음과 같다.

가. 북한 영역에 있는 재산

(1) 북한 영역에 있는 재산을 상속받았을 경우에는 상속받을 당시의 국제시장가격에 준하여 가격제정기관이 정한 가격으로 계산한다(외세칙 제52조 제1항).

(2) 북한 영역에 있는 화폐재산, 유가증권, 예금, 저금 및 보험금 등을 전환성화폐로 상속받았을 때에는 국가기준환율에 따라 조선원으로 계산한다(외세칙 제52조 제1항).

나. 다른 나라에 있는 재산

다른 나라에 있는 재산을 상속받았을 때에는 국제시장가격에 준하여 공증기관의 공증을 받아야 한다. 공증을 받은 상속재산은 전환성화폐로 환산한 다음 국가기준환율에 따라 조선원으로 계산한다.(외세칙 제52조 제2항)

4 상속세의 과세표준

상속세의 과세표준[38]은 상속자가 상속받은 재산가운데서 상속시키는 자의 채무를 청산한 나머지 금액으로 한다(외세법 제36조). 구체적인 공제항목을 포함하여 상속세 과세표준 계산식을 정리해보면 다음과 같다(외세규 제34조; 외세칙 제51조 제1항).

상속재산 평가금액
(-) 상속을 준 사람의 채무(를 청산한 비용)[39]
(-) 상속자가 부담한 장례비용
(-) 상속재산을 관리하거나 수속하는데 든 비용

= 상속세 과세표준

상기 공제항목에 대하여 공제를 받으려는 경우 회계검증기관의 검증을 받아야 하고, 다른 나라에 있는 재산을 상속받은 개인은 그 나라 해당 공증기관의 재산상속과 관련한 공증문건 또는 그 사본을 가지고 있어야 한다(외세칙 제51조 제2항~제3항).

5 상속세의 세율 및 세액 계산

상속세의 세율은 세분화한 과세대상에 따라 6~30%의 누진세율로 한다(외세법 제38조; 외세규 제36조; 외세칙 제53조 및 제54조 제2항). 상속세는 과세표준(과세대상액)에 정한 세율을 적용하여(외세법 제39조; 외세규 제37조), 상속받은 날로부터 75 노동일 안에 계산하여야 한다(외세칙 제54조 제1항).

2016~2017년 채택한 시행규정 및 동 시행규정세칙이 포함된 『조선민주주의인민공화국 법규집(외국투자기업재정관리부문)』(2019)에는 세분화한 과세대상별 세율이 제시되어 있지 않다.

---

38) 「외국투자기업 및 외국인세금법」, 동 시행규정 및 시행규정세칙의 관련 조문에는 '과세대상'으로 표현되어 있으나, 실질적으로 '과세표준'에 해당한다.

39) 「외국투자기업 및 외국인세금법 시행규정」 제34조와 동 시행규정세칙 제51조에서는 '채무를 청산한 비용'이라고 표현하고 있으나, 채무 자체를 공제하는 것이므로 「외국투자기업 및 외국인세금법」 제36조의 '채무를 청산한 나머지 금액'이라는 표현이 보다 적절해 보인다.

6 상속세의 납부기한 및 납부방법

(1) 상속세의 납부기한 및 납부방법

상속을 받은 개인은 **상속받은 날부터 3개월 안**으로 상속세를 신고납부하여야 하며, 상속세액이 정해진 금액을 초과할 경우에는 분할납부할 수 있다(외세법 제40조; 외세규 제38조).

「외국투자기업 및 외국인세금법 시행규정」 제38조 제1항~제2항에서는 상속재산액, 공제액, 과세대상액, 상속세액과 이 밖의 필요한 내용을 밝힌 상속세납부신고서에 상속권을 인정하는 해당 재판기관의 문건사본과 공증료납부확인서를 첨부하여 **상속받은 날부터 75 노동일 안**에 세무기관에 제출·승인을 받은 다음 상속세를 납부하여야 한다고 규정하고 있다.

반면 동 시행규정세칙 제54조 제1항 및 제55조 제1항~제2항에서는 **상속받은 날부터 75 노동일 안에 계산**하여야 하고, 상속세납부신고서에 상속권을 인정하는 해당 재판기관의 문건사본과 공증료납부확인서를 첨부하여 **상속세를 계산한 날부터 3 노동일 안**에 세무기관에 제출하여 승인받은데 따라 국가세무돈자리에 납부하여야 한다고 규정하고 있다. 여기서 상속세의 납부확정시점은 국가세무돈자리에 세금이 입금되는 날이다(외세칙 제55조 제3항).

2015년 「외국투자기업 및 외국인세금법」 수정보충 이후에 2016~2017년에 별도로 동 시행규정 및 시행규정세칙을 채택하고 상속세 '계산기한' 개념을 추가적으로 규정하면서 납부기한과 관련된 내용에 혼선이 발생한 것으로 보인다. 결과적으로 「외국투자기업 및 외국인세금법」, 동 시행규정 그리고 시행규정세칙이 아래와 같이 각각 다른 납부기한을 설정하고 있는 상황이 되었다. 조속한 정비가 필요하다고 판단된다.

① 「외국투자기업 및 외국인세금법」 제40조: 상속받은 날부터 3개월 안 신고납부.

② 동 시행규정 제38조: 상속받은 날부터 3개월 안 신고납부. 상속받은 날부터 75 노동일 안에 신고서 제출 후 승인받아서 납부 (2002년 채택 시행규정 제58조에서는 상속받은 날부터 30일 안에 관련 문건 제출 후 납부).

③ 동 시행규정세칙 제54조~제55조: 상속받은 날부터 75 노동일 안에 상속세 계산하고, 계산한 날부터 3 노동일 안에 제출 후 승인받아서 납부. 즉 상속받은 날부터 최대 78(=75+3) 노동일 안에 납부.

(2) 상속자가 2명 이상일 경우

상속자가 2명 이상일 경우 상속자별로 자기 몫에 해당한 상속세를 납부하여야 한다(외세규 제38조 제2항; 외세칙 제55조 제2항).

(3) 분할납부 또는 현물납부

상속세액이 정해진 금액을 초과하거나 상속세를 불가피하게 현물재산으로 납부하려고 할 경우에는 세무기관의 승인을 받아 분할납부[40]하거나 상속받은 현물재산으로 납부할 수 있다(외세규 제38조 제2항; 외세칙 제55조 제2항).

(4) 납부기한의 연장

불가피한 사정으로 상속세를 정해진 기일까지 납부하지 못할 경우에는 미납된 세금과 연체료를 따로 납부하는 조건으로 세금납부담보서를 세무기관에 제출하여 승인을 받아 납부기일(납부날짜)을 연장할 수 있으나 25 노동일을 초과할 수 없다(외세규 제38조 제3항; 외세칙 제55조 제4항). 여기서 25 노동일의 기산일이 명확하지 않기 때문에, 추가적으로 25 노동일을 연장할 수 있는지 아니면 당초 납부기한을 포함하여 총합계 25 노동일을 의미하는지 확실하지 않다. 그런데 현재 조문 상 상속받은 날부터 3개월 또는 78 노동일 안에 납부하도록 하고 있어서 이를 포함하여 총합계 25 노동일이 될 수는 없다. 따라서 면밀히 검토되지 못한 조문이거나 당초 납부기한에 25 노동일을 추가적으로 부여하는 방식인 것으로 추정된다.

(5) 미납 세금과 연체료의 강제징수

세금납부의무자가 정당한 이유가 없거나 세무기관의 승인을 받지 않고 세금계산날부터 25 노동일이 지나도록 세금납부신고서를 제출하지 않거나 세금을 납부하지 않았을 경우, 미납된 세금과 연체료를 모두 강제징수한다(외세규 제70조 제2항; 외세칙 제93조 제3항). 하지만 불가피한 경우 세금납부담보서를 세무기관에 제출하여 승인을 받아서 납부기일을 연장한다면 이러한 강제징수 규정이 적용되지 않는 것으로 판단된다.

---

40) 2002년 채택 「외국투자기업 및 외국인세금법 시행규정」 제59조에서는 상속세액이 375만원 이상인 경우 해당 세무기관에 신청하여 3년 안에 분할하여 납부할 수 있다고 규정하고 있다. 2011년 수정보충 전 舊「외국투자기업 및 외국인세금법」 제36조에서는 분할납부 기준금액인 375만원을 법에서 규정하고 있었으나, 2011년 수정보충 시 "정해진 금액을 초과할 경우에는 분할납부할 수 있다."고 원칙적인 규정만 남겼다. 그런데 2016년 「외국투자기업 및 외국인세금법 시행규정」이 새로 채택되면서 기존 2002년 시행규정에 있던 기준금액과 분할기간 규정이 삭제되어 현재는 분할납부에 대한 구체적인 규정이 없는 상태가 되었다.

7 상속세의 특혜

상속세의 과세대상액(과세표준)이 €100,000 미만인 경우 상속세를 면제한다(외세칙 제56조). 여기서 €100,000는 상속세의 과세최저한 또는 면세점에 해당한다. 이러한 상속세 면제를 받으려면 개인은 신청서를 공증기관과 회계검증기관의 확인을 받은 근거문건을 첨부하여 세무기관에 제출하여 승인받아야 하고, 세무기관은 개인에게 5 노동일 안에 해당 확인서를 발급해주어야 한다(외세칙 제57조).

제6장

거래세

거래세 부분은 「외국투자기업 및 외국인세금법」 6개 조문, 동 시행규정 6개 조문, 그리고 동 시행규정세칙 7개 조문으로 구성되어 있다.

1 거래세의 납부의무자

거래세의 세금납부의무자는 기업이며, 생산부문[41]과 건설부문의 외국투자기업은 거래세를 납부하여야 한다(외세법 제41조; 외세규 제39조 제1항). 舊법에서는 생산부문만 포함되어 있었으나 2011년 수정보충 과정에서 건설부문[42]이 추가적으로 포함되었다.

광물자원, 산림자원, 동식물자원, 수산자원, 물자원을 비롯한 자원을 개발하는 기업이 생산물을 판매하여 얻은 수입금에는 거래세를 적용하지 않는다(외세규 제39조 제2항; 외세칙 제58조 제2항). 이러한 자원개발 기업은 자원세 적용 대상이다.

2 거래세의 과세대상 및 과세표준

거래세의 과세대상(과세표준)[43]에는 생산물판매수입금과 건설공사인도수입금 등이 속한다(외세법 제42조; 외세규 제40조; 외세칙 제59조). 舊법에서는 생산물판매수입금만 포함되어 있었으나 2011년 수정보충 과정에서 건설공사인도수입금이 추가적으로 포함되었다.

41) 종전 2002년 「외국투자기업 및 외국인세금법 시행규정」 제60조에서는 생산부문에 공업, 농업, 수산업과 같은 부문이 포함된다고 규정하였다.

42) 「외국투자기업 및 외국인세금법」과 「금강산국제관광특구 세금규정」에서는 건설부문이 거래세 과세대상으로 되어 있지만, 「개성공업지구 세금규정」 및 「라선경제무역지대 세금규정」에서는 건설부문이 모두 영업세 과세대상으로 되어 있다.

43) 「외국투자기업 및 외국인세금법」, 동 시행규정 및 시행규정세칙의 관련 조문에는 모두 '과세대상'으로 표현되어 있으나, 실질적으로 '과세표준'에 해당한다. 거래세의 과세대상은 생산물판매거래와 건설공사인도거래가 보다 정확한 표현이라고 할 수 있다.

가. 생산물판매수입금

(1) 생산제품을 거래자에 판매하였을 경우

기업이 생산한 제품을 거래자에게 판매하였을 경우 과세대상(과세표준)은 생산물판매수입금이다(외세규 제40조 제1항). 세부 항목은 다음과 같다(외세칙 제59조 제1항).

① 생산부문에서 생산한 생산물을 북한 영역에 판매하여 얻은 수입금

② 임가공한 제품을 북한 영역에 판매하여 얻은 수입금

③ 과학연구 및 기술개발부문에서 생산한 제품을 북한 영역에 판매하여 얻은 수입금

④ 정보산업부문에서 개발한 프로그램과 같은 제품을 북한 영역에 판매하여 얻은 수입금

⑤ 출판인쇄부문에서 출판물을 북한 영역에 판매하여 얻은 수입금

⑥ 양어부문에서 생산한 제품을 북한 영역에 판매하여 얻은 수입금

⑦ 생산기지가 있으면서 추가적으로 원천동원한 물자재산의 판매수입금

⑧ 이 밖에 중앙세무지도기관이 정한 수입금

생산물판매수입금의 확정시점은 기업이 생산물을 판매할 목적으로 출하를 시작한 날이며, 수입금의 가치는 최종적으로 생산물판매수입금을 자기의 출납 혹은 금고, 은행돈자리에 입금된 현금과 무현금액 또는 창고에 대치물자로 입고된 자연물질적 형태의 화폐적 가치이다. 기업은 생산물판매수입금의 확정시점에 맞게 계약서, 세관수속문건, 영수증, 계산서, 전표 같은 근거문건에 준하여 수입금을 확정하여야 한다.(외세규 제42조 제1항; 외세칙 제61조 제1항 제1호)

(2) 생산업종과 봉사업종을 모두 가진 기업의 경우

생산업종과 봉사업종을 다 같이 가진 기업이 생산제품을 자기 봉사망[44]을 통하여 판매하였을 경우, 과세대상은 봉사망에서 얻은 봉사수입금이다(외세규 제40조 제2항; 외세칙 제59조 제2항). 이 경우 생산물판매 관련 봉사수입금이 거래세 과세표준에 포함된다는 의미로 판단된다.

봉사수입금의 확정시점은 기업이 생산물을 판매할 목적으로 자기의 봉사망에 상품을 넘겨주기 시작한 날이며, 수입금의 가치는 최종적으로 봉사망의 출납 혹은 금고, 은행돈자리에 입금한 현금과 무현금액 또는 창고에 입고한 대치물자의 화폐적 가치이다(외세규 제42조 제1항; 외세칙 제61조 제1항 제2호).

44) 봉사망(奉仕網): 〈북한어〉 봉사 기관과 봉사 시설의 체계. https://ko.dict.naver.com; 네이버 국어사전 (검색일자 2022년 6월 20일). 여기서는 '유통망' 또는 '판매망'을 의미하는 것으로 보인다.

2015년에 최종 수정보충된 「외국투자기업 및 외국인세금법」 제44조에는 외국투자기업이 생산업과 봉사업을 함께 할 경우에는 거래세와 영업세를 따로 계산한다고 규정하고 있다. 하지만 2016~2017년에 채택된 동 시행규정 및 시행규정세칙에서는 이러한 경우 봉사수입금을 거래세 과세대상에 포함하고 영업세를 이중적으로 적용하지 않는다고 규정하고 있다(외세규 제40조 제2항 및 제42조 제1항; 외세칙 제59조 제2항 및 제61조 제1항 제2호). 영업세 관련 조문에서도 이러한 봉사수입금은 영업세 과세대상에서 제외된다고 재차 확인하고 있다(외세규 제46조 제2항; 외세칙 제66조 제2항). 2015년 최종 수정보충된 「외국투자기업 및 외국인세금법」에서는 거래세와 영업세를 따로 계산하는 것으로 규정하였으나, 2016~2017년 채택된 동 시행규정 및 시행규정세칙에서 영업세는 과세하지 않고 거래세만 과세하는 방식으로 변경한 것으로 추정된다.

나. 건설공사인도수입금

건설부문(지질탐사, 개발부문 포함) 기업이 건설한 건설물을 건설주 또는 거래자에게 판매하였을 경우 과세대상(과세표준)은 건설공사인도수입금이다(외세규 제40조 제3항; 외세칙 제59조 제3항).

건설공사인도수입금의 확정시점은 기업이 설계에 반영된 공정별 건설을 설계예산에 따라 시작한 날이며, 수입금의 가치는 최종적으로 건설공정별로 공사수입금을 자기의 출납 혹은 금고, 은행돈자리에 입금된 현금과 무현금액 또는 창고에 입고된 대치물자의 화폐적 가치이다(외세규 제42조 제1항; 외세칙 제61조 제1항 제3호).

3 거래세의 세율 및 세액 계산

가. 거래세의 세율

거래세의 세율은 다음과 같다(외세법 제43조; 외세규 제41조; 외세칙 제60조).

(1) 소비를 제한하지 않는 일반생산물의 수입금(생산물판매수입금 및 건설공사인도수입금): 생산물 종류별로 1~15%

(2) 기호품을 비롯하여 소비와 생산을 제한하는 생산물의 수입금: 생산물 종류별 16~50%

나. 거래세의 세액 계산

거래세는 생산물판매수입금의 확정시점에 맞게 수입금이 이루어질 때마다 정해진 세율을 적용하여 계산하며, 건설공사인도수입금의 확정시점에 기업이 생산물을 판매[45)]할 목적으로 출하를 시작한 날 계산하여야 한다(외세법 제44조; 외세규 제42조 제1항 및 제2항; 외세칙 제61조 제1항 및 제2항).

4 거래세의 납부기한 및 납부방법

(1) 거래세의 납부기한 및 납부방법

거래세는 생산물판매수입금 또는 건설공사인도수입금이 이루어질 때마다 납부한다(외세법 제45조). 舊법에서는 생산물 판매자가 매월 계산하여 다음달 10일 안으로 소재지 재정기관에 납부하는 것으로 규정되어 있었으나, 2011년 수정보충시 수입금이 이루어질 때마다 납부하는 것으로 변경되었다.

거래세는 기업이 신고납부하거나 세금대리납부의무자가 공제납부하여야 한다(외세규 제43조; 외세칙 제62조). 기업은 매월 5, 10, 15, 20, 25 노동일에 거래세납부신고서와 근거문건을 세무기관에 제출하여 승인받아야 한다. 생산주기가 25 노동일 이상 되는 생산물을 생산하는 기업은 거래세납부신고서를 다음달 3 노동일에 1회 제출하여야 한다.(외세규 제43조 제1항; 외세칙 제62조 제1항)

기업은 세무기관에서 승인받은 날부터 1 노동일 안에 거래세를 국가세무돈자리에 납부하여야 한다(외세규 제43조 제2항; 외세칙 제62조 제2항). 거래세의 납부확정시점은 국가세무돈자리에 세금이 입금된 날이다(외세칙 제62조 제3항).

상기 논의를 정리해보면, 「외국투자기업 및 외국인세금법」, 동 시행규정 및 시행규정세칙이 아래와 같이 납부기한에 대하여 다르게 표현하고 있다.

① 「외국투자기업 및 외국인세금법」 제45조: 수입금이 이루어질 때마다 납부

② 동 시행규정 제43조 및 시행규정세칙 제62조: 매월 5, 10, 15, 20, 25 노동일에 세무기관에 신고서 제출・승인받은 후 1 노동일 안에 납부

수입금이 이루어질 때마다 납부하는 것이 실무적으로 어려움이 있을 것이므로 5 노동일 단위로 모아서 세무기관에 제출하여 승인받은 날부터 1 노동일 안에 납부하도록 한

45) 건설공사인도수입금에 대한 것으로서 '생산물 판매'는 '건설물 인도'를 의미하는 것으로 보인다.

것으로 보인다.

(2) 오류 수정시의 납부기한

기업은 거래세의 계산을 과실에 의해 잘못하여 수정하는 경우에도 세금납부기일을 세금을 계산한 날부터 2 노동일을 초과할 수 없다(외세규 제43조 제3항; 외세칙 제62조 제4항).

앞서 매월 5, 10, 15, 20, 25 노동일에 세무기관 제출하여 승인받은 후 1 노동일 안에 납부하도록 하고 있는데, '세금을 계산한 날' 개념이 추가되어 납부기한이 명확하지 않아 보인다. 세금계산일이 당초 신고서 제출·승인일과 동일하다고 가정한다면, 당초 1 노동일 안에 납부하도록 했던 것에 1 노동일 정도를 추가하여 2 노동일 안에 납부하도록 한 것으로 추정된다.

(3) 세금대리납부의무자의 공제납부

세금대리납부의무자는 수입금을 기업에 지불할 때마다 세금납부의무자의 거래세를 공제하여 국가세무돈자리에 납부하여야 한다(외세규 제43조 제4항; 외세칙 제62조 제5항).

(4) 납부기한의 연장

불가피한 사정으로 거래세를 정해진 기일까지 납부하지 못할 경우에는 미납된 세금과 연체료를 따로 납부하는 조건으로 세금납부담보서를 세무기관에 제출하여 승인을 받아 납부기일(납부날짜)을 연장할 수 있으나 25 노동일을 초과할 수 없다(외세규 제43조 제5항; 외세칙 제62조 제6항). 여기서 25 노동일의 기산일이 명확하지 않기 때문에, 추가적으로 25 노동일을 연장할 수 있는지 아니면 당초 납부기한을 포함하여 총합계 25 노동일을 의미하는지 확실하지 않다.

(5) 미납 세금과 연체료의 강제징수

세금납부의무자가 정당한 이유가 없거나 세무기관의 승인을 받지 않고 세금계산날부터 25 노동일이 지나도록 세금납부신고서를 제출하지 않거나 세금을 납부하지 않았을 경우, 미납된 세금과 연체료를 모두 강제징수한다(외세규 제70조 제2항; 외세칙 제93조 제3항). 하지만 불가피한 경우 세금납부담보서를 세무기관에 제출하여 승인을 받아서 납부기일을 연장한다면 이러한 강제징수 규정이 적용되지 않는 것으로 판단된다.

5 거래세의 특혜

(1) 거래세 특혜의 내용

수출상품에 대하여는 거래세를 면제하지만, 수출을 제한하는 상품에 대하여는 정해진 데 따라 거래세를 납부한다(외세법 제46조). 보다 구체적으로 살펴보면 다음과 같다.

① 국제적 경쟁력이 높은 제품과 수출을 제한하지 않는 제품을 생산하여 다른 나라에 수출하고 얻은 판매수입금은 거래세를 **덜어줄 수 있다**(시행규정세칙: 면제한다)(외세규 제44조 제1항; 외세칙 제63조 제1항).

② 알곡과 같은 농산물을 수출하지 않고 북한 영역에 판매하여 얻은 수입금에는 거래세를 **면제한다**(시행규정에는 관련 내용 없음)(외세칙 제63조 제2항).

③ 국가적 요구에 따라 생산물을 북한 영역에서 기관, 기업소에 낮은 가격으로 판매하여 얻은 수입금에는 거래세를 **덜어줄 수 있다**(시행규정세칙: 면제하거나 덜어준다)(외세규 제44조 제1항; 외세칙 제63조 제3항).

(2) 거래세 특혜의 적용절차

거래세를 면제받거나 감세받으려는 기업은 신청문건에 해당 근거문건을 첨부하여 세무기관에 제출하고 승인받아야 한다(외세규 제44조 제2항; 외세칙 제64조 제1항). 세무기관은 5 노동일 안에 기업이 제출한 신청서를 검토하고 거래세감면승인(혹은 부결)문건을 보내야 한다(외세칙 제64조 제2항).

제7장

영업세

영업세 부분은 「외국투자기업 및 외국인세금법」 6개 조문, 동 시행규정 6개 조문, 그리고 동 시행규정세칙 7개 조문으로 구성되어 있다.

1 영업세의 납부의무자

영업세의 세금납부의무자는 기업이며, 봉사부문의 기업은 영업세를 납부하여야 한다. 생산업종을 가진 기업은 영업세를 납부하지 않는다(외세법 제47조; 외세규 제45조; 외세칙 제65조).

舊법 제43조(영업세의 납부의무)의 봉사부문에는 당시 「외국투자기업 및 외국인세금법 시행규정」 제67조에 따라 건설부문의 외국투자기업도 영업세 납부의무자에 포함되었다. 하지만 2011년 「외국투자기업 및 외국인세금법」 수정보충 과정에서 건설부문은 거래세 과세대상으로 변경되었다(아래 과세대상 논의 참조).

2 영업세의 과세대상 및 과세표준

가. 봉사부문의 봉사수입금

영업세의 과세대상(과세표준)[46]은 교통운수, 통신, 동력, 상업, 무역, 금융, 보험, 관광, 광고, 여관, 급양, 오락, 위생편의 같은 부문의 봉사수입금으로 한다(외세법 제48조; 외세규 제46조 제1항; 외세칙 제66조 제1항).

봉사수입금의 확정시점은 기업이 거래자에게 봉사를 제공한 날이며, 수입금의 가치는 최종적으로 출납 혹은 금고, 은행돈자리에 입금된 현금과 무현금액 또는 창고에 입고된 대치물자의 화폐적 가치이다. 기업은 봉사수입금의 확정시점에 맞게 계약서, 영수증, 계

46) 「외국투자기업 및 외국인세금법」, 동 시행규정 및 시행규정세칙의 관련 조문에는 모두 '과세대상'으로 표현되어 있으나, 실질적으로 '과세표준'에 해당한다. 영업세의 과세대상은 교통운수, 통신, 동력, 상업, 무역, 금융, 보험, 관광, 광고, 여관, 급양, 오락, 위생편의 같은 부문의 '봉사제공 거래'가 보다 정확한 표현이라고 할 수 있다.

산서, 전표 등과 같은 근거문건에 준하여 봉사수입금을 확정하여야 한다.(외세규 제48조 제1항; 외세칙 제68조 제1항)

「외국투자기업 및 외국인세금법 시행규정세칙」에서 열거하고 있는 봉사수입금의 세부 항목은 다음과 같다(외세칙 제66조 제1항 각호).

(1) 교통운수(철도, 자동차, 배, 비행기), 동력, 체신, 정보기술봉사 부문과 같은 봉사부문에서 이루어지는 운임, 전력요금, 설비사용료와 같은 각종 요금수입금

(2) 상업, 무역부문에서 상품을 판매하여 얻은 판매수입금과 각종 수수료수입금

① 상업, 무역부문에서 상품을 판매하여 얻은 판매수입금과 각종 수수료수입금

② 생산기지가 없이 원천을 동원하여 다른 나라에 수출하거나 국내에 판매하여 얻은 판매수입금

③ 기관, 기업소와의 계약에 따라 수입한 상품, 물자재산을 판매한 수입금

④ 중계, 위탁수출, 수입 및 되거리[47] 수수료수입금

⑤ 청량음료점과 청량음료매대 판매수입금

(3) 금융부문과 보험, 관광, 급양, 편의봉사 부문의 요금과 같은 봉사수입금

① 금융부문에서 대부이자수입, 업무수수료, 환자시세편차이익 등 수입금

② 보험, 관광, 광고, 호텔, 오락부문의 요금수입금

③ 편의(각종 자동차 및 손전화, 기계제품수리 포함) 부문의 편의봉사수입금

④ 급양부문의 음식물판매수입, 식료품판매수입, 자체로 만든 청량음료판매수입과 같은 봉사수입금

(4) 이 밖에 중앙세무지도기관이 정한 봉사수입금

나. 건설부문의 제외 등

舊「외국투자기업 및 외국인세금법」 제44조(영업세의 과세대상) 및 동 시행규정 제68조에서 건설부문은 영업세 과세대상에 포함되어 있었다. 하지만, 2011년 수정보충된 「외국투자기업 및 외국인세금법」 제44조 및 2016~2017년 채택된 동 시행규정 제46조 및 시행규정세칙 제66조에서는 건설부문이 영업세 과세대상에서 제외되어 거래세 과세대

47) 되거리 판매: 〈북한어〉 어떤 물건을 사서 더 비싼 값에 되파는 거래 형태. https://ko.dict.naver.com; 네이버 국어사전 (검색일자 2022년 6월 20일).

상으로 변경되었다.

또한 2011년 수정보충된 「외국투자기업 및 외국인세금법」 제44조에 과세대상으로 열거되지 않았던 '통신'이 2015년 수정보충 과정에서 과세대상에 포함되었는데, 새롭게 과세대상으로 편입한 것인지 단순한 예시적 항목의 추가인지는 명확하지 않다.

다. 생산업종과 봉사업종을 모두 가진 경우

생산업종과 봉사업종을 다 같이 가진 기업이 생산한 제품을 자기 봉사망을 통하여 판매하여 얻은 봉사수입금은 영업세의 과세대상에서 제외된다(외세규 제46조 제2항; 외세칙 제66조 제2항). 즉, 영업세가 아닌 거래세를 과세한다는 것이다.

3 영업세의 세율 및 세액 계산

가. 영업세의 세율

영업세의 세율은 일반봉사업종의 경우 해당 수입금의 2~10%인데,[48] 카지노와 같은 특수봉사업종에 대해서는 봉사종류에 따라 50%까지 적용한다(외세법 제49조; 외세규 제47조; 외세칙 제67조).

나. 영업세의 세액 계산

영업세는 업종별 봉사수입금의 확정시점에 맞게 수입금이 이루어질 때마다 정한 세율을 적용하여 계산한다(외세법 제50조; 외세규 제48조 제1항; 외세칙 제68조 제1항). 기업이 여러 종류의 봉사를 함께 하는 경우 봉사종류의 수입금에 해당 세율을 적용하여 계산한다(외세법 제50조; 외세규 제48조 제2항; 외세칙 제68조 제2항).

영업세는 봉사수입금의 확정시점에 기업이 거래자에게 봉사를 제공한 날 계산하여야 하며, 월에 1회 확정계산하여야 한다(외세규 제48조 제3항; 외세칙 제68조 제3항).

---

48) 2002년 채택 「외국투자기업 및 외국인세금법 시행규정」 제69조에서는 구체적인 업종별 세율을 다음과 같이 규정하고 있었으나, 2016년 채택 시행규정에서는 삭제되었다.
① 건설, 교통운수, 동력부문은 수입금의 2~4%
② 금융, 보험부문은 수입금의 2~4%
③ 상업무분, 무역부문, 여관업, 급양업, 오락업, 위생편의업과 같은 편의봉사부문은 수입금의 4~10%
부문별 세율에 따르는 전개된 항목의 세율은 중앙재정지도기관이 정한다. 여러 업종의 영업을 하는 외국투자기업과 외국인은 업종별로 영업세를 계산하여야 한다.

4 영업세의 납부기한 및 납부방법

(1) 영업세의 납부기한 및 납부방법

영업세는 봉사수입이 이루어질 때마다 해당 세무기관에 납부한다(외세법 제51조). 영업세는 세금납부의무자가 신고납부하여야 한다(외세규 제49조; 외세칙 제69조). 거래세는 신고납부 및 공제납부 방식이 모두 적용되지만, 영업세에 대해서는 신고납부 방식만 규정하고 있다.

세금납부의무자는 매월 3, 6, 9, 12, 15, 18, 21, 24 노동일에 영업세납부신고서와 근거문건을 세무기관에 제출하고 승인받아야 한다(외세규 제49조 제1항; 외세칙 제69조 제1항). 세금납부의무자는 세무기관에서 승인받은 날부터 1 노동일 안에 영업세를 정한 세율에 따라 국가세무돈자리에 납부하여야 한다(외세규 제49조 제2항; 외세칙 제69조 제2항). 영업세의 납부확정시점은 국가세무돈자리에 세금이 입금된 날이다(외세칙 제69조 제3항).

상기 논의를 정리해보면, 「외국투자기업 및 외국인세금법」, 동 시행규정 및 시행규정세칙은 아래와 같이 납부기한에 대하여 다르게 표현하고 있다.

① 「외국투자기업 및 외국인세금법」 제51조: 봉사수입이 이루어질 때마다 납부
② 동 시행규정 제49조 및 시행규정세칙 제69조: 매월 3, 6, 9, 12, 15, 18, 21, 24 노동일에 세무기관에 신고서 제출・승인받은 후 1 노동일 안 납부

수입금이 이루어질 때마다 납부하는 것이 실무적으로 어려움이 있을 것이므로 3 노동일 단위로 모아서 세무기관에 제출하여 승인받은 날부터 1 노동일 안에 납부하도록 한 것으로 보인다.

(2) 월영업세의 확정납부

3 노동일 단위로 모아서 납부한 후, 다음달 2 노동일 안에 월영업세를 종합하여 확정납부하여야 한다(외세칙 제69조 제2항). 월영업세의 종합 확정납부에 대해서는 「외국투자기업 및 외국인세금법 시행규정세칙」에서만 규정하고 있다. 또한 영업세와 달리 거래세의 경우 월단위 확정납부에 대한 규정이 없다.

(3) 오류 수정시의 납부기한

세금납부의무자는 영업세의 계산을 과실에 의해 잘못하여 수정하는 경우에도 세금납부기일(납부날짜)은 세금을 계산한 날부터 2 노동일을 초과할 수 없다(외세규 제49조

제3항; 외세칙 제69조 제4항).

앞서 매월 3, 6, 9, 12, 15, 18, 21, 24 노동일에 세무기관 제출하여 승인받은 후 1 노동일 안에 납부하도록 하고 있는데, '세금을 계산한 날' 개념이 추가되어 납부기한이 명확하지 않아 보인다. 세금계산일이 당초 신고서 제출·승인일과 동일하다고 가정한다면, 당초 1 노동일 안에 납부하도록 했던 것에 1 노동일 정도를 추가하여 2 노동일 안에 납부하도록 한 것으로 추정된다.

(4) 납부기한의 연장

불가피한 사정으로 영업세를 정해진 기일까지 납부하지 못할 경우에는 미납된 세금과 연체료를 따로 납부하는 조건으로 세금납부담보서를 세무기관에 제출하여 승인을 받아 납부기일(납부날짜)을 연장할 수 있으나 25 노동일을 초과할 수 없다(외세규 제49조 제4항; 외세칙 제69조 제5항). 여기서 25 노동일의 기산일이 명확하지 않기 때문에, 추가적으로 25 노동일을 연장할 수 있는지 아니면 당초 납부기한을 포함하여 총합계 25 노동일을 의미하는지 확실하지 않다.

(5) 미납 세금과 연체료의 강제징수

세금납부의무자가 정당한 이유가 없거나 세무기관의 승인을 받지 않고 세금계산날부터 25 노동일이 지나도록 세금납부신고서를 제출하지 않거나 세금을 납부하지 않았을 경우, 미납된 세금과 연체료를 모두 강제징수한다(외세규 제70조 제2항; 외세칙 제93조 제3항). 하지만 불가피한 경우 세금납부담보서를 세무기관에 제출하여 승인을 받아서 납부기일을 연장한다면 이러한 강제징수 규정이 적용되지 않는 것으로 판단된다.

5 영업세의 특혜

(1) 영업세 특혜의 내용

영업세 적용에서 특혜는 다음과 같다.

① 도로, 철도, 항만, 비행장과 같은 하부구조부문과 오수 및 오물처리 같은 부문에 투자하여 봉사를 진행하는 기업이 얻는 과세대상에 대하여 「외국투자기업 및 외국인세금법」 제52조 및 동 시행규정 제50조 제1항에서는 일정한 기간 영업세를 면제하거나 덜어줄 수 있다고 규정하고 있는데, 동 시행규정세칙 제70조에서는 3년간 영업세를 면제하거나 2년간 50% 범위에서 덜어준다고 표현하고 있다. 문언대로

해석한다면 3년 면제와 2년 50% 범위 내 감면을 선택적으로 적용한다는 것인데, 실제로는 3년 면제 후 추가 2년간 50% 범위 내 감면을 의도한 것으로 추정된다.

② 첨단과학기술봉사부문의 기업에 대하여는 일정한 기간 영업세를 50% 범위에서 덜어줄 수 있다(외세법 제52조; 외세규 제50조 제2항). 이와 관련하여 「외국투자기업 및 외국인세금법 시행규정세칙」에서는 연유, 천연가스와 같은 상품과 첨단과학기술봉사와 같은 특정한 봉사를 제공하여 얻는 과세대상에는 영업세를 50% 범위에서 덜어준다고 규정하고 있다(외세칙 제70조). 「외국투자기업 및 외국인세금법」과 동 시행규정에서는 일정 기간에 대하여 감면해줄 수 있다는 것이고 동 시행규정세칙에서는 기간에 대한 언급없이 감면한다고 규정하고 있다. 문언대로 해석한다면 실질적인 의미에 차이가 있다. 또한 시행규정세칙에는 연유, 천연가스에 대한 감면이 추가되었다.

(2) 영업세 특혜의 적용절차

영업세를 면제받거나 감세받으려는 기업은 신청문건에 해당 근거문건을 첨부하여 세무기관에 제출하고 승인받아야 한다(외세규 제51조 제3항; 외세칙 제71조 제1항). 세무기관은 5 노동일 안에 기업이 제출한 신청서를 검토하고 영업세감면승인(혹은 부결)문건을 보내야 한다(외세칙 제71조 제2항).

제8장

자원세

자원세 부분은 「외국투자기업 및 외국인세금법」 6개 조문, 동 시행규정 6개 조문, 그리고 동 시행규정세칙 7개 조문으로 구성되어 있다.

1 자원세의 납부의무자

자원세의 세금납부의무자는 자원을 채취하는 기업이다(외세칙 제72조 제1항). 기업이 자원을 수출하거나 판매 또는 자체소비를 목적으로 자원을 채취하는 경우 자원세를 납부하여야 하며(외세법 제53조; 외세규 제51조; 외세칙 제72조 제2항), 채취한 자원의 판매와 소비에 대하여 거래세를 납부하지 않는다(외세칙 제72조 제3항).

2 자원세의 과세대상 및 과세표준

자원세의 대상이 되는 자원에는 광물자원, 산림자원, 동식물자원, 수산자원, 물자원 같은 자연자원이 속하며, 자원세의 과세대상은 이러한 자원의 수출・판매거래 및 자체소비라고 할 수 있다(외세법 제53조; 외세규 제51조; 외세칙 제72조 제2항).

자원세의 과세표준[49]은 다음과 같다.

① 자원의 수출 또는 국내판매: 기업이 자원을 채취하여 다른 나라 또는 북한 영역에 판매하여 수입금이 이루어졌을 경우, 자원세의 과세표준은 생산물판매수입금이다(외세법 제54조; 외세규 제52조 제1항; 외세칙 제73조 제1항).

② 자원의 자체 소비: 기업이 자원을 채취하여 자체로 소비하였을 경우, 자원세의 과세대상(과세표준)은 정해진 가격에 해당 수량을 적용한 금액이다(외세법 제54조; 외세규 제52조 제2항; 외세칙 제73조 제2항).

49) 「외국투자기업 및 외국인세금법」, 동 시행규정 및 시행규정세칙의 관련 조문에는 모두 '과세대상'으로 표현되어 있으나, 실질적으로 '과세표준'에 해당한다.

3 자원세의 세율 및 세액 계산

가. 자원세의 세율

「외국투자기업 및 외국인세금법」 제55조에서는 자원의 종류에 따른 자원세의 세율은 내각이 정한다고 표현하고, 동 시행규정 제53조 및 동 시행규정세칙 제74조에서 자원세의 세율은 자원의 종류에 따라 1~25%까지 적용한다고 규정하고 있다.

나. 자원세의 세액 계산

자원세는 과세표준에 해당 세율을 적용하여 계산하며, 채취과정에 여러 가지 자원이 함께 나오는 경우 자원의 종류별(지표별)로 계산한다(외세법 제56조; 외세칙 제75조 제3항). 구체적으로 살펴보면 아래와 같다.

(1) 자원의 수출 및 국내 판매

기업이 채취한 자원을 판매하였을 경우, 자원세는 생산물판매수입금의 확정시점에 맞게 자원의 종류별로 수입금이 이루어질 때마다 정한 세율을 적용하여 계산하여야 한다. 생산물판매수입금의 확정시점은 기업이 생산물을 판매할 목적으로 출하를 시작한 날이며, 수입금의 가치는 최종적으로 생산물판매수입금을 자기의 출납 혹은 금고, 은행돈자리에 입금한 현금과 무현금액 또는 창고에 대치물자로 입고된 자연물질적형태의 화폐적 가치이다. 기업은 생산물판매수입금의 확정시점에 맞게 계약서, 세관수속문건, 영수증, 계산서, 전표 같은 근거문건에 준하여 수입금을 확정하여야 한다.(외세규 제54조 제1항; 외세칙 제75조 제1항 제1호)

자원세는 다음과 같이 정해진 날짜에 정확히 계산하여야 한다.

① 자원의 수출: 자원을 다른 나라에 수출하는 경우 생산물판매수입금의 확정시점에 맞는 1 노동일 혹은 세관수속을 시작한 1 노동일 안에 계약서에 반영된 해당 수량과 가격에 따르는 금액에 자원종류별로 정한 세율을 적용하여 계산하여야 한다(외세규 제54조 제1항; 외세칙 제75조 제1항 제2호 ①).

② 자원의 국내 판매: 자원을 북한 영역에 판매하는 경우 생산물판매수입금의 확정시점에 맞는 1 노동일 안에 계약서에 반영된 해당 수량과 가격에 따르는 금액에 자원종류별로 정한 세율을 적용하여 계산하여야 한다(외세규 제54조 제1항; 외세칙 제75조 제1항 제2호 ②).

(2) 자원의 자체 소비

자원을 자체로 소비한 경우에는 매월 첫 노동일(시행규정세칙: 1 노동일) 안에 실지 소비한 수량과 가격에 따르는 금액에 자원종류별로 정한 세율을 적용하여 계산하여야 한다(외세규 제54조 제2항; 외세칙 제75조 제2항).

4 자원세의 납부기한 및 납부방법

(1) 자원세의 납부기한 및 납부방법

자원세는 자원을 수출하거나 판매하여 수입이 이루어지거나 자원을 소비할 때마다 해당 세무 기관에 납부한다(외세법 제57조). 자원세는 기업이 신고납부하거나 수입금을 지불하는 세금대리납부의무자가 공제납부하여야 한다(외세규 제55조; 외세칙 제76조).

기업은 자원을 북한 영역에 판매하거나 다른 나라에 수출하는 경우와 자원을 자체로 소비한 경우, 자원세를 계산한 날부터 1 노동일 안에 자원세납부신고서와 근거문건을 세무기관에 제출하여 승인받아야 한다(외세규 제55조 제1항; 외세칙 제76조 제1항). 기업은 세무기관에서 승인받은 날부터 1 노동일 안에 자원세를 국가세무돈자리에 납부하여야 한다(외세규 제55조 제2항; 외세칙 제76조 제2항). 자원세의 납부확정시점은 국가세무돈자리에 세금이 입금된 날이다(외세칙 제76조 제3항).

결국 생산물판매수입금 확정시점(출하 또는 세관수속 시작한 날)부터 1 노동일(자체 소비의 경우 매월 1 노동일) 안에 자원세를 계산하고, 계산한 날부터 1 노동일 안에 세무기관의 승인을 받은 후, 다시 1 노동일 안에 납부하면 되는 것으로 해석된다. 생산물 출하 또는 세관수속 시작 시점(자체 소비의 경우 매월 말일)부터 총 3 노동일 안에 납부한다는 것이다. 「외국투자기업 및 외국인세금법」에서 수입이 이루어지거나 소비할 때마다 납부하여야 한다는 내용의 실무적 적용 방식이라고 할 수 있다.

(2) 오류 수정시의 납부기한

기업은 자원세의 계산을 과실에 의해 잘못하여 수정하는 경우에도 세금납부날짜는 세금을 계산한 날부터 2 노동일을 초과할 수 없다(외세규 제55조 제3항; 외세칙 제76조 제4항). '세금을 계산한 날' 개념이 추가되어 납부기한이 명확하지 않아 보인다. 조문을 문언대로 해석하면, 세금 계산한 날부터 1 노동일 안 세무기관 승인, 세무기관 승인 후 다시 1 노동일 안 납부라는 당초의 납부기한과 다를 바가 없다.

(3) 세금대리납부의무자의 공제납부

수입금을 기업에 지불하는 세금대리납부의무자는 지불 당시 기업의 자원세를 지불금액에서 공제하여 국가세무돈자리에 납부하여야 한다(외세규 제55조 제4항; 외세칙 제76조 제5항).

(4) 납부기한의 연장

불가피한 사정으로 자원세를 정해진 기일까지 납부하지 못할 경우에는 미납된 세금과 연체료를 따로 납부하는 조건으로 세금납부담보서를 세무기관에 제출하여 승인을 받아 납부기일(납부날짜)을 연장할 수 있으나 25 노동일을 초과할 수 없다(외세규 제55조 제5항; 외세칙 제76조 제6항). 여기서 25 노동일의 기산일이 명확하지 않기 때문에, 추가적으로 25 노동일을 연장할 수 있는지 아니면 당초 납부기한을 포함하여 총합계 25 노동일을 의미하는지 확실하지 않다.

(5) 미납 세금과 연체료의 강제징수

세금납부의무자가 정당한 이유가 없거나 세무기관의 승인을 받지 않고 세금계산날부터 25 노동일이 지나도록 세금납부신고서를 제출하지 않거나 세금을 납부하지 않았을 경우, 미납된 세금과 연체료를 모두 강제징수한다(외세규 제70조 제2항; 외세칙 제93조 제3항). 하지만 불가피한 경우 세금납부담보서를 세무기관에 제출하여 승인을 받아서 납부기일을 연장한다면 이러한 강제징수 규정이 적용되지 않는 것으로 판단된다.

5 자원세의 특혜

(1) 자원세 특혜의 내용

자원세의 적용에서 특혜의 내용은 다음과 같다.

① 원유, 천연가스 같은 자원을 개발하는 기업에 대하여, 「외국투자기업 및 외국인세금법」 제58조 제1항에서는 5~10년간 자원세를 면제하여 줄 수 있다고 규정하고 있는데, 「외국투자기업 및 외국인세금법 시행규정」 제56조 제1항에서는 5년간 면제하거나 다음 5년간 덜어줄 수 있다고 규정하고 있다. 또한 동 시행규정세칙 제77조 제1항에서는 5년간 면제하거나 다음 5년간 50% 범위에서 덜어준다고 표현하고 있다. 5년 면제와 추가 5년 감면을 선택적으로 적용한다는 것은 어색하고, 「외국투자기업 및 외국인세금법」에서 5~10년으로 표현되어 있다는 점에서, 5년 면제

후 추가 5년 50% 감면을 의도한 것으로 추정된다.

② 자원을 그대로 팔지 않고 현대화된 기술공정에 기초하여 가치가 높은 가공제품을 만들어 수출하거나 국가적 조치로 북한의 기관, 기업소, 단체에 낮은 가격으로[50] 판매하였을 경우, 「외국투자기업 및 외국인세금법」 제58조 제2항에서는 자원세를 덜어줄 수 있다고 규정하고 있고, 동 시행규정 제56조 제2항에서는 자원세를 30%까지 덜어줄 수 있다고 규정하고 있으며, 동 시행규정세칙 제77조 제2항에서는 자원세를 세금액의 30%까지 덜어준다고 표현하고 있다.

③ 장려부문의 외국투자기업이 생산에 이용하는 지하수에 대하여, 「외국투자기업 및 외국인세금법」 제58조 제3항과 동 시행규정 제56조 제4항에서는 자원세를 덜어줄 수 있다고 규정하고 있는데, 동 시행규정세칙 제77조 제4항에서는 자원세를 덜어준다고 표현하고 있다.

④ 자원을 다른 나라에 수출하지 않고 북한 영역에 판매하였을 경우, 「외국투자기업 및 외국인세금법 시행규정」 제56조 제3항에서는 자원세율을 낮추어 줄 수 있다고 규정하고 있는데, 동 시행규정세칙 제77조 제3항에서는 자원세율을 낮추어 준다고 표현하고 있다.

상기 자원세 적용의 특혜와 관련된 조문에서 '○○줄 수 있다.'와 '○○ 준다.'는 표현이 혼재하여 해석상 어려움이 있다. 대체로 「외국투자기업 및 외국인세금법」 및 동 시행규정에서는 '○○줄 수 있다.'고 표현하는 경우가 많고, 동 시행규정세칙에서는 '○○ 준다.'고 표현하고 있다. 이러한 표현의 차이를 문언대로 해석한다면 그 의미가 다르지만, 실제 차이를 두고자 한 것인지는 명확하지 않다.

(2) 자원세 특혜의 적용절차

자원세를 면제받거나 감세받으려는 기업은 신청문건에 해당 근거문건을 첨부하여 세무기관에 제출하고 승인받아야 한다(외세규 제56조 제5항; 외세칙 제78조 제1항). 세무기관은 5 노동일 안에 기업이 제출한 신청서를 검토하고 자원세감면승인(혹은 부결)문건을 보내야 한다(외세칙 제78조 제2항).

---

50) 「외국투자기업 및 외국인세금법」 제58조에는 '낮은 가격으로'라는 표현이 누락되어 있는데, 동 시행규정과 시행규정세칙에는 모두 포함되어 있는 것으로 보아 입법 미비인 것으로 보인다.

제9장

도시경영세

도시경영세 부분은 「외국투자기업 및 외국인세금법」 3개 조문, 동 시행규정 6개 조문, 그리고 동 시행규정세칙 7개 조문으로 구성되어 있다.

1 도시경영세의 납부의무자

도시경영세는 거주 지역의 공원 및 오물처리시설 같은 공공시설을 유지하기 위한 것으로서, 도시경영세의 납부의무자는 기업과 개인, 즉 외국투자기업과 북한에 거주한 외국인이다(외세법 제59조; 외세규 제57조; 외세칙 제79조 제1항).

기업이 도시경영세를 납부한 경우, 외국투자기업, 외국개발기업, 외국투자은행, 외국은행의 지점에 속한 개인은 도시경영세를 따로 납부하지 않는다(외세칙 제79조 제2항).

2 도시경영세의 과세대상 및 과세표준

도시경영세의 과세대상 및 과세표준[51]은 기업의 종업원월노임총액(월노력비총액), 개인의 월수입총액으로 한다(외세법 제60조; 외세규 제58조; 외세칙 제80조).

가. 기업의 도시경영세

기업이 납부하는 도시경영세의 과세대상 및 과세표준은 기업이 월에 1회 조성하여 지불하는 종업원(임시 채용, 견습, 실습, 양성, 경비성원, 기타 포함) 월노력비 총액이다(외세규 제58조 제1항; 외세칙 제80조 제1항).

나. 개인의 도시경영세

개인이 납부하는 도시경영세의 과세대상 및 과세표준은 개인소득세의 과세대상을 합

51) 「외국투자기업 및 외국인세금법」, 동 시행규정 및 시행규정세칙 관련 조문에서는 '과세대상'이라고만 표현하고 있으나, 실질적으로 '과세표준'에 해당한다.

한 금액이다(외세규 제58조 제2항; 외세칙 제80조 제2항). 즉 노동보수소득, 이자소득, 배당소득, 고정재산임대소득, 재산판매소득, 지적소유권과 기술비결의 제공에 의한 소득, 경영과 관련한 봉사제공에 의한 소득, 증여소득에 대한 개인소득세의 과세대상을 합한 금액이다(외세칙 제80조 제2항).

3 도시경영세의 세율 및 세액 계산

가. 도시경영세의 세율

기업 및 개인이 납부하는 도시경영세는 매월 과세표준에 1%의 세율을 적용하여 계산한다(외세법 제61조; 외세규 제59조; 외세칙 제81조).

나. 도시경영세의 세액 계산

도시경영세는 정해진 날짜에 정확히 계산하여야 하는데(외세규 제60조; 외세칙 제82조), 「외국투자기업 및 외국인세금법 시행규정」 및 동 시행규정세칙은 아래와 같이 도시경영세의 계산기한을 다르게 규정하고 있다.

(1) 「외국투자기업 및 외국인세금법 시행규정」

세금납부의무자(기업 및 개인)는 매월 1회 다음달 5 노동일 안으로 과세대상에 1%를 적용하여 계산하도록 규정하고 있다(외세규 제60조).

(2) 「외국투자기업 및 외국인세금법 시행규정세칙」

① 기업은 도시경영세를 매월 1회 다음달 5 노동일 안으로 과세대상에 1%를 적용하여 계산하여야 한다(외세칙 제82조 제1항).

② 개인은 도시경영세를 매월 1회 다음달 10 노동일 안으로 과세대상에 1%를 적용하여 계산하여야 한다(외세칙 제82조 제2항).

4 도시경영세의 납부기한 및 납부방법

도시경영세의 납부기한 및 납부방법과 관련하여, 2016~2017년에 채택된 「외국투자기업 및 외국인세금법 시행규정」, 동 시행규정세칙 및 2015년 최종 수정보충된 「외국투자기업 및 외국인세금법」은 모두 다른 내용을 규정하고 있다. 현재의 법규를 그대로 적용할 경우 혼선이 발생할 수 있으므로 조속한 정비가 필요하다고 판단된다.

가. 「외국투자기업 및 외국인세금법」의 내용

2015년 최종 수정보충된 「외국투자기업 및 외국인세금법」 제61조에서는 도시경영세의 납부기한 및 납부방법에 대하여 다음과 같이 규정하고 있다.

(1) 외국투자기업

매월 다음달 10일 안으로 납부한다.

(2) 외국인

매월 다음달 10일 안으로 해당 세무기관에 본인이 신고납부한다. 경우에 따라 노임을 지불하는 단위가 공제납부할 수도 있다.

나. 「외국투자기업 및 외국인세금법 시행규정」 및 동 시행규정세칙의 내용

(1) 도시경영세의 납부기한 및 납부방법

세금납부의무자는 도시경영세를 계산한 날부터 1 노동일 안에 도시경영세납부신고서와 근거문건을 세무기관에 제출하여 승인받아야 한다(외세규 제61조 제1항; 외세칙 제83조 제1항). 세금납부의무자는 세무기관에서 승인받은 날부터 1 노동일 안에 도시경영세를 국가세무돈자리에 신고납부하여야 한다(외세규 제61조 제2항; 외세칙 제83조 제2항). 도시경영세의 납부확정시점은 국가세무돈자리에 세금이 입금된 날이다(외세칙 제83조 제3항).

결국 매월 다음달 5 노동일(시행규정세칙: 개인의 경우 10 노동일) 안에 도시경영세를 계산하고, 계산한 날부터 1 노동일 안에 세무기관의 승인을 받은 후, 다시 1 노동일 안에 납부해야 되는 것으로 해석된다.

요약하면, ① 「외국투자기업 및 외국인세금법」에 따르면 기업 및 개인 모두 매월 말부터 10일 안으로 납부해야 하고, ② 동 시행규정에 따르면 기업 및 개인 모두 매월 말부터 총 7(=5+1+1) 노동일 안에 납부해야 하며, ③ 동 시행규정세칙에 따르면 기업의 경우 총 7 노동일, 개인의 경우 총 12(=10+1+1) 노동일 안에 납부해야 한다는 것이다.

(2) 오류 수정시의 납부기한

세금납부의무자는 도시경영세의 계산을 과실에 의해 잘못하여 수정하는 경우에도 세금납부날짜는 세금을 계산한 날부터 2 노동일을 초과할 수 없다(외세규 제61조 제3항; 외세칙 제83조 제4항). '세금을 계산한 날' 개념이 추가됨으로써 납부기한이 명확하지 않아 보인다. 조문을 문언대로 해석하면, 세금 계산한 날부터 1 노동일 안 세무기관 승인, 세무기관 승인 후 다시 1 노동일 안 납부라는 당초의 납부기한과 다를 바가 없다.

(3) 세금대리납부의무자의 공제납부

개인에게 수입금을 지불하는 세금대리납부의무자는 수입금을 지불하는 날에 지불금액에서 **개인소득세와 함께 도시경영세를 공제**하여 국가세무돈자리에 납부하여야 한다(외세규 제61조 제4항; 외세칙 제83조 제5항).

개인소득세의 경우 세금납부의무자의 신고납부와 세금대리납부의무자의 공제납부가 모두 가능한 것으로 되어 있기 때문에, 상기 도시경영세의 공제납부 규정은 개인이 개인소득세를 직접 신고납부하는 경우에는 적용하기 어려울 것으로 판단된다.

(4) 납부기한의 연장

불가피한 사정으로 도시경영세를 정해진 기일까지 납부하지 못할 경우에는 미납된 세금과 연체료를 따로 납부하는 조건으로 세금납부담보서를 세무기관에 제출하여 승인을 받아 납부날짜를 연장할 수 있으나 25 노동일을 초과할 수 없다(외세규 제61조 제5항; 외세칙 제83조 제6항). 여기서 25 노동일의 기산일이 명확하지 않기 때문에, 추가적으로 25 노동일을 연장할 수 있는지 아니면 당초 납부기한을 포함하여 총합계 25 노동일을 의미하는지 확실하지 않다.

(5) 미납 세금과 연체료의 강제징수

세금납부의무자가 정당한 이유가 없거나 세무기관의 승인을 받지 않고 세금계산날부터 25 노동일이 지나도록 세금납부신고서를 제출하지 않거나 세금을 납부하지 않았을 경우, 미납된 세금과 연체료를 모두 강제징수한다(외세규 제70조 제2항; 외세칙 제93조 제3항). 하지만 불가피한 경우 세금납부담보서를 세무기관에 제출하여 승인을 받아서 납부기일을 연장한다면 이러한 강제징수 규정이 적용되지 않는 것으로 판단된다.

5 도시경영세의 특혜

(1) 도시경영세 특혜의 내용

① 기업에 속한 개인이 얻은 노동보수소득에 대한 도시경영세를 기업이 기업의 부담으로 지불하였을 경우 도시경영세를 면제한다(외세규 제62조 제1항; 외세칙 제84조 제1항). 이와 관련하여, 노동보수소득에 대하여 개인소득세와 함께 도시경영세를 공제납부한다는 규정(외세규 제61조 제4항; 외세칙 제83조 제5항)에 비추어 볼 때, 기업이 개인소득세만 공제하고 선택적으로 도시경영세는 기업의 부담으로 납부할 수 있는 것으로 보인다.

② 기업에 속한 개인의 재산세, 상속세 같은 과세대상에는 도시경영세를 면제한다(외세규 제62조 제2항; 외세칙 제84조 제2항).

(2) 도시경영세 특혜의 적용절차

도시경영세의 특혜는 세무기관의 승인에 따라 적용한다(외세규 제62조 제3항; 외세칙 제85조). 기업은 기업에 속한 개인의 명단을 세무기관에 제출하여야 한다(외세칙 제85조 제1항). 세무기관은 외국투자기업, 외국개발기업, 외국투자은행, 외국은행의 지점에 속한 개인에게 5 노동일 안에 해당한 확인서를 발급해주어야 한다(외세칙 제85조 제2항). 즉 개인의 노동보수소득에 대한 도시경영세를 세무기관의 승인을 받아서 기업이 납부한 경우, 세무기관이 각 개인에게 도시경영세 면제 확인서를 5 노동일 안에 발급한다는 것으로 해석된다.

제10장

자동차리용세

자동차리용세 부분은 「외국투자기업 및 외국인세금법」 4개 조문, 동 시행규정 5개 조문, 그리고 동 시행규정세칙 5개 조문으로 구성되어 있다.

1 자동차리용세의 납부의무자

세금납부의무자는 자동차를 이용하는 경우 거주 지역의 도로유지를 위하여 자동차리용세를 납부하여야 한다. 자동차리용세의 납부의무자는 기업과 개인, 즉 외국투자기업과 외국인이다(외세법 제62조; 외세규 제63조; 외세칙 제86조).

2 과세대상 자동차의 등록

과세대상 자동차의 등록과 관련하여, 2016~2017년에 채택된 「외국투자기업 및 외국인세금법 시행규정」 및 동 시행규정세칙에서는 2015년에 최종 수정보충된 「외국투자기업 및 외국인세금법」와 다른 내용이 규정되어 있다. 또한 기업의 고정재산등록과 관련된 「외국투자기업재정관리법」, 동 시행규정 및 시행규정세칙에서 규정하고 있는 내용과도 다르다. 조속한 정비가 필요하다고 판단된다.

가. 「외국투자기업 및 외국인세금법」의 내용

「외국투자기업 및 외국인세금법」 제63조에 의하면, 외국투자기업과 외국인은 자동차를 소유한 날부터 30일 안으로 해당 세무기관에 등록하여야 하며, 등록대상에는 승용차, 버스, 화물자동차, 특수차와 오토바이가 속한다.

나. 「외국투자기업 및 외국인세금법 시행규정」 및 동 시행규정세칙의 내용

세금납부의무자는 자동차를 세무기관에 등록하여야 한다(외세규 제64조; 외세칙 제87조).

(1) 등록대상 자동차(외세규 제64조 제1항; 외세칙 제87조 제1항)

자동차의 종류에는 승용차, 버스, 화물자동차, 특수차, 그 밖의 차가 속한다.

① 특수차에는 기중기차, 소방차, 발전기차, 콩크리트혼합차, 시추기차, 로라다짐차, 평토기차, 포설기차, 도로청소차, 눈치는차, 물뿌림차, 화학소독차 같이 사람 또는 화물을 실어 나르는 목적이 아닌 필요한 구조를 갖추었거나 설비를 고정적으로 갖춘 차가 속한다.

② 그 밖의 차에는 뜨락또르, 불도젤, 굴착기, 지게차, 연결차, 오토바이 같은 윤전기재가 속한다.

(2) 자동차의 등록기한

세금납부의무자는 자동차를 현물형태별로 소유한 날부터 25 노동일 안에 세무기관에 등록하여야 한다(외세규 제64조 제2항; 외세칙 제87조 제2항). 소유한 날부터 30일 안에 등록하도록 한 「외국투자기업 및 외국인세금법」 제63조의 규정과 차이가 있으며, 아래에서 살펴본 바와 같이 외국투자기업재정관리법규와도 다르다.

① 기업이 자동차를 소유하였을 경우, 외국투자기업재정관리법규의 투자인정시점에 맞는 날부터 25 노동일 안에 고정재산의 등록방법에 따라 세무기관에 등록하여야 한다(외세규 제64조 제2항; 외세칙 제87조 제2항). 하지만 외국투자기업재정관리법규에서는 투자완료시점부터 3 노동일 안에 고정재산등록대장에 등록하고 그로부터 20 노동일 안에 해당 관리기관과 중앙세무지도기관에 등록하도록 하고 있다(외재법 제16조; 외재규 제19조~제20조; 외재칙 제19조).

② 개인이 자동차를 소유하였을 경우, 차량감독기관에 자동차를 수속한 날부터 25 노동일 안에 세무기관에 등록하여야 한다(외세규 제64조 제2항; 외세칙 제87조 제2항).

③ 세금납부의무자는 자동차를 폐기하였거나 이관하였을 경우 25 노동일 안에 근거문건을 첨부하여 세무기관에 취소등록을 하여야 한다(외세칙 제87조 제3항).

3 자동차리용세의 세율 및 세액 계산

가. 자동차리용세의 세율

자동차종류별 자동차이용세율은 따로 정한데 따라 정액세율[52]을 적용한다(외세규 제

52) 참고로 종전 2002년 채택 「외국투자기업 및 외국인세금법 시행규정」 제78조에서는 자동차 대당 또는 좌석수, 적재 t당 1,500~15,000원을 적용하여 계산하는 것으로 규정되어 있었다.

65조; 외세칙 제88조). 「외국투자기업 및 외국인세금법」 제64조에서는 자동차 유형별 이용세액을 중앙세무지도기관이 정하는 것으로 규정하고 있는데, 이는 정액세율을 중앙세무지도기관이 정한다는 의미로 보인다.

나. 자동차리용세의 세액 계산

자동차리용세는 아래와 같이 정해진 날짜에 정확히 계산하여야 한다(외세규 제66조; 외세칙 제89조).

① 세금납부의무자는 자동차리용세를 해마다 1회 다음해 2월 10 노동일 안에 자동차 종류별로 따로 정한 정액세율을 적용하여 계산하여야 한다(외세규 제66조 제1항; 외세칙 제89조 제1항).

② 자동차를 이용하지 않는 기간에는 자동차리용세를 면제받을 수 있다(외세법 제65조). 세금납부의무자는 자동차를 이용하지 않는 기간이 1개월에 25 노동일씩 여러 번 반복될 때에는 세무기관의 확인을 받아 그 달수만큼 자동차리용세를 계산하지 않는다(외세규 제66조 제2항; 외세칙 제89조 제2항). 즉 1개월에 25 노동일 이상 이용하지 않는 달수만큼 자동차리용세를 면제한다는 의미로 보인다.

4 자동차리용세의 납부기한 및 납부방법

자동차리용세의 납부기한 및 납부방법과 관련하여, 2016~2017년에 채택된 「외국투자기업 및 외국인세금법 시행규정」 및 동 시행규정세칙에서는 2015년에 최종 수정보충된 「외국투자기업 및 외국인세금법」과 다른 내용이 규정되어 있다. 현재의 법규를 그대로 적용할 경우 혼선이 발생할 수 있으므로 조속한 정비가 필요하다고 판단된다.

가. 「외국투자기업 및 외국인세금법」의 내용

2015년 최종 수정보충된 「외국투자기업 및 외국인세금법」 제65조에서는 자동차리용세를 해마다 2월 안으로 자동차이용자가 납부하는 것으로 규정하고 있다.

나. 「외국투자기업 및 외국인세금법 시행규정」 및 동 시행규정세칙의 내용

(1) 자동차리용세의 납부기한 및 납부방법

세금납부의무자는 자동차리용세를 계산한 날부터 1 노동일 안에 자동차리용세납부신고서와 근거문건을 세무기관에 제출하여 승인받아야 한다(외세규 제67조 제1항; 외세칙 제90조 제1항). 세금납부의무자는 세무기관에서 승인받은 날부터 1 노동일 안에 자동차리용세를 국가세무돈자리에 신고납부하여야 한다(외세규 제67조 제2항; 외세칙 제90조 제2항). 자동차리용세의 납부확정시점은 국가세무돈자리에 세금이 입금된 날이다(외세칙 제90조 제3항).

결국 다음해 2월 10 노동일 안에 자동차리용세를 계산하고, 계산한 날부터 1 노동일 안에 세무기관의 승인을 받은 후, 다시 1 노동일 안에 납부하면 되는 것으로 해석된다. 다음해 2월 12(=10+1+1) 노동일 안에 납부해야 한다는 것이다.

(2) 오류 수정시의 납부기한

세금납부의무자는 자동차리용세의 계산을 과실에 의해 잘못하여 수정하는 경우에도 세금납부날짜는 세금을 계산한 날부터 2 노동일을 초과할 수 없다(외세규 제67조 제3항; 외세칙 제90조 제4항). '세금을 계산한 날' 개념이 추가됨으로써 납부기한이 명확하지 않아 보인다. 조문을 문언대로 해석하면, 세금 계산한 날부터 1 노동일 안 세무기관 승인, 세무기관 승인 후 다시 1 노동일 안 납부라는 당초의 납부기한과 다를 바가 없다.

(3) 납부기한의 연장

불가피한 사정으로 자동차리용세를 정해진 기일까지 납부하지 못할 경우에는 미납된 세금과 연체료를 따로 납부하는 조건으로 세금납부담보서를 세무기관에 제출하여 승인을 받아 납부날짜를 연장할 수 있으나 25 노동일을 초과할 수 없다(외세규 제67조 제4항; 외세칙 제90조 제5항). 여기서 25 노동일의 기산일이 명확하지 않기 때문에, 추가적으로 25 노동일을 연장할 수 있는지 아니면 당초 납부기한을 포함하여 총합계 25 노동일을 의미하는지 확실하지 않다.

(4) 미납 세금과 연체료의 강제징수

세금납부의무자가 정당한 이유가 없거나 세무기관의 승인을 받지 않고 세금계산날부터 25 노동일이 지나도록 세금납부신고서를 제출하지 않거나 세금을 납부하지 않았을 경우, 미납된 세금과 연체료를 모두 강제징수한다(외세규 제70조 제2항; 외세칙 제93조 제3항). 하지만 불가피한 경우 세금납부담보서를 세무기관에 제출하여 승인을 받아서 납부기일을 연장한다면 이러한 강제징수 규정이 적용되지 않는 것으로 판단된다.

제11장

세무행정, 제재 및 불복

'세무사업에 대한 지도통제' 부분은 세무행정, 제재 및 불복과 관련된 내용을 규정한 것으로서, 「외국투자기업 및 외국인세금법」 8개 조문, 동 시행규정 8개 조문, 그리고 동 시행규정세칙 10개 조문으로 구성되어 있다. 또한 이 부분은 「외국투자기업재정관리법 시행규정」 제50조~제54조, 동 시행규정세칙 제56조~제62조의 '감독통제 및 신소'에 대한 내용도 함께 참고할 필요가 있다.

1 중앙세무지도기관과 세무기관

'지도통제의 기본요구'라는 제목 하에 세무사업에 대한 국가의 통일적인 지도는 '중앙세무지도기관'이 하며, 중앙세무지도기관은 해당 세무기관들의 사업을 정상적으로 장악지도하여야 한다고 규정하고 있다(외세법 제66조). 2017년 채택 「외국투자기업 및 외국인세금법 시행규정세칙」 제1조에 의하면, 중앙세무지도기관은 '재정성'을 의미한다.

(1) 세무관리체계 (외세규 제68조 제1항; 외세칙 제91조 제1항)

중앙세무지도기관과 경제개발구를 비롯한 특수경제지대에 조직된 세무기관들은 국가의 통일적인 세무관리체계에 따라 세무관리사업을 하여야 한다. 중앙세무지도기관은 북한의 세무관리체계에서 해당 세무기관들의 상급기관이고, 특수경제지대에 조직된 세무기관들은 중앙세무지도기관의 지도를 받는 하급기관이다.

(2) 중앙세무지도기관의 역할 (외세규 제68조 제2항; 외세칙 제91조 제2항)

중앙세무지도기관은 세무기관사업지도서에 따라 세무기관들의 사업을 장악, 지도하여 세무관리사업에 대한 국가의 통일적 지도와 전략적 관리를 바로 실현해나가야 하며, 모든 세무기관들의 세무관리사업을 현지에 나가 정상적으로 요해, 지도하는 사업체계를 세워야 한다.

중앙세무지도기관은 매해 1/4분기 안에 모든 세무기관들의 연간 세무사업진행 정형을 종합적으로 분석 총화하며 그 결과를 내각에 보고하여 대책을 세우는 사업체계를 정연하게 세워야 한다.

특수경제지대에 세무기관을 새로 설치하려고 할 경우에는 중앙세무지도기관의 합의를 받아야 한다.

(3) 세무기관의 세무관리사업 (외세규 제68조 제3항; 외세칙 제91조 제3항)

특수경제지대에 조직된 해당 세무기관들은 세무기관사업지도서에 따라 중앙세무지도기관의 지도와 통제를 받으면서 지역 안의 세금납부의무자에 대한 세무사업을 진행하여야 한다. 세무기관들은 매해 중앙세무지도기관이 정해준 세무사업 방향에 따라 자기 지역 안의 세금납부의무자에 대한 세무관리를 자체로 진행하며 그 정형을 분기에 1회 중앙세무지도기관에 보고하는 규율과 질서를 엄격히 세워야 한다. 세무기관들은 세금항목과 세율, 세금특혜 적용을 비롯한 중요세무관리 문제들을 중앙세무지도기관의 승인을 받아 대책하는 규율과 질서를 준수하여야 한다.

(4) 세무기관 이외 기관과 개인 (외세규 제68조 제4항; 외세칙 제91조 제4항)

세무기관 이외의 다른 기관과 개인은 세금납부의무자에 대한 일체의 세무관리사업을 할 수 없다. 세무기관 이외의 다른 기관과 개인은 「외국투자기업 및 외국인세금법 시행규정」 및 동 시행규정세칙과 어긋나게 세금납부의무자에 대한 세금항목과 세율, 세금부과를 정하지 말아야 하고, 세금징수법규에 어긋나게 세금징수와 세금조사사업을 하지 말아야 하며, 세무검열법규와 어긋나게 감독통제사업을 하지 말아야 한다.

(5) 감독통제 (외세법 제67조; 외세규 제69조; 외세칙 제92조)

중앙세무지도기관과 해당 세무기관은 세무관리사업을 철저히 세무기관사업지도서에 맞게 하여야 하고, 세금징수관리와 세무조사사업을 세금징수관련법규에 따라 엄격히 진행하고, 세무검열사업을 세금감독법규에 따라 진행하여 세금납부의무자의 탈세행위와 위법행위가 나타나지 않도록 감독통제를 강화하여야 한다고 규정하고 있다. 이와 같이, 세무문제에 대하여 세무기관사업지도서, 세금징수관련법규, 세금감독법규[53] 등 다양한 법규가 언급되고 있으나, 이러한 법규가 별도로 존재하는지는 확인되지 않았다.

53) 「외국투자기업 및 외국인세금법 시행규정」 제68조 제4항 및 동 시행규정세칙 제91조 제4항 제3호에서는 '세금검열법규'로 표현하고 있다.

2 세금 지연납부 – 연체료

세무기관은 「외국투자기업 및 외국인세금법 시행규정세칙」과 세금징수법규에 따라 아래와 같이 연체료를 부과한다(외세규 제70조; 외세칙 제93조). 여기서 연체료는 미납된 세금에 대한 이자상당 가산액의 성격이라고 할 수 있다.

(1) 연체료 부과대상

외국투자기업과 외국인이 세금을 정한 기일 안에 납부하지 않았을 경우 연체료를 물린다(외세법 제68조). 보다 구체적으로 세무기관은 세금납부의무자가 정해진 날짜로부터 5 노동일이 지나도록 세금납부신고서를 제출하지 않았거나 세금을 납부하지 않았을 경우 연체료를 부과하여야 한다(외세칙 제93조 제1항).

(2) 연체료 계산

납부기일이 지난날부터 납부하지 않은 세액에 매일 0.3%에 해당한 연체료를 물린다(외세법 제68조). 연체료는 세금계산날부터 세금납부신고서 제출하는 날까지 계산하여야 하며, 세금계산일부터 매일 조성된 세금액과 미납된 세금액을 합한 금액의 0.3% 씩 누계로 계산하여 1 노동일 안에 따로 납부하여야 한다(외세규 제70조 제1항; 외세칙 제93조 제2항).

(3) 연체료 강제징수

세무기관은 세금납부의무자가 정당한 이유가 없거나 세무기관의 승인을 받지 않고 세금계산날부터 25 노동일이 지나도록 세금납부신고서를 제출하지 않거나 세금을 납부하지 않았을 경우, 미납된 세금과 연체료를 다같이 강제징수한다(외세규 제70조 제2항; 외세칙 제93조 제3항). 강제징수의 경우에도 매일 0.3%의 연체료를 적용한다(외세규 제71조 제1항).

이러한 강제징수 규정은 불가피한 경우 통상 25 노동일까지 납부기한 연장이 가능하다는 규정과 연동되는 것으로 보인다. 하지만 기업소득세 연(年) 확정납부에 대한 납부기한 연장은 75 노동일까지 가능하다는 점에서(외세규 제15조 제4항; 외세칙 제22조 제4항), 별도의 예외 규정이 필요할 것으로 보인다.

3 세무행정 질서위반 – 벌금

세무기관은 세금징수법규와 세무검열법규에 따라 다음 행위가 나타났을 경우 벌금을 부과한다.

(1) 정당한 이유없이 세무등록, 재산등록, 자동차등록을 제때에 하지 않았거나 세금납부신고서, 연간회계결산서 같은 세무문건을 제때에 내지 않았을 경우, 기업에게는 €100~5,000까지, 개인에게는 €10~1,000까지의 벌금을 아래와 같이 부과한다(외세법 제71조 제1항; 외세규 제73조 제1항; 외세칙 제98조 제1항). 자동차등록도 세무등록과 마찬가지로 벌금 규정을 적용하는 것으로 판단된다.[54)]

<표 2-5> 관련 등록 및 문건제출 위반 벌금

위반한 행위	기업 벌금	개인 벌금
① 정당한 이유없이 세무등록과 재산등록을 정해진 날보다 2개월 이상 하지 않았을 경우	€100~150	€10~100
② 정당한 이유없이 세무등록증에 대한 국가납부확인을 정해진 날보다 2개월 이상 받지 않았을 경우	€150~300	€100~300
③ 세무등록증에 대한 국가납부확인을 위조하였을 경우	€300~500	€300~500
④ 정당한 이유없이 분기재정회계결산서를 정해진 날에 세무기관에 제출하지 않았을 경우	€500~700	-
⑤ 정당한 이유없이 연간재정회계결산서를 정해진 날에 세무기관에 제출하지 않았을 경우	€700~1,000	-
⑥ 정당한 이유없이 세무기관의 승인을 받지 않고 세금납부신고와 세금 및 연체료 납부를 정해진 날보다 2개월 이상 하지 않았을 경우	€1,000~2,500	€500~750
⑦ 정당한 이유없이 세무기관의 승인을 받지 않고 세금납부신고와 세금 및 연체료 납부를 정해진 날보다 1년 이상 하지 않았을 경우	€2,500~5,000	€750~1,000

자료: 「외국투자기업 및 외국인세금법 시행규정세칙」 제98조 제1항의 내용을 기초로 저자 작성.

54) 「외국투자기업 및 외국인세금법」 제71조에는 '자동차등록'도 벌금 적용대상으로 명시하고 있으나, 동 시행규정 및 시행규정세칙에서는 세무등록과 재산등록만을 열거하고 있다. 하지만, 동 시행규정 제4조 및 시행규정세칙 제5조~제6조에 의하면, 자동차등록도 광의로는 세무등록의 범주에 포함하고 있는 것으로 보인다.

(2) 공제납부의무자가 세금을 적게 공제하였거나 공제한 세금을 납부하지 않았을 경우, 납부하지 않은 세액의 2배까지의 벌금을 부과한다(외세법 제71조 제2항; 외세규 제73조 제2항; 외세칙 제98조 제2항).

(3) 부당한 목적으로 세무장부와 자료를 사실과 맞지 않게 기록하거나 고쳤을 경우 또는 2중 장부를 이용하거나 장부를 없앴을 경우, 기업에게는 €1,000~100,000까지, 개인에게는 €100~1,000까지의 벌금을 아래와 같이 부과한다(외세법 제71조 제3항; 외세규 제73조 제3항; 외세칙 제98조 제3항).

① 1년 기간 안에 부당한 목적으로 기업의 분기표 등 세무장부와 자료 또는 개인소득 계산자료를 사실과 맞지 않게 작성한 금액(기업의 수입을 적게 또는 비용을 많게 계산한 금액 합계 또는 개인소득을 위조하여 적게 계산한 금액)에 대한 벌금은 다음과 같다.

<표 2-6> 허위작성 자료 벌금

기업		개인	
위반한 금액	벌금	위반한 금액	벌금
€10,000 미만일 때	€1,000~2,000	€1,000 미만일 때	€100
€50,000 미만일 때	€2,000~10,000	€5,000 미만일 때	€500
€100,000 미만일 때	€10,000~20,000	€10,000 미만일 때	€950
€200,000 미만일 때	€20,000~40,000	€10,000 이상일 때	€1,000
€300,000 미만일 때	€40,000~60,000	-	
€500,000 미만일 때	€60,000~95,000	-	
€500,000 이상일 때	€95,000~100,000	-	

자료: 「외국투자기업 및 외국인세금법 시행규정세칙」 제98조 제3항 제1호 ① 및 제2호 ①의 내용을 기초로 저자 작성.

② 1년 기간 안에 2중 장부를 이용하여 기업의 수입 또는 개인의 소득을 숨긴 금액에 대한 벌금은 다음과 같다.

<표 2-7> 2중 장부 벌금

기업		개인	
위반한 금액	벌금	위반한 금액	벌금
€5,000 미만일 때	€1,000~2,000	€500 미만일 때	€100
€25,000 미만일 때	€2,000~10,000	€1,000 미만일 때	€500
€50,000 미만일 때	€10,000~20,000	€1,500 미만일 때	€950
€80,000 미만일 때	€20,000~40,000	€1,500 이상일 때	€1,000
€150,000 미만일 때	€40,000~60,000	-	
€400,000 미만일 때	€60,000~95,000	-	
€400,000 이상일 때	€95,000~100,000	-	

자료: 「외국투자기업 및 외국인세금법 시행규정세칙」 제98조 제3항 제1호 ② 및 제2호 ②의 내용을 기초로 저자 작성.

(4) 세무일꾼의 세무조사를 고의적으로 방해하였을 경우, 정상에 따라 €100~5,000까지의 벌금을 아래와 같이 부과하여야 한다(외세법 제71조 제4항; 외세규 제73조 제4항; 외세칙 제98조 제4항).

① 세무일꾼이 요구하는 자료를 1 노동일 안에 보장하지 않았을 경우: €100~1,000

② 세무일꾼이 요구하는 질의문답에 1 노동일 안에 응하지 않았을 경우: €1,000~3,000

③ 세무조사와 검열을 회피하기 위하여 세무장부와 자료를 고의적으로 없앴을 경우: €3,000~5,000

(5) 고의적으로 세금을 납부하지 않거나 적게 납부하였을 경우와 재산 또는 소득을 빼돌렸거나 감추었을 경우, 납부하지 않은 세액의 5배까지의 벌금을 부과하여야 한다(외세법 제71조 제5항; 외세규 제73조 제5항; 외세칙 제98조 제5항).

(6) 세무기관의 벌금통지서를 받았으나 정당한 이유가 없거나 세무기관의 승인을 받지 않고 벌금을 정해진 기일보다 25 노동일 이상 납부하지 않았을 경우, 매일 0.3%의 연체료가 부과된 벌금을 강제징수하여야 한다(외세규 제71조 제2항; 외세칙 제98조 제6항). 즉 부과된 벌금을 납부하지 않을 경우 이자상당의 연체료를 추가하여 강제징수한다는 것이다. 고의가 아닌 과실로 인정되는 탈세행위에 대하여 부과하는 벌금과 관련된 「외국투자기업 및 외국인세금법 시행규정세칙」 제96조 제3항에도 동일한 내용이 규정되어 있다.

4 탈세행위 – 돈자리동결, 벌금, 강제징수, 몰수

「외국투자기업 및 외국인세금법」 제70조에서는 고의적인 탈세행위가 나타났을 경우에는 해당 재산을 몰수한다고만 규정하고 있다. 하지만 동 시행규정 제72조에서는 보다 구체적으로 세금징수법규와 해당 행정법규에 따라 돈자리를 동결하거나, 해당 금액을 강제징수 또는 세금납부의무자의 해당 재산을 몰수하여야 한다고 규정하고 있다. 또한 동 시행규정세칙에서는 탈세행위의 범위 및 벌금의 계산(외세칙 제95조), 과실에 의한 탈세행위에 대한 제재(외세칙 제96조) 및 고의에 의한 탈세행위에 대한 제재(외세칙 제97조)로 구분하여 구체적으로 규정하고 있다.[55]

가. 탈세행위의 구분과 벌금

세금납부의무자에게 탈세행위가 나타났을 경우, 과실로 인정되는 탈세행위와 고의로 인정되는 탈세행위 그리고 각각에 대한 벌금은 다음과 같다(외세규 제72조; 외세칙 제95조).

(1) 탈세행위가 **과실**로 인정되는 경우: **탈세액의 15% 벌금**

① 기업의 재정1책임자와 재정2책임자의 연한이 6개월 미만이며 현행 적용 세금법규를 문서로 구입하지 못하였거나 알지 못하여 항목별 세금을 정해진 세율대로 계산하지 못하여 탈세한 경우(외세칙 제95조 제1항 제1호 ①)

② 기업의 재정1책임자와 재정2책임자의 연한이 6개월 미만이며 현행 적용 재정관리법규를 문서로 구입하지 못하였거나 알지 못하여 과세대상을 적게 계산하여 항목별 세금을 탈세한 경우(외세칙 제95조 제1항 제1호 ②)

③ 개인이 3개월 미만의 기간 세금법규를 구입하지 못하였거나 알지 못하여 항목별 세금을 탈세한 경우(외세칙 제95조 제1항 제2호)

(2) 탈세행위가 **고의**로 인정되는 경우: 탈세액의 50% 벌금

탈세행위가 고의로 인정되는 경우는 기업 또는 개인의 탈세행위가 과실로 인정되는 경우를 벗어난 모든 경우이다(외세칙 제95조 제2항 제1호 및 제2호).

---

55) 2017년 2월 5일 「외국투자기업 및 외국인세금법 시행규정세칙」이 채택된 이후, 같은 해 6월 24일 「외국투자기업재정관리법 시행규정세칙」이 채택되었다. 「외국투자기업재정관리법 시행규정세칙」 제58조에서는 외국투자기업의 재정관리 위법현상에 대하여 규정하고 있고, 동 제59조에서 연체료 또는 벌금, 강제납부에 대하여 규정하고 있는데 탈세행위에 대한 내용과는 처리기한 등 다소 차이가 있다.

나. 과실에 의한 탈세행위에 대한 제재조치

세무기관은 세금납부의무자에게 나타난 탈세행위가 과실로 인정되는 경우 다음과 같이 하여야 한다.

(1) 탈세납부 및 벌금통지서를 2 노동일 안에 발급하여 세금납부의무자에게 보내주어야 한다(외세칙 제96조 제1항).

(2) 세금납부의무자는 통지서를 받은 날부터 3 노동일 안에 벌금과 탈세액을 납부하여야 한다(외세칙 제96조 제2항).

(3) 세무기관의 벌금통지서를 받았으나 정당한 이유가 없거나 세무기관의 승인을 받지 않고 벌금을 정해진 기일보다 25 노동일 이상 납부하지 않았을 경우, 매일 0.3%의 연체료가 부과된 벌금을 강제징수하여야 한다(외세규 제71조 제2항; 외세칙 제96조 제3항). 동일한 내용이 앞서 살펴본 세무행정 질서위반에 따른 벌금 규정인 「외국투자기업 및 외국인세금법 시행규정세칙」 제98조 제6항에도 포함되어 있다.

다. 고의에 의한 탈세행위에 대한 제재조치

세무기관은 세금납부의무자에게 나타난 탈세행위가 고의로 인정되는 경우 **다음과 같은 순서로 제재 조치**를 취하여야 한다(외세규 제72조; 외세칙 제97조).

(1) 세무기관은 세금납부의무자의 돈자리를 동결하여야 한다. (2) 세무기관은 세금납부의무자의 돈자리에서 탈세액과 벌금을 강제징수하여야 한다. (3) 세무기관은 세금납부의무자의 돈자리에서 탈세액과 벌금을 화폐형태로 납부하지 못하는 경우, 그 가치에 해당한 재산을 몰수하여야 한다.

상기 절차를 보다 구체적으로 살펴보면 다음과 같다.

(1) 세금납부의무자의 돈자리 동결

① 세무기관은 세금납부의무자에게 탈세행위와 관련한 확인서를 받아야 한다(외세칙 제97조 제1항 제1호 ①).

⇨ 세금납부의무자가 확인서를 거절할 경우, 거절이유를 밝힌 확인서를 받아야 한다(외세칙 제97조 제1항 제1호 ②).

⇨ 세금납부의무자가 탈세자료와 거절이유 관련 확인을 거절하는 경우, 탈세행위와 관련한 확인서를 세무기관이 직접 작성하여야 한다(외세칙 제97조 제1항 제1호 ③).

② 세무기관은 탈세행위와 관련한 확인서를 받아들인 날부터 2 노동일 안에 확인서를 첨부한 돈자리동결통지서를 세금납부의무자의 거래은행에 보내야 한다(외세칙 제97조 제1항 제2호).

③ 거래은행은 세무기관이 발급한 돈자리동결통지서를 받은 날부터 2 노동일 안에 세금납부의무자의 돈자리를 동결하여야 한다(외세칙 제97조 제1항 제3호).

(2) 탈세액과 벌금의 강제징수

① 세무기관은 돈자리동결통지서를 보낸 날부터 2 노동일 안에 세금납부의무자의 거래은행에 강제납부통지서를 보내야 한다(외세칙 제97조 제2항 제1호).

② 세무기관이 발급한 강제납부통지서를 받은 해당 거래은행은 다음과 같이 하여야 한다.

⇨ 거래은행은 동결된 세금납부의무자의 돈자리에서 수입금의 입금과 강제납부통지서에 반영된 세금과 국가납부항목에 대한 지출에 대해서만 결제해주어야 한다(외세칙 제97조 제2항 제2호 ①).

⇨ 거래은행은 세무기관이 발급한 강제납부통지서를 받은 날부터 2 노동일 안에 해당 납부금을 국가세무돈자리에 강제납부하여야 한다(외세칙 제97조 제2항 제2호 ②).

⇨ 거래은행은 세금납부의무자의 돈자리잔고가 강제납부통지서에 반영된 납부금액보다 적은 경우 세무기관에 돈자리잔고를 알려주어야 한다(외세칙 제97조 제2항 제2호 ③).

(3) 재산 몰수

세무기관은 탈세행위가 나타난 세금납부의무자의 돈자리에서 탈세액과 벌금을 화폐형태로 납부하지 못하는 경우, 그 가치에 해당한 재산을 몰수하여야 한다(외세칙 제97조 제3항).[56]

① 세무기관은 근거문건을 첨부한 재산몰수통지서를 해당 기관에 보내야 한다(외세칙 제97조 제3항 제1호).

② 해당 기관은 세무기관의 재산몰수통지서를 받은 날부터 5 노동일 안에 세무기관일꾼과 세금납부의무자, 가격기관일꾼들, 세무기관이 지정하는 상업기관일꾼들이 입

56) 종전 2002년 채택 「외국투자기업 및 외국인세금법 시행규정」에서는 '몰수'와 관련하여 제83조에 "승인받은 업종 밖의 영리활동을 하여 부당한 수입금을 얻었을 경우에는 그것을 몰수한다."는 규정이 있었다.

회하여 탈세액과 벌금에 해당한 재산을 무상으로 상업기관에 이관하여야 한다(외세칙 제97조 제3항 제2호).

③ 상업기관은 재산을 판매하지 못한 경우에도 재산을 넘겨받은 날부터 5 노동일 안에 탈세액과 벌금에 해당한 금액을 화폐형태로 국가세무돈자리에 납부하여야 한다(외세칙 제97조 제3항 제3호).

5 영업중지 및 출국중지

영업중지와 관련하여, 2017년에 채택된 「외국투자기업 및 외국인세금법 시행규정세칙」에서는 2015년에 최종 수정보충된 「외국투자기업 및 외국인세금법」과 다른 내용이 규정되어 있다. 출국중지에 대하여는 동 시행규정세칙에서만 규정하고 있다. 2016년에 채택된 「외국투자기업 및 외국인세금법 시행규정」은 영업중지에 대한 일부 내용 이외에는 별도의 추가적인 규정이 없다.

가. 영업중지 대상

(1) 「외국투자기업 및 외국인세금법」의 내용

「외국투자기업 및 외국인세금법」 규정에 따라 다음의 경우에는 영업을 중지시킬 수 있다(외세법 제69조).

① 정당한 이유없이 6개월 이상 세금을 납부하지 않을 경우

② 벌금통지서를 받았으나 1개월 이상 벌금을 물지 않을 경우

③ 해당 세무기관의 정상적인 조사사업에 응하지 않거나 필요한 자료를 보장하여 주지 않았을 경우

(2) 「외국투자기업 및 외국인세금법 시행규정세칙」의 내용

「외국투자기업 및 외국인세금법 시행규정세칙」 규정에 따라 세무기관이 세금납부의무자의 영업을 중지시키는 경우는 다음과 같다(외세칙 제94조 제1항).

① 세무등록을 정해진 날부터 1년 이상 하지 않고 영업을 하였을 경우

② 세금미납액과 수수료, 연체료, 벌금, 강제납부금을 연속 2년째 납부하지 않았을 경우

③ 재정수입이 연속 3년째 조성되지 않아 세금계산의 과세대상이 연속 3년 동안 조성

되지 않는 경우

④ 연속 4년 동안 경영손실로 기업소득세의 과세대상이 연속 4년 동안 조성되지 않는 경우

⑤ 세금을 회피하거나 고의적으로 납부하지 않고 자금세척에 이용하였을 경우

⑥ 세무기관이 세무검열법규에 따라 합법적으로 진행하는 검열사업에 고의적으로 응하지 않았을 경우

⑦ 세무기관의 세무검열사업에 필요한 자료를 의식적으로 보장하지 않았을 경우

「외국투자기업 및 외국인세금법 시행규정」은 제71조 제3항에서 상기 ⑥ 및 ⑦과 동일한 내용으로서 세무기관의 정상적인 검열사업에 응하지 않거나 자료를 보장하지 않았을 경우 영업을 중지시켜야 한다는 내용만을 포함하고 있다.

나. 출국중지 대상

출국중지에 대하여는 「외국투자기업 및 외국인세금법 시행규정세칙」에서만 규정하고 있다. 세무기관은 다음의 경우 해당 기관에 통지하여 세금납부의무자의 출국을 중지시켜야 한다(외세칙 제94조 제2항).

① 세금납부의무자가 세금납부확인서를 발급받지 않고 출국하려는 경우

② 세금납부의무자가 해마다 2월 안에 세무등록증에 대한 국가납부확인을 받지 않았을 경우

③ 세금납부의무자가 세금과 미납금을 납부하지 못하였을 경우

④ 세금을 납부하지 못한 세금납부의무자가 세금납부담보를 제공하지 못하는 경우

6 행정적 또는 형사적 책임

「외국투자기업 및 외국인세금법」을 위반하여 '엄중한 결과'를 일으킨 경우에는 정상에 따라 행정적 또는 형사적 책임을 지운다(외세법 제72조). 동 시행규정 및 시행규정세칙에서는 아래와 같이 모두 '부정적 결과'를 일으킨 경우로 표현되어 있다(외세규 제74조; 외세칙 제99조).

(1) 세무기관일꾼

「외국투자기업 및 외국인세금법 시행규정」, 동 시행규정세칙과 세무기관사업지도서,

세금징수 및 세무검열법규에 어긋나게 세금납부의무자의 재산에 피해를 주었거나 세금납부의무자로부터 세금을 고의적으로 적게 받아 국가예산수입에 부정적 결과를 일으킨 경우(외세규 제74조 제1항; 외세칙 제99조 제1항)

(2) 세금납부의무자

「외국투자기업 및 외국인세금법 시행규정」, 동 시행규정세칙과과 세금징수법규에 어긋나게 고의적 행위로 국가예산수입에 부정적 결과를 일으킨 경우(외세규 제74조 제2항; 외세칙 제99조 제2항)

(3) 세무기관 밖의 단위와 일꾼

「외국투자기업 및 외국인세금법 시행규정」, 동 시행규정세칙과 세무기관사업지도서, 세금징수 및 세무검열법규에 어긋나게 세무관리사업에 간섭하여 부정적 결과를 일으킨 경우(외세규 제74조 제3항; 외세칙 제99조 제3항)

한편, 행정적 책임과 관련하여 **북한 「행정처벌법」 제96조(탈세행위)**에서는, 세금을 납부하지 않은 자에게는 벌금처벌을 준다고 규정하고 있다. 하지만 구체적인 벌금액에 대하여는 앞서 살펴본 「외국투자기업 및 외국인세금법」, 동 시행규정 및 시행규정세칙의 벌금에 대한 규정을 따르는 것으로 판단된다.

또한 형사적 책임과 관련하여 **북한 「형법」 제109조(탈세죄)**에 의하면, 외국투자기업과 외국인이 고의적으로 세금을 납부하지 않았거나 적게 납부한 경우에는 3년 이하의 노동교화형에 처하며, 정상이 무거운 경우에는 3년 이상 5년 이하의 노동교화형에 처한다고 규정하고 있다.

남한의 「조세범처벌법」[57]과 달리 사기나 기타 부정한 행위가 없더라도 '고의적'으로 세금을 납부하지 않거나 적게 납부하면 북한 「형법」상 탈세죄가 성립되고, 과실로 세금을 납부하지 못한 경우에는 탈세죄가 성립되지 않는다. 이러한 탈세죄는 외국투자기업

57) 「조세범처벌법」 제3조(조세 포탈 등) 제1항
사기나 그 밖의 부정한 행위로써 조세를 포탈하거나 조세의 환급·공제를 받은 자는 2년 이하의 징역 또는 포탈세액, 환급·공제받은 세액(이하 "포탈세액등"이라고 한다)의 2배 이하에 상당하는 벌금에 처한다. 다만, 다음 각호의 어느 하나에 해당하는 경우에는 3년 이하의 징역 또는 포탈세액등의 3배 이하에 상당하는 벌금에 처한다.
1. 포탈세액등이 3억원 이상이고, 그 포탈세액등이 신고·납부하여야 할 세액(납세의무자의 신고에 따라 정부가 부과·징수하는 조세의 경우에는 결정·고지하여야 할 세액을 말한다)의 100분의 30 이상인 경우
2. 포탈세액등이 5억원 이상인 경우

과 외국인만을 대상으로 하며, 북한 공민은 납세의무가 없기 때문에 대상이 되지 않고 남한 기업이나 남한 사람도 법문 상 해당되지 않는 것으로 판단된다.[58)]

7 불복절차 – 신소

세금납부의무자는 세금의 부과와 징수, 검열사업과 관련하여[59)] 의견이 있을 경우 중앙세무지도기관과 해당 기관에[60)] 신소할 수 있고, 신소를 접수한 해당 기관은 30 노동일 안에 요해[61)]처리하여야 한다(외세법 제73조; 외세규 제75조; 외세칙 제100조). 「외국투자기업 및 외국인세금법」 및 동 시행규정에서는 '30일 안'으로 표현하고 있으나 동 시행규정세칙에서는 '30 노동일 안'으로 표현하고 있다.

한편, 舊「외국투자기업 및 외국인세금법」 제60조 및 제61조에서는 신소 이후에 재판소에 소송을 제기할 수 있는 것으로 규정하고 있었는데, 2011년 수정보충 과정에서 소송 관련 내용이 삭제되었다. 마찬가지로 종전 2002년에 채택된 「외국투자기업 및 외국인세금법 시행규정」 제86조에서도 신소처리결과에 대하여 의견이 있을 경우 10일 안으로 해당 재판기관에 소송을 제기할 수 있다는 규정이 있었다. 하지만 2016~2017년 채택된 시행규정 및 동 시행규정세칙에서는 이러한 내용이 삭제되었다. 따라서 북한의 현행 법규상 조세불복절차에는 신소만 포함되며, 소송을 통한 재판은 포함되지 않는다.

58) 법무부 통일법무과, 『북한형법 주석 2014』, 2015, 569~575쪽.

59) 「외국투자기업 및 외국인세금법」 제73조에는 '세금납부와 관련하여'로 표현되어 있다.

60) 종전 2002년 채택 「외국투자기업 및 외국인세금법 시행규정」 제85조에서는 "세금을 받은 기관의 해당 상급기관에 하여야 한다."는 규정이 있었다.

61) 료해(了解): 〈북한어〉 사정이나 형편이 어떠한가를 알아봄. 남한 규범 표기는 '요해.' https://ko.dict.naver.com; 네이버 국어사전 (검색일자 2022년 6월 20일). '료해처리'는 조사과정을 통한 처리를 의미한다고 할 수 있다.

제3편

특수경제지대 세제 Ⅰ (개성공업지구)

개성공업지구 세금규정

(2003년 9월 18일 채택)

제1장 일반규정	제34조 비영리지사 등의 세금납부기간 및 방법
제1조 사명	제3장 개인소득세
제2조 적용대상	제35조 개인소득세의 납부의무
제3조 세무사업단위와 지도단위	제36조 개인소득세의 세율
제4조 기업의 세무등록	제37조 개인소득세의 계산방법
제5조 기업의 세무변경 및 취소	제38조 현금이 아닌 개인소득의 가격계산
제6조 개인의 세무등록	제39조 개인소득세의 납부기간과 방법
제7조 세무등록증발급	제40조 개인소득세의 면제대상
제8조 세무문건의 작성언어	제4장 재산세
제9조 세무문건의 종류와 양식	제41조 재산세의 납부의무
제10조 세무문건의 보존기간	제42조 재산세의 납부당사자
제11조 세금의 계산과 납부화폐	제43조 건물의 등록방법
제12조 세금의 납부절차	제44조 건물의 등록가격
제13조 잘못 납부한 세금의 처리	제45조 건물의 재등록
제14조 과납액, 미납액처리	제46조 재산세의 부과대상
제15조 세무등록, 세금납부기간	제47조 재산세의 세율
제16조 합의서, 정부간 협정의 적용	제48조 재산세의 계산방법
제17조 세금의 부과, 면제조건	제49조 재산세의 납부기간과 방법
제2장 기업소득세	제50조 건물폐기시 과납세금의 반납
제18조 기업의 소득에 대한 세금	제51조 새 건물에 대한 재산세 면제
제19조 기업소득세의 세율	제5장 상속세
제20조 결산리윤의 확정방법	제52조 상속세의 납부의무
제21조 기업소득세의 계산기간	제53조 상속세의 부과대상
제22조 기업소득세의 계산방법	제54조 상속재산의 가격
제23조 계산방법의 선택	제55조 상속세의 세율
제24조 경영손실금의 충당기간	제56조 상속세의 계산방법
제25조 예정납부, 확정납부기간과 방법	제57조 상속세의 납부재산
제26조 회계검증	제58조 상속세의 납부기간과 방법
제27조 기업소득세의 납부기간과 방법	제59조 상속세의 분할납부
제28조 해산, 통합, 분리시 세금납부기간	제6장 거래세
제29조 기업소득세의 면제, 감면	제60조 거래세의 납부의무
제30조 기업소득세 감면기간의 계산방법	제61조 거래세의 부과대상
제31조 감면신청서의 제출	제62조 거래세의 세율
제32조 감면해주었던 기업소득세의 회수조건	제63조 거래세의 계산방법
제33조 비영리지사 등의 세율	제64조 거래세의 납부기간과 방법

제65조 거래세의 면제	제76조 도시경영세의 납부방법
제7장 영업세	제77조 자동차리용세의 납부의무
제66조 영업세의 납부의무	제78조 자동차의 등록
제67조 영업세의 부과대상	제79조 자동차리용세의 세금액
제68조 영업세의 세율	제80조 자동차리용세의 계산방법
제69조 영업세의 계산방법	제81조 자동차리용세의 납부기간 및 방법
제70조 영업세의 납부기간과 방법	제82조 자동차페기시 과납세금의 반납
제71조 하부구조부문기업의 영업세 면제	제83조 자동차를 리용하지 않은 기간의 세금면제
제8장 지방세	**제9장 제재 및 신소**
제72조 지방세의 납부의무	제84조 연체료
제73조 도시경영세의 부과대상	제85조 제재대상과 벌금
제74조 도시경영세의 세율	제86조 신소 및 처리
제75조 도시경영세의 계산방법	

「개성공업지구 세금규정시행세칙」 2006년 및 2012년 조문 비교

2006	2012	내용	2006	2012	내용	2006	2012	내용
제1장 일반규정			43	40	대외사업비 포함금지	82	81	부동산의 가격평가
1	1	사명	44	41	부당경영비 포함금지	83	82	기타유형재산 가격평가
2	2	정의 및 세금종류	45	42	업무무관비용 포함금지	84	83	유가증권 등의 가격평가
3	3	세무사업 시노통세	46	43	시불리사 보함금시	85	84	무형재산권 등의 평가
4	4	세무등록, 변경, 취소	47	44	건설자금 차입금 리자	86	(삭제)	저당권 등 설정재산 평가
5	5	개인 세무등록, 취소	48	45	퇴직보조금지불충당금	87	85	상속세과세표준신고
6	6	세무문건의 작성언어	49	46	대손충당금 등 포함	88	86	상속세의 납부
7	7	세무문건의 종류	50	47	손익의 귀속회계연도	89	87	분할지불납부
8	8	세무문건의 보존	51	48	재산, 채무의 평가	90	88	결정 및 수정과세
9	9	세무문건의 제출	52	49	재고자산의 평가	91	89	과세표준과 세액 통지
10	10	세금계산과 납부화폐	53	50	유가증권 등의 평가	제6장 거래세		
11	11	세금의 납부절차	54	51	외화재산, 채무 평가	92	90	거래세 납세의무자
12	12	잘못납부한 세금처리	55	52	부당행위계산, 특수관계	93	91	과세기간
13	13	납세기한의 연장	56	53	과세표준 등의 신고	94	92	세금신고와 납부
14	14	합의서, 협정 세금부과	57	54	예정납부	95	93	과세표준의 계산
15	15	세금의 면제	58	55	확정납부	96	94	수익실현의 확정
16	16	기간의 계산	(신설)	56	회계검증과 납부 등	97	95	결정 및 수정과세
17	17	기한의 연기	(신설)	57	비영리지사 등 세율	98	96	징수
18	18	실질과세대상	(신설)	58	비영리지사 등 납부	99	97	면제
19	19	근거과세	59	59	결정 및 수정과세	제7장 영업세		
20	(삭제)	해석기준, 소급과세금지	60	60	소득처분	100	98	영업세 납세의무자
21	20	기업회계의 준거법규	61	61	과세표준과 세액 통지	101	99	과세기간
22	21	납세의무의 발생시기	62	62	징수	102	100	세금신고와 납부
23	22	납세의무의 확정	제3장 개인소득세			(신설)	101	원천징수 및 세율
24	23	상속에 인한 납세의무	63	63	납세의무자	103	102	과세표준의 계산
25	(삭제)	세금징수권 소멸시효	64	64	과세소득의 범위	104	103	수익실현의 확정
26	(삭제)	시효의 중단과 정지	65	(삭제)	개인의 세무등록	105	104	결정 및 수정과세
27	24	세금신고서의 제출	66	65	납부절차	106	105	징수
28	25	수정신고 및 신고사항	67	66	결정과 수정과세	(신설)	106	면제대상
29	26	추가납부	68	67	과세표준과 세액 통지	107	107	면제신고
30	27	연체료 및 벌금 감면	69	68	공제납부의무	제8장 지방세		
31	28	세금반환금 충당과 반환	70	69	납부	108	(삭제)	지방세 용어 정의
(신설)	29	미납세액 징수권	제4장 재산세			109	108/109	지방세/납부의무
제2장 기업소득세			71	70	재산세의 납부	110	110	도시경영세 부과대상
32	30	세무술어의 해석(정의)	72	71	재산세의 납부당사자	111	111	도시경영세 계산방법
33	31	기업소득세 과세표준	73	72	건물의 등록	112	112	도시경영세 납부대상
34	32	회계연도소득 및 손실금	74	73	건물의 등록가격	113	113	자동차리용세의 납부
35	33	이익금의 범위	75	74	건물의 재등록	114	114	자동차의 등록
36	(삭제)	자본거래수익 포함금지	76	75	재산세의 부과대상	115	115	자동차리용세 계산방법
37	34	이익금 포함금지	77	76	재산세의 납부	116	116	자동차리용세의 납부
38	35	손실금의 범위	78	77	건물폐기시 과납세금반환	117	117	자동차폐기시 과납세금반환
39	36	자본거래 손실금포함금지	79	78	새건물 재산세 면제	118	118	자동차리용않은기간 면제
40	37	위반금 손실금포함금지	제5장 상속세			제9장 제재 및 신소		
41	38	재산평가손실 포함금지	80	79	상속재산의 범위	119	119	제재
42	39	감가상각비 포함금지	81	80	상속재산 가격평가	120	120	신소

「개성공업지구 세금규정」은 총 9개 장 86개 조문으로 구성되어 있는데 개별 세목에 대한 과세요건(납세의무자, 과세대상, 과세표준 및 세율)과 시행에 필요한 최소한의 내용을 규정하고 있다. 「개성공업지구 세금규정」은 2003년 최고인민회의 상임위원회 결정 제1호로 채택되었고 현재까지 추가적인 수정보충은 없었다.

「개성공업지구 세금규정시행세칙」은 총 9개 장 120개 조문으로 구성되어 있는데, 2006년 12월 8일 중앙특구개발총국 지시 제2호로 제정되었고 2012년 7월 18일 수정보충 되었다. 2012년 수정보충 과정에서 7개 조문 삭제 및 6개 조문 신설을 포함하여 상당수의 조문이 변경되었다. 하지만 **남측이 2012년의 수정보충 사항을 수용하지 않은 상태에서[1)] 2016년 개성공업지구가 폐쇄되었다.**

제3편 특수경제지대 세제 I (개성공업지구)는 2003년 9월 18일 채택된 「개성공업지구 세금규정」과 2006년 12월 8일 제정된 「개성공업지구 세금규정시행세칙」(이하 '2006년 시행세칙'이라고 함)을 기준으로 작성하면서, 2012년 7월 18일 수정보충된 시행세칙(이하 '2012년 시행세칙'이라고 함)에 따른 주요 변경사항을 추가 설명하는 방식으로 작성하였다. 실질적인 내용의 변화라고 보기 어려운 단순한 용어나 표현의 변경은 원칙적으로 2006년 시행세칙의 표현을 그대로 유지하면서, 내용을 이해하는데 도움이 되는 경우에 한하여 부분적으로 2012년 시행세칙을 반영하였다. 또한 필요에 따라 2005년 6월 28일 채택된 「개성공업지구 기업재정규정」과 2008년 12월 10일 채택된 동 시행세칙의 일부 관련 내용을 추가하였다.

---

1) 중앙공업지구지도기관(북측)은 개성공업지구법규의 시행세칙을 작성하고 공업지구의 세무관리를 담당한다(「개성공업지구법」 제22조 제3호 및 제7호). 중앙공업지구지도기관은 공업지구의 관리운영과 관련하여 제기되는 문제를 해당 기관(남측 관리위원회)과 정상적으로 협의하여야 한다(「개성공업지구법」 제23조). 개성공업지구는 기본적으로 남북 간 합의에 의해 조성되었는데, 북측의 지도기관이 시행세칙을 작성하고 남측의 관리기관이 이를 시행하는 체계로 되어 있다. 따라서 남북 간에 이견이 있을 경우 원활한 진행이 어려운 문제가 있다.

제1장

일반규정

「개성공업지구 세금규정」의 일반규정 부분은 17개 조문으로 이루어져 있고, 동 시행세칙의 일반규정 부분은 31개(2012년 시행세칙은 29개) 조문으로 구성되어 있다.

제1절 총칙

1 목적

「개성공업지구 세금규정」은 개성공업지구(이하 '공업지구'라고 함)에서 세무질서를 엄격히 세워 세금의 부과와 납부를 정확히 하는데 이바지한다고 규정하고 있다(개세규 제1조). 동 시행세칙은 「개성공업지구 세금규정」을 정확히 이행함으로써 이러한 목적을 달성하도록 하기 위한 것이다(개세칙 제1조).

공업지구에서는 「개성공업지구 세금규정」에 정한 세금만을 부과한다(개세규 제17조). 동 시행세칙에서는 세금의 종류로 기업소득세, 개인소득세, 재산세, 상속세, 거래세, 영업세 및 지방세(도시경영세, 자동차리용세)를 열거하고 있다(개세칙 제2조 제1항).

2 용어의 정의

「개성공업지구 세금규정시행세칙」에서 사용하는 용어의 정의는 다음과 같다(개세칙 제2조 제2항~제11항). 「개성공업지구 세금규정」에는 별도의 용어 정의 규정이 없다.

① ≪개인≫이란 「개성공업지구 세금규정」에 따라 세금납부의무를 지는 개별적인 사람을 말한다.

② ≪법인≫이란 기업 및 회사, 과세목적상 법인과 같이 취급되는 단체를 의미한다. 실제 「개성공업지구 세금규정」 및 동 시행세칙에서는 기업소득세를 비롯하여 주로 '기업'이라는 용어를 사용하고 있는데, 용어 정의에서는 기업 등을 포괄하는 개

념으로 '법인'을 정의하고 있다.

③ ≪원천징수≫란 세금규정 및 이 세칙에 의하여 원천징수의무자가 세금(이와 관계되는 벌금은 제외)을 징수하는 것을 말한다. 2012년 시행세칙에서는 '공제납부', '공제납부의무자'로 표현하고 있고, '세금규정 및 이 세칙'을 '세금관련법규'로 통칭하고 있다.

④ ≪벌금≫이란 세금규정 및 이 세칙에 규정된 의무를 이행하지 않았을 경우 위반자에게 부과하는 금액을 말한다.

⑤ ≪연체료≫란 세금을 정해진 기한까지 납부하지 않은 경우 세금에 가산하여 징수하는 금액을 말한다.

⑥ ≪납세의무자≫란 세금규정 및 이 세칙에 의하여 세금을 납부할 의무(세금을 징수하여 납부할 의무는 제외)가 있는 자를 말한다.

⑦ ≪과세기간≫이란 세금규정 및 이 세칙에 의하여 세금과세표준계산의 기초가 되는 기간을 말한다.

⑧ ≪과세표준≫이란 세금규정 및 이 세칙에 의하여 직접적으로 세액산출의 기초가 되는 과세대상의 수량 또는 금액을 말한다.

⑨ ≪세금신고서≫란 세금의 과세표준과 세금의 납부 또는 반환을 위하여 필요한 사항을 기재한 신고서를 말한다.

⑩ ≪법정신고기한≫이란 세금규정 및 이 세칙에 의하여 세금신고서를 제출할 기한을 말한다. 2012년 시행세칙에서는 세금관련법규에서 정한 의무이행, 세금신고 같은 납세자료를 신고 또는 서면으로 세무소에 제출하여야 하는 기한이라고 정의하고 있다.

3 적용대상

「개성공업지구 세금규정」은 공업지구에서 경제거래를 하거나 소득을 얻은 **기업과 개인**에게 적용한다. 기업에는 공업지구에서 영리활동을 하는 기업과 지사, 영업소, 개인업자가, 개인에는 **남측 및 해외동포, 외국인**이 속한다.(개세규 제2조)

4 세무사업의 지도 및 관리

가. 중앙공업지구지도기관과 개성공업지구세무소

세금의 부과와 징수는 공업지구세무소(이하 '세무소'라고 함)가 하며, 세무소의 사업에 대한 지도는 중앙공업지구지도기관(이하 '중앙지도기관'이라고 함)[2]이 한다(개세규 제3조).

보다 구체적으로, 공업지구에서의 세무사업에 대한 감독통제는 중앙지도기관의 지도하에 세무소가 하며, 세무소는 공업지구 안의 기업과 개인의 세금납부정형을 요해, 검열할 수 있다(개세칙 제3조 제1항~제2항). 「개성공업지구법」 제22조에 의하면, 북측의 중앙지도기관은 공업지구 법규의 시행세칙 작성 권한이 있고, 공업지구의 세무관리를 담당한다.

나. 개성공업지구관리위원회

「개성공업지구법」 제21조에 의하면, 공업지구에 대한 관리는 중앙지도기관의 지도하에 공업지구관리기관(개성공업지구관리위원회; 이하 '관리기관'이라고 함)이 한다고 규정하고 있다. 동법 제24조에서는 개발업자가 추천하는 성원으로 관리기관을 구성한다고 규정하여 남측의 개발업자에게 설립 권한을 위임하고 있다.[3]

동법 제23조에 의하면, 중앙지도기관은 공업지구의 관리운영과 관련하여 제기되는 문제를 해당 기관(관리기관)과 정상적으로 협의하여야 하고 해당 기관은 중앙지도기관의 사업에 적극 협력하여야 한다.

이러한 관리기관은 공업지구 안에서 세무와 관련하여 제기되는 문제에 적극 협력하여야 한다고 규정하고 있다(개세칙 제3조 제3항).

---

2) 중앙공업지구지도기관은 '중앙특구개발지도총국'을 의미한다. 정철원, 『조선투자법안내(310가지 물음과 대답)』, 법률출판사, 2007, 371쪽.

3) 남측의 「개성공업지구 지원에 관한 법률」 제2조(정의) 제3호에 의하면, "개성공업지구 관리기관은 개성공업지구의 관리·운영을 위하여 북한의 「개성공업지구법」에 따라 설립된 법인"을 의미한다. 동법 제18조(개성공업지구 관리기관) 제1항 및 제3항에 의하면, 개성공업지구 관리기관은 개성공업지구의 관리·운영을 위하여 필요한 범위 내에서 법인으로서의 능력이 있고, 남한에 사무소를 둘 수 있다.

5 기업 및 개인의 세무등록

가. 기업의 세무등록

(1) 기업의 최초 세무등록

공업지구에서 기업은 기업등록증을 발급받은 날부터 20일 안에 다음과 같은 서류를 세무소에 제출하여 세무등록을 하여야 한다(개세규 제4조; 개세칙 제4조 제1항).

① 기업세무등록신청서 (개세칙 양식 1)
② 기업등록증 사본
③ 기업창설승인서
④ 기업규약
⑤ 인감등록 (2012년 시행세칙: 도장등록)
⑥ 사업계획서
⑦ 토지리용권구매계약서
⑧ 건물계약
⑨ 기업세무등록증발급 수수료납부영수증
⑩ 투자검증보고서 (2012년 시행세칙에서 예시 추가)

(2) 기업 세무변경등록

기업은 통합, 분리되었거나 등록자본, 업종 등 기업경영상 변화가 있을 경우, 정해진 기간까지 관리기관에 신고하며 변경등록된 날부터 20일 안에 다음과 같은 서류를 제출하여 세무변경등록 신청을 하여야 한다(개세규 제5조; 개세칙 제4조 제2항).

① 기업세무변경등록신청서 (개세칙 양식 5)
② 변경등록한 기업등록증 사본
③ 변경이유 등 세무소에서 요구하는 자료
④ 세무등록증재발급 수수료납부영수증 (개세칙 부록 9)

2012년 시행세칙 제4조 제2항에는 연간 총투자액 및 등록자본에 대한 변동정형은 해당 연도 말에 세무변경등록하여야 한다는 내용이 추가되었다.

(3) 기업 세무등록취소

해산되는 기업은 '해산선포일로부터 20일 안'에 기업세무등록취소신청서(개세칙 양식 3)를 세무소에 제출하여 세무등록취소 신청을 하여야 한다(개세칙 제4조 제3항). 2012년 시행세칙 제4조 제3항에서는 ① 기업청산보고서와 ② 기업등록취소확인자료를 첨부서류로 명시하고 있다.

한편, 상기 시행세칙의 표현과 달리 「개성공업지구 세금규정」 제5조에서는 세무등록취소를 '해산 20일 전'까지 한다고 표현하고 있다.

나. 개인의 세무등록

(1) 「개성공업지구 세금규정」 및 2006년 시행세칙

「개성공업지구 세금규정」 제6조(개인의 세무등록)에 의하면, 공업지구에서 182일 이상 체류하면서 소득을 얻은 개인은 20일 안에 세무등록신청서를 제출하여 세무등록을 하여야 한다.

2006년 시행세칙 제5조(개인의 세무등록 및 취소) 제1항에서는 공업지구에 182일 이상 체류, 거주하거나 소득을 얻은 개인은 거주 또는 체류등록을 한 날부터 20일 안으로 세무소에 세무등록을 하여야 한다고 규정하고 있다. 또한 2006년 시행세칙 제65조(개인의 세무등록)는 ① 공업지구에 거주하거나 기업에 소속된 개인은 매해 3월 10일까지, ② 182일 이상 체류, 거주하거나 소득을 얻은 개인은 체류(거주) 승인을 받은 때로부터 20일 내에 개인세무등록신청서를 세무소에 제출해야 한다고 규정하고 있다.

한편, 「개성공업지구 세금규정」 제6조에서는 기업이 종업원의 세무등록수속을 할 수도 있다고 규정하고 있으나, 시행세칙에서는 기업이 대신한다고 규정하여 선택적이 아니고 반드시 기업이 종업원의 세무등록수속을 해야 하는 것으로 명확히 규정하고 있다.

(2) 2012년 시행세칙

2012년 시행세칙 제5조 제1항에서는 공업지구에 체류, 거주하는 개인은 체류 또는 거주 승인을 받은 날부터 20일 안으로 세무소에 세무등록신청서와 출입, 체류, 거주와 관련한 증빙서류(사본)을 제출하여야 하고, 기업에 소속된 직원의 세무등록수속은 기업이 대신한다고 규정하고 있다. 한편 2006년 시행세칙 제65조(개인의 세무등록)는 삭제되었다. 관련 사항을 요약하면 다음과 같다.

<표 3-1> 개인의 세무등록 요건

구분		개인 세무등록 요건
「개성공업지구 세금규정」 제6조		182일 이상 체류하면서 소득을 얻은 개인
2006년 시행세칙	제5조 제1항	182일 이상 체류, 거주하거나 소득을 얻은 개인
	제65조	공업지구 거주 또는 기업소속 개인 182일 이상 체류, 거주하거나 소득을 얻은 개인
2012년 시행세칙	제5조 제1항	체류, 거주하는 개인 (기간, 소득 규정 없음)
	제65조	(삭제)

자료: 관련 법규 내용을 기초로 저자 작성.

시행세칙에 대한 2012년 수정보충 과정에서 2006년 시행세칙 제65조는 삭제되었고 제5조 제1항은 기간 및 소득 요건에 대한 규정 없이 체류 또는 거주하는 경우 모두 세무등록 대상으로 규정하여, 기간 및 소득 요건은 개인소득세 납세의무자 규정(개세칙 제63조)에만 적용하는 것으로 정리되었다(개인소득세 관련 내용은 제3장 참조).

하지만 2012년 시행세칙을 문언대로 적용한다면, 단기간 체류 또는 소득을 위한 경제활동이 없는 사람까지 모두 세무등록 대상이 된다. 실제로 적용하기 위해서는 보완이 필요해 보인다.

(3) 개인 세무등록의 취소

세무등록을 취소하려는 개인은 세무등록취소신청서(개세칙 양식 4)와 세금납부확인신청서를 세무소에 제출해야 한다(개세칙 제5조 제2항).

다. 세무등록증 발급

세무등록증의 발급은 세무등록신청서를 접수한 날부터 3일 안으로 하며, 세무변경등록을 하였을 경우에는 세무등록증을 다시 발급한다(개세규 제7조).

라. 세무등록 기한의 연장

세무등록을 어찌할 수 없는 사유로 정해진 기간에 할 수 없을 경우에는 그 사유가 없어진 날부터 10일 안으로 한다(개세규 제15조).

6 세무문건

가. 세무문건의 작성

(1) 세무문건의 종류와 양식

세무문건의 종류와 양식은 세무소가 관리기관과 협의하여 정한다(개세규 제9조). 세무문건은 아래와 같은 문건 등 세금계산의 기초가 되는 각종 문건들을 포괄한다(개세칙 제7조).

① 반년 및 연간 재정회계결산서
② 각종 세금계산장부
③ 회계전표 및 영수증
④ 세무등록 및 변경(취소) 문건
⑤ 세금납부 및 감면, 공제, 반환 확인문건(세금, 수수료납부영수증 포함)
⑥ 재산등록문건
⑦ 공업지구 회계규정과 연관규정들에서 작성하도록 되어 있는 모든 회계관련 장부(콤퓨터전자매체 포함) 및 서류들
⑧ 현금 및 물자 반출입경유확인문건 등

(2) 세무문건의 작성언어

공업지구에서 세무문건은 조선말로 작성한다. 필요에 따라 다른 나라 말로 작성할 수 있으나, 이 경우 조선말로 된 번역문을 첨부하여야 한다.(개세규 제8조; 개세칙 제6조)

다른 나라 말로 된 세무문건의 해석에서 의견불일치가 생기는 경우에는 조선말로 된 번역문을 기준으로 한다(개세칙 제6조).

나. 세무문건의 보존

세무문건은 5년간 보존한다. 다만 연간회계결산서, 고정재산계산장부는 기업이 운영되는 기간까지 보존한다(개세규 제10조).

기업은 기업소재지 안에 재정회계문건을 두어야 하며, 세금계산의 근거가 되는 회계문건은 거래순으로 편철하여 세금 및 회계관련법규에 정해진 기간까지 보존하여야 한다(개세칙 제8조).

이와 관련하여, 「개성공업지구 기업재정규정시행세칙」 제7조에 의하면, 연간재정결

산문건과 고정재산문건은 기업의 존속기간까지 보존하여야 하며 그 밖의 재정문건에 대해서는 기업의 세금, 회계와 관련하여 공업지구법규범에 따른다고 규정하고 있다. 이는 상기 「개성공업지구 세금규정」 및 동 시행세칙의 내용과 실질적으로 동일하다고 판단된다.

반면 「외국투자기업 및 외국인세금법」 제4조에서는, 재정회계계산과 관련한 서류를 정해진 기간까지 보관하며 중요계산장부는 기업의 해산이 종결되는 날까지 보관하도록 하고 있고, 「외국투자기업 및 외국인세금법 시행규정」 제5조 및 동 시행규정세칙 제10조에 의하면, 세무회계문건은 기업의 존속기간이 끝날 때까지 보관하여야 한다고 규정하고 있다.

「외국투자기업회계법」 제39조 및 「개성공업지구 회계규정」 제42조에 의하면, 회계서류는 5년, 회계장부와 연간회계결산서는 10년간 보관하도록 하고 있다. 또한 「외국투자기업회계검증법」 제14조 및 동 시행규정 제15조에 의하면, 회계검증보고문건의 경우 검증대상에 따라 5년 또는 10년(고정재산변경검증, 회계감정보고문건)까지 보관해야 하는데, 투자검증, 연간결산검증 및 청산검증보고문건은 영구 보관하도록 하고 있다.

요약하면, 「개성공업지구 세금규정」 이외의 세금 및 회계관련법규에 정해진 기간은 회계서류 5년, 회계장부와 연간회계결산서 10년, 중요계산장부는 해산 종결시까지, 세무회계문건은 기업 존속기간이 끝날 때까지, 회계검증보고문건 5년(고정재산변경검증 및 회계감정보고문건은 10년), 투자검증, 연간결산검증 및 청산검증보고문건은 영구 보관하는 것으로 정리된다. 하지만 이러한 내용은 「개성공업지구 세금규정」 제10조의 내용과 차이가 있다. 「개성공업지구 세금규정」에서는 세무(회계)문건을 5년간 보존하도록 하고 있으나, 「외국투자기업 및 외국인세금법 시행규정」 및 동 시행규정세칙에서는 기업의 존속기간이 끝날 때까지 보존하도록 하고 있다. 또한 연간회계결산서의 경우 「개성공업지구 세금규정」에서는 기업이 운영되는 기간까지, 「개성공업지구 기업재정규정시행세칙」에서는 기업의 존속기간이 끝날 때까지 그리고 「외국투자기업회계법」 및 「개성공업지구 회계규정」에서는 10년간 보존하도록 하고 있다.

이와 같이 관련 법규범에 따라 문건의 보존기간에 차이가 있다. 남북경협관련 법규와 외국인투자관련 법규가 별도의 체계로 이루어져 있어서 차이가 발생할 수 있다. 하지만 이러한 문건 보존기간을 달리 규정해야 할 필요가 있을지 의문이며, 관련 법규범의 정비가 필요해 보인다.

다. 세무문건의 제출

기업과 개인은 세금계산의 근거가 되는 재정회계문건과 증빙서류 등을 세무소에 다음과 같이 제출하여야 한다(개세칙 제9조).

① 당해 연도 회계결산서: 다음해 3월까지

② 개인소득계산자료: 소득이 발생한 다음달 10일까지

③ 기타 세금계산에 필요한 각종 증빙서류: 세칙에서 정하였거나 세무소의 서면통지에 지적된 날짜까지(2012년 시행세칙: 구두 또는 서면통지에 지적된 날짜까지). 2012년 시행세칙에서 세무문건 제출 기한을 구두로도 통지할 수 있도록 한 것은 과세당국의 행정편의를 우선적으로 고려한 것으로서, 불확실성 및 분쟁가능성을 증대시켜 납세자 보호 및 조세행정의 투명성이 사실상 후퇴한 것이다.

④ 생산 및 경영활동과 관련하여 공업지구로 들여오거나 내가는 모든 물자(귀금속과 보석 포함): 월별종합반출입신고서(개세칙 양식 19)를 다음달 10일(필요한 경우 세무소에서 요구하는 날)까지. 2012년 시행세칙에서는 괄호 안의 '필요한 경우 세무소에서 요구하는 날'이 삭제되었다.

2012년 시행세칙 제9조에서는 아래 항목이 제출 문건으로 추가되었다.

⑤ 공업지구 밖의 기업, 경제조직, 단체가 공업지구 안에서 얻은 기타소득 계산자료: 소득지불자의 지불 또는 거래가 발생한 다음달 10일까지

⑥ 공업지구 밖의 기업 또는 개인이 공업지구 안에서 여러 가지 봉사활동을 하여 얻은 수입금 계산자료: 봉사를 제공받은 단위가 분기가 지난 다음달 10일까지

⑦ 물자구입비용자료(봉사 및 무상거래를 포함하여 거래처별 거래내용, 거래금액): 다음달 10일까지

⑧ 기업(위탁가공기업 포함)은 거래계약시 생산되는 제품의 단가(임가공단가 포함) 및 변동표, 그 산정근거서류를 생산에 앞서 제출하여야 한다. 이 경우 제품단가(임가공단가)의 정확성이 담보되지 않는다고 판단되는 경우 세무소의 추정판단에 따라 제품 단가(임가공단가)를 정할 수 있다.
이 부분은 해당 거래가 특수관계자 간의 거래라는 전제 하에, 임가공 단가를 포함한 이전가격 계산근거의 제출의무와 북측 세무소의 추정판단에 의한 이전가격 결정에 대한 근거 규정을 시행세칙에 포함한 것이라고 할 수 있다. 하지만 정확성이 담보되지 않는다고 '판단'될 경우 세무소가 '추정판단'할 수 있다는 내용은 자의적

인 추계과세(推計課稅)를 허용하는 것으로서 문제가 많은 조문이라고 하겠다. 추계과세는 근거과세에 배치되는 것으로서, 엄격한 요건 하에서 합리성이 담보될 때에 한하여 제한적으로 허용되는 방법이다.

7 세금의 납부

가. 세금의 계산과 납부 화폐

공업지구에서 세금의 계산과 납부는 US＄로 한다(개세규 제11조). 다만 불가피한 사정으로 세금을 US＄로 납부할 수 없으면 세무소의 합의를 받아 다른 전환성화폐로 할 수 있는데, 이 경우 유통화폐의 환자시세는 관리기관이 중앙지도기관과 협의하여 선정한 국제금융시장의 환자시세에 따른다(개세칙 제10조).

나. 세금의 납부절차

세금납부신고서를 세무소에 제출하고 확인받은 다음, 중앙지도기관이 지정한 은행에 세금을 납부한다. 은행은 세금납부자에게 세금납부확인서를 발급하여 주고 세무소에는 세금납부통지서를 보낸다.(개세규 제12조)

구체적으로 살펴보면, 세금은 아래와 같은 절차에 따라 수익인이 직접 신고납부하거나 수익금을 지불하는 단위가 공제납부하여야 한다(개세칙 제11조).

① 공업지구 안에 거주하는 기업이나 개인이 공업지구 안이나 밖에서 얻는 소득에 대한 세금은 수익인이 세금납부신고서를 세무소에 내고 확인을 받은 다음 세무소가 지정하는 은행(이하 '해당 은행'이라고 함)에 납부한다(개세칙 제11조 제1항).

② 공업지구 밖의 기업, 경제조직, 단체가 공업지구 안에서 얻은 소득에 대한 세금은 소득지불단위가 지불금액에 정해진 비율을 가산하여 공제한 다음 세무소에 세금납부신고서를 제출하여 확인을 받고 해당 은행에 납부한다(개세칙 제11조 제2항).

③ 해당 은행은 세무소의 확인이 있는 세금납부문건을 접수하여 결재한 다음 신고납부자 또는 대리납부자에게는 세금납부영수증(세금납부확인서)을, 세무소에는 세금납부통지서를 발급한다(개세칙 제11조 제3항).

「개성공업지구 세금규정」 제12조에서는 중앙지도기관이 지정한 은행에 세금을 납부하는 것으로 표현하고 있으나, 동 시행세칙 제11조에서는 세무소가 지정하는 은행에 납부하는 것으로 되어 있다. 세금납부신고서를 세무소에 제출하여 확인받는 절차를 고려할 때, 납부은행도 세무소에서 지정하는 것이 적절할 것으로 보인다.

다. 납세기한의 연장

어찌할 수 없는 사유로 세금납부를 정해진 기간에 할 수 없는 경우에는 그 사유가 없어진 날부터 10일 안으로 한다(개세규 제15조). 납세자의 신청에 따라 납세기한을 연장할 수 있는 조건은 다음과 같다(개세칙 제13조).

① 자연재해인 경우

② 납세자가 화재나 그와 유사한 재해를 입었을 경우

③ 납세자 또는 그 동거가족이 질병으로 위급하거나 사망하여 상중일 경우

④ 기타 원인으로 납세자가 경영상 심한 손해를 입은 경우(납부 또는 징수의 경우에 한함)

2006년 시행세칙 제13조에서는 신고, 신청, 청구, 기타 서류의 제출과 통지, 납부, 징수의무 등에 대한 일반적인 '기한의 연장' 사유로서 상기 ①~④를 규정하고 있다. 그런데 2012년 시행세칙 제13조는 '납세기한의 연장 승인 및 종료'로 범위를 제한하여 규정하면서 상기 ①~④에 아래 내용을 추가하였다.

⑤ 납세기한을 연장받으려는 납세자는 해당 조건에 따르는 증빙서류와 납세기일연장신청서를 세무소에 제출하여 승인을 받아야 한다.

⑥ 납세기한은 납세기일연장신청서에 담보한 기한 또는 세무소의 결정에 따라 종료된다.

8 합의서 및 정부간 협정의 우선적용

세금과 관련하여 남북 사이에 맺은 합의서 또는 북한과 다른 나라 사이에 맺은 협정이 있을 경우에는 그에 따른다(개세규 제16조).

「남북 사이의 소득에 대한 2중과세방지합의서」를 비롯한 남북 사이에 맺은 합의서 또는 세무사업과 관련하여 북한과 다른 나라 사이에 맺은 협정에 준하여, 「개성공업지구 세금규정」 및 동 시행세칙과 다르게 세금을 납부할 수 있다. 해당 기업 또는 개인은 해당 합의서나 협정에 준하여 과거에 납부한 세금납부증과 협정문건 사본 등을 세무소에 제출하고 세무소는 제출된 문건을 확인하여 세금 감면(승인)을 해줄 수 있다.(개세칙 제14조)

9 세금의 면제

공업지구에서는 「개성공업지구 세금규정」에 정한 세금만을 부과하며, 개발업자의 재산, 개발과 관련한 경제활동에는 세금을 부과하지 않는다(개세규 제17조). 구체적으로 세금을 면제하는 경우로서, 개발업자의 재산은 아래 ①, 개발업자의 개발과 관련한 경제활동은 아래 ②~⑤와 같다(개세칙 제15조).

① 개발과 관련하여 개발업자가 소유하고 있는 건물, 자동차인 경우

② 개발공사와 관련하여 개발구역 안의 건물, 부착물의 철거와 이설, 주민이주를 위한 영업활동인 경우

③ 전력, 통신, 용수보장시설과 같은 하부구조대상을 단독으로 또는 다른 투자가와 공동으로 건설하거나 양도, 위탁하여 건설하는 경우

④ 개발업자가 공업지구개발총계획에 따라 투자기업의 배치와 관련하여 토지리용권과 건물을 기업에 양도하거나 임대하는 경우

⑤ 공업지구 개발과 관련하여 세무소에 등록된 범위 안에서 (2012년 시행세칙: 세무소의 승인을 받아) 진행하는 개발업자의 영업활동인 경우

10 기간과 기한

가. 기간의 계산

기간의 계산은 다음과 같이 한다(개세칙 제16조).

① 기간을 시, 분, 초로 정한 때에는 그 시점으로부터 계산한다.

② 기간을 일, 주, 월, 년으로 정한 때에는 기간의 첫날은 포함시키지 않으며, 그 기간이 오전 영(0)시로부터 시작하는 때에는 그날부터 계산한다.

③ 기간을 일, 주, 월, 년으로 정한 때에는 기간의 마지막 날로 기간이 완료된다.

④ 기간을 주, 월, 년으로 정한 때에는 서력에 따라 계산하며, 주, 월, 년의 처음으로부터 기간을 계산하지 않는 때에는 마지막 주, 월, 년에서 그 계산일에 해당하는 날의 전날로 기간이 완료한다.

⑤ 월, 년으로 정한 경우 마지막 월에 해당일이 없을 때에는 그 월의 마지막 날로 기간을 완료한다.

나. 기한의 연기

「개성공업지구 세금규정」 및 동 시행세칙 등 세금관련법규에서 정한 신고, 신청, 청구, 기타 서류의 제출, 통지, 납부, 징수에 관한 기한이 휴식일 또는 명절일에 해당하는 때에는 그 휴식일 또는 명절일의 다음날을 기한으로 한다(개세칙 제17조).

제2절 세금관련법규 해석과 적용의 원칙

세금관련법규의 해석 및 적용과 관련하여, 실질과세, 근거과세, 소급과세 금지 및 기업회계의 존중에 대한 내용이 「개성공업지구 세금규정시행세칙」에 포함되어 있다. 하지만 상위 법규인 「개성공업지구 세금규정」에는 이러한 내용이 규정되어 있지 않다.

1 실질과세

(1) 귀속에 관한 실질주의

과세의 대상이 되는 소득, 수익, 재산, 경제거래행위 또는 거래당사자의 책임이 명의일 뿐이고 실지 당사자가 따로 있는 때에는 실지 거래당사자를 납세의무자로 한다(개세칙 제18조 제1항). 이 부분은 남한 「국세기본법」 제14조 제1항에 규정된 내용과 동일하다.

(2) 거래내용에 관한 실질주의

과세표준의 계산은 소득, 수익, 재산, 행위 또는 거래의 명칭이나 형식에 관계없이 그 실질내용에 따른다(개세칙 제18조 제2항). 이 부분은 남한 「국세기본법」 제14조 제2항에 규정된 내용과 동일하다.

(3) 우회 또는 다단계거래

일방의 기업이 상대방을 통한 간접적인 방법이나 둘이상의 행위 또는 거래를 거치는 방법의 경제거래행위인 경우에도 실질과세대상으로 한다. 이 부분은 2012년 시행세칙 제18조에 새롭게 포함된 것으로서, 우회거래 또는 다단계거래 등을 통한 조세회피에 대한 실질과세원칙을 규정한 「국세기본법」 제14조 제3항의 내용과 실질적으로 동일하다.

2 근거과세

납세의무자가 공업지구 세금 및 회계관련 법규들에 따라 장부를 비치, 기장하고 있는 경우 당해 연도 세금의 과세표준에 대한 조사와 결정은 비치, 기장한 장부와 이에 관계되는 증빙자료에 근거한다. 이렇게 제출된 증빙 자료의 객관성이 보장되지 않고 기록의 내용이 사실과 맞지 않거나 누락된 것이 있는 경우 세무소는 조사한 사실과 판단에 따라 결정하고 세금을 징수한다.(개세칙 제19조)

이러한 내용은 장부 및 증빙자료에 입각하여 과세가 이루어지도록 하여 과세당국의 자의적 과세를 방지함으로써 납세의무자의 권리를 보장하기 위한 것이다. 이 부분은 남한 「국세기본법」 제16조 제1항 및 제2항의 내용과 유사하다. 하지만 「국세기본법」에서는 '조사한 사실에 따라' 결정할 수 있다고 규정하고 있는 반면, 상기 시행세칙에서는 세무소의 '판단'에 의해서도 결정할 수 있도록 하고 있다는 점에서 중요한 차이가 있다. 결과적으로 세무소의 자의적 판단이 개입될 수 있는 여지를 둠으로써 근거과세 원칙을 약화시킨 것이다.

한편 2006년 시행세칙 제19조 제3항에는 기록의 내용과 같지 않은 사실이나 기록에 누락된 것을 조사하여 결정할 때에는 **세무소가 조사한 사실과 결정의 근거를 결정서에 밝혀야 한다는 내용이 있었으나, 2012년 시행세칙에서는 이러한 내용이 삭제되었다.** 결과적으로 결정서에 명확한 근거를 밝히지 않고 세무소의 자의적 판단에 따라 결정이 이루어질 수 있다는 점에서 심각한 문제가 있다.

3 납세자의 재산권 보호 및 소급과세의 금지

「개성공업지구 세금규정」 및 동 시행세칙의 해석과 적용은 납세자의 재산권을 보호하는 원칙에서 한다. 이러한 해석은 중앙지도기관이 하며 새로운 해석 또는 조치에 따라 소급과세하지 않는다.(개세칙 제20조)

이러한 납세자의 재산권 보호 및 소급과세 금지 원칙은 남한 「국세기본법」 제18조 제1항 및 제2항의 내용과 실질적으로 동일한 것인데, **2012년 시행세칙에서는 전문이 삭제되었다.** 이는 납세자의 재산권 보호, 법적 안정성 또는 예측가능성 등과 관련하여 조세행정의 퇴행이라고 할 수 있다.

4 기업회계의 준거법규

기업의 회계는 「개성공업지구 세금규정」, 「개성공업지구 회계규정」, 「개성공업지구 기업재정규정」 등 회계관련규정 및 세칙들과 중앙지도기관이 관리기관과 합의하여 정하는 계산방식(「기업회계기준」, 「기업회계기준등에 관한 해석」)에 준하여 진행한다(개세칙 제21조 제1항). 이러한 내용에 추가하여 2006년 시행세칙 제21조 제2항에는 과세표준에 대한 조사와 결정에서 납세의무자가 계속하여 준수하고 있는 회계관련법규 및 기업회계기준이나 세무, 회계감독기관들의 조치에 따르는 행위로서 일반적으로 공정하다고 인정되는 경우에는 이를 존중한다는 내용이 포함되어 있었다. 하지만 이러한 기업회계 존중에 대한 내용은 2012년 시행세칙에서 삭제되었다.

2012년 시행세칙 제20조는 "기업의 회계는 공업지구 세금규정, 회계규정, 기업재정규정 같은 규정들과 그 시행을 위한 세칙들, 관리기관이 중앙공업지구지도기관의 승인을 받아 정하는 기업회계기준 같은 질서에 따라 한다."는 기업회계의 준거법규에 대한 내용만 포함하고 있다. 2012년 시행세칙은 기업회계 존중에 대한 내용을 삭제함으로써 해당 조문의 의미를 퇴색시켰다. 기업회계의 준거법규는 회계관련법규에서 규정하면 되는 것이고, 세금관련법규에서는 기업회계 존중의 원칙을 포함시키는 것이 필요하다고 판단된다.

남한 「국세기본법」 제20조는 세무공무원이 국세의 과세표준을 조사·결정할 때에는 해당 납세의무자가 계속하여 적용하고 있는 기업회계의 기준 또는 관행으로서 일반적으로 공정하다고 인정되는 것은 존중하여야 하지만, 세법에 특별한 규정이 있는 것은 그러하지 아니하다는 내용을 규정하고 있다. 즉 세법상 특별한 규정이 없는 한 기본적으로 기업회계를 토대로 세무회계가 이루어진다는 것이다.

제3절 납세의무의 성립(발생) 및 확정

납세의무의 성립(발생),[4] 확정, 승계 및 징수권의 소멸시효에 대한 일반적인 내용은 「개성공업지구 세금규정시행세칙」에는 포함되어 있지만, 상위 법규인 「개성공업지구 세금규정」에는 포함되어 있지 않다.

4) 2006년 시행세칙에서 '성립'으로 표현한 것을 2012년 시행세칙에서는 '발생'으로 표현하고 있다.

1 납세의무의 성립(발생) 시기

세금납부의무는 다음과 같은 경우에 성립한다(개세칙 제22조).

① 기업소득세: 과세기간이 마감되는 때. 해산되는 기업의 기업소득세는 당해 연도 기업이 해산되는 때

② 개인소득세: 소득을 얻은 때

③ 재산세: 매년 1월1일 또는 건물을 새로 등록한 날

④ 상속세: 상속을 개시하는 때

⑤ 거래세와 영업세: 과세기간이 마감되는 때

⑥ 기업의 도시경영세: 종업원에게 노임지불의무가 발생하는 때

⑦ 개인의 도시경영세: 그 과세표준이 되는 개인소득세의 납세의무가 성립하는 때

⑧ 자동차리용세: 매년 1월1일 또는 자동차를 새로 등록한 날

⑨ 공제납부하는 개인소득세: 소득금액을 지불하는 때

2012년 시행세칙 제21조에는 상기 내용과 함께 아래 항목이 추가되었다.

⑩ 당해 연도 안에 완공되지 않는 건설 또는 장기적 성격을 띠는 계약인 경우: 대금을 지불하는 시점 또는 총 기간을 균등분할한 분기 마지막 날

2 납세의무의 확정

세금은 「개성공업지구 세금규정」, 「개성공업지구 기업재정규정」 같은 규정과 그 시행을 위한 세칙 등에 의한 절차에 따라 그 세액이 확정된다(개세칙 제23조).

3 상속과 납세의무의 계승

상속이 개시된 때에 그 상속인은 피상속인에게 부과되거나 그 피상속인이 납부할 세금, 연체료, 벌금에 대하여 상속으로 얻은 재산을 한도로 하여 납부할 의무를 진다. 상속인이 2명 이상인 경우 각 상속인은 상속으로 인하여 얻은 재산을 한도로 그 상속분에 따라 분할하여 납부할 의무를 진다.(개세칙 제24조)

4 징수권의 소멸시효

세금의 징수를 목적으로 하는 권리는 이를 행사할 수 있는 때로부터 5년간 행사하지 않으면 소멸시효가 완성한다(개세칙 제25조). 이러한 소멸시효는 납세통지 및 독촉에 의하여 중단되고, 중단된 소멸시효는 통지 또는 독촉한 납부기간이 경과한 때로부터 새로 진행하며, 세금관련법규에 의한 분할지불납부 기간 중에는 시효가 정지하여 진행되지 않는다(개세칙 제26조).

이러한 징수권의 소멸시효와 시효의 중단 및 정지에 대한 규정은, 남한 「국세기본법」 제27조 및 제28조의 내용과 유사한 것인데 **2012년 시행세칙에서는 모두 삭제되었다.**

앞서 살펴본 납세자의 재산권 보호 및 소급과세금지 원칙에 대한 규정을 삭제한 것과 마찬가지로, 북한 과세당국의 입장 또는 권한을 강화하고자 한 것이라고 판단된다. 결국 세금징수권을 기한 없이 계속 유지하겠다는 것으로서, 납세자의 법적 안정성과 관련하여 조세행정의 퇴행이라고 할 수 있다.

제4절 과세

「개성공업지구 세금규정」은 세금신고서의 제출, 수정신고 및 추가납부, 과납액의 반환 등 과세방법에 대하여 최소한의 규정만을 포함하고 있다. 미납세액에 대한 과세당국의 납세담보요구 및 처분결정에 대한 내용은 「개성공업지구 세금규정」에서는 규정하고 있지 않고, 동 시행세칙에서 규정하고 있다.

1 세금신고서의 제출

납세자는 과세표준에 따르는 세금신고서를 세무소에 제출하여야 하고, 세무소는 접수한 세금신고서를 월 1회 종합하여 중앙지도기관에 제출하여야 한다(개세칙 제27조).

2012년 시행세칙에서는 세무소가 중앙지도기관에 매월 종합하여 제출해야 한다는 내용이 삭제되었다. 또한 2006년 시행세칙에서는 '과세표준 신고의 관할'이라는 제목을 사용하고 있는데, 2012년 시행세칙에서는 '세금신고서의 제출'로 수정하였다.

2 수정신고 및 추가납부

가. 수정신고

세금신고서를 정해진 신고기한 내에 제출한 납세자는 아래 ①~③에 해당되는 경우 「개성공업지구 세금규정」 및 동 시행세칙에 따라 해당 세금의 과세표준과 세액을 세무소에서 결정 또는 경정(수정과세)[5]하여 통지하기 전까지 세금수정신고서를 제출할 수 있다(개세칙 제28조 제1항).

① 과세표준 및 세액이 신고하여야 할 과세표준 및 세액에 미달하는 경우

② 결손금액 또는 반환세액이 신고하여야 할 결손금액 또는 반환세액을 초과하는 경우

③ 이밖에 세무조정과정에서의 누락 같은 이유로 인하여 불완전한 신고를 하였을 경우

세금수정신고서의 신고사항은 i) 당초 신고한 과세표준과 세액 및 ii) 수정신고하는 과세표준과 세액으로 한다(개세칙 제28조 제2항).

한편, 「개성공업지구 세금규정」 제13조 및 동 시행세칙 제12조에서는 세금을 정확히 납부하지 못한 기업과 개인의 수정신고와 관련하여, 기업소득세는 다음 연도 기업소득세를 납부하기 30일 전까지, 개인소득세, 상속세, 거래세, 영업세, 도시경영세는 잘못 납부한 날부터 60일 안으로 세무소에 수정신고를 할 수 있다고 규정하고 있다(2012년 시행세칙은 '수정신고를 하여야 한다.'로 표현함).[6]

수정신고에 대한 내용이 「개성공업지구 세금규정」 제13조 및 동 시행세칙 제12조와 동 시행세칙 제28조에 따로 규정되면서 상호 조율되지 않은 채로 작성된 것으로 보인다. 「개성공업지구 세금규정」 제13조 및 동 시행세칙 제12조에 규정된 세목별 수정신고 기한은 과도하게 짧다고 판단된다. 이러한 수정신고 기한에 대한 제한 규정을 삭제하고 동 시행세칙 제28조에 일치시킬 필요가 있다고 판단된다.

---

5) 2006년 시행세칙에서 '경정'으로 표현한 부분을 2012년 시행세칙에서는 '수정과세'로 변경하여 표현하고 있다.

6) 재산세 및 자동차리용세의 경우(개세칙 제77조 및 제116조), 매해 2월 안으로 세무소에서 재산세납부통지서 및 자동차리용세납부통지서를 발급하여 30일 안에 납부하는 방식으로 되어 있기 때문에 수정신고의 적용대상에서 제외한 것으로 보인다.

나. 추가납부

「개성공업지구 세금규정」 제14조에 의하면, 수정신고로 추가납부할 경우에는 세금납부의무자가 **미납액의 5%**를 가산한 금액을 계산 납부하도록 되어 있다. 이와 관련하여, 동 시행세칙 제29조에서도 세금수정신고서를 제출하는 납세자는 이미 납부한 세액이 과세표준수정신고액에 해당하는 세액에 미달하였을 경우 그 부족액에 5%를 가산한 금액을 세금수정신고서 제출과 동시에 추가납부하여야 한다고 규정하고 있다.

한편, 동 시행세칙 제12조에서는 미납액에 대하여, 납부의무가 발생한 날부터 **일당 연체료율**을 가산하여 정해진 기일 안에 납부하여야 한다고 규정하고 있다. 연체료는 매일 0.05%(15% 한도)를 적용한다(개세규 제84조).

이와 같이 수정신고의 경우 미납액의 추가납부에 대한 내용이 「개성공업지구 세금규정」 제14조 및 동 시행세칙 제29조(미납액의 5% 가산)와 동 시행세칙 제12조(일당 연체료율 적용)에 따로 규정되면서 상호 조율되지 않은 채로 작성된 것으로 보인다. 미납액의 5%와 일당 연체료가 적용되는 상황에 대하여 규정을 명확하게 정리할 필요가 있다고 판단된다.

3 미납세액 징수권

2012년 시행세칙 제29조에 신설된 내용으로서, 납세자(공제납부의무자 포함)가 법정 신고기한내에 세금을 납부하지 않았거나 미달하였을 경우 세무소는 세무관련법규에 따라 벌금부과, 미납세액에 대한 납세담보요구와 처분을 결정할 수 있다는 내용이 포함되었다.

납세자가 과세표준 및 세액 신고(수정신고 포함)와 함께 세액(미납세액 포함)을 자발적으로 납부하지 않을 경우, 조세채권을 확보하기 위한 절차가 당연히 필요할 수 있다. 하지만 상기 시행세칙 내용만으로는 납세담보나 처분을 실행하기 어렵다. 납세담보 및 처분결정과 관련된 구체적인 절차 규정이 추가적으로 보완되어야 할 것으로 보인다.

4 세금반환금

(1) 2006년 시행세칙 제31조

세무소는 납세의무자가 세금, 연체료로서 납부한 금액중 과(오)납부된 금액이 있거나 「개성공업지구 세금규정」 및 동 시행세칙에 따라 반환해야 할 세액(반환세액에서 공제해야 할 세액이 있는 때는 공제한 후의 잔액)이 있는 때는 세금반환금을 인정하고 중앙지도기관에 이와 관련한 의견서를 제출한다(개세칙 제31조 제1항).

세무소는 세금반환금으로 결정된 금액에서 아래 항목의 세금, 연체료에 충당하여야 하고, 충당 후 잔액이 있을 경우 중앙지도기관의 합의를 받아 반환하여야 한다(개세칙 제31조 제2항~제3항).

① 미납된 세금, 연체료

②「개성공업지구 세금규정」에 의하여 자진납부하는 세금

③「개성공업지구 세금규정」에 의하여 징수하여 납부하는 세금

여기서 ② 및 ③에 의한 세금충당은 세무소에 제출하는 계산서에 납세자가 동의하는 의사를 밝힌 경우에 한하다. 이러한 충당 항목과 납세자 동의 부분은 남한「국세기본법」 제51조 제2항의 내용과 흡사하다.

「개성공업지구 세금규정」 제14조 및 2006년 시행세칙 제12조에 의하면, 세무소는 과납액에 대한 수정신고를 접수한 날부터 30일 안에 반환하거나 다음번 납부액에서 공제하여 줄 수 있다.

(2) 2012년 시행세칙 제28조

2012년 시행세칙에서는, 납세자의 동의에 기초하여 과납세액 등 세금반환금으로 확인된 금액은 신고 또는 공제납부하여야 할 세금, 미납된 세금, 연체료로 충당할 수 있고, 세금반환금은 해당 납세자가 납부하여야 할 세금으로 충당한 후 잔액이 있을 경우 세무소의 결정에 근거하여 반환한다는 내용으로 축약되었다.

또한「개성공업지구 세금규정」 제14조는 여전히 수정신고를 접수한 날부터 30일 안에 과납액을 반환도록 하고 있으나, 2012년 시행세칙 제12조에서는 이러한 반환 또는 납부액 공제(충당)의 30일 기한이 삭제되었다.

2012년 시행세칙의 주요 변경사항을 요약하면 다음과 같다.

첫째, 세무소가 세금반환금에 대하여 중앙지도기관에 의견서를 제출하는 과세당국 내부절차 부분이 삭제되었다. 이와 함께 충당 후 잔액이 있을 경우 중앙지도기관의 합의를 받아 반환하도록 했던 것을 세무소의 결정에 근거하여 반환하는 것으로 변경하였다. 이러한 변경이 중앙지도기관과의 협의절차 없이 세무소 단계에서 최종 결정한다는 의미인지는 확실하지 않다.

둘째, 2006년 시행세칙에서는 세금반환금을 미납된 세금 및 연체료에 (납세자 동의와

관계없이) 충당하여야 하고, 자진납부 또는 징수납부하는 세금에는 납세자 동의가 있는 경우에 한하여 충당하는 것으로 규정하고 있다. 하지만 2012년 시행세칙에서는 신고 또는 공제납부(2006년 시행세칙의 '자진납부 또는 징수납부')하여야 할 세금, 미납된 세금 및 연체료에 대하여 모두 '납세자의 동의에 기초하여' 충당할 수 있는 것으로 표현이 변경되었다. 이러한 표현의 변경이 단순한 내용의 축약인지 실제 적용상의 변화를 의도한 것인지는 확실하지 않다.

셋째, 시행세칙에서는 반환 또는 공제(충당)에 대한 30일 기한이 삭제되었다. 하지만 상위 법규인 「개성공업지구 세금규정」 제14조에는 여전히 30일 기한이 남아 있다.

5 연체료 및 벌금의 감면

세무소는 「개성공업지구 세금규정」과 동 시행세칙 제14조 및 제15조에 따라 감면이 필요하다고 판단되는 경우, 중앙지도기관의 합의 하에 이미 부과하였거나 부과할 '연체료 및 벌금'을 당사자의 신청을 받아서 감면해줄 수 있다(개세칙 제30조). 여기서 「개성공업지구 세금규정」과 동 시행세칙 제14조 및 제15조에 따라 감면이 필요하다고 판단되는 경우는 합의서, 정부간 협정에 따른 감면, 개발업자의 재산, 개발과 관련한 '세금' 감면을 의미한다.

상기 2006년 시행세칙 제30조의 내용을 문언대로 해석한다면, 본세가 감면되는 상황에서 연체료 또는 벌금이 부과되는 경우에 한하여 적용되는 '연체료 및 벌금'에 대한 감면 규정이라고 할 수 있다.

이와 관련하여, 2012년 시행세칙 제27조에서는 "세무소는 이미 부과하였거나 부과할 연체료 및 벌금에 대한 감면이 필요하다고 판단되는 경우 해당 근거자료에 기초하여 감면을 결정하여야 한다."고 표현을 수정하였다. '세금' 감면 관련 조문을 연계하지 않고 '연체료 및 벌금'에 대한 감면이 필요한 경우로 적용 대상을 변경한 것이다. 또한 당사자 신청이나 중앙지도기관 합의에 대한 문구를 삭제하고 해당 근거자료에 기초하여 감면을 결정하는 것으로 변경되었다. 따라서 2012년 시행세칙 제27조를 문언대로 해석한다면, 본세의 감면 여부와 관계없이 연체료 및 벌금에 대한 감면이 필요한 경우 해당 근거자료에 기초하여 결정한다는 것이다.

제2장

기업소득세

「개성공업지구 세금규정」의 기업소득세 부분은 17개 조문으로 이루어져 있고, 동 시행세칙의 기업소득세 부분은 31개(2012년 시행세칙은 33개) 조문으로 구성되어 있다. 기업소득세 과세표준의 확정과 관련이 있는 재정수입 및 지출의 확정에 대하여 「개성공업지구 기업재정규정」 및 동 시행세칙에도 많은 내용이 규정되어 있다. 또한 「개성공업지구 회계규정」에도 일부 내용이 포함되어 있다.

제1절 기업소득세 총칙

1 기업소득세의 납부의무자

기업은 공업지구에서 경영활동을 하여 얻은 소득과 기타소득에 대하여 기업소득세를 납부하여야 한다(개세규 제18조).

또한 영리활동을 전문으로 하지 않는 비영리 지사, 영업소, 사무소와 공업지구 밖의 기업, 경제조직, 단체가 공업지구 안에서 기타소득을 얻은 경우에는 기업소득세 납부의무가 있다(개세규 제33조~제34조).

2 기업소득세의 계산기간

기업소득세의 계산기간은 1월 1일부터 12월 31일까지로 하며, 새로 창설된 기업은 영업을 시작한 날부터[7] 그해 12월 31일까지, 해산되는 기업은 해산되는 해의 1월 1일부터 해산선포일까지로 한다(개세규 제21조).

7) 참고로 「외국투자기업 및 외국인세금법 시행규정」 제12조 및 동 시행규정세칙 제18조에서는 '기업창설날부터'라고 표현하고 있다. 영업시작일과 기업창설일은 다를 수 있다.

3 기업소득세의 과세대상 소득

기업은 공업지구에서 경영활동을 하여 얻은 소득과 기타소득에 대하여 기업소득세를 납부하여야 하는데, 과세대상 소득은 다음과 같다(개세규 제18조).

(1) 경영활동을 하여 얻은 소득

① 생산물판매소득

② 건설물인도소득

③ 운임 및 요금소득 등

(2) 기타소득

① 이자소득

② 배당소득

③ 고정재산임대소득

④ 재산판매소득

⑤ 지적소유권과 기술비결의 제공에 의한 소득

⑥ 경영봉사소득

⑦ 증여소득 등

제2절 기업소득세의 과세표준과 세율

1 과세표준의 계산

가. 회계연도 소득 및 결손금

「개성공업지구 세금규정」 제20조에 의하면, 결산이윤은 기업의 총수입금에서 그와 관련하여 지출한 비용과 거래세 또는 영업세[8]를 덜고 확정하며, 결산이윤의 확정에 필

---

8) 2015년 최종 수정보충된 「외국투자기업 및 외국인세금법」에서는 '거래세와 영업세'만을 공제대상 세금으로 열거하고 있으나, 이후 2016년 채택된 동 시행규정 및 2017년 채택된 동 시행규정세칙에서는 '세금 및 국가납부금' 항목으로 표현하고 추가적으로 자원세, 도시경영세, 자동차리용세, 관세 등의 세금과 사회보험료, 토지사용료, 도로사용료, 양식장사용료, 오염물질배출보상료, 각종 수수료 등의 국가납부금도 공

요한 수입항목, 비용지출항목, 계산시점과 가치평가방법은 「개성공업지구 회계규정」에 따른다. 상기 「개성공업지구 세금규정」 제20조의 결산이윤, 총수입금, 총수입금과 관련하여 지출한 비용은 동 시행세칙에서는 **회계연도의 소득, 이익금의 총액, 손실금의 총액**이라고 표현하고 있다(개세칙 제32조).

시행세칙의 용어로 다시 정리하면, 기업의 회계연도 소득은 그 회계연도에 속하는 이익금의 총액에서 그 회계연도에 속하는 손실금의 총액을 공제한 금액으로 하며, 매 회계연도의 결손금[9]은 그 회계연도에 속하는 손실금의 총액이 그 회계연도에 속하는 이익금의 총액을 초과하는 경우에 그 초과하는 금액으로 한다(개세칙 제34조).

나. 경영손실금 공제

경영손실을 낸 기업은 다음해의 결산이윤으로 메꿀 수 있는데, 경영손실을 메꾸는 기간은 5년을 넘을 수 없다(개세규 제24조). 이러한 「개성공업지구 세금규정」에 준하여 기업의 소득에 대한 기업소득세의 과세표준은 당해 연도의 소득에서 회계연도의 개시일 전 5년 이내에 발생한 경영손실금을 공제한 금액으로 한다(개세칙 제33조). 이러한 내용은 남한 「법인세법」 제13조 제1항에 규정하고 있는 10년 이내 발생 이월결손금의 공제에 대응되는 것이다.

다. 과세표준

「개성공업지구 세금규정」에서는 '과세표준'이라는 용어를 사용하지 않고, '결산이윤'에 세율을 적용한다고 표현하고 있다. 하지만 동 시행세칙에서는 회계연도 소득(결산이윤)에서 5년 이내 발생한 경영손실금을 공제한 금액을 과세표준이라고 정의하고 있다(개세칙 제33조). 상기 논의를 기초로 기업소득세 과세표준의 계산구조를 요약하면 다음과 같다.

제대상으로 예시하고 있다. 「개성공업지구 세금규정」에서도 '거래세와 영업세'만 공제대상 세금으로 규정하고 있는데, 다른 세금 항목과 국가납부금이 공제대상에서 배제되는 것인지 별도의 명문 규정이 없다. 하지만 2016~2017년 채택된 「외국투자기업 및 외국인세금법 시행규정」과 동 시행규정세칙, 그리고 「외국투자기업재정관리법 시행규정세칙」 등의 내용에 비추어 볼 때, 2003년의 「개성공업지구 세금규정」, 그리고 2006년 및 2012년 시행세칙이 적시에 보완되지 못하여 발생한 입법 미비로 보인다. 최근 법제의 동향을 반영한다면, 기업소득세를 제외한 모든 세금 및 국가납부금이 공제대상이 될 것으로 판단된다.

9) 2012년 시행세칙 제32조에서는 '결손금'을 '손실금'이라고 표현하고 있다. 하지만 손실금은 공제대상 비용에 대한 일반적인 표현으로 사용되고 있다는 점에서 기존 '결손금'이 보다 적절한 용어로 보인다.

이익금의 총액(총수입금)
(-) 손실금의 총액(지출 비용)

= 당해 회계연도 소득(결산이윤)
(-) 경영손실금(5년 이내)

= 과세표준

참고로 남한 「법인세법」에서 익금산입 및 익금불산입, 손금산입 및 손금불산입, 각 사업연도소득으로 표현되는 부분이, 아래 설명에서는 **이익금포함 및 이익금포함금지, 손실금포함 및 손실금포함금지, 회계연도 소득**으로 표현된다.

2 적용 세율

가. 일반적인 세율

공업지구에서 기업소득세의 세율은 결산이윤의 14%로 한다. 다만 하부구조건설부문과 경공업부문, 첨단과학기술부문의 기업소득세 세율은 결산이윤의 10%로 한다.(개세규 제19조) 「개성공업지구 세금규정」에서는 공제대상 경영손실금이 없는 것으로 가정하여 결산이윤(=과세표준)의 14% 또는 10%로 표현한 것으로 보인다.

나. 상황별 세율

결산이윤을 정확히 계산하기 어려운 기업과 연간 판매 및 봉사수입액이 US$300만 아래인 소규모 기업은 간이과세 형태로서 연간 판매 및 봉사수입액의 2% 또는 1.5%를 기업소득세로 납부할 수 있다(개세규 제22조). 이러한 기업소득세 계산방법을 선택한 기업은 3년간 변경할 수 없고, 변경하려면 회계연도가 끝나기 1개월 전에 세무소에 변경신청서를 제출하여야 한다(개세규 제23조).

그런데 2012년 시행세칙에서는 다음과 같이 제56조(회계검증에 따르는 기업소득세 납부)를 신설하였다.

① 결산검증을 받는 기업들의 기업소득세 계산은 「개성공업지구 세금규정」 제19조에 따른다. 상기 일반 세율 14% 또는 10%를 적용한다는 것이다.

② 결산검증을 받지 않는 기업은 판매수입[10]의 1.5%, 결산검증을 받지 않는 지사, 영업소, 개인업자는 판매 및 봉사수입금의 2%로 한다. 이 부분은 상기 「개성공업지구 세금규정」 제22조의 소규모 기업[11]에 대한 간이과세 방식(수입액의 2% 또는 1.5%)을 구체적으로 규정한 것이라고 할 수 있다.

③ 공업지구기업과 계약을 맺고 해당 기업에서 경제활동을 하는 **공업지구 밖의 기업**은 판매수입금의 1.5%로 한다.

④ 6개월 이상 건설, 설치, 또는 조립공사와 그와 연관된 설계 및 감독활동을 진행하는 **공업지구 밖의 기업, 개인**은 봉사수입금의 1.5%로 한다.

공업지구 밖 기업의 공업지구 안에서의 판매수입금과 건설 등 관련 봉사수입금에 대해서는 상기 ③과 ④를 적용하고, '기타소득'에 대해서는 아래 「개성공업지구 세금규정」 제33조의 내용을 적용하려는 것으로 판단된다.

다. 비영리지사, 공업지구 밖 기업 등의 기타소득에 대한 세율

영리활동을 전문으로 하지 않는 지사, 영업소, 사무소와 공업지구 밖의 기업, 경제조직, 단체가 공업지구 안에서 얻은 기타소득에 대한 세율은 다음과 같다(개세규 제33조).

① 이자소득: 소득액의 10%

② 배당소득, 고정재산임대소득: 소득액에서 70% 공제한 나머지 금액의 10%

③ 재산판매소득, 지적재산권과 기술비결의 제공에 의한 소득, 경영봉사소득: 소득액에서 30% 공제한 나머지 금액의 10%

2012년 시행세칙은 제57조를 신설하여 고정재산무상임대소득에 대한 과세표준은 취득가액의 8%로 하고 납부세율은 상기 ②에 따른다는 내용을 추가하였다. 이러한 고정재산무상임대소득은 통상적인 고정재산임대소득과는 다른 상황으로서 기계설비의 무상임대를 염두에 둔 것으로 보인다. 즉 무상임대의 형태를 취하더라도 거래를 재구성하여 실질적으로는 취득가액의 8%에 해당하는 임대료 수입이 있는 것으로 간주하겠다는 규정으로 판단된다.

---

10) 2012년 시행세칙 제56조에서는 기업에 대하여 '판매수입'으로 표현하고 있으나, 「개성공업지구 세금규정」 제22조에서는 '판매 및 봉사수입액'으로 표현하고 있다. 따라서 기업의 '봉사수입' 부분에 대해서도 간이과세 형태가 적용되는 것으로 판단된다.

11) 「개성공업지구 세금규정」 제26조에 의하면, 기업은 기업소득세를 확정납부하기 전에 연간회계결산서에 대한 회계검증을 받아야 한다. 하지만 연간 판매 및 봉사수입액이 US$300만 아래인 소규모 기업은 회계검증을 받지 않을 수 있다.

제3절 이익금의 계산

1 이익금의 범위

이익금은 자본 또는 출자의 납입 및 「개성공업지구 세금규정시행세칙」에서 별도로 규정하는 것을 제외하고 당해 연도 기업의 순재산을 증가시키는 거래로 인하여 발생하는 수익의 금액을 의미한다(개세칙 제35조).

2 자본거래 수익의 이익금포함금지

2006년 시행세칙 제36조에서는 기업의 매 회계연도의 소득금액계산에서 주식발행초과액은 이익금에 포함하지 않는다고 규정하였으나, 동 조문은 2012년 시행세칙에서 삭제되었다.

주식발행초과액과 같은 자본거래 이익은 통상 출자의 원본으로 보아 자본준비금으로 적립하고 기업의 이익에 포함시키지 않는 것이 일반적이다. 2012년 시행세칙에서 이러한 자본거래 수익의 이익금포함금지 규정을 삭제한 것은 과세소득 증대를 고려한 것으로 보이나, 이론적으로 타당하지 않은 조치라고 판단된다.

3 평가이익 등의 이익금포함금지

매 회계연도의 소득금액계산에서 다음과 같은 수익은 이익금에 포함되지 않는다(개세칙 제37조).

(1) 재산의 평가이익. 단, 화폐성 외화재산 및 채무의 평가이익(개세칙 제54조 제1항)은 제외한다(즉, 이익금에 포함한다). 그런데 2012년 시행세칙 제34조 제1항에서는 이러한 단서 규정을 삭제하여 결과적으로 모든 재산의 평가이익이 과세대상 이익금에 포함되지 않는 것처럼 변경되었다.

(2) 매 회계연도의 소득금액에서 이미 과세된 소득을 다시 당해 회계연도의 이익금에 포함한 금액.

(3) 「개성공업지구 세금규정시행세칙」 제40조 제1항[12] 규정에 의하여 손실금에 포함되지 않은 기업소득세를 반환받았거나, 반환받을 금액을 다른 세액에 충당한 금액. 즉 기업소득세는 손실금에 포함되지 않는데, 이를 반환받거나 다른 세액에 충당한 경우 해당 금액은 과세대상 이익금에도 포함되지 않는다는 것이다.

제4절 손실금의 계산

1 손실금의 범위

손실금은 자본 또는 출자의 반환, 잉여금의 처분 및 「개성공업지구 세금규정시행세칙」에서 규정하는 것을 제외하고, 당해 기업의 순재산을 감소시키는 거래로 인하여 발생하는 손실과 비용을 말한다(개세칙 제38조 제1항). 이러한 손실과 비용은 「개성공업지구 세금규정」 및 동 시행세칙에 달리 정하고 있는 것을 제외하고는 그 기업의 경영활동과 관련하여 발생하거나 지출된 손실 또는 비용으로서 수익과 직접 관련된 것으로 한다(개세칙 제38조 제2항).

기업의 재정결산 단계에서 반영되는 원가에는 기업의 경영활동 즉, 생산 및 유통과정에서 지출되는 모든 비용(원료자재비, 노력비 및 경비)이 속한다(개재칙 제91조~제92조). 판매비와 관리비는 상품판매 및 봉사의 제공, 기업의 유지관리와 관련하여 발생하는 비용으로서 제조원가에 속하지 않는 모든 영업비용을 말한다. 판매비에는 판매인원의 노임, 상금, 가급금, 장려금과 문화후생비, 퇴직보조금, 판매수수료, 광고선전비, 견본비, 포장비, 보관료, 운반비, 대손상각비, 기타 판매비 등 상품판매 및 봉사제공과 관련한 비용들이 포함된다. 관리비에는 기업책임자의 보수, 관리성원들의 노임, 상금, 가급금, 장려금과 퇴직보조금, 문화후생비, 여비, 통신비, 수도 및 난방사용료, 전력사용료, 임차료, 감가상각비, 유지보수비, 보험료, 소모품비, 기타 관리비 등이 속한다.(개재칙 제94조)

이와 관련하여, 「개성공업지구 기업재정규정」 제16조 및 동 시행세칙 제93조에서는 기업소득세 계산 이전의 재정결산 단계에서 원천적으로 원가 또는 비용으로 계산이 금

12) 2006년 시행세칙 제40조는 2012년 시행세칙에서는 제37조에 해당하는데, 2012년 시행세칙 제37조에서 기업소득세의 손실금포함금지에 대한 내용을 삭제해버리는 바람에 관련 조문 간에 내용이 연결되지 않는다.

지되는 항목을 다음과 같이 열거하고 있다.

① 재산의 구입을 위한 자본지출

② 자기 자본에 대한 이자

③ 일반 이자율보다 높은 이자

④ 본사에 지불한 특허권 사용료

⑤ 대외투자 및 관련 기업을 대신하여 지출된 관리비

⑥ 기준을 초과한 회수불가능채권 및 대외사업비

⑦ 몰수당한 재산손실액, 위약금, 연체료, 벌금, 보상금

⑧ 당기순이윤으로 적립한 예비기금

⑨ 생산, 경영활동과 관련이 없는 지출

2 자본거래 손실과 비용의 손실금포함금지

기업은 매 회계연도의 소득금액계산에서 ① 잉여금의 처분을 손실과 비용으로 계산한 금액과 ② 주식할인발행차금을 손실금에 포함하지 않는다(개세칙 제39조).

3 위반금에 대한 손실금포함금지

① 매 회계연도에 납부하였거나 납부할 기업소득세와 규정된 의무를 이행하지 않은 것으로 인하여 이미 납부하였거나 납부할 세액, ② 벌금, 연체료, ③ 법규에 의한 의무를 이행하지 않았거나 금지, 제한조건 등의 위반에 대한 제재로 부과되는 금액은 기업의 매 회계연도 소득금액의 계산에서 손실금에 포함하지 않는다(개세칙 제40조).

2012년 시행세칙에서는 문장을 축약하면서 '매 회계연도에 납부하였거나 납부할 기업소득세' 부분이 삭제되었다. 하지만 기업소득세는 일반적으로 재정결산 과정에서도 공제비용 항목에서 제외되고(외재칙 제43조), 기업소득세 계산 목적으로도 당연히 공제대상에서 제외되는 것으로 해석된다. 남한 「법인세법」에서도 법인세(기업소득세)는 과세표준을 계산함에 있어서 손금불산입(손실금포함금지) 항목이다.

따라서 2012년 시행세칙에서 기업소득세의 손실금포함금지 부분이 삭제된 것은 잘못된 것으로서 보완이 필요해 보인다.

4 재산평가손실의 손실금포함금지

기업이 보유하는 재산의 평가손실은 원칙적으로 매 회계연도의 소득금액계산에서 손실금에 포함하지 않는다. 그러나 「개성공업지구 세금규정시행세칙」 제51조 제2항과 제52조, 제54조에 따른 재산평가손실은 제외된다.(개세칙 제41조)

이와 같이 손실금포함금지 대상에서 제외되어 손실금에 포함되는 재산평가손실은 다음과 같다.

(1) 「개성공업지구 세금규정시행세칙」 제51조 제2항 (재산, 채무의 평가)

① 재고재산으로서 파손, 부패 등의 이유로 인하여 정상가격으로 판매할 수 없는 것.
② 고정재산으로서 폭우, 지진과 같은 불가항력적 요인이나 화재 등의 이유로 인하여 파손 또는 멸실된 것.
③ 주식 등으로서 그 발행기업이 부도가 발생한 경우의 당해 주식 등.
④ 주식 등을 발행한 기업이 파산한 경우의 당해 주식 등.

상기 ①~④의 재산 및 채무 평가에 대해서는 당해 재산 및 채무의 평가에 관한 명세서를 세무소에 제출하여야 한다(개세칙 제51조 제3항).

(2) 「개성공업지구 세금규정시행세칙」 제52조 (재고자산의 평가)

⇨ 「제5절 3. 재고자산의 평가」 참조

(3) 「개성공업지구 세금규정시행세칙」 제54조 (외화재산 및 채무의 평가)

⇨ 「제5절 5. 외화재산 및 채무의 평가」 참조

5 감가상각비 한도초과액의 손실금포함금지

가. 재정결산 목적의 감가상각비

공업지구기업의 재정결산 목적의 감가상각과 관련된 내용은 아래와 같이 「개성공업지구 기업재정규정」 및 동 시행세칙에서 규정하고 있다.

(1) 감가상각대상 (개재칙 제35조)

감가상각은 다음 조건을 모두 만족시키는 고정재산에 대하여 진행하여야 한다.

① 가치 또는 쓸모가 사용됨에 따라 또는 시간이 지남에 따라 점차 감소되는 고정재산
② 원칙적으로 해당 기업의 소유로 되어 있으며 경영활동에 이용하고 있는 고정재산
③ 가치 또는 쓸모의 감소정도를 일정한 기간별로 측정할 수 있는 고정재산

(2) 감가상각 제외대상(개재규 제14조; 개재칙 제50조 및 제52조)

① 경영활동에 이용하지 않는 고정재산 (「개성공업지구 기업재정규정시행세칙」 제50조에서는 '6개월 이상' 경영활동에 이용하지 않는 고정재산으로 기간을 명시함)
② 건설 중이거나 완성하지 못한 고정재산 (「개성공업지구 기업재정규정시행세칙」 제52조에 의하면, 일부 완성된 부분이 영업활동에 직접 이용되고 있을 경우에는 감가상각 가능함)
③ 시일이 지나도 그 가치가 감소되지 않는 고정재산

(3) 유형재산 및 무형재산의 평가

재산 평가는 취득원가를 기초로 하며, 교환, 현물출자, 증여, 무상으로 취득한 재산은 공정가격을 취득원가로 한다. 또한 투자재산, 유형 및 무형재산의 생산, 구입, 건설에 사용된 차입금에 대한 이자비용과 기타 유사한 금융비용은 해당 재산의 취득원가에 포함시킨다.(개회규 제22조)

재산의 가격은 공증을 거친 계약서, 송장, 영수증, 구입계산서와 비용계산서 같은 증빙문건 또는 서류에 밝혀진 금액으로 한다(개재칙 제27조). 유형재산과 무형재산의 가격은 국제시장가격에 준하여 등록할 당시의 가격을 기준으로 평가하며, 국제시장가격보다 낮을 경우에는 시장가격에 준하여 평가한다(개재규 제8조; 개재칙 제27조 제1항). 공인된 시장가격이 존재하지 않는 고정재산에 대하여서는 독립적으로 존재하는 당사자들 사이에 거래될 수 있는 가격을 기준으로 평가한다(개재칙 제27조 제2항).

(4) 유형고정재산의 감가상각금 계산기간

〈계산시작 시점〉(개재칙 제38조)

① 건물 및 구축물: 조업한 달부터
② 기계설비: 시운전이 끝난 다음달부터
③ 수송수단: 운행을 시작한 달부터
④ 전자설비와 공구, 비품: 이용을 시작한 달부터

⑤ 양도 또는 증여받은 유형고정재산: 설치를 끝낸 다음달 또는 이용을 시작한 달부터

〈계산종료 시점〉 (개재칙 제39조)

① 양도 또는 폐기하는 유형고정재산: 양도 또는 폐기하는 달까지
② 사용하지 않기로 한 유형고정재산: 사용한 달까지 (다시 사용하는 경우 그달부터 감가상각금 계산)

(5) 고정재산 종류별 내용연한

〈유형재산의 내용연한〉 (개재규 제9조; 개재칙 제36조)

① 건물 및 구축물: 20년 이상
② 철도차량, 선박, 기계와 같은 생산설비: 10년 이상
③ 철도차량, 선박을 제외한 수송수단: 5년 이상
④ 전자설비와 취득원가가 US$300 이상인 공구, 기구 및 비품: 3년 이상

〈무형재산의 내용연한〉 (개재규 제12조; 개재칙 제45조)

무형고정재산의 감가상각금은 그것을 취득한 달부터 계산하며, 내용연한은 다음과 같다.
① 계약 또는 기업설립신청서에 정한 기간
② 계약 또는 기업설립신청서에 정하지 않은 경우: 예상수익기간
③ 예상수익기간을 확정할 수 없을 경우: 5년 이상

〈중고 취득 유형고정재산의 내용연한〉 (개재칙 제37조)

① 영업용으로 이용되는 기간
② 영업용 이용기간을 타산하기 어려운 경우:
- 법적으로 인정되는 내용연한이 전부 지나간 경우 그 내용연한의 20%에 해당한 기간
- 법적으로 인정되는 내용연한이 부분적으로 지나간 경우 나머지 기간에 그 내용연한의 20%에 해당한 기간을 더한 것
- 법적으로 인정되는 내용연한이 전부 또는 부분적으로 지나갔더라도, 그 취득가격의 50% 이상에 해당하는 금액을 지출하여 성능을 개선한 경우에는 새로 취득한 유형고정재산의 내용연한을 적용

(6) 연구개발비

연구개발비는 새로운 기술 또는 제품의 연구개발에 지출하는 비용으로서 5년간 균등하게 나누어 계산한다(개재규 제17조). 연구개발비를 무형재산으로 계산상각하는 경우에는 그것을 기초연구와 개발연구로 구분하고 연구과제별로 시험연구의 목적과 내용, 예상되는 효과, 담당책임자, 담당자, 예산 등에 대하여 출자가총회 또는 이사회의 승인을 받고 이것을 문서로 명확히 준비해놓아야 한다. 특정한 연구과제의 시험연구가 미완성인 경우에도 회계연도 말에는 그 연구과제에 대하여 그 기간 중에 지출한 금액의 5분의 1을 상각할 수 있다.(개재칙 제47조)

(7) 감가상각재산의 잔존가치

① 유형재산의 잔존가치는 취득원가의 5% 이하로 평가할 수 없고, 5% 이하로 평가하려 할 경우에는 세무소의 승인을 받아야 한다(개재규 제11조; 개재칙 제44조).

② 무형재산의 잔존가치는 영(零)으로 한다(개재규 제13조; 개재칙 제48조).

(8) 감가상각방법의 선택 및 신고

① 유형재산의 감가상각은 정액법, 정률법, 생산고비례법에 따라 한다. 기업은 유형재산의 형태와 이용방식, 과학기술발전영향 등을 고려하여 감가상각방법을 합리적으로 선택할 수 있다. 이 경우 선택한 감가상각방법은 유형재산의 내용연한이 끝날 때까지 변경할 수 없다.(개재규 제10조; 개재칙 제40조 및 제49조)

② 무형재산의 감가상각은 정액법 또는 생산고비례법에 따라 한다(개재규 제13조; 개재칙 제48조).

③ 공업지구에서 새로운 기업을 운영하거나 경영활동과정에서 새로운 고정재산을 취득한 경우, 해당 고정재산에 대한 감가상각방법을 연간회계결산서 제출시 세무소에 신고하여야 한다(개재칙 제41조).

(9) 유형고정재산의 감가상각범위액

유형고정재산의 감가상각범위액은 해당 고정재산의 내용연한, 종류별로 기업이 선정한 감가상각방법에 따른 상각률을 감가상각대상금액(고정재산의 취득가격에서 잔존가치를 덜어낸 금액)에 곱하여 계산한 금액으로 한다(개재칙 제42조). 회계연도 중에 취득한 고정재산의 경우, 이렇게 계산한 감가상각범위액에 취득한 달부터 해당 회계연도말까지 기간의 달수를 곱한 것을 해당 회계연도의 달수로 나누어 계산한 금액으로 하며,

서력에 따라 1개월에 미치지 않는 일수는 1개월로 간주한다(개재칙 제43조).

나. 기업소득세 계산과 감가상각비 한도초과액

기업소득세와 관련된 고정재산 감가상각비에 대한 내용은 다음과 같다. 위에서 살펴본 「개성공업지구 기업재정규정」 및 동 시행세칙의 내용과 대체로 유사하지만 일부 차이가 있다.

(1) 감가상각비 한도초과액의 손실금포함금지(개세칙 제42조 제1항)

고정재산에 대한 감가상각비는 기업이 고정재산의 상각액을 손실금으로 계산하였을 경우, 고정재산의 내용연수[13]에 따른 상각비율에 의하여 계산한 금액(이하 '상각범위액'이라고 함)을 한도로 하여 소득계산상 손실금에 포함하고, 한도초과액은 손실금에 포함하지 않는다.

(2) 감가상각 제외대상 (개세칙 제42조 제2항)

① 경영활동에 이용하지 않는 고정재산
② 건설 중이거나 완성하지 못한 고정재산
③ 시일이 지나도 그 가치가 감소되지 않는 고정재산

(3) 유형재산 및 무형재산의 평가

「개성공업지구 세금규정」 및 동 시행세칙에는 별도의 규정이 없다. 앞서 살펴본 「개성공업지구 회계규정」과 「개성공업지구 기업재정규정」 및 동 시행세칙의 내용을 따른다고 할 수 있다.

(4) 고정재산 종류별 내용연수

〈유형재산의 내용연수〉 (개세칙 제42조 제3항 제1호)

① 건물(부속설비 포함) 및 구축물: 20년 이상
② 철도차량, 선박, 기계와 같은 생산설비: 10년 이상
③ 철도차량, 선박을 제외한 수송수단: 5년 이상
④ 전자설비와 취득원가가 US＄300 이상인 공구, 기구 및 비품: 3년 이상

13) 「개성공업지구 세금규정시행세칙」에서는 내용년수(내용연수)와 내용년한(내용연한)이라는 표현이 혼용되고 있다.

〈무형재산의 내용연수〉 (개세칙 제42조 제3항 제2호)

① 계약 또는 기업설립신청서에 정한 기간

② 계약 또는 기업설립신청서에 정하지 않은 경우: 예상수익기간

③ 예상수익기간을 확정할 수 없을 경우

- 영업권, 공업도안권, 상표권, 연구개발비, 기업설립비: 5년
- 특허권: 10년
- 기타 무형재산: 5년

「개성공업지구 기업재정규정」 제12조 및 동 시행세칙 제45조에서는 무형재산의 내용연수에 대하여 5년 이상이라고만 규정하고 있으나, 「개성공업지구 세금규정시행세칙」은 항목별로 내용연수를 규정하고 있다.

(5) 감가상각재산의 잔존가치 (개세칙 제42조 제5항)

취득원가의 5%로 한다. 단, 5%이하로 평가하려 할 경우에는 세무소의 승인을 받아야 한다. 「개성공업지구 기업재정규정」 제13조 및 동 시행세칙 제48조에서 무형재산에 대하여는 잔존가치를 영(零)으로 규정하고 있다.

(6) 감가상각방법의 선택 및 신고 (개세칙 제42조 제4항)

기업은 아래 구분에 의한 재산별로 하나의 방법을 선택하여 회계연도의 기업소득세 과세표준신고기한까지 세무소에 신고한다. 「개성공업지구 기업재정규정」 제10조 및 제13조에는 생산고비례법이 포함되어 있으나, 「개성공업지구 세금규정시행세칙」에서는 이를 인정하고 있지 않고, 아래와 같이 재산별로 감가상각방법을 규정하고 있다.

① 건축물과 무형재산(연구개발비, 기업설립비는 제외): 정액법

② 건축물 외의 유형재산: 정률법 또는 정액법

③ 연구개발비, 기업설립비[14]: 매 회계연도 균등상각. 연구개발비에 대하여는 「개성공업지구 기업재정규정」 제17조 및 동 시행세칙 제47조에서 5년간 균등 상각하는 것으로 규정하고 있다.

---

14) 「개성공업지구 기업재정규정시행세칙」 제46조(기업설립비)에 의하면, 기업설립비는 공업지구관리기관으로부터 기업창설승인을 받은 다음 기업의 영업을 시작할 수 있는 준비를 위하여 지출되는 비용이다. 기업설립비에는 조업준비를 위한 토지 및 건물의 임차료, 대외사업비, 광고선전비, 통신비, 사무용소모품비 같은 것이 포함된다. 기업은 조업준비비에 조업준비를 위하여 특별히 지출한 비용만을 포함시켜야 한다.

(7) 회계연도 중 취득한 경우 (개세칙 제42조 제6항)

감가상각방법을 적용함에 있어서 회계연도 중에 취득하여 경영활동에 이용한 감가상각재산에 대한 상각범위액은 사용한 날부터 당해 회계연도 마지막 날까지의 월수에 따라 계산한다. 이 경우 월수는 서력에 따라 계산하되 1월 중에는(1월 미만은) 1월로 한다.

(8) 즉시상각의 의제 (개세칙 제42조 제7항)

감가상각재산을 취득하기 위하여 지출한 금액과 감가상각재산에 대한 자본적 지출에 해당하는 금액을 손실금으로 계산한 경우에는 이를 감가상각한 것으로 인정하고 그에 따라 상각범위액을 계산한다.

(9) 감가상각 계산기간, 중고취득 유형고정재산 내용연한 등

감가상각 계산기간이나 중고취득 유형고정재산의 내용연한 등 일부 내용은 「개성공업지구 세금규정」이나 동 시행세칙에 별도의 규정이 없다. 하지만 재정결산 목적의 감가상각비 부분에서 살펴본 「개성공업지구 기업재정규정시행세칙」 제37조~제39조 등의 내용을 준용해도 무리가 없을 것으로 판단된다.

6 대외사업비의 손실금포함금지

(1) 대외사업비의 정의

대외사업비는 기업의 생산 및 경영활동과 관련하여 거래상대방을 접대하고 그와 교제하기 위하여 지출하는 비용이다(개재칙 제107조).[15]

(2) 대외사업비의 한도

「개성공업지구 기업재정규정」 제25조 및 동 시행세칙 제107조 제1항(대외사업비의 지출한도)과 「개성공업지구 세금규정시행세칙」 제43조(대외사업비의 손실금포함금지)의 대외사업비 한도에 대한 내용은 실질적으로 동일하다.

기업은 다음의 범위 안에서 대외사업비를 지출하며 그를 초과하는 금액은 당해 회계연도의 소득금액 계산에서 손실금에 포함시킬 수 없다(개세칙 제43조).

15) 남한 「법인세법」 상의 '접대비'에 해당한다.

① 생산부문, 상업부문 기업의 대외사업비 한도
- 순판매액이 US＄200만 이하인 기업: 순판매액의 0.5%
- 순판매액이 US＄200만 초과하는 기업: US＄10,000 + US＄200만 초과액의 0.3%

② 건설, 금융, 교통운수 등 기타 봉사부문 기업의 대외사업비 한도
- 순영업액이 US＄70만 이하인 기업: 순영업액의 1%
- 순영업액이 US＄70만 초과하는 기업: US＄7,000 + US＄70만 초과액의 0.5%

(3) 대외사업비의 입증 (개재칙 제107조 제2항)

대외사업비 지출에 대하여 다음 내용을 문서로 입증하여야 한다.

① 대외사업비로 지출한 금액
② 접대한 시간, 장소, 접대시설의 이용정형, 증여를 하였을 경우의 금액
③ 대외사업비를 지출한 목적
④ 대외사업비를 지출받은 자와 기업과의 관계

(4) 대외사업비 불인정 사례 (개재칙 제107조 제3항)

대외사업을 목적으로 지출하였더라도 다음의 경우에는 대외사업비로 인정하지 않는다.

① 대외사업과 밀접하게 관련된 비용으로 인정되지 않는 경우
② 접대시설과 관련한 경비 중에서 해당 시설이 대외사업에 필요한 접대를 위해 이용되지 않는 경우
③ 대외사업과 관련하여 증여를 주는 경우 1인당 US＄25를 넘는 증여금액
④ 특수관계자와의 거래에서 운영되는 기업의 경우 본사에서 지출한 대외사업비

7 부당한 경영비 등의 손실금포함금지

가. 관리성원의 노임

기업이 관리성원에게 지불하는 노임 중 기업규약, 주주총회 또는 이사회의 결의에 의하여 결정된 노임지불기준에 따르는 금액을 초과하여 지불하는 경우 그 초과금액은 손실금에 포함하지 않는다(개세칙 제44조 제1항).

이와 관련하여, 기업은 관리성원들의 노임지불한도액, 기준을 세금납부액을 감소시

키지 않도록 규약에서 정하고 지불하여야 하며, 기업규약에서 규정한 지불한도액을 초과하는 금액, 같은 업종이면서 규모가 비슷한 기업에서의 노임수준과 비교하여 과대하다고 인정되는 과대보수 부문은 재정결산 단계에서 기업의 비용으로 계산할 수 없다(개재칙 제104조).

나. 지배주주인 종업원 보수

기업이 「개성공업지구 세금규정시행세칙」 제55조 제5항의 규정에 의한 지배주주(이하 '지배주주 등'이라고 함)인 종업원에게 정당한 이유 없이 같은 지위에 있는 종업원에게 지불하는 금액을 초과하여 보수를 지불한 경우 그 초과금액은 손실금에 포함하지 않는다(개세칙 제44조 제2항).

여기서 「개성공업지구 세금규정시행세칙」 제55조 제5항 규정에 의한 '지배주주 등'은 기업의 발행 주식총수 또는 출자총액의 1% 이상의 주식 또는 출자증권을 소유한 주주와 출자자로서 그와 특수관계에 있는 자와의 소유주식 또는 출자증권의 합계가 당해 법인의 주주 또는 출자자 가운데서 가장 많은 경우의 당해 주주 또는 출자자를 의미한다.

다. 업무와 직접 관련이 적은 경영비

상기 가. 및 나. 외에 기업의 업무와 직접 관련이 적다고 인정되는 경영비에 대해서도 손실금에 포함시킬 수 없다(개세칙 제44조 제3항). 업무와 직접 관련이 '없다고 인정되는' 경영비가 아니라 '적다고 인정되는' 경영비라는 표현은 상대적으로 과세당국의 주관적 또는 자의적 판단이 개입될 여지가 많아 보인다.

라. 업무와 직접 관련 없는 재산 등

기업이 매 회계연도에 지출한 비용 중 다음의 금액은 당해 회계연도의 소득금액계산에서 손실금에 포함하지 않는다(개세칙 제45조).

① 당해 기업의 업무와 직접 관련이 없다고 인정되는 재산을 취득, 관리하여 생기는 비용.

② 상기 ① 외에 그 기업의 업무와 직접 관련이 없다고 인정되는 지출금액. 이 부분은 업무무관재산과 관련된 기타 지출을 의도한 것으로 판단된다.

8 문화후생비의 손실금포함금지

(1) 문화후생비의 정의

기업은 종업원들의 노동조건개선 및 노동의욕제고를 위한 문화후생비[16]를 정확히 지출하여야 한다(개재칙 제96조). 기업의 관리성원, 종업원들의 문화후생을 위하여 지출되어야 하며 기업외부의 이해관계자들을 위해서 지출할 수는 없다(개재칙 제96조 제4항).

(2) 문화후생비의 한도

문화후생비는 일정한 범위 내의 지출금액으로 하고 그 범위를 초과하는 경우에는 비용으로 인정하지 않는다. 문화후생비는 연 노임총액의 40%의 범위 내에서 지출하며 그 이상의 지출은 문화후생기금으로 충당하여야 한다.(개재칙 제96조 제2항)

(3) 문화후생비의 항목

문화후생비에는 아래와 같은 항목들이 포함된다(개재칙 제96조).

① 문화후생시설비: 양성소, 진료소, 식당, 탁아소, 유치원, 기숙사 등에서 지출되는 유지관리비 같은 부담액. 문화후생시설구입비는 고정재산으로 감가상각하며, 유지관리비는 문화후생비로 한다(개재칙 제96조 제1항).

② 후생비: 종업원들에 대한 위생, 보건 등을 위해 지출한 부담액

③ 직장체육사업, 직장예술활동과 관련하여 기업이 지출하는 비용

(4) 관리성원의 식사비

기업의 관리성원에 대한 식사보장과 관련한 지출(주식 및 부식물, 조미료 비용, 외부식사 구입가격, 전문음식점 식권값 등)도 문화후생비로 충당한다. 관리성원 1인당 부담액이 기업의 1인당 식사비 지출액의 50% 이상인 경우에는 문화후생비로 인정하며, 미달할 경우에는 그 미달금액을 기업의 관리성원에 대한 노동보수로 인정한다.(개재칙 제96조 제3항)

9 기타 판매비와 관리비

「개성공업지구 기업재정규정시행세칙」은 기타 판매비와 관리비 항목과 관련하여, 종

16) 남한 「법인세법」 상의 '복리후생비'에 해당한다.

업원훈련비(제97조), 종업원 노임(제103조), 종업원 상금(제105조), 관리성원 상금(제106조), 여비(제108조), 수도 및 난방, 전력사용료(제109조), 보험료(제110조), 운반비(제111조), 광고선전비(제112조), 소모품비(제113조), 소공기구비품비(제114조), 보관료(제115조), 포장비(제116조), 판매수수료(제117조), 노동보호비(제118조), 유지보수비(제119조) 등 개별 조문을 두고 있다. 여비, 광고선전비, 유지보수비 등 주요 항목에 대하여 살펴보면 다음과 같다.

가. 여비

(1) 여비의 정의 및 항목

여비는 기업의 관리성원이나 종업원이 업무수행을 위해 장거리 출장을 가는 경우에 여비지불규칙에 따라 지불되는 금액으로서, 차비, 숙박비, 식사비 등이 포함된다(개재칙 제108조).

(2) 여비의 입증

기업은 업무수행상 필요하다고 인정되는 범위 안에서 여비지불규칙 같은 합리적인 기준에 의해 여비를 계산하여야 하며, 출장비, 출장목적, 출장기간 같은 객관적인 자료와 거래증빙문건에 의하여 그 사실을 입증하여야 한다(개재칙 제108조).

(3) 여비로 인정되지 않는 경우

기업이 여비의 명목으로 지출한 것이라고 하더라도 다음과 같은 경우에는 재정결산 목적상에서 여비로 인정되지 않는다(개재칙 제108조). 세무상으로도 당연히 손실금이 될 수 없다.

① 그 용도가 정확하지 않을 때
② 경비의 한계를 초과하여 지출된 경우
③ 사업과 관련없이 특수관계자에게 지불한 여비

나. 광고선전비

(1) 광고선전비의 정의

광고선전비는 상품 또는 제품의 판매촉진을 위하여 일반대중을 대상으로 기업의 상품 또는 제품에 대한 선전효과를 얻기 위해 지출하는 비용이다(개재칙 제112조).

(2) 광고선전비의 항목

광고선전비에는 다음의 비용들이 포함된다(개재칙 제112조 제1항).

① 생산부문 기업들에서 제품을 소개하기 위한 인쇄물, 상표, 기타 선전물의 제작 또는 구입과 관련하여 지출한 비용

② 봉사부문 기업들에서 봉사내용의 소개물, 안내표, 가격표 같은 것의 제작과 장식품의 구입 및 설치에 드는 비용

③ 신문광고료, 라디오방송료 등 광고선전수단을 이용한 대가로 지불하는 금액

(3) 감가상각 대상

광고탑이나 야외간판, 광고용전광시설의 제작 및 구입을 위한 비용 등은 내용연한에 따른 감가상각과정을 통하여 처리한다(개재칙 제112조 제2항).

(4) 특수관계거래 위탁가공기업

특수관계자와의 관계에서 운영되는 위탁가공기업의 경우, 광고선전비는 해당 기업의 비용으로 계산할 수 없다(개재칙 제112조 제1항).

다. 유지보수비

유지보수비는 건물, 기계, 운수수단 같은 것의 수리와 유지에 드는 비용이다. 다음과 같은 경우에는 재정결산 목적상 유지보수비로 인정되지 않는다.(개재칙 제118조) 세무상으로도 당연히 손실금이 될 수 없다.

① 재산의 기능을 보존하거나 원래의 상태로 회복시키기 위한 비용 이상으로 지출된 것

② 금액상 1회의 지불금액이 US＄1,000 이상 혹은 취득가격의 10% 이상인 비용지출인 경우

③ 기준금액 이하인 경우에도 증축, 확장 같이 명백히 자본적 지출에 해당하는 것

10 지불이자의 손실금포함금지

다음 항목의 차입금 이자는 기업의 매 회계연도의 소득금액계산에 있어서 이를 손실금에 포함하지 않는다(개세칙 제46조).

(1) 채권자가 명확하지 않은 사채의 이자

(2) 건설자금에 충당한 차입금의 이자

건설자금에 충당한 차입금 이자에 대한 세부적인 사항은 다음과 같다(개세칙 제47조 제1항~제5항).

① '건설자금에 충당한 차입금의 이자'라 함은 그 명목 여하에 관계없이 경영용 고정재산의 구입, 제작 또는 건설(아래 ①~⑤에서 '건설 등'이라고 함)에 이용되는 차입금(고정재산의 건설 등으로서의 이용여부가 분명하지 않는 차입금은 제외)에 대한 지불이자 또는 이와 유사한 성질의 지출금을 말한다.

② 상기 ①에 의한 지불이자 또는 지출금은 건설 등이 준공된 날(토지를 분양받은 경우에는 그 대금을 청산한 날)까지 이를 자본적 지출로 하여 그 원가에 가산한다. 그러나 상기 ①의 규정에 의한 차입금의 일시예금에서 생기는 수입이자는 원가에 가산하는 자본적 지출 금액에서 차감한다.

③ 차입한 건설자금의 일부를 운영자금으로 이용한 경우에는 그 부분에 해당되는 지불이자는 손실금으로 한다.

④ 차입한 건설자금의 연체로 인하여 생긴 이자를 원가에 가산한 경우 그 가산한 금액은 이를 당해 회계연도의 자본적 지출로 하고, 그 원가에 가산한 금액에 대한 지불이자는 손실금으로 한다.

⑤ 건설자금의 명목으로 차입한 것으로 그 건설 등이 준공된 후에 남은 차입금에 대한 이자는 매 회계연도의 손실금으로 한다. 이 경우 건설 등의 준공일은 당해 건설 등의 대상물이 전부 준공된 날로 한다.

11 퇴직보조금지불충당금

가. 재정결산 목적의 퇴직보조금지불충당금

기업은 1년 이상 일하다가 퇴직하는 종업원, 관리성원에게 퇴직 전 3개월간의 평균월노임에 일한 햇수를 곱하여 계산한 퇴직보조금을 주어야 한다(개재규 제19조; 개재칙 제101조). 이러한 퇴직보조금을 지불하기 위하여 1년 이상 일한 종업원, 관리성원에게 지불하는 월노임총액의 5%에 해당하는 금액을 미리 퇴직보조금지불충당금으로 설정할 수 있다(개재규 제20조; 개재칙 제102조).

나. 기업소득세 계산 목적의 퇴직보조금지불충당금

「개성공업지구 세금규정시행세칙」 제48조에 의하면, 퇴직보조금지불충당금을 손실금으로 계산한 경우 세무상 다음과 같이 처리한다.

(1) 퇴직보조금지불충당금의 손실금포함 한도

기업의 사정으로 1년 이상 일한 종업원을 내보내는 경우 퇴직보조금지불충당금에 충당하기 위하여 퇴직보조금지불충당금을 손실금으로 계산한 경우, 1년간 계속하여 근로한 종업원에게 지불한 월노임총액의 5%에 해당되는 금액의 범위로 당해 회계연도의 소득금액계산에서 이를 손실금에 포함한다(개세칙 제48조 제1항).

① 2012년 시행세칙의 변화

2006년 시행세칙 제48조 제1항 및 「개성공업지구 로동규정」(2003.9.8.) 제19조에서는 '기업의 사정으로' 종업원을 내보내는 경우라고 표현하여 종업원 귀책으로 인한 해고나 사직의 경우는 제외하고 있다.[17] 하지만 2012년 시행세칙 제45조 제1항에서는 '기업의 사정으로'라는 표현을 삭제하였다. 또한 「개성공업지구 기업재정규정」 제19조에서도 퇴직 사유에 대한 별도의 제한 없이 1년 이상 일하다가 퇴직하는 종업원, 관리성원에게 퇴직보조금을 지불해야 한다고 규정하고 있다. 「개성공업지구 로동규정」에 따라 지불의무가 결정되어 집행된 결과에 대하여 「개성공업지구 기업재정규정」에 따라 재정결산(회계)을 한 후에 세금관련 법규를 적용하여 기업소득세를 계산하는 것이다. 따라서 퇴직보조금 지불의무에 대해서는 「개성공업지구 로동규정」을 우선적으로 적용하는 것이 합리적이고, 추후 남북 간 협의가 필요할 것으로 판단된다.

② 「개성공업지구 기업재정규정」 및 동 시행세칙과의 비교

퇴직보조금지불충당금과 관련하여, 2006년 및 2012년 시행세칙은 '종업원'만을 대상으로 하고 있으나, 「개성공업지구 기업재정규정」 제19조~제20조 및 동 시행세칙 제101조~제102조에서는 '관리성원'도 퇴직보조금 지불 및 충당금 설정 대상에 포함하고 있다. 하지만 퇴직보조금 지불의무에 대하여 규정하고 있는 「개성공업지구 로동규정」 제19조에서는 '종업원'만을 퇴직보조금 지불대상으로 규정하고 있다.

---

17) 북한은 2014년에 「개성공업지구 로동규정」을 일방적으로 변경하여 제19조의 내용에서 '기업의 사정으로'라는 표현을 삭제한 것으로 전해진다.

(2) 퇴직보조금지불충당금의 상계

상기 (1)에 따라 퇴직보조금지불충당금을 손실금에 포함한 기업이 종업원에게 퇴직금을 지불하는 경우, 당해 퇴직보조금지불충당금에서 먼저 지불하여야 한다.

(3) 퇴직보조금지불충당금 명세서의 제출

상기 (1)의 내용을 적용받으려는 기업은 퇴직보조금지불충당금에 관한 명세서를 세무소에 제출하여야 한다.

12 대손충당금

가. 재정결산 목적의 대손충당금

(1) 대손충당금의 설정한도

회수불가능한 판매채권, 대부금, 미수금에 대하여 일반기업은 당해 연도 말 채권잔고의 1%, 금융기업은 2%에 해당하는 금액을 미리 대손충당금으로 설정할 수 있다(개재규 제18조; 개재칙 제98조).

(2) 대손충당금의 설정대상

대손충당금 설정대상에는 매 회계연도의 판매채권, 대부금, 기타 그에 준하는 채권(이하 '채권잔고'라고 함)이 속한다. 여기서 그에 준하는 채권에는 재산의 양도대가인 미수금, 봉사의 제공대가인 미수가공료, 미수청부금, 미수수수료, 대부금의 미수이자, 미수임대료와 같이 기업의 수입에 관련이 있는 것들이 포함된다.(개재칙 제99조)

대손충당금 설정대상 채권잔고에서 제외되는 채권은 다음과 같다(개재칙 제99조 제1항~제5항).

① 보증금, 예탁금

② 전불노임, 전불여비 등 앞으로 청산되어야 할 비용의 전불금, 일시적으로 가불금, 대신지불금으로 계산되고 있는 채권

③ 전도금 등 재산의 취득대가에 포함되는 것

④ 예금, 공사채의 미수이자, 미수배당금

⑤ 실행정도에 따라 수입을 계산하는 장기공사인 경우 그 대상인도가 있을 때까지의 미수금

대손충당금 설정대상 채권잔고에 포함되는 채권 중에서 해당 채무자에 대하여 기업이 반대로 채무를 지고 있는 경우, 그 금액 부분은 실제적인 채권으로 인정되지 않으며 대손충당금 설정대상에서 제외시켜야 한다. 예를 들어, 동일한 기업 또는 기업에 대하여 i) 외상판매금, 받을 수형(手形, 어음), 외상구매금, 지불수형, 보증금이 있는 경우, ii) 대부금과 차입금, 외상구매금이 있는 경우, iii) 완성공사미수금과 미완성공사수입금이 있는 경우.(개재칙 제100조)

나. 기업소득세 계산 목적의 대손충당금

「개성공업지구 세금규정시행세칙」 제49조에 의하면, 대손충당금에 대한 세무상의 처리는 다음과 같다.

(1) 대손충당금의 손실금포함 한도

매 회계연도에 판매채권, 대부금 기타 이에 준하는 채권의 장부상 가격의 합계액(이하 '채권잔고'라고 함)을 대손에 충당하기 위하여 대손충당금을 손실금으로 계산한 경우, 당해 회계연도 마지막 날 현재의 채권잔고의 1%(금융기업은 2%)에 해당되는 금액을 손실금에 포함한다. 「개성공업지구 기업재정규정」 및 동 시행세칙의 내용과 동일하다.

(2) 대손금의 손실금포함

기업이 보유하고 있는 채권 중 채무자의 파산 등의 이유로 회수할 수 없는 판매채권 및 미수금 등 경제거래로 인한 채권(이하 '대손금'이라고 함)은 발생일로부터 3년이 경과하는 때 당해 회계연도의 소득금액계산에 있어서 이를 손실금에 포함한다(개세칙 제49조 제2항).

① 대손충당금을 손실금으로 계산한 기업이 대손금이 발생한 경우, 그 대손금을 대손충당금과 먼저 계산하여야 하며, 손실금과 계산하고 남은 대손충당금의 금액을 다음 회계연도의 소득금액계산에서 이익금에 포함한다(개세칙 제49조 제3항).

② 손실금에 포함한 대손금 중 회수한 금액은 그 회수한 날이 속하는 회계연도의 소득금액계산에서 이익금에 포함한다(개세칙 제49조 제4항).

(3) 대손충당금 및 대손금 명세서의 제출

상기 (1) 및 (2)를 적용받으려는 기업은 대손충당금 및 대손금에 관한 명세서를 세무소에 제출하여야 한다(개세칙 제49조 제5항).

제5절 손익의 귀속회계연도와 재산 및 채무의 평가

1 손익의 귀속회계연도

가. 기업회계와 발생주의 또는 실현주의

기업회계에서는 발생주의 또는 실현주의에 따라 손익의 귀속시기를 결정하는데, 수익은 관련 의무이행이 완료되고 합리적인 측정이 가능한 시점에 인식되고 비용은 수익-비용 대응의 원칙에 따라 관련 수익이 인식되는 시점에 함께 인식된다. 「개성공업지구 회계규정」 및 「개성공업지구 기업재정규정시행세칙」에서 수익 및 비용의 인식기준은 다음과 같다.

(1) 「개성공업지구 회계규정」 제23조 (수입의 계산)

① 상품, 제품의 판매수입은 그것을 판매하여 인도한 시점에 계산한다.
② 위탁판매수입은 위탁받는 자가 위탁품을 판매하여 인도한 시점에 계산한다.
③ 건설물인도, 봉사제공, 예약판매수입은 실행정도에 따라 수입을 계산한다.
④ 장기할부판매수입은 기간이 지난 정도에 따라 수입을 계산한다.

(2) 「개성공업지구 회계규정」 제24조 (비용의 계산)

① 생산원가는 제품생산과정에 실지 발행한 소비액에 기초하여 계산한다.
② 판매원가는 판매수입과 관련되는 비용지출만을 포함시켜 계산한다.
③ 판매비와 관리비는 실지 발생한 지출액에 기초하여 계산한다.
④ 이자와 기타 금융비용은 기간이 지난 정도에 따라 계산한다.

(3) 「개성공업지구 기업재정규정시행세칙」

① 제85조 (판매수입의 계산): 기업은 상품 또는 제품을 판매하여 인도한 시점에서 그 대금을 판매수입으로 계산하여야 한다. 판매당시 대금의 지불여부는 판매수입 계산에 영향을 주지 않는다. 판매할인, 반환, 퇴송된 상품 또는 제품 대금을 판매수입에서 공제한다.
② 제86조 (특수한 판매수입계산):
- 위탁판매에서는 판매한 위탁품만을 계산한다.

- 시험이용판매에서는 구매자가 구매의사를 표시한 상품 또는 제품만을 계산한다.
- 장기분할판매에서는 기간이 지난 정도를 고려하여 계산한다.
- 예약판매에서는 실행된 상품 또는 제품만을 계산한다.

③ 제87조 (건설물인도, 봉사수입계산): 기업이 건설물을 인도하거나 봉사를 제공한데 따르는 수입은 실행정도에 따라 계산한다. 수입 또는 실행률 같은 것을 합리적으로 추정할 수 없거나 수입금액의 회수가능성이 크지 않은 경우에는 발생한 원가의 범위 내에서 회수가능한 금액을 수입으로 계산한다.

④ 제88조 (위탁가공수입계산): 기업의 위탁가공수입은 실행정도에 따라 계산한다. 수입 또는 실행률 같은 것을 합리적으로 추정할 수 없거나 수입금액의 회수가능성이 크지 않은 경우에는 발생한 원가의 범위 내에서 회수가능한 금액을 수입으로 계산한다.

⑤ 제90조 (반제품과 부산품, 폐기폐설물판매수입계산): 기업은 반제품, 부산품, 폐기폐설물을 판매하여 얻은 수입을 기타 재정수입으로 계산하여야 한다.

한편, 「개성공업지구 기업재정규정시행세칙」 제84조(상품 또는 제품판매가격) 및 제89조(특수관계자와의 위탁가공비계산)에서는 '정상가격'에 의한 수익 인식에 대하여 규정하고 있다. 이 부분에 대해서는 「제6절 부당행위계산의 부인」에서 추가적으로 논의하고자 한다.

나. 기업소득세 계산과 권리의무 확정주의

기업소득세 계산 목적상 각 회계연도의 이익금과 손실금의 귀속회계연도는 해당 이익금과 손실금이 확정된 날이 속하는 회계연도로 한다(개세칙 제50조 제1항). 이는 남한 「법인세법」 제40조에서 규정하고 있는 권리의무 확정주의와 동일한 내용이다. 이러한 권리의무 확정주의는 기업회계에서의 수익과 비용을 권리의무의 법적인 확정에 초점을 두고 파악하려는 것이다. 따라서 양자가 항상 일치한다고 할 수는 없다. 「개성공업지구 세금규정시행세칙」 제50조의 거래유형별 손익의 귀속연도에 대한 내용은 아래에서 항을 바꾸어 살펴보도록 하겠다.

다. 재산의 판매손익 등

(1) 상품, 제품 또는 기타 생산품의 판매손익 (개세칙 제50조 제2항)

상품, 제품 또는 기타 생산품을 판매함으로써 생긴 판매손익의 귀속연도는 그 상품,

제품 또는 생산품을 인도한 날이 속하는 회계연도로 한다. 그러나 인도하지 않았으나 인도할 수 있는 상태에 있는 경우에는 인도할 수 있는 상태에 있는 날이 속하는 회계연도로 한다.

(2) 상품, 제품 또는 기타 생산품 이외의 재산의 양도손익 (개세칙 제50조 제3항)

상기 상품, 제품 또는 기타 생산품에 해당하지 않는 재산(예: 고정재산 등)을 양도하여 생긴 이익금과 손실금의 귀속회계연도는 그 대금을 청산한 날 또는 소유권이전등기를 한 날 중 빠른 날이 속하는 회계연도로 한다.

(3) 재산의 위탁매매손익 (개세칙 제50조 제4항)

재산을 타인에게 위탁하여 매매, 양도, 양수하여 생긴 손실금과 이익금의 귀속회계연도는 그 수탁자가 그 재산을 매매, 양도, 양수한 날이 속하는 회계연도로 한다.

(4) 재산의 임대료 (개세칙 제50조 제5항)

재산의 일부 또는 전부를 임대한 경우에는 그 계약조건에 따라 당해 회계연도 및 그 후의 회계연도에 있어서 각 회계연도의 임대료로서 수입될 금액과 이에 대응하는 비용을 해당 회계연도의 이익금과 손실금에 각각 포함한다.

(5) 재산의 분할지불 또는 연불조건 판매 (개세칙 제50조 제6항)

재산을 분할지불 또는 연불조건으로 판매하거나 양도한 경우에는 그 분할지불 또는 연불조건에 따라 당해 회계연도 및 그 후의 회계연도에 있어서 매 회계연도에 회수하였거나 회수할 판매 또는 양도금액과 이에 대응하는 비용을 해당 회계연도에 계산한 경우에는 이익금과 손실금에 각각 포함한다.

라. 건설, 봉사 등의 손익

(1) 연불조건 건설 및 봉사 (개세칙 제50조 제7항)

연불조건에 의하여 건설제조 및 봉사의 제공을 한 경우에는 그 연불조건에 따라 당해 회계연도 및 그 후의 회계연도에 있어서 각 회계연도에 접수하였거나 접수할 금액과 이에 대응하는 비용을 해당 회계연도의 이익금과 손실금에 각각 포함한다.

(2) 장기도급계약 건설 또는 제조 - 진행기준 (개세칙 제50조 제8항)

건설 또는 제조에 관한 장기도급계약(계약기간이 1년 이상)을 체결한 경우 그 대상물의 건설 또는 제조에 착수한 날이 속하는 회계연도로부터 그 대상물의 건설 또는 제조를 완료하여 그것을 도급자에게 인도한 날이 속하는 회계연도까지의 각 회계연도의 손익은 그 대상물의 건설 또는 제조를 완료한 정도를 기준으로 하여 계산한 수익과 비용을 당해 회계연도의 이익금과 손실금에 각각 포함한다.

마. 이자 등의 귀속회계연도

(1) 수입하는 이자와 할인액 및 배당소득 (개세칙 제50조 제9항 제1호)

수입하는 이자와 할인액 및 배당소득은 실제로 지불을 받은 날이 속하는 회계연도의 이익금으로 한다.

(2) 지불하는 이자 (개세칙 제50조 제9항 제2호)

지불하는 이자 등은 실제로 지불한 날이 속하는 회계연도의 손실금으로 한다. 그러나 결산을 확정함에 있어서 이미 경과한 기간에 대응하는 이자 등을 당해 회계연도의 손실금으로 계산한 경우에는 그 계산한 회계연도의 손실금으로 한다.

(3) 금융, 보험업 기업의 경우 (개세칙 제50조 제10항)

금융, 보험업을 경영하는 기업이 수입하는 이자, 보험료와 같은 고유수입 항목 또는 보증료가 포함되는 회계연도는 해당 수입금이 실제로 수입된 회계연도로 하되 해당 항목에 따르는 선수입금은 제외한다. 그러나 그 기업이 해당 항목의 미수수입금은 그것이 수입으로서 확정된 날이 속하는 회계연도의 수익으로 계산한 경우에는 예외로 한다.

2 재산 및 채무의 평가

가. 원칙: 평가 전 장부가격

기업이 보유하는 재산 및 채무의 장부가격을 증가 또는 감소(감가상각을 제외하며, 아래에서는 '평가'라고 함)한 경우, 그 평가일이 속하는 회계연도 및 그 후의 매 회계연도의 소득금액계산에서 당해 재산 및 채무의 장부상 가격은 평가하기 전의 가격으로 한다(개세칙 제51조 제1항).

나. 예외: 시가 평가

다음에 해당하는 경우에는 평가 전의 가격으로 계산할 수 없다(개세칙 제51조 제1항 제1호~제3호). 즉 장부가격의 증가 또는 감소가 적용된 시가로 평가한다.

① 재고재산(제품 및 상품, 반제품 및 재가공품, 원재료, 저장품)의 평가
② 유가증권(주식 등, 채권)의 평가
③ 화폐성 외화재산 및 채무의 평가

다. 특수 상황 - 장부가격 감액 인정

다음의 경우에는 그 장부상 가격을 감소할 수 있는데, 이 경우 당해 재산 및 채무의 평가에 관한 명세서를 세무소에 제출하여야 한다(개세칙 제51조 제2항~제3항).

① 재고재산으로서 파손, 부패 등의 이유로 인하여 정상가격으로 판매할 수 없는 것.
② 고정재산으로서 폭우, 지진과 같은 불가항력적 요인이나 화재 등의 이유로 인하여 파손 또는 멸실된 것.
③ 주식 등으로서 그 발행기업이 부도가 발생한 경우의 당해 주식 등.
④ 주식 등을 발행한 기업이 파산한 경우의 당해 주식 등.

3 재고자산의 평가

가. 재고자산의 평가방법

재고재산의 평가는 다음에 해당하는 방법 중 기업이 세무소에 신고한 방법에 따르며, 제품 및 상품, 반제품 및 재가공품, 원재료, 저장품으로 구분하여 종류별로 각각 다른 방법에 의하여 평가할 수 있다. 이 경우 수익과 비용을 영업의 종류별로 각각 구분하여 기장하고 종목별로 제조원가보고서와 손익계산서를 작성하여야 한다.(개세칙 제52조 제1항~제2항)

① 원가법: 개별법, 선입선출법, 후입선출법, 총평균법, 이동평균법, 판매가격환원법
② 저가법

상기 평가방법에 따라 재고재산을 평가한 경우에는 재고재산평가조정명세서를 세무소에 제출하여야 한다(개세칙 제52조 제6항).

나. 재고자산 평가방법의 신고

(1) 재고자산 평가방법의 신고 방법

재고재산의 평가방법을 신고하려는 경우에는 다음의 기한 내에 재고재산평가방법신고 또는 변경신고서를 세무소에 제출하여야 한다. 저가법을 신고하는 경우에는 시가와 비교되는 원가법을 함께 신고하여야 한다.(개세칙 제52조 제3항)

① 당초신고: 새로 설립한 기업은 당해 기업의 설립일 또는 수익사업개시일이 속하는 회계연도의 기업소득세 과세표준의 신고기한

② 변경신고: 당초신고를 한 기업이 그 평가방법을 변경하려는 경우 변경할 평가방법을 적용하려는 회계연도의 마지막 날 이전 3월이 되는 날

(2) 당초신고를 기한 내에 하지 않는 경우

세무소가 선입선출법(매매를 목적으로 소유하는 부동산의 경우에는 개별법)에 의하여 재고재산을 평가한다(개세칙 제52조 제4항 제1호).

(3) 신고한 방법 외의 방법으로 평가 또는 기한 내 변경신고 없이 변경한 경우

세무소가 선입선출법(매매를 목적으로 소유하는 부동산의 경우에는 개별법)에 의하여 재고재산을 평가한다. 다만, 신고한 평가방법에 의하여 평가한 가격이 선입선출법에 의하여 평가한 가격보다 큰 경우에는 신고한 평가방법에 의한다.(개세칙 제52조 제4항 제2호~제3호)

(4) 당초신고 및 변경신고를 기한이 경과된 후에 신고한 경우

그 신고일이 속하는 회계연도까지 상기 (2) 또는 (3)을 적용하며, 그 후의 회계연도부터는 기업이 신고한 평가방법에 의한다(개세칙 제52조 제5항).

4 유가증권 등의 평가

(1) 유가증권의 평가는 개별법(채권의 경우에 한함), 총평균법, 이동평균법 중에서 기업이 세무소에 신고한 방법에 의한다(개세칙 제53조 제1항).

(2) 재고자산 평가방법 신고 및 재고자산평가조정명세서와 관련된 규정(개세칙 제52조 제3항 및 제6항)은 유가증권의 평가에도 적용한다. 이 경우 제52조 제4항 규정에서 선입선출법은 총평균법으로, 제6항의 재고재산평가조정명세서는 유가증권평가조정명세서로 본다.(개세칙 제53조 제2항)

5 외화재산 및 채무의 평가

(1) 화폐성 외화재산 및 채무는 회계연도 마지막 날 현재 중앙지도기관의 합의를 받은 대상이 발표하는 당일 국제환자시세에 의하여 평가한다(개세칙 제54조 제1항). 이 경우 외화재산 등 평가손익조정명세서를 세무소에 제출하여야 한다(개세칙 제54조 제4항).

(2) 화폐성 외화재산 및 채무를 평가함에 따라 발생하는 평가한 다른 화폐금액과 기장액의 차익 또는 차손은 당해 회계연도의 이익금 또는 손실금에 이를 포함한다(개세칙 제54조 제2항).

(3) 기업이 상환받거나 상환하는 외화채권, 채무의 다른 화폐금액과 기장액의 차익 또는 차손은 당해 회계연도의 이익금 또는 손실금에 이를 포함한다(개세칙 제54조 제3항).

제6절 부당행위계산의 부인

세무소는 기업의 행위 또는 소득금액의 계산이 특수관계에 있는 자와의 거래에 있어서 그 기업의 소득에 대한 조세의 부담을 부당하게 감소시킨 것으로 인정되는 경우, 그 기업의 행위 또는 소득금액의 계산에 관계없이 그 기업의 매 회계연도의 소득금액을 재계산할 수 있다(개세칙 제55조 제1항). 이 경우 정상적인 거래에서 적용되거나 적용될 것으로 판단되는 가격(요율, 이자율, 임대료 및 교환비율 등 이에 준하는 것을 포함하며, 이하 '시가'라고 함)을 기준으로 한다(개세칙 제55조 제2항).

1 부당행위계산의 유형

소득에 대한 조세의 부담을 부당하게 감소시킨 것으로 인정되는 경우는 다음과 같다(개세칙 제55조 제1항 제1호~제9호).

① 재산을 시가보다 높은 가격으로 구입 또는 현물로 출자받았거나 그 재산을 과대상각한 경우

② 무수익재산을 구입 또는 현물로 출자받았거나 그 재산에 대한 비용을 부담한 경우

③ 재산을 무상 또는 시가보다 낮은 가격으로 양도 또는 현물로 출자하였을 경우

④ 불량재산을 교환하거나 불량채권을 양수한 경우
⑤ 출연금을 대신 부담한 경우
⑥ 화폐, 기타 재산 또는 봉사를 무상 또는 낮은 이율이나 임대료로 대부하거나 제공한 경우. 다만, 주주 등이나 출연자가 아닌 관리성원 및 사용인에게 사택을 제공하는 경우를 제외한다.
⑦ 화폐, 기타 재산 또는 봉사를 시가보다 높은 이율이나 임차료로 제공하거나 받았을 경우
⑧ 다음에 해당하는 자본거래로 인하여 주주 등인 기업이 특수관계자인 다른 주주 등에게 이익을 분여한 경우
  i) 기업의 증자에 있어서 신주를 배정받을 수 있는 권리의 전부 또는 일부를 포기하거나 신주를 시가보다 높은 가격으로 인수하는 경우
  ii) 기업의 감자에 있어서 주주 등의 소유주식 등의 비율에 의하지 않고 일부 주주 등의 주식 등을 소각하는 경우
⑨ 기타 상기 ①~⑧에 준하는 행위 또는 계산 및 그 외에 기업의 이익을 분여하였다고 인정되는 경우

2012년 시행세칙 제52조에서는 상기 ①~⑨ 항목들을 '부당행위계산의 유형'이 아니라 직접적인 '소득금액 재계산의 대상'으로 열거하면서, 제1항에 "특수관계자와의 거래에 있어서 소득에 대한 조세의 부담을 부당하게 감소시킨 것으로 인정되는 경우"를 상기 항목들과 동등한 위치에 포함시키고 있다. 결과적으로, 의도한 것은 아닐 수 있지만 2012년 시행세칙 제52조는 조문의 논리적 구조가 다음과 같이 2006년 시행세칙과 상당한 차이가 있다. 첫째, 제52조 제1항 이외에는 '특수관계자와의 거래'라는 전제가 적용되지 않는다. 둘째, 제52조 제1항 이외에는 '행위 또는 계산의 부당성'과의 논리적 연결이 취약해졌다. 셋째, 제52조 제1항에 근거하여 과세당국이 소득금액을 재계산할 수 있는 재량이 상대적으로 커졌다. 2012년 시행세칙 제52조는 전체적으로 재검토가 필요해 보인다.

2 특수관계자의 범위

'특수관계에 있는 자'라 함은 다음의 관계에 있는 자를 말한다(개세칙 제55조 제3항 제1호~제7호).

① 관리성원에 대한 인사권의 행사, 경영상의 주요의사결정 등 당해 기업의 경영에 대하여 실질적인 영향력을 행사하고 있다고 인정되는 자와 그 친척

② 주주 등(소액주주 등은 제외)과 그 친척

i) '소액주주 등'은 발행주식총수 또는 출자총액의 1%에 미달하는 주식 또는 출자증권을 소유한 주주 또는 출자자를 말한다. 그러나 당해 기업의 지배주주 등과 특수관계에 있는 자는 소액주주 등으로 보지 않는다.(개세칙 제55조 제4항)

ii) '지배주주 등'은 기업의 발행주식총수 또는 출자총액의 1% 이상의 주식 또는 출자증권을 소유한 주주와 출자자로서 그와 특수관계에 있는 자와의 소유주식 또는 출자증권의 합계가 당해 법인의 주주 또는 출자자 중 가장 많은 경우의 당해 주주 또는 출자자를 말한다(개세칙 제55조 제5항).

③ 기업의 관리성원, 사용인 또는 주주 등의 사용인(주주 등이 영리기업인 경우에는 그 관리성원을, 비영리기업인 경우에는 그 이사 및 설립자를 말한다.)이나 사용인 외의 자로서 기업 또는 주주 등의 화폐나 기타 재산에 의하여 생활을 유지하는 자와 이들과 생활을 함께 하는 친척

④ 상기 ① 또는 ③에 해당하는 자가 발행주식총수 또는 출자총액의 30% 이상을 출자하고 있는 다른 기업

⑤ 상기 ④ 또는 하기 ⑦에 해당하는 기업이 발행주식총수 또는 출자총액의 50% 이상을 출자하고 있는 다른 기업

⑥ 당해 기업에 50% 이상을 출자하고 있는 기업에 50% 이상을 출자하고 있는 기업이나 개인

⑦ 상기 ① 또는 ③에 해당하는 자 및 당해 기업이 이사의 과반수를 차지하거나 출연금(설립을 위한 출연금에 한함)의 50% 이상을 출연하고 그중 1명이 설립자로 되어 있는 비영리법인

3 특수관계자와의 위탁가공거래

「개성공업지구 기업재정규정시행세칙」 제84조(상품 또는 제품판매가격)에서는 상품 또는 제품을 판매시장 또는 국제시장에서 시기별로 형성되는 정상적인 거래가격보다 현저히 낮은 가격으로 판매할 수 없다는 일반적인 원칙을 규정하고 있는데, 동 시행세칙 제89조에서는 특수관계자와의 위탁가공거래에 대하여 아래와 같이 별도의 규정을 두고 있다.

> 「개성공업지구 기업재정규정시행세칙」 제89조(특수관계자와의 위탁가공비계산)
> 기업의 가공위탁자가 특수관계자인 경우, 그가 지불하는 위탁가공비 수준은 독립적인 기업들 사이의 위탁가공비 수준과 현저히 차이가 없어야 하며, 위탁가공비가 명확히 밝혀진 위탁가공 계약서가 구비되어야 한다. 특수관계자와의 거래로부터 발생한 위탁가공수입은 그렇지 않은 조건 밑에서 이루어질 수 있는 정상적인 위탁가공수입을 고려하여 수입으로 계산하여야 하며 독립적인 기업들 사이의 위탁가공수입인 경우 그대로 계산한다. 기업이 가공위탁자로부터 위탁가공비를 직접 받지 않고 공업지구 밖의 특수관계자가 분배하여 기업에 보내오는 경우 분배된 대금이 아니라 가공위탁자가 지불하는 위탁가공비 전액을 판매수입으로 계산하여야 한다.

상기 내용은 실질적으로 부당행위계산의 부인 또는 국제적 이전가격 과세와 관련된 규정이라고 할 수 있다.

제7절 과세표준 및 세액의 신고와 납부

1 과세표준 및 세액의 신고

기업은 매 회계연도의 마지막 날부터 3개월 안에 당해 회계연도의 소득에 대한 기업소득세의 과세표준과 세액을 세무소에 신고하여야 한다(개세칙 제56조 제1항). 매 회계연도에 소득금액이 없거나 결손금이 있는 기업의 경우에도 이를 적용한다(개세칙 제56조 제3항).

세금신고서에는 다음과 같은 서류를 첨부한다(개세칙 제56조 제2항).

① 기업회계기준에 기초하여 작성한 대차대조표, 손익계산서, 이익잉여금처분계산서 또는 결손금처리계산서, 현금흐름표

② 세무소가 정하는 바에 따라 작성한 세무조정계산서

③ 기타 세무소가 정하는 서류

세금신고서 및 기타 서류들에 결함이 있는 경우 이를 수정할 것을 요구할 수 있으며, 수정결과에 객관성이 보장되지 않는다고 인정되는 경우 세무소의 판단에 따라 결정할 수 있다(개세칙 제56조 제5항).

세금신고서에 상기 ① 및 ②의 서류를 첨부하지 않는 경우에는 이를 「개성공업지구

세금규정」 및 동 시행세칙에 의한 신고로 보지 않는다(개세칙 제56조 제4항).

2012년 시행세칙에서는 상기 ① 및 ② 서류가 첨부되지 않았을 경우 무신고로 간주한다는 「개성공업지구 세금규정시행세칙」 제56조 제4항이 삭제되었다. 하지만, 세금신고서 및 기타 서류들에 결함이 있는 경우 세무소의 판단에 따라 결정할 수 있다는 규정(개세칙 제56조 제5항)이 남아 있기 때문에 해당 조문이 없더라도 실질적으로는 차이가 없을 것으로 보인다.

2 예정납부 및 확정납부

가. 예정납부

(1) 직전 회계연도 실적 기준

매 회계연도의 기간이 6개월을 초과하는 기업은 당해 회계연도 개시일부터 6개월을 예정납부기간으로 하여 당해 회계연도의 직전 회계연도의 기업소득세로서 납부한 세금의 2분의 1을 그 예정납부기간이 경과한 날부터 2개월 안에 세무소에 납부하여야 한다(개세규 제25조; 개세칙 제57조 제1항). 따라서 회계연도가 6개월 이하인 법인은 예정납부 의무가 없다고 할 수 있다.

6개월 기간의 이윤을 정확히 계산할 수 없는 경우에는 전년도에 납부한 세금의 2분의 1을 예정납부하여야 한다(개세규 제25조).

(2) 가결산 방식

직전 회계연도의 기업소득세액이 없는 기업은 당해 예정납부기간을 1 회계연도로 보고 산출한 기업소득세액을 예정납부세액으로 하여 세무소에 납부하여야 한다(개세칙 제57조 제2항). 또한 「개성공업지구 세금규정」 제25조에 따라 6개월 기간의 이윤을 정확히 계산할 수 없는 경우에는 전년도 납부세액의 2분의 1을 예정납부하지만, 6개월의 예정납부기간에 대한 이윤을 정확히 계산할 수 있는 경우에는 가결산 방식도 적용할 수 있는 것으로 판단된다.

나. 확정납부

(1) 확정 신고 및 납부

기업은 매 회계연도의 소득에 대한 기업소득세의 산출세액에서 당해 회계연도의 예정납부세액을 공제한 금액을 매 회계연도의 소득에 대한 기업소득세로서 과세표준 및 세액의 신고기한(회계연도의 마지막 날부터 3개월) 내에 세무소에 납부하여야 한다(개세규 제25조; 개세칙 제58조). 이 경우 과납액은 반환받고 미납액은 추가납부한다(개세규 제25조).

(2) 회계검증 및 세무소 확인

기업은 기업소득세를 확정납부하기 전에 연간회계결산서에 대한 회계검증을 받아야 한다. 다만 연간 판매 및 봉사수입액은 US＄300만 미만인 기업은 회계검증을 받지 않을 수도 있다.(개세규 제26조)

회계검증을 받기 위해서는 회계연도가 지난 다음 60일 안으로 연간회계결산서를 공업지구 회계검증사무소에 제출하여야 하며, 연간회계결산서는 회계검증을 받아야 효력을 갖는다(개회규 제33조).[18]

또한 회계연도가 끝난 날부터 3개월 안으로 연간회계결산서와 연간기업소득세납부신고서를 세무소에 제출하여 확인을 받은 다음 세금을 해당 은행에 납부하여야 한다(개세규 제27조).

(3) 해산, 통합, 분리시 납부기간

해산, 통합, 분리되는 기업은 그 선포일부터 2개월 안에 기업소득세를 납부하여야 한다(개세규 제28조).

3 비영리지사, 공업지구 밖 기업 등의 세금납부

영리활동을 전문으로 하지 않는 지사, 영업소, 사무소가 기타소득을 얻은 경우에는 수익단위가 다음달 10일 안에 신고납부한다(개세규 제34조). 공업지구 밖의 기업, 경제조직, 단체가 공업지구 안에서 기타소득을 얻은 경우에는 소득지불단위가 다음달 10일 안에 소득을 지불하기 전에 공제하여 납부한다(개세규 제34조).

2012년 시행세칙은 제58조를 신설하여, 공업지구 밖의 기업, 경제조직, 단체가 공업지구 안에서 얻은 기타소득의 세금납부방법과 기간에 대하여 다음과 같은 내용을 추가하였다.

(1) 공업지구에서 기타소득을 얻은 경우에는 소득지불단위가 거래계약의 대금결제시

18) 월, 분기, 반년 회계결산서의 검증은 기업의 신청에 따른다(개회규 제33조).

점에서 공제하여 다음달 10일 안으로 대리납부한다(2012년 시행세칙 제58조 제1항). 이 부분은 공제납부를 규정한 상기 「개성공업지구 세금규정」 제34조의 내용과 동일하다.

(2) 매 회계연도 안에 공업지구 밖의 기업, 경제조직, 단체에 대한 소득을 지불하지 못한 대리납부의무자는 회계결산서가 제출된 다음달 10일 안으로 미지급소득에 대한 납부세액을 신고납부하며, 납부된 세액은 소득지불시기에 소득지불액에서 차감하여야 한다(2012년 시행세칙 제58조 제2항).

제8절 세액의 결정, 경정 및 징수

1 세액의 결정 및 경정

(1) 세액의 결정

세무소는 기업이 「개성공업지구 세금규정시행세칙」 제56조에 의한 과세표준 및 세액의 신고를 하지 않은 때에는 당해 기업의 매 회계연도 소득에 대한 기업소득세의 과세표준과 세액을 결정한다(개세칙 제59조 제1항).

(2) 세액의 경정(수정과세)[19)]

세무소는 「개성공업지구 세금규정시행세칙」 제56조에 의한 과세표준 및 세액의 신고를 한 기업의 신고내용에 오류 또는 탈루가 있는 때에는 당해 기업의 매 회계연도 소득에 대한 기업소득세의 과세표준과 세액을 경정(수정과세)한다(개세칙 제59조 제2항).

(3) 결정 및 경정(수정과세)의 방법

세무소는 상기 (1), (2)에 따라 기업소득세의 과세표준과 세액을 결정 또는 경정(수정과세)하는 경우에는 장부, 기타 증빙서류를 근거로 하여야 한다. 그러나 장부, 기타 증빙서류에 의하여 소득금액을 계산할 수 없는 경우에는 추계할 수 있다.(개세칙 제59조 제3항)

19) 2006년 시행세칙에서는 '경정'으로 표현하고, 2012년 시행세칙에서는 '수정과세'로 표현하고 있다.

(4) 결정 또는 경정(수정과세) 후 재경정

세무소는 과세표준과 세액에 대한 결정 또는 경정(수정과세)이 있은 후, 그 결정 또는 경정(수정과세)에 오류 또는 탈루가 있는 것을 발견한 때에는 즉시 이를 다시 경정(수정과세)한다(개세칙 제59조 제4항).

(5) 결정 및 경정(수정과세) 통지

세무소는 상기 (1)~(4)에 따라 과세표준과 세액을 결정 또는 경정(수정과세)한 때에는 이를 해당 기업에게 통지하여야 한다(개세칙 제61조).

2012년 시행세칙에서는 상기 (1)~(5)의 문장 표현을 일부 수정하였으나 전반적인 내용에는 변화가 없는 것으로 판단된다.

2 소득처분

매 회계연도의 소득에 대한 기업소득세의 과세표준을 신고하거나 기업소득세의 과세표준을 결정 또는 경정(수정과세)한 후의 이익금에 포함한 금액은 그 귀속자에 따라 **상여, 배당, 기타 기업외 유출, 기업내 보유**[20] 등으로 처분한다(개세칙 제60조).

3 징수

(1) 미납된 확정납부세액 및 연체료의 징수

세무소는 기업이 특별한 이유없이 「개성공업지구 세금규정」 제25조(예정납부, 확정납부기간과 방법)의 규정에 의하여 매 회계연도의 소득에 대한 기업소득세로서 납부하여야 할 세액의 전부 또는 일부를 납부하지 않은 때에는 그 미납된 기업소득세액과 해당한 연체료를 그 납부기한이 경과한 날부터 2개월 내에 징수하여야 한다(개세칙 제62조 제1항).

(2) 미납된 예정납부세액의 징수

세무소는 기업이 특별한 이유없이 「개성공업지구 세금규정시행세칙」 제57조(예정납부)의 규정에 의하여 납부하여야 할 예정납부세액의 전부 또는 일부를 납부하지 않은

20) 남한 「법인세법」 상 상여, 배당, 기타사외유출, 유보 등에 대응되는 것이다.

때에는 그 미납된 예정납부세액을 그 납부기한이 경과한 날부터 2개월 내에 징수하여야 한다(개세칙 제62조 제2항). 미납된 예정납부세액에 대하여는 연체료에 대한 내용은 규정되어 있지 않다. 이후 확정납부 절차가 있기 때문인 것으로 보인다.

(3) 강제집행(2012년 시행세칙에 추가)

납세자(공제납부의무자 포함)가 정해진 기한 내에 세금을 납부하지 않거나 세무소가 정한 기한 내에 세금을 납부하지 않은 경우 세무소는 강제집행조치를 취할 수도 있다(2012년 시행세칙 제62조 제3항으로 추가). '강제집행'은 「외국투자기업 및 외국인세금법 시행규정」 제70조 및 동 시행규정세칙 제93조에 규정된 '강제징수'와 유사한 것으로 보인다.

제9절 기업소득세의 면제 및 감면

1 기업소득세의 면제 및 감면

(1) 장려부문과 생산부문

장려부문과 생산부문에 투자하여 15년 이상 운영하는 기업에 대해서는 이윤이 나는 해부터 기업소득세를 5년간 면제하고, 그 다음 3년간은 50% 덜어 준다(개세규 제29조 제1항). 참고로 「외국투자기업 및 외국인세금법」(외세법 제16조 제3항~제4항; 외세규 제17조 제2항~제3항; 외세칙 제25조 제2항 제2호~제3호 및 제3항 제1호)에서는 장려부문에 대해서는 3년간 면제하고 그 다음 2년간 50% 범위에서 덜어 주고, 생산부문에 대해서는 10년 이상 운영하는 기업에 대하여 2년간 면제하여 준다.

(2) 봉사부문

봉사부문에 투자하여 10년 이상 운영하는 기업에 대해서는 이윤이 나는 해부터 기업소득세를 2년간 면제하고 그 다음 1년간 50%를 덜어 준다(개세규 제29조 제2항). 참고로 「외국투자기업 및 외국인세금법」(외세법 제16조 제5항; 외세규 제17조 제2항; 외세칙 제25조 제2항 제4호)에서는 봉사부문에 대해서 1년간 면제한다.

(3) 이윤의 재투자

이윤을 재투자하여 3년 이상 운영하는 기업에 대해서는 재투자분에 해당한 기업소득세의 70%를 다음 연도에 바쳐야 할 세금에서 덜어준다(개세규 제29조 제3항). 참고로 「외국투자기업 및 외국인세금법」(외세법 제16조 제6항; 외세규 제17조 제3항; 외세칙 제25조 제3항 제2호~제3호)에서는 이윤 재투자와 관련하여 기업소득세의 전부 반환(장려부문) 또는 50% 반환을 규정하고 있다.

(4) 회계검증과 감면기간 (2012년 시행세칙 제56조 신설)

신설된 2012년 시행세칙 제56조 제6항에 의하면, 회계결산검증을 받지 않는 대상에는 「개성공업지구 세금규정」 제29조(기업소득세의 면제, 감면)에 따르는 감면기간을 적용하지 않는다. 여기서 감면기간을 적용하지 않는다는 것은 회계결산검증 대상이 아닌 소규모 기업에 대해서는 감면을 적용하지 않는다는 의미로 보인다. 하지만 회계결산검증 문제와 별개로 소규모 기업의 경우 오히려 감면 적용이 더욱 필요할 수 있다.

2 기업소득세 감면기간 및 감면신청서 제출

(1) 감면기간

기업소득세의 감면기간은 이윤이 나는 해부터 연속하여 계산하며, 경영손실이 난 해에 대해서도 기업소득세의 감면기간에 포함시킨다(개세규 제30조).

(2) 감면신청서의 제출

기업소득세를 감면받으려는 기업은 세무소에 신청서와 경영기간, 재투자액을 증명하는 확인문건을 내야 한다. 신청서에는 명칭과 소재지, 업종, 이윤이 생긴 연도, 총투자액, 거래은행, 돈자리번호 등을 밝힌다.(개세규 제31조)

3 기업소득세 감면세액의 회수

기업소득세를 면제받거나 감면받은 기업이 「개성공업지구 세금규정」 제29조에 정한 기간 전에 철수, 해산하거나 재투자한 자본을 거두어들인 경우, 이미 면제 또는 감면하여 주었던 기업소득세를 회수(추징)한다(개세규 제32조; 개재칙 제137조). 여기서 '정한 기간'에 대하여 「개성공업지구 기업재정규정시행세칙」 제137조에서는 '정한 기업운영기간'이라고 표현하고 있다. 즉 장려부문 및 생산부문 15년 이상, 봉사부문 10년 이상 그리고 이윤 재투자하여 3년 이상 운영하여야 한다는 기간 요건을 의미하는 것으로 보인다.

제3장

개인소득세

「개성공업지구 세금규정」의 개인소득세 부분은 6개 조문으로 이루어져 있고, 동 시행세칙의 개인소득세 부분은 8개(2012년 시행세칙은 7개) 조문으로 구성되어 있다.

1 개인소득세의 납부의무자

「개성공업지구 세금규정」 제35조(개인소득세의 납부의무)에서는 공업지구에서 소득을 얻은 개인은 개인소득세를 납부하여야 한다고 규정하고 있다. 2006년 시행세칙 제63조(개인소득세의 납세의무자)에서는 공업지구에 182일 이상 체류, 거주하거나 소득을 얻은 개인은 개인소득세를 납부하여야 한다고 규정하고 있다. 2006년 시행세칙은 182일 이상 체류·거주요건과 소득 요건을 선택적으로 적용하는 것처럼 표현하고 있으나, 182일 이상 체류·거주요건을 충족하는 경우 거주자에 해당된다는 것이고, 과세대상 소득이 있을 경우 개인소득세 납부의무자가 된다는 것으로 이해된다. 거주성 판단문제와 과세대상 소득의 존재여부에 대한 판단을 구분하여 정리할 필요가 있어 보인다.

2012년 시행세칙 제63조(개인소득세의 납세의무자)에서는 공업지구에 183일 이상 체류, 거주하거나 소득을 얻은 개인은 개인소득세를 납부하여야 한다고 규정하고 있다. 국제기준에 맞추어 182일이 아닌 183일 이상으로 수정한 것으로 보인다.

2 개인소득세의 과세대상 소득

개인소득세의 과세대상 소득은 다음과 같다(개세규 제35조; 개세칙 제64조). 기본적으로 소득원천설[21]에 입각한 열거주의 과세방식인 것으로 보인다.

21) 과세소득의 개념은 순자산증가설과 소득원천설로 구분되는데, 소득원천설은 소득을 노동·사업 또는 재산과 같은 특정의 원천으로부터 주기적 또는 반복적으로 유입되는 수입으로 정의한다. 김완석·정지선, 『소득세법론 (개정23판)』, 삼일인포마인, 2017, 39~40쪽. 남한의 「소득세법」도 소득원천설을 따르고 있다.

(1) 노동보수

공업지구에서 노동을 제공하고 받는 노임, 연금 또는 퇴직금 등 이와 유사한 성질의 노동보수

(2) 이자소득과 배당소득

공업지구에 고정영업장을 둔 기업으로부터 받는 이자 또는 이익이나 잉여금의 배당 또는 분배소득

(3) 고정재산임대소득

공업지구에서 고정재산(토지와 그 부착물, 자동차 등)의 임대 등으로 하여 생기는 소득

(4) 재산판매소득

공업지구에서 재산(부동산, 주식 또는 출자증권 등)의 판매 등으로 하여 발생하는 소득

(5) 지적재산권과 기술비결의 제공에 의한 소득

공업지구에서 저작권, 상표권, 특허권, 공업도안권을 비롯한 지적재산권과 기술비결의 제공 등으로 인하여 발생하는 소득

(6) 경영봉사소득

공업지구에서 기술고문, 기능공양성, 상담 등의 제공으로 인하여 발생하는 소득

(7) 증여소득

공업지구에서 재산을 증여받음으로 인하여 발생하는 소득

3 개인소득세의 과세표준, 세율 및 세액 계산

개인소득세는 아래 과세표준에 세율을 적용하여 계산하며, 이러한 과세표준과 세율을 표로 정리하면 다음과 같다(개세규 제36조~제37조; 개세규/개세칙 부록 1 및 부록 2).

<표 3-2> 개인소득세의 과세표준과 세율

과세대상	과세표준 계산 및 구간 (US$)		세율
노동보수	월노동 보수액에서 30% 공제	500	(과세최저한 또는 면세점)
		500 이상 ~ 1,000	500을 초과하는 금액의 4%
		1,000 이상 ~ 3,000	20 + 1,000을 초과하는 금액의 7%
		3,000 이상 ~ 6,000	160 + 3,000을 초과하는 금액의 11%
		6,000 이상 ~ 10,000	490 + 6,000을 초과하는 금액의 15%
		10,000 이상	1,090 + 10,000을 초과하는 금액의 20%
증여소득	소득액	10,000	(과세최저한 또는 면세점)
		10,000 이상 ~ 100,000	10,000을 초과하는 금액의 2%
		100,000 이상 ~ 500,000	1,800+100,000을 초과하는 금액의 5%
		500,000 이상 ~ 1,000,000	21,800+500,000을 초과하는 금액의 8%
		1,000,000 이상 ~ 3,000,000	61,800+1,000,000을 초과하는 금액의 11%
		3,000,000 이상	281,800+3,000,000을 초과하는 금액의 14%
이자소득	소득액		10%
배당소득, 고정재산임대소득	소득액에서 70% 공제		10%
재산판매소득, 지적재산권과 기술비결 제공소득, 경영봉사 소득	소득액에서 30% 공제		10%

자료: 관련 법규 내용을 기초로 저자 작성.

노동보수와 증여소득에 대해서는 각각 US$500와 US$10,000의 과세최저한 또는 면세점이 설정되어 있다. 과세최저한은 소득세가 과세되는 최저의 금액을 의미하며, 면세점은 소득세가 과세되지 않는 최고의 금액을 의미한다.

한편, 현금이 아닌 물품, 유가증권에 대하여 개인소득세를 부과할 경우에는 취득할 당시의 현지가격으로 계산한다(개세규 제38조).

4 개인소득세의 납부

가. 납부기한 및 납부방법

(1) **노동보수** (개세규 제39조 제1항):

① 소득을 얻은 다음달 10일 안으로 노동보수를 지불하는 단위가 공제납부하거나 수익인이 신고납부한다.

② 공업지구 안에 있는 기업 또는 비영리지사, 영업소, 사무소를 대신하여 공업지구 밖에 있는 기업, 경제조직, 단체가 노동보수를 지불할 경우에는 지구 안에 있는 기업 또는 비영리지사, 영업소, 사무소가 공제납부한다.

(2) **재산판매소득, 증여소득** (개세규 제39조 제2항): 소득을 얻은 날부터 30일 안으로 수익인이 신고납부한다.

(3) **이자소득, 배당소득, 고정재산임대소득, 지적재산권과 기술비결 제공 소득, 경영봉사소득**(개세규 제39조 제3항): 소득을 얻은 다음달 10일 안으로 소득을 지불하는 기업이 공제납부하거나 수익인이 신고납부한다.

나. 납부절차

개인소득세 납부의무를 지닌 개인은 소득을 얻은 다음달 10일 안으로 세무소의 확인을 받은 개인소득세납부신고서에 따르는 세금을 다음과 같이 납부하여야 한다(개세칙 제66조).

(1) 공업지구에 거주 또는 체류하거나 소득을 얻은 개인은 소득지불단위 또는 공증기관의 확인이 있는 월별소득자료와 증빙서류를 첨부하여 매월 10일까지 세무소에 신고하여야 한다. 이 경우 기업에 소속된 개인에 대해서는 기업이 종합적으로 작성하여 증빙서류와 함께 제출할 수도 있다.(개세칙 제66조)

소득을 얻은 개인이 소득지불단위나 공증기관의 확인을 받아서 관련 서류를 제출하는 절차는 수익인의 신고납부 절차로 보이고, 소속 기업이 종합하여 제출하는 절차는 공제납부 절차로 보인다.

(2) 개인소득에 대한 세금납부는 월별로 하는 것을 원칙으로 한다. 그러나 필요한 경우 세무소의 합의를 받고 182일(2012년 시행세칙: 183일) 이상 체류, 거주하는데 따라

연중에 얻은 소득에 대한 월별종합계산서, 그에 따르는 증빙서류와 함께 일시에 납부할 수도 있다.(개세칙 제66조)

(3) 상기 「개성공업지구 세금규정시행세칙」 제66조의 납부절차 규정은 일회성 또는 일시적인 소득에 해당하는 재산판매소득이나 증여소득에 대하여는 적용되지 않는 것으로 보인다. 재산판매소득 및 증여소득의 경우 다음달 10일이 아닌 소득을 얻은 날부터 30일 안으로 신고납부하도록 규정하고 있다(개세규 제39조 제2항).

다. 원천징수 의무

공업지구 내에서 ① 노동보수, ② 이자소득, ③ 배당소득, ④ 고정재산임대소득, ⑤ 지적재산권과 기술비결의 제공에 의한 소득, ⑥ 경영봉사소득을 지불하는 자는 개인소득세를 원천징수(공제납부)[22]하여야 한다(개세칙 제69조 제1항). 그러나 개인소득세를 원천징수(공제납부)할 수 없는 경우에는 수익인이 신고납부하여야 한다(개세칙 제69조 제2항).

원천징수의무자(공제납부의무자) 또는 수익인은 개인소득세를 그 징수일(2012년 시행세칙에서는 '공제(계산)일'로 표현함)이 속하는 달의 다음달 10일까지 세무소에 납부하여야 한다(개세칙 제70조).

5 개인소득세의 결정 및 경정

(1) 세액의 결정

세무소는 과세표준확정신고를 하여야 할 자가 그 신고를 하지 않았거나 증빙서류를 제출하지 않았을 경우, 해당 개인소득세 납부의무자의 과세표준과 세액을 결정한다(개세칙 제67조 제1항).

(2) 세액의 경정(수정과세)

세무소는 과세표준확정신고를 한 자가 제출한 증빙서류의 객관성이 보장되지 않는다고 판단되거나 신고내용에 부족 또는 오류가 있는 경우, 과세표준과 세액을 경정(수정과세)한다(개세칙 제67조 제2항).

---

22) 2006년 시행세칙에서 원천징수, 원천징수의무자로 표현된 부분이 2012년 시행세칙에서는 공제납부, 공제납부의무자로 변경되었다.

(3) 결정 및 경정(수정과세)의 방법

세무소는 상기 (1), (2)에 의하여 과세표준과 세액을 결정 또는 경정(수정과세)하는 경우에는 필요한 증빙서류를 근거로 하며 제출된 서류가 객관적이지 못하다고 인정되는 경우, 해당 납세의무자의 직종, 기술소유, 연한, 급수 등을 고려하여 예상되는 소득으로 한다(개세칙 제67조 제3항).

(4) 결정 또는 경정(수정과세) 후 재경정

세무소는 과세표준과 세액을 결정 또는 경정(수정과세)한 후 그 결정 또는 경정(수정과세)에 부족 또는 오류가 있는 것이 발견된 때에는 이를 다시 경정(수정과세)한다(개세칙 제67조 제4항).

(5) 결정 및 경정(수정과세) 통지

세무소는 상기 (1)~(4)에 의하여 거주자의 과세표준과 세액을 결정 또는 경정(수정과세)을 한 때에는 이를 당해 거주자 또는 상속인에게 서면으로 통지하여야 한다(개세칙 제68조).

2012년 시행세칙에서는 상기 (1)~(5)의 문장 표현을 일부 수정하였으나 전반적인 내용에는 변화가 없는 것으로 판단된다.

6 개인소득세의 면제

개인소득세의 면제대상은 다음과 같다(개세규 제40조 제1항~제3항).

① 남북 사이에 맺은 합의서 또는 북한과 다른 나라 사이에 맺은 협정에 따라 개인소득세를 납부하지 않기로 한 소득

② 북한의 금융기관으로부터 받은 저축성예금이자와 보험금 또는 보험보상금소득

③ 공업지구에 설립된 은행에 비거주자들이 예금한 돈에 대한 이자소득

제4장

재산세

「개성공업지구 세금규정」의 재산세 부분은 11개 조문으로 이루어져 있고, 동 시행세칙의 재산세 부분은 9개(2012년 시행세칙은 9개) 조문으로 구성되어 있다.

1 재산세의 납부의무자

기업과 개인은 공업지구에 소유하고 있는 건물[23]에 대하여 재산세를 납부하여야 한다(개세규 제41조; 개세칙 제71조). 다만, 새로 건설한 건물을 소유하였을 경우에는 등록한 날부터 5년간 재산세를 면제한다(개세규 제51조; 개세칙 제79조).

재산세의 납부의무자는 다음과 같다.

① 매월 1월 1일 현재 건물소유자(개세규 제42조; 개세칙 제72조)

② 건물을 새로 등록한 날 현재 건물소유자(개세칙 제72조)

③ 공업지구 안에 설립된 건물소유자는 건물을 임대하였거나 저당하였을 경우에도 재산세를 납부하여야 한다(개세규 제42조; 개세칙 제72조 제1항).

④ 건물의 소유자가 공업지구 안에 없는 경우, 건물의 관리자 또는 건물의 관리를 위임받은 건물사용자가 재산세 납부의무자가 된다(개세칙 제72조 제2항).

2 재산세의 과세대상

재산세의 과세대상은 공업지구에 소유하고 있는 건물이다(개세규 제41조; 개세칙 제71조). 건물에는 기업과 개인의 소유로 되어 있는 각종 생산 및 비생산용건물, 살림집, 별장들과 그 부속건물들이 포함된다(개세칙 제71조).

23) 「개성공업지구 세금규정」 제41조에서는 '영구건물'로 표현하고 있다.

3 건물의 등록

(1) 건물의 등록가격

건물의 등록가격은 해당 건물을 취득할 당시의 현지가격으로 한다(개세규 제44조; 개세칙 제74조). 건물의 등록가격이 정확하지 못하다고 인정되는 경우, 회계검증기관이 공증한 가격과 세무소가 평가하는 가격을 기준가격으로 한다(개세칙 제74조).

(2) 건물의 등록날짜

2012년 시행세칙 제76조 제3항으로 추가된 내용으로서, 재산세납부를 위한 건물등록날짜는 건물을 소유한 날, 관리기관에 건물등록을 한 날, 사용승인 날, 임시사용승인 날, 실지사용승인 날 가운데서 가장 앞선 날로 한다.

(3) 건물의 등록방법

① 일반적인 등록방법: 건물소유자는 건물을 취득한 다음달 20일 안으로 관리기관에 건물등록신청서를 제출하고 건물등록을 하여야 한다. 건물등록신청서에는 건물소유자의 이름, 주소, 건물명, 단위, 수량, 건평, 내용연한, 건설연도, 취득가격 등을, 양도받은 건물은 양도자의 이름, 주소, 건물의 가격 등을 밝힌다.(개세규 제43조; 개세칙 제73조)

② 상속 또는 증여시의 등록방법: 상속 또는 증여에 의하여 건물을 넘겨받은 자가 공업지구 밖에 있을 경우에는 건물의 관리자 또는 위임받은 건물의 사용자가 건물등록을 하여야 한다(개세칙 제73조).

③ 2012년 시행세칙 제72조 제2항에 추가된 내용으로서, 준공검사지연으로 건물등록을 제 때에 하지 못하였을 경우에는 건물등록신청서에 결산서상 건물취득일 혹은 임시준공검사승인일을 첨부하여야 한다.

④ 관리기관은 건물등록신청을 받은 때로부터 20일 안으로 건물등록증사본을 세무소에 제출하여야 하고, 세무소는 건물등록증사본을 받으면 건물소유자를 재산세부과대상으로 등록한다(개세칙 제76조). 2012년 시행세칙 제75조에는 관리기관이 건물변경등록신청을 받은 경우에도 20일 안으로 건물변경등록증사본을 세무소에 제출하여 재등록하여야 한다는 내용이 추가되었다.

(4) 건물의 재등록

건물소유자는 개축, 대보수, 마멸, 분할지분소유 등의 원인으로 등록된 건물의 가격이 달라졌을 경우 관리기관에 재등록할 수 있다. 재등록하려는 건물소유자는 관리기관에 변경된 건물의 가격확인문건을 제출해야 한다.(개세규 제45조; 개세칙 제75조) 이러한 내용은 2012년 시행세칙 제74조에서 아래와 같이 변경되었다.

〈2012년 시행세칙 제74조〉

건물의 소유자는 등록된 건물이 개축, 대보수, 마멸, 분할지분소유 같은 건물의 등록신청서에 기재된 내용들이 변경된 경우 20일 안으로 변경된 건물의 가격확인문건을 첨부하여 관리기관에 재등록을 하여야 한다. 건물의 재등록가격은 결산서상 취득가액과 일치하여야 한다.

2012년 시행세칙에서 달라진 주요 내용은 ① 재등록 사유(등록가격 변경 ⇨ 등록신청서 기재내용 변경), ② 재등록 기한(20일 기한 명시), ③ 재등록 의무('재등록할 수 있다.'를 '재등록하여야 한다.'로 변경), ④ 재등록가격의 결산서 일치 규정 추가 등을 들 수 있다.

4 재산세의 과세표준과 세율

가. 재산세의 과세표준

재산세는 등록된 건물가격에 대하여 부과한다(개세규 제46조; 개세칙 제76조). 즉 재산세의 과세표준[24)]은 등록된 건물가격이다.

나. 재산세의 세율

재산세의 세율은 「개성공업지구 세금규정」 부록 3에 따르며(개세규 제47조), 그 내용은 다음과 같다. 재산세는 등록된 건물가격에 아래 세율(개세규/개세칙 부록 3)을 적용하여 계산한다(개세규 제48조).

24) 「개성공업지구 세금규정」 및 동 시행세칙의 관련 조문에는 모두 '부과대상'으로 표현되어 있으나, 실질적으로 '과세표준'에 해당한다.

<표 3-3> 재산세의 세율

건물용도	세 율
생산용건물	0.1%
주택용건물	0.2%
상업용건물	0.5%
오락용건물	1.0%

5 재산세의 납부

가. 재산세의 납부기한 및 납부방법

(1) 세무소는 매해 2월 안으로 재산세납부통지서를 건물소유자에게 발급하며, 건물소유자는 재산세납부통지서를 받은 날부터 30일 안으로 재산세를 납부하여야 한다(개세규 제49조; 개세칙 제77조).

(2) 새로 건설한 건물을 소유하였을 경우에는 등록한 날부터 5년간 재산세를 면제한다(개세규 제51조; 개세칙 제79조). 따라서 새로 건설한 건물의 소유자는 건물을 등록한 날부터 5년이 지난 다음 30일 안으로 12월 31일까지의 재산세를 납부하여야 한다(개세규 제49조; 개세칙 제77조).

(3) 2012년 시행세칙 제78조 및 제76조에는 다음과 같은 내용이 추가되었다.

① 개축, 증축, 대보수 같은 신축 이후 공사로 취득한 건물 및 양도건물에 대해서는 재산세 5년 면제기간이 적용되지 않는다(2012년 시행세칙 제78조). 신축건물에 대한 자본적 지출 부분에 대하여 재산세 면제를 배제하는 것으로서, 추후 추가적인 협의가 필요해 보인다.

② 건물등록을 제 때에 등록하지 못한 경우에는 결산서상 취득날짜를 기준으로 재산세면제시점을 적용하거나, 조업 후 결산서를 제출하지 않았을 경우에는 조업일을 기준으로 재산세면제기간을 확정한다(2012년 시행세칙 제76조 제4항).

나. 건물폐기시 과납세금의 반환

(1) 건물을 폐기한 기업 또는 개인은 건물폐기확인서와 함께 이름, 주소, 건물명, 폐기날짜, 납부한 재산세, 반환받을 재산세 등을 밝힌 재산세반환신청서를 세무소에 제출

해야 한다(개세규 제50조; 개세칙 제78조).

(2) 세무소는 신청내용을 10일 안으로 검토하고 건물을 폐기한 날부터 12월 31일까지의 재산세를 돌려주어야 한다(개세규 제50조). 「개성공업지구 세금규정시행세칙」에는 세무소에서 신청내용을 검토하고 중앙지도기관의 합의(2012년 시행세칙에서는 '승인'으로 표현)를 받아 건물을 폐기한 날부터 30일 안으로 12월 31일까지의 재산세를 반환해주어야 한다고 규정하고 있다(개세칙 제78조).

이와 같이 「개성공업지구 세금규정」에서는 신청서 접수일로부터 10일 안에 검토하고 반환하는 것처럼 해석되는데, 동 시행세칙에서는 반환기한을 건물폐기일로부터 30일로 명시하고 있다. 실무상의 혼선을 피하기 위해 반환기한 관련 내용을 명확하게 정리할 필요가 있다고 판단된다.

제5장

상속세

「개성공업지구 세금규정」의 상속세 부분은 8개 조문으로 이루어져 있고, 동 시행세칙의 상속세 부분은 12개(2012년 시행세칙은 11개) 조문으로 구성되어 있다.

1 상속세의 납부의무자

공업지구에 있는 재산을 상속받은 자는 상속세를 납부하여야 한다(개세규 제52조).

참고로 「외국투자기업 및 외국인세금법」 제35조에서는 외국인이 북한 영역에 있는 재산을 상속받는 경우와 북한에 거주하고 있는 외국인이 북한 영역 밖에 있는 재산을 상속받았을 경우 상속세를 납부하여야 한다고 규정하고 있다. 하지만, 「개성공업지구 세금규정」과 「금강산국제관광특구 세금규정」에서는 개성공업지구 또는 금강산국제관광특구 밖에 있는 재산을 상속받았을 경우에 대해서는 납부의무를 규정하고 있지 않다.

2 상속세의 과세대상(상속재산)

상속재산에는 부동산, 화폐재산, 현물재산, 유가증권, 지적재산권, 보험청구권 등 재산과 재산권이 속한다(개세규 제52조). 이러한 상속재산에는 피상속인에게 이전[25]되는 재산으로서 화폐로 계산할 수 있는 경제적 가치가 있는 모든 물건과 재산적 가치가 있는 사실상의 모든 권리를 포함한다(개세칙 제80조 제1항).

다만, 피상속인에게만 포함되는 것으로서 피상속인의 사망으로 인하여 소멸되는 것은 제외한다(개세칙 제80조 제2항; 2012년 시행세칙에서는 삭제됨).

25) 피상속인에게 '이전'되는 재산이 아니라 '귀속'되는 재산을 잘못 표현한 것으로 판단된다.

3 상속재산의 평가

가. 평가의 원칙

(1) 평가의 원칙

상속재산의 가격은 재산을 상속받을 당시의 현지가격으로 한다(개세규 제54조). 즉 상속세가 부과되는 재산의 가격은 상속개시일(이하 '평가기준일'이라고 함) 현재의 시가에 의한다(개세칙 제81조 제1항).

(2) 시가의 정의

시가는 정상적인 거래로서 이루어지는 경우에 객관적이라고 인정되는 가격으로 한다. 평가기준일을 전후한 6개월(이하 '평가기간'이라고 함) 이내의 기간 중 매매, 감정, 이용, 경매가 있는 경우에 확정되는 가격은 시가로 본다.(개세칙 제81조 제2항)

(3) 시가의 평가

시가를 산정하기 어려운 경우에는 당해 연도 재산의 종류, 규모, 거래정형 등을 고려하여 아래에서 설명하는 방법에 의하여 평가한 가격에 의한다(개세칙 제81조 제3항).

나. 부동산 등의 평가

(1) 부동산의 평가방법

부동산에 대한 평가는 다음과 같은 방법에 의한다(개세칙 제82조 제1항~제2항).

① 토지는 개발업자가 분양한 가격(감가상각비 제외)으로 한다.

② 건물은 등록가격(감가상각비 제외)으로 한다.

③ 기타 시설물 및 구축물은 평가기준일에 다시 건축하거나 다시 취득할 때 소요되는 가격에서 그것의 설치일부터 평가기준일까지의 감가상각비적립금을 차감하여 평가한 가격으로 한다.

(2) 임대차계약 또는 임차권 등기 재산

사실상 임대차계약이 체결되거나 임차권이 등기된 재산의 경우에는 ① 1년간 임대료를 100분의 18로 나눈 금액과 임대보증금의 합계, ② 상기 (1)의 방법에 의하여 평가한 가격 중 큰 금액을 그 재산의 가격으로 한다(개세칙 제82조 제3항; 2012년 시행세칙에서는 삭제됨).

다. 기타 유형재산의 평가

(1) 차량과 기계장비

차량과 기계장비는 분할지불하는 경우 다시 취득할 수 있다고 예상되는 가격을 의미하며, 그 가격이 확인되지 않는 경우에는 장부상의 가격(취득가격에서 감가상각비를 차감한 가격을 말한다.)을 그 재산의 가격으로 본다(개세칙 제83조 제1항).

(2) 상품 등의 동산

상품, 제품, 반제품, 재가공품, 원재료 기타 이에 준하는 동산 및 소유권의 대상이 되는 동산의 평가는 그것을 처분할 때에 취득할 수 있다고 예상되는 가격으로 한다. 그러나 그 가격이 확인되지 않은 경우에는 장부가격으로 한다.(개세칙 제83조 제2항)

(3) 임대차계약 또는 임차권 등기 재산

사실상 임대차계약이 체결되거나 임차권이 등기된 재산의 경우에는 ① 1년간 임대료를 100분의 18로 나눈 금액과 임대보증금의 합계, ② 상기 (1) 또는 (2)의 방법에 의하여 평가한 가격 중 큰 금액을 그 재산의 가격으로 한다(개세칙 제83조 제4항; 2012년 시행세칙에서는 삭제됨).

라. 유가증권 등의 평가

(1) 공업지구 내 기업의 주식 및 출자증권은 1주당 순손익가격과 1주당 순재산가격을 각각 3과 2의 비율로 가중평균한 가격에 의한다(개세칙 제84조 제1항, 제2항 및 제4항).

- 주식 및 출자증권 = (순손익가격 × 3 + 순재산가격 × 2) ÷ 5
  ⇨ 1주당 순손익가격 = 1주당 최근 3년간의 순손익액의 가중평균액 ÷ 10%
  ⇨ 1주당 순재산가격 = 당해기업의 순재산가격 ÷ 평가기준일 현재 발행주식 총수

(2) 다음에 해당하는 경우에는 순재산가격에 의해 평가한다(개세칙 제84조 제3항).

① 상속세 과세표준 신고기한 이내에 평가대상기업의 청산절차가 진행 중이거나 경영자의 사망 등으로 인하여 계속경영이 곤란하다고 인정되는 기업의 주식 또는 출자증권

② 사업개시전의 기업, 사업개시후 3년 미만의 기업과 휴·폐업 중에 있는 기업의 주식 또는 출자증권

③ 평가기준일이 속하는 회계연도 전 3년 내의 회계연도부터 계속하여 「개성공업지구 세금규정」 및 동 시행세칙 상 매 회계연도에 속하거나 속하게 될 손실금의 총액이 그 회계연도에 속하거나 속하게 될 이익금의 총액을 초과하는 결손금이 있는 기업의 주식 또는 출자증권

마. 무형재산권 등의 평가

영업권, 특허권 같은 무형재산의 평가는 다음과 같이 한다.

(1) 구입한 무형재산권의 가격은 구입가격에서 구입한 날부터 평가기준일까지의 감가상각비를 차감한 금액으로 평가한다(개세칙 제85조 제1항).

(2) 영업권의 평가는 다음 산식에 의하여 계산한 초과이익금액을 평가기준일 이후의 영업권 지속연수(원칙적으로 5년)를 감안하여 환산한 금액의 합계액을 말한다. 그러나 구입한 무형재산권으로서 그 성질상 영업권에 포함시켜 평가되는 무형재산권의 경우에는 이를 별도로 평가하지 않으나, 당해 무형재산권의 평가액이 환산한 가격보다 큰 경우에는 당해 가격을 영업권의 평가액으로 한다.(개세칙 제85조 제2항~제3항)

• 초과이익금액의 현재가치 환산 금액의 합계액 = 〔최근 3년간(3년에 미달하는 경우에는 당해 연수)의 순손익액의 가중평균액의 50%에 해당되는 가격 - (평가기준일 현재의 자기자본 ×10%)〕 / $(1 + 0.1)^n$

⇨ n: 평가기준일로부터의 경과연수

⇨ 1주당 최근 3년간의 순손익액의 가중평균액 = 〔(평가기준일 이전 1년이 되는 회계연도의 1주당 순손액액×3) + (평가기준일 이전 2년이 되는 회계연도의 1주당 순손익액×2) + (평가기준일 이전 3년이 되는 회계연도의 1주당 순손익액×1)〕 ×1/6

(3) 어업권의 가격은 상기 (2)의 영업권에 포함하여 계산한다(개세칙 제85조 제4항; 2012년 시행세칙에서는 삭제됨).

(4) 특허권, 상표권, 공업도안권 및 저작권 등은 그 권리에 의하여 장래에 받을 각 연도의 수입금액을 기준으로 다음의 계산식에 의하여 환산한 금액의 합계액으로 한다(개세칙 제85조 제5항).

- 수입금액의 현재가치 환산 금액의 합계액 = 각 연도의 수입금액 / $(1 + 10/100)^n$
  - ⇨ n: 평가기준일로부터의 경과연수
  - ⇨ 각 연도의 수입금액이 확정되지 않은 경우: 평가기준일전 최근 3년간(3년에 미달하는 경우에는 그 미달하는 연수)의 각 연도 수입금액의 합계액을 평균한 금액을 각 연도의 수입금액으로 할 수 있음.

바. 저당권 등이 설정된 재산의 평가

저당권이 설정된 재산, 양도담보재산, 전세권이 등기된 재산(임대보증금을 받고 임대한 재산을 포함함)은 당해 재산이 담보하는 채권액 등을 기준으로 평가한 가격과 시가평가원칙(개세칙 제81조)에 의하여 평가한 가격 중 큰 금액으로 그 재산의 가격으로 한다(개세칙 제86조; 2012년 시행세칙에서는 조문 삭제됨).

4 상속세의 과세표준(상속재산액)

가. 상속세 과세표준의 계산

상속세는 상속재산의 가격에서 다음의 지출을 공제한 나머지 금액(과세표준)[26]에 부과한다(개세규 제53조).

① 상속시키는 자의 채무액

② 상속받은 자가 부담한 장례비용

③ 상속기간에 상속재산을 보존관리하는데 든 비용

④ 재산상속과 관련한 공증료같은 지출

⑤ 가족들의 부양료 US＄30만

나. 상속세 과세표준의 신고

(1) 상속세 납부의무가 있는 상속인은 상속개시일부터 6개월 내에 상속세의 과세대상 금액 및 과세표준을 세무소에 신고하여야 한다(개세칙 제87조 제1항).

(2) 상기 (1)의 신고서에는 상속세 과세표준의 계산에 필요한 상속재산의 종류, 수

26) 「개성공업지구 세금규정」의 관련 조문에서는 '부과대상'으로 표현하고 있으나, 실질적으로 '과세표준'에 해당한다.

량, 평가가격, 재산분할지불 및 각종 공제 등을 입증할 수 있는 서류 등을 첨부하여 세무소에 제출하여야 한다(개세칙 제87조 제2항).

(3) 상기 (1)의 6개월 기간은 유언집행자 또는 상속재산관리인이 지정 또는 선발되어 직무를 시작하는 날부터 계산한다(개세칙 제87조 제3항).

5 상속세의 세율 및 세액 계산

상속세의 세율은 상속받은 재산액에서 해당 금액을 공제하고 남은 상속재산액(과세표준)이 US$100,000 이상일 경우에는 「개성공업지구 세금규정」 부록 4에 따르며(개세규 제55조), 그 내용은 다음과 같다. 상속세의 계산은 상속재산액에 아래 세율(개세규/개세칙 부록 4)을 적용하여 계산한다(개세규 제56조).

<표 3-4> 상속세의 세율

상속재산액(과세표준) (US$)	세 율
~ 100,000	0%
100,000 이상 ~ 1,000,000	100,000을 초과하는 금액의 6%
1,000,000 이상 ~ 5,000,000	54,000 + 1,000,000을 초과하는 금액의 10%
5,000,000 이상 ~ 15,000,000	454,000 + 5,000,000을 초과하는 금액의 15%
15,000,000 이상 ~ 30,000,000	1,954,000 + 15,000,000을 초과하는 금액의 20%
30,000,000 이상	4,954,000 + 30,000,000을 초과하는 금액의 25%

6 상속세의 납부

가. 상속세의 납부

(1) 납부기한 및 납부방법

재산을 상속받은 자는 6개월 안으로 상속세를 납부하여야 한다. 이 경우 상속재산액, 공제액, 상속세 금액 같은 것을 밝힌 상속세납부서와 공증기관의 공증을 받은 상속세공제신청서를 함께 제출해야 한다. 재산을 상속받은 자가 2명 이상일 경우에는 상속자별로 자기 몫에 해당한 상속세를 납부하여야 한다.(개세규 제58조)

(2) 상속세의 납부재산

상속세는 화폐재산으로 납부한다. 부득이한 사정으로 상속세를 화폐재산으로 납부할 수 없을 경우에는 재산의 종류, 가격, 수량, 품질, 현물재산으로 납부하는 이유 등을 밝힌 신청서를 세무소에 제출하고 승인받은 다음 현물재산으로 납부할 수도 있다.(개세규 제57조)

(3) 분할지불납부의 경우

상속세의 신고를 하는 자는 신고기한 안에 산출세액에서 분할지불납부를 신청하여 승인받은 금액을 차감하고 세무소에 납부하여야 한다(개세칙 제88조).

나. 상속세의 분할지불납부

(1) 분할지불납부의 허가

상속세가 US$30,000 이상일 경우에는 세무소의 승인을 받아 분할지불납부허가를 받은 날부터 3년간 분할하여 납부할 수 있다. 이와 관련하여 세무소는 납세의무자의 신청을 받아 분할지불납부를 허가할 수 있고, 이 경우 납세의무자는 담보를 제공하여야 한다(개세규 제59조; 개세칙 제89조 제1항~제2항).

(2) 분할지불납부의 취소

분할지불납부를 허가받은 납세의무자가 ① 분할납부세액을 지정된 납부기한까지 납부하지 않았거나, ② 담보의 변경 및 기타 담보보존에 필요한 세무소의 명령에 따르지 않은 경우, 그 분할지불납부허가를 취소하고 분할지불납부에 관계되는 세액을 일시에 징수할 수 있다(개세칙 제89조 제3항).

(3) 분할지불납부 허가 또는 취소의 통지

세무소는 분할지불납부를 허가하거나 분할지불납부의 허가를 취소한 경우에는 납세의무자에게 그에 대하여 통지한다(개세칙 제89조 제4항).

7 상속세의 결정 및 경정

(1) 세액의 결정

세무소는 상속인의 과세표준 신고에 의하여, 신고를 받은 날부터 상속세 과세표준 신고기한부터 6개월 안에 과세표준과 세액을 결정한다(개세칙 제90조 제1항~제2항). 과세표준과 세액의 결정기한인 6개월의 기산일을 '신고를 받은 날'과 '과세표준 신고기한'을 모두 포함하여 표현하고 있는데, 실제로 양자는 다를 수 있으므로 문구 정리가 필요해 보인다.

① 상속재산의 조사, 가격의 평가 등에 장기간이 소요되는 등 부득이한 사유가 있어 6개월 이내에 결정할 수 없는 경우에는 그 사유를 상속인을 포함한 관계자들에게 통지하여야 한다(개세칙 제90조 제2항).

② 신고를 하지 않았거나 그 신고한 과세표준이나 세액에 부족 또는 오류가 있는 경우에는 그 과세표준과 세액을 조사하여 결정한다(개세칙 제90조 제1항).

(2) 세액의 경정(수정과세)

과세표준과 세액을 결정할 수 없거나 결정 후 그 과세표준과 세액에 부족 또는 오류가 있는 것을 발견한 경우에는 즉시 그 과세표준과 세액을 조사하여 결정 또는 경정(수정과세)한다(개세칙 제90조 제3항).

(3) 결정 및 경정(수정과세) 통지

세무소는 「개성공업지구 세금규정시행세칙」 제90조의 규정에 의하여 결정한 과세표준과 세액에 대하여 상속인에게 통지하여야 한다. 이 경우 상속인 또는 그 관계자가 2명 이상인 경우에는 세무소가 정하는 바에 의하여 그중 1명에게 통지할 수 있으며, 이 통지의 효력은 상속인이나 그 관계자 모두에게 미친다.(개세칙 제91조) 경정(수정과세)의 경우에 대해서는 언급하고 있지 않으나 동일할 것으로 판단된다.

2012년 시행세칙에서는 상기 (1)~(3)의 문장 표현을 일부 수정하였으나 전반적인 내용에는 변화가 없는 것으로 판단된다.

제6장

거래세

「개성공업지구 세금규정」의 거래세 부분은 6개 조문으로 이루어져 있고, 동 시행세칙의 거래세 부분은 8개(2012년 시행세칙은 8개) 조문으로 구성되어 있다.

1 거래세의 납부의무자

다음에 해당되는 생산부문을 경영하는 기업은 거래세를 납부할 의무가 있다(개세규 제60조; 개세칙 제92조).

① 전기, 전자, 금속, 기계제품

② 연료, 광물, 화학, 건재, 고무제품

③ 섬유, 신발, 일용, 가죽, 기타 공업제품

④ 식료품, 농산물, 축산물, 수산물

⑤ 술, 담배, 기타 기호품

2 거래세의 과세기간

① 거래세는 1년을 4분기로 구분하여 과세기간으로 한다(개세칙 제93조 제1항).

② 새로 영업을 시작하는 기업에 대한 최초의 과세기간은 영업개시일부터 그날이 속하는 과세기간의 마지막 날까지로 한다(개세칙 제93조 제2항).

③ 기업이 폐업한 경우에는 당해 과세기간 첫날부터 폐업한 날까지의 기간으로 한다(개세칙 제93조 제3항).

3 거래세의 과세표준

가. 거래세 과세표준 및 계산방법

거래세는 생산물의 판매수입금에 부과한다(개세규 제61조). 즉 거래세의 과세표준[27]은 생산물판매수입금이다. 이러한 거래세의 과세표준 금액은 다음과 같이 계산한다(개세칙 제95조 제1항~제5항).

① 거래세의 과세표준이 되는 금액은 각 분기별 판매수입금에 의한다.

② 납세의무자가 거래상대자로부터 화폐 이외의 것을 판매수입금으로 받은 때에는 받은 당시의 시가에 의하여 계산한 금액을 판매수입금으로 한다.

③ 환입(반환)된 물품의 금액은 과세표준 금액에서 제외한다. 그러나 매매계약 후에 외상거래대금을 결제하는 경우의 판매할인액과 대손금 또는 거래수량이나 거래금액에 따라 상대편에게 지불하는 장려금이나 기타 이에 유사한 금액은 판매수입금에서 제외하지 않는다.

④ 미수금에 대하여 받는 이자는 판매수입금에 포함한다. 그러나 그 미수금을 소비대차로 변경시킨 경우의 이자는 예외로 한다.

⑤ 자기가 생산한 제품이나 구입한 상품 또는 기타 판매수입금을 얻기 위하여 사용되는 물품을 관리성원, 직원, 종업원과 기타 성원에게 증여 또는 지불하거나 자기가 직접 사용 또는 소비한 부분에 해당되는 금액은 이를 판매수입금에 포함한다.

나. 수익실현의 확정

거래세의 과세기간에 속하는 수익의 실현시기는 다음과 같이 확정한다(개세칙 제96조).

① 물품을 판매한 것에 대해서는 그 물품을 상대편에게 인도한 날. 그러나 물품을 판매하고 인도하지 않았으나 즉시 인도할 수 있는 상태에 있는 경우에는 인도한 것으로 본다.

② 상기 ①에 해당하지 않는 재산은 매매계약을 체결하고 계약금 이외에 대금의 일부를 접수한 날. 그러나 계약금 이외에 대금의 일부를 접수하였으나 매매계약의 대상물이 완성되지 않은 경우에는 그 대상물이 완성된 날로 한다.

③ 분할판매를 하는 경우에는 그 분할지불금을 수입하였거나 수입할 날.

④ 연불조건에 의하여 제조하는 경우에는 그 연불금을 수입하였거나 수입할 날.

⑤ 상기 ③ 또는 ④의 분할지불기간 또는 연불기간 중에 휴업 또는 폐업한 때의 분할지불 또는 연불미수금은 휴업 또는 폐업한 날.

---

27) 「개성공업지구 세금규정」의 관련 조문에서는 '부과대상'으로 표현하고 있으나, 실질적으로 '과세표준'에 해당한다.

4 거래세의 세율 및 세액 계산

거래세의 세율은 「개성공업지구 세금규정」 부록 5에 따르며(개세규 제62조), 그 내용은 다음과 같다. 거래세의 계산은 생산물판매액에 아래 세율(개세규/개세칙 부록 5)을 적용하여 계산한다(개세규 제63조 제1항).

<표 3-5> 거래세의 세율

구 분	세 율
전기, 전자, 금속, 기계제품	1%
연료, 광물, 화학, 건재, 고무제품	1%
섬유, 신발, 일용, 가죽, 기타 공업제품	1%
식료품, 농산물, 축산물, 수산물	2%
술, 담배, 기타 기호품	15%

생산업과 봉사업을 함께 하는 기업의 거래세와 영업세의 계산은 따로 한다(개세규 제63조).

5 거래세의 신고와 납부

생산물판매자는 분기가 지난 다음달 20일 안으로 판매수입금과 거래세 납부세액을 신고납부하여야 한다(개세규 제64조; 개세칙 제94조). 농업부문같이 계절성을 띠는 생산부문기업의 거래세 납부방법은 세무소가 따로 정할 수 있다(개세규 제64조).

6 거래세의 결정, 경정 및 징수

가. 거래세의 결정 및 경정

(1) 세액의 결정 또는 경정(수정과세)

세무소는 생산부문 기업이 다음에 해당하는 경우에 한하여 그 과세기간에 대한 거래세의 판매수입금과 납부세액을 조사에 의하여 결정 또는 경정(수정과세)한다(개세칙 제97조 제1항).

① 세금신고를 하지 않았을 때
② 세금신고내용에 오류 또는 탈루가 있는 때
③ 세금신고에 있어서 판매수입금명세서를 제출하지 않았거나, 제출한 판매수입금명세서의 기재사항의 전부 또는 일부가 기재되지 않았거나 사실과 다르게 밝혀진 때

(2) 결정 및 경정(수정과세)의 방법

세무소는 상기 (1)에 의하여 각 과세기간에 대한 판매수입금과 납부세액을 결정 또는 경정하는 경우에는 장부 기타의 증빙을 근거로 하여야 한다. 그러나 다음에 해당하는 경우에는 추계(推計)할 수 있다.(개세칙 제97조 제2항)

① 판매수입금의 조사에서 필요한 장부 또는 기타의 증빙이 없거나 그 중요한 부분이 결함인 때
② 장부 또는 기타의 증빙의 내용이 시설규모, 종업원수, 원자재, 상품, 제품 또는 각종 요금의 시가에 비추어 허위임이 명백한 때
③ 장부 또는 기타의 증빙의 내용이 원자재사용량, 동력사용량 등 기타의 영업상황에 비추어 허위임이 명백한 때
④ 기업이 필요한 자료를 세무소에 제출하지 않았을 때

(3) 결정 또는 경정(수정과세) 후 재경정

상기 (1)과 (2)에 따라 결정 또는 경정(수정과세)한 과세표준과 납부세액 또는 반환세액에 오류 또는 탈루가 있는 것이 발견된 때에는 세무소는 즉시 이를 다시 경정(수정과세)한다(개세칙 제97조 제3항).

나. 거래세의 징수

(1) 세무소는 기업이 세금신고를 하는 때에 신고한 납부세액에 미달하게 납부한데 대하여 그 미달세액을 결정 또는 경정(수정과세)한 경우, 추가로 납부하여야 할 세액을 징수한다(개세칙 제98조 제1항).

(2) 세무소는 기업이 세금 신고를 하지 않았거나 신고한 내용에 오류 또는 탈루가 있는 경우, 판매수입금과 납부세액을 조사하여 결정 또는 경정(수정과세)하고 징수할 수 있다(개세칙 제98조 제2항).

7 거래세의 면제

기업이 생산한 제품을 남측 지역에 내가거나 다른 나라에 수출할 경우에는 거래세를 면제한다(개세규 제65조). 이렇게 거래세를 면제받으려는 기업은 면제 영업과 기타의 영업을 구분한 신청서, 기타 증빙서류들을 갖추어 세무소에 신고하여야 한다(개세칙 제99조). 2012년 시행세칙에서는 서류를 세무소에 제출하여 '승인을 받아야 한다.'고 표현하고 있다(2012년 시행세칙 제97조).

제7장 영업세

「개성공업지구 세금규정」의 영업세 부분은 6개 조문으로 이루어져 있고, 동 시행세칙의 영업세 부분은 8개(2012년 시행세칙은 10개) 조문으로 구성되어 있다.

1 영업세의 납부의무자

다음에 해당되는 봉사부문을 경영하는 기업은 영업세를 납부하여야 한다(개세규 제66조 및 제67조; 개세칙 제100조).

① 건설,[28] 교통운수, 체신부문

② 금융부문

③ 상업부문

④ 급양, 여관, 관광, 광고, 위생편의부문

⑤ 교육, 문화, 체육, 기타 봉사부문

⑥ 부동산거래부문

⑦ 오락부문

「개성공업지구 세금규정」 제67조(영업세의 부과대상)에는 상기 ⑤ 교육, 문화, 체육, 기타 봉사부문과 ⑥ 부동산거래부문에 대한 언급이 없다. 하지만 「개성공업지구 세금규정」 제67조는 예시적인 열거로 보이고, 동 시행세칙 제100조에서 과세대상 부문을 보다 명확하게 규정한 것으로 판단된다. 그런데 법규에 따라 영업세 과세대상에 대한 예시 항목에는 차이가 있지만, ⑤ 교육, 문화, 체육, 기타 봉사부문과 ⑥ 부동산거래부문은 「개성공업지구 세금규정시행세칙」에서만 포함하고 있는 것으로 보인다.

---

28) 「외국투자기업 및 외국인세금법」과 「금강산국제관광특구 세금규정」에서는 건설부문이 거래세 과세대상으로 되어 있다. 반면, 「개성공업지구 세금규정」 및 「라선경제무역지대 세금규정」에서는 건설부문이 모두 영업세 과세대상으로 되어 있다.

2 영업세의 과세기간

① 영업세는 1년을 4분기로 구분하여 과세기간으로 한다(개세칙 제101조 제1항).

② 새로 영업을 시작하는 기업에 대한 최초의 과세기간은 사업개시일부터 그날이 속하는 과세기간의 마지막 날까지로 한다(개세칙 제101조 제2항).

③ 기업이 폐업한 경우의 과세기간은 그 날이 속하는 과세기간 첫 날부터 폐업한 날까지의 기간으로 한다(개세칙 제101조 제3항).

3 영업세의 과세표준

가. 영업세 과세표준의 계산

영업세는 교통운수, 체신, 상업, 금융, 관광, 광고, 여관, 급양, 오락, 위생편의 같은 부문의 봉사수입금과 건설부문의 건설물인도수입금에 부과한다(개세규 제67조). 즉 영업세의 과세표준[29]은 봉사수입금과 건설물인도수입금이다. 이러한 영업세의 과세표준 금액은 다음과 같이 계산한다.

① 영업세의 과세표준이 되는 금액은 각 분기별 봉사수입총액으로 한다(개세칙 제103조 제1항).

② 납세의무자가 거래상대자로부터 화폐 이외의 것을 봉사수입금 및 건설물인도수입금으로 받은 때에는 그 받은 당시의 시가에 의하여 계산한 금액을 봉사수입금 및 건설물인도수입금으로 한다(개세칙 제103조 제2항).

2012년 시행세칙에서는 아래 내용이 추가되었다.

③ 미지급된 소득액에 대한 과세표준은 결산기간 지불되지 못한 소득액총액으로 한다(2012년 시행세칙 제102조 제3항).

나. 수익실현의 확정

영업세의 과세기간에 속하는 수익의 실현시기는 다음과 같이 확정한다(개세칙 제104조).

① 봉사수입금은 봉사를 제공하거나 재산, 시설물 또는 권리가 사용되는 때.

29) 「개성공업지구 세금규정」의 관련 조문에서는 '부과대상'으로 표현하고 있으나, 실질적으로 '과세표준'에 해당한다.

② 건설부문의 건설물인도수입금에 대해서는 그 건설물을 상대편에게 인도한 날. 2012년 시행세칙에서는 '단계별 공사실적에 대한 건설도급액을 수입한 날'로 변경되었다 (2012년 시행세칙 제103조 제2항).

③ 분할판매를 하는 경우에는 그 분할지불금을 수입하였거나 수입할 날.

④ 연불조건에 의하여 판매하는 경우에는 그 연불금을 수입하였거나 수입할 날.

⑤ 상기 ③의 분할지불기간 또는 상기 ④의 연불기간 중에 휴업 또는 폐업한 때의 분할지불금 또는 연불미수금은 휴업 또는 폐업한 날.

4 영업세의 세율 및 세액 계산

영업세의 세율은 「개성공업지구 세금규정」 부록 6에 따르며(개세규 제68조), 그 내용은 다음과 같다. 영업세의 계산은 업종별 수입금에 아래 세율(개세규/개세칙 부록 6)을 적용하여 계산하며, 여러 업종의 영업을 하는 기업의 영업세 계산은 업종별로 한다(개세규 제69조).

<표 3-6> 영업세의 세율

부문별	세 율
건설, 교통운수, 체신부문	1%
금융부문	1%
상업부문	2%
급양, 여관, 관광, 광고, 위생편의부문	1%
교육, 문화, 체육, 기타 봉사부문	1%
부동산거래부문	2%
오락부문	7%

5 영업세의 신고와 납부

가. 공업지구 안의 봉사부문 기업

봉사부문의 기업은 각 과세기간 중 분기가 지난 다음달 20일 이내에 분기의 수입금과 납부세액을 세무소에 신고납부하여야 한다(개세규 제70조; 개세칙 제102조 제1항).

나. 공업지구 밖의 기업 또는 개인

공업지구 밖의 기업 또는 개인이 공업지구 안에서 여러 가지 봉사활동으로 얻은 수입금에 대해서는 봉사를 받은 단위가 봉사료를 지불하기 전에 납부세액을 세무소에 신고납부하여야 한다(개세칙 제102조 제2항). 이 부분은 '신고납부'로 표현하고 있으나 실제로는 봉사를 받은 단위의 공제납부(원천징수납부)를 의미하는 것이다.

이와 관련하여, 2012년 시행세칙에서는 공업지구 밖의 기업 또는 개인이 공업지구에서 영리활동을 하는 경우에 대한 원천징수 및 영업세 세율 규정을 아래와 같이 신설하였다(2012년 시행세칙 제101조 제1항~제6항). 이러한 미등록 영업소에 대한 과도하게 높은 영업세율과 새로운 과세대상의 신설은 추후 남북 간의 추가적인 협의가 필요할 것으로 보인다.

① 특정한 업종에 대한 봉사를 공업지구에서 진행하는 경우 해당 봉사를 제공받는 공업지구 안의 기업은 세무소에 사전신고를 하여야 한다. 이 경우 납부세율은 봉사수입금의 5~7%의 범위 내에서 세무소가 정한다.

② 공업지구 밖에서 공업지구기업을 대상으로 여러 가지 봉사활동을 진행하여 수입금을 얻은 경우에는 봉사수입금의 3~5%의 세율로 납부하여야 한다.

③ 건설, 설치, 조립공사와 그와 연관된 설계 및 감독을 통하여 수입금을 얻은 경우에는 봉사수입금의 2%의 세율로 납부하여야 한다.

④ 공업지구 안의 위탁가공기업에 원자재 및 부자재를 판매하여 수입금을 얻은 경우 판매수입금의 3~5%의 세율로 세금을 납부하여야 한다. 이 부분은 「개성공업지구 통관에 관한 합의서」(2002.12.8.) 제6조 제5항 "공업지구세관은 반출입 물자에 대하여 모든 세금과 수수료를 부과하지 않는다."는 규정과 상충되는 것으로 보인다.

⑤ 특정한 업종에 대한 봉사를 공업지구 안에서 직접 제공하려는 공공시설 및 하부구조부문 관련 업무에 대해서는 1~3%의 세율 범위 내에서 세무소가 정한다.

⑥ 공업지구 밖의 기업 또는 개인으로부터 여러 가지 봉사활동을 제공받은 기업이 봉사료에 대한 공제납부의무를 이행하지 않았을 경우에는 제공받은 봉사활동에 대한 봉사비를 비용으로 인정하지 않고 전액 이윤으로 계산 처리하여야 한다.

6 영업세의 결정, 경정 및 징수

가. 영업세의 결정 및 경정

(1) 세액의 결정 또는 경정(수정과세)

세무소는 봉사부문의 기업이 다음에 해당하는 경우에 한하여 그 과세기간에 대한 영업세의 봉사수입금 및 건설물인도수입금과 납부세액을 조사에 의하여 결정 또는 경정(수정과세)한다(개세칙 제105조 제1항).

① 세금신고를 하지 않았을 때

② 세금신고의 내용에 오류 또는 탈루가 있는 때

③ 세금신고에 있어서 봉사수입금 및 건설물인도수입금명세서를 제출하지 않거나, 제출한 봉사수입금 및 건설물인도수입금명세서의 기재사항의 전부 또는 일부가 기재되지 않거나 사실과 다르게 밝혀진 때

(2) 결정 및 경정(수정과세)의 방법

세무소는 상기 (1)에 의하여 각 과세기간에 대한 봉사수입금 및 건설물인도수입금과 납부세액을 결정 또는 경정하는 경우에는 장부 기타의 증빙을 근거로 하여야 한다. 그러나 다음에 해당하는 경우에는 추계(推計)할 수 있다.(개세칙 제105조 제2항)

① 봉사수입금 및 건설물인도수입금을 계산함에 있어서 필요한 장부, 기타의 증빙이 없거나 그 중요한 부분이 결함인 때

② 장부, 기타 증빙의 내용이 시설규모, 종업원수와 각종 요금의 시가에 비추어 허위임이 명백한 때

③ 장부, 기타 증빙의 내용이 영업상황에 비추어 허위임이 명백한 때

④ 기업이 필요한 자료를 세무소에 제출하지 않았을 때

(3) 결정 또는 경정(수정과세) 후 재경정

상기 (1)과 (2)에 의하여 결정 또는 경정(수정과세)한 과세표준과 납부세액 또는 반환세액에 오류나 탈루가 있는 것이 발견된 때에는 이를 다시 경정(수정과세)한다(개세칙 제105조 제3항).

나. 영업세의 징수

(1) 세무소는 기업이 세금신고를 하는 때에 신고한 납부세액에 미달하게 납부한데

대하여 그 미달세액을 결정 또는 경정(수정과세)한 경우, 추가로 납부하여야 할 세액을 징수한다(개세칙 제106조 제1항).

(2) 세무소는 기업이 세금 신고를 하지 않았거나 신고한 내용에 오류 또는 탈루가 있는 때에는 봉사수입금 및 건설물인도수입금과 납부세액을 조사하여 결정 또는 경정(수정과세)하고 징수할 수 있다(개세칙 제106조 제2항).

7 영업세의 면제

전기, 가스, 난방 같은 에네르기의 생산 및 공급부문과 상하수도, 용수, 도로부문에 투자하여 운영하는 기업에 대해서는 영업세를 면제한다(개세규 제71조). 이렇게 영업세를 면제받으려는 자는 세무소에 신고하여야 한다(개세칙 제107조).

2012년 시행세칙에서는 「개성공업지구 세금규정」 제71조에 규정되어 있는 상기 면제대상을 그대로 다시 확인하고 '세무소의 승인을 받은 대상건설 기업'을 영업세 면제대상에 추가하는 내용으로 제106조를 신설하였다.

제8장

지방세

「개성공업지구 세금규정」의 지방세 부분은 12개 조문으로 이루어져 있고, 동 시행세칙의 지방세 부분은 11개(2012년 시행세칙은 11개) 조문으로 구성되어 있다.

제1절 지방세 총칙

1 지방세 용어 정의

지방세에서 사용하는 용어의 정의는 다음과 같다(개세칙 제108조; 2012년 시행세칙에서는 조문이 삭제됨).

① ≪월노임총액≫이라 함은 기업이 종업원에게 지불하는 노임의 합계액을 말한다.

② ≪자동차≫라 함은 관리기관에 등록된 차량을 말한다.

2 지방세의 납부의무 및 종류

기업과 개인은 지방세를 납부하여야 하며, 지방세에는 도시경영세와 자동차리용세가 속한다(개세규 제72조; 개세칙 제109조). 지방세의 납세의무자에는 공업지구에 거주하지 않고 임시로 체류하면서 경제거래를 하는 개인도 포함된다(개세칙 제109조).

제2절 도시경영세

1 도시경영세의 납부의무

기업의 도시경영세는 기업이 부담하며, 개인의 도시경영세는 개인이 부담한다(개세칙 제110조).

2 도시경영세의 과세대상

도시경영세의 과세대상은 다음과 같다(개세규 제73조; 개세칙 제110조).

① 기업의 월노임총액

② 개인의 노동보수, 이자소득, 배당소득, 임대소득 및 재산판매소득 등 월수입총액

상기 ① 기업의 월노임총액이라고 함은 기업에 소속된 종업원 전체의 노동보수총액 중 상금, 가급금, 장려금을 제외한 기본노임합계액만을 의미하며, 휴가비, 생활보조금, 사회보험료는 도시경영세의 과세대상이 되지 않는다(개세칙 제110조). 하지만 2006년 시행세칙 제110조의 내용 중에서 이 부분이 2012년 시행세칙에서는 삭제되었다. 결과적으로 상금, 가급금 및 장려금이 도시경영세 과세대상 월노임총액에서 여전히 제외되는 것인지, 그리고 휴가비, 생활보조금 및 사회보험료가 도시경영세 과세대상에서 제외되는 것인지를 확인할 수 있는 명문 규정이 없는 상황이 되었다.

3 도시경영세의 과세표준, 세율 및 세액 계산

도시경영세의 세율은 「개성공업지구 세금규정」 부록 7에 따르며(개세규 제74조), 그 내용은 다음과 같다. 도시경영세의 계산은 기업의 월노임총액 또는 개인의 월수입총액에 아래 세율(개세규/개세칙 부록 7)을 적용하여 계산한다(개세규 제75조).

<표 3-7> 도시경영세의 세율

납부의무자	세 율
기 업	0.5%
개 인	0.5%

도시경영세의 계산방법을 구체적으로 살펴보면, ① 기업은 월노임총액에 0.5%의 세율을 적용하여 계산하고, ② 개인의 노동보수에 의한 소득은 월수입금에 0.5%의 세율, 이자소득, (이익)배당소득, 임대소득 및 재산판매소득은 소득을 취득할 때의 수입금에 0.5%의 세율을 적용하여 계산한다(개세칙 제111조).

4 도시경영세의 납부

가. 기업의 도시경영세

기업은 도시경영세를 매월 계산하여 다음달 10일 안으로 신고납부하여야 한다(개세규 제76조; 개세칙 제112조).

나. 개인의 도시경영세

개인의 도시경영세는 소득을 얻은 다음달 10일 안으로 소득을 지불하는 기업이 징수하거나 수익인이 다음과 같이 신고납부하여야 한다(개세규 제76조; 개세칙 제112조).

① 기업에 종사하는 개인의 노동보수에 대한 도시경영세는 기업이 공제하여 납부한다. 이러한 공제납부는 개인이 기업에서 받는 노동보수에 한하여 적용되며 이외 개인이 얻는 기타 수입은 본인이 신고납부한다.

② 기업에 적을 두지 않은 개인의 노동보수에 대한 소득과 이자소득에 대한 도시경영세는 수익금을 지불하는 단위가 징수한다.

③ 재산판매소득, 증여소득, (이익)배당소득, 임대소득, 지적소유권을 제공하여 얻은 소득에 대한 도시경영세는 본인이 신고납부한다.

제3절 자동차리용세

1 자동차리용세의 납부의무

자동차리용세는 매해 1월 1일 현재 자동차를 소유한 기업(2012년 시행세칙에서는 임시등록된 기업 포함) 또는 개인이 납부한다(개세규 제77조; 개세칙 제113조).

자동차에는 승용차, 버스, 화물자동차, 자동자전차와 특수차가 속하며, 특수차에는 기중기차, 유조차, 지게차, 세멘트운반차, 굴착기, 불도젤, 냉동차 같은 특수한 용도에만 이용되는 윤전기재들이 포함된다(개세규 제77조; 개세칙 제113조). 자동차의 분류에 대한 이러한 내용은 2012년 시행세칙에서는 삭제되었고, 자동차의 구분과 세부적인 분류는 「공업지구 자동차관리규정시행세칙」 제3조에 따른다는 표현으로 대체되었다.

2 자동차의 등록

공업지구에서 자동차를 이용하려는 기업과 개인은 차를 들여온 때로부터 20일안에 자동차소유자의 이름, 거주지 또는 체류지, 자동차번호, 종류, 좌석수, 적재중량, 소유날짜 등을 밝힌 자동차등록신청서를 관리기관에 제출해야 한다(개세규 제78조; 개세칙 제114조).

관리기관은 자동차를 등록하였을 경우 자동차등록증을 신청자에게 내주고(개세규 제78조), 자동차의 소유자로부터 등록신청서를 받은 때로부터 20일 안에 세무소에 자동차등록증사본(2012년 시행세칙에서는 자동차임시등록증사본도 추가됨)을 보내주어야 한다(개세규 제78조; 개세칙 제114조).

3 자동차리용세의 계산방법

자동차리용세의 세금액은 「개성공업지구 세금규정」 부록 8에 따르며(개세규 제79조), 그 내용은 다음과 같다. 자동차리용세의 계산은 종류별 자동차대수에 아래의 세금액(개세규/개세칙 부록 8)을 적용하여 계산한다(개세규 제80조; 개세칙 제115조).

<표 3-8> 자동차리용세의 세금액표

구 분	단위	세금액 (US$)
승용차	대당/년	40
뻐 스		
- 12석까지	대당/년	40
- 13~30석	대당/년	50
- 30석 이상	대당/년	60
화물자동차	적재톤당/년	3
자동자전차	대당/년	10
특수차	대당/년	20

4 자동차리용세의 납부 및 반환

가. 자동차리용세의 납부

세무소는 매해 2월 안으로 자동차리용세납부통지서를 발급하며, 자동차소유자는 자동차리용세납부통지서를 받은 날부터 30일 안으로 해당 세금납부절차에 따라 자동차리용세를 납부하여야 한다(개세규 제81조; 개세칙 제116조).

공업지구에서 자동차를 새로 소유한 기업과 개인은 자동차를 등록한 날부터 30일 안으로 해당 세금납부절차에 따라 12월 31일까지의 자동차리용세를 납부하여야 한다(개세규 제81조; 개세칙 제116조).

나. 자동차 페기시 과납세금의 반환

자동차를 페기하는 기업과 개인은 자동차페기확인서와 함께 이름, 주소, 자동차명, 페기날짜, 납부한 자동차리용세, 반환받을 자동차리용세 등을 밝힌 자동차리용세반환신청서를 세무소에 제출하여야 한다(개세규 제82조; 개세칙 제117조).

세무소는 신청내용을 10일 안으로 검토하고 자동차를 페기한 날부터 12월 31일까지의 자동차리용세를 반환해주어야 한다(개세규 제82조; 개세칙 제117조).

5 자동차리용세의 면제

(1) 자동차리용세의 면제대상

자동차를 60일 이상 연속 이용하지 않은 기업과 개인은 세무소에 신청서를 내고 이용하지 않은 기간의 자동차리용세를 면제받을 수 있다(개세규 제83조; 개세칙 제118조).

(2) 자동차 이용하지 않은 기간의 계산

자동차를 이용하지 않은 기간에는 자동차대보수기간, 자동차고장으로 수리 또는 이용하지 못한 기간이 포함된다(개세칙 제118조).

(3) 자동차리용세 면제절차

자동차리용세를 면제받으려는 기업과 개인은 자동차리용세면제신청서를 세무소에 제출하여야 하며, 세무소는 이를 검토하여 중앙지도기관의 합의를 받아 이미 납부한 자동차리용세를 반환해주어야 한다(개세칙 제118조). 2012년 시행세칙에서는 '중앙지도기관의 합의를 받아'라는 문구가 삭제됨으로써, 세무소에서 검토하여 결정할 수 있는 것처럼 변경되었다(2012년 시행세칙 제118조).

제9장

제재 및 신소

「개성공업지구 세금규정」의 제재 및 신소 부분은 3 조문으로 이루어져 있고, 동 시행세칙의 제재 및 신소 부분은 2개(2012년 시행세칙은 2개) 조문으로 구성되어 있다.

1 연체료

기업 또는 개인이 세금납부를 정해진 기간에 하지 않을 경우, 납부기일이 지난날부터 납부하지 않은 세금에 대하여 매일 0.05%의 연체료를 물리며, 연체료는 세금미납금의 15%를 넘을 수 없다(개세규 제84조).

2 벌금

가. 「개성공업지구 세금규정」의 내용

기업 또는 개인에게 벌금을 물리는 경우는 다음과 같다.

① 정당한 이유없이 세무등록, 건물등록, 자동차등록을 제때에 하지 않았거나 세금납부신고서, 연간회계결산서 같은 세무문건을 제때에 제출하지 않았을 경우에는 US＄10~1,000까지의 벌금을 물린다(개세규 제85조 제1항). 이 부분은 「개성공업지구 세금규정시행세칙」 제119조 제1항 및 제2항에서 기업은 US＄800, 개인은 US＄500로 금액을 특정하고 있다.

② 세금을 적게 공제하였거나 공제한 세금을 납부하지 않았을 경우에는 납부하지 않은 세금의 10%에 해당한 벌금을 물린다(개세규 제85조 제2항). 이 부분은 공제납부의 무자에 대한 벌금인데, 「개성공업지구 세금규정시행세칙」 제119조에는 포함되어 있지 않다.

③ 고의적으로 세금을 납부하지 않은 세금에 대하여 3배까지의 벌금을 물린다(개세규 제85조 제3항). 이 부분은 「개성공업지구 세금규정시행세칙」 제119조 제6항의 내용과 동일하다.

나. 「개성공업지구 세금규정시행세칙」의 내용

다음의 경우에 세무소는 중앙지도기관의 합의를 받아 벌금(연체료 포함)을 부과한다(개세칙 제119조). 2012년 시행세칙에서는 이 문장이 삭제되어 중앙지도기관의 합의를 받는다는 내용이 없어졌다.

① 기업과 개인이 정당한 이유없이 제때에 세무등록, 건물등록, 자동차등록을 하지 않았을 경우, 기업에게는 US＄800, 개인에게는 US＄500의 벌금을 부과한다(개세칙 제119조 제1항).

② 기업이 정당한 이유없이 연간회계결산서를 제때에 제출하지 않았을 경우 US＄800의 벌금을 부과한다(개세칙 제119조 제2항).

③ 기업 또는 개인이 제정된 기일 내에 세금신고서 및 그를 확인할 수 있는 증빙서류들을 제출하지 않았을 경우, 기업에게는 US＄900, 개인에게는 US＄700의 벌금을 부과한다(개세칙 제119조 제3항).

④ 기업 또는 개인이 신고하여야 할 세금에 미달하게 신고한 경우, 신고하여야 할 금액에 미달한 세금의 10%에 해당되는 벌금을 부과한다(개세칙 제119조 제4항).

⑤ 세무소는 기업 또는 개인이 세무소의 결정이나 독촉에 복종하지 않고 해당한 의무를 이행하지 않았을 경우(2012년 시행세칙에서는 정당한 이유없이 세무소의 결정을 이행하지 않았을 경우로 표현이 변경됨), US＄1,000의 벌금을 부과하며 미납세금액에 해당한 재산을 담보처분하고 납세자가 필요한 의무를 이행하는 시기까지 영업중지, 물자반출입중지, 권리정지처분 등 해당한 제재를 준다(개세칙 제119조 제5항; 2012년 시행세칙 제119조 제9항).

⑥ 고의적으로 세금을 납부하지 않았을 경우에는 납부하지 않은 세금에 대하여 3배까지의 벌금을 부과한다(개세규 제85조 제3항; 개세칙 제119조 제6항).

⑦ 세무와 관련한 각종 증빙서류들을 정해진 절차대로 보관하지 않았을 경우 엄중성 정도에 따라 US＄500~1,000까지의 벌금을 부과한다(개세칙 제119조 제7항).

⑧ 세무등록증관리를 제대로 하지 않았거나 분실, 오손시켰을 경우 US＄1,000까지의 벌금을 부과한다(개세칙 제119조 제8항).

한편, 2012년 시행세칙에서는 아래 항목이 추가되었다.

⑨ 가격조작에 의한 탈세행위가 발견되는 경우 경영기간, 업종, 규모 등을 고려하여 **납부하여야 할 세액의 200배까지의 벌금**을 부과한다(2012년 시행세칙 제119조 제8항).

이 부분은 이전가격과세를 염두에 두고 추가한 것으로 보인다. 하지만 벌금을 부과하기 위해서는 정상가격에 기초한 '납부하여야 할 세액'을 계산할 수 있어야 한다. 여기서 정상가격을 도출하기 위해서는 이전가격분석이 필요한데, 현실적으로 이전가격분석 및 과세와 관련된 세부절차가 마련되어 있지 않은 상황으로서 정상가격에 기초한 이전소득을 합리적으로 계산하기는 어려울 것으로 판단된다.

⑩ 공업지구 기업이 공업지구에 들어와 비법영리활동을 하는 기업, 개인과 거래를 진행하는 경우는 해당 거래기업에 봉사기업의 7%에 해당한 세금을 대리납부시키며 세금액의 5배까지의 벌금을 적용한다(2012년 시행세칙 제119조 제10항).

다. 「개성공업지구 벌금규정」의 내용

북한은 「개성공업지구 벌금규정」(최고인민회의 상임위원회 결정 제78호, 2006.10.31.)을 채택하였으나, 남한 정부는 이를 수용하지 않았다. 「개성공업지구 벌금규정」은 각종 행정법규 위반에 대한 벌금의 상한선과 집행절차를 규정한 것인데, 「금강산국제관광특구 벌금규정」(2018)이나 「라선경제무역지대 벌금규정」(2014)의 내용과 전반적으로 유사하다.[30)]

3 신소 및 처리

(1) 「개성공업지구 세금규정」 제86조

세금부과 및 납부와 관련하여 의견이 있는 기업과 개인은 세무소에 의견을 제기하거나 중앙지도기관에 신소할 수 있다. 세무소와 중앙지도기관은 의견 또는 신소를 접수한 날부터 30일 안으로 처리하여야 한다.

(2) 2006년 시행세칙 제120조

「개성공업지구 세금규정」 및 동 시행세칙과 맞지 않게 부당한 처분을 받거나 필요한 처분을 받지 못함으로써 권리 또는 이익의 침해를 당한 자는 그 처분의 취소 또는 변경과 관련한 의견을 세무소에 제기하거나 중앙지도기관에 신소할 수 있다. 중앙지도기관은 세금의 부과 및 납부와 관련하여 제기되는 신소와 청원을 최종적으로 처리한다.

30) 하세정 · 김영윤 · 한명섭, 『북한 특수경제지대 조세제도 현황과 개선 방안』, 한국조세재정연구원, 2020, 84~85쪽.

(3) 2012년 시행세칙 제120조

세금의 부과 및 납부와 관련하여 부당한 처분을 받거나 또는 이익의 침해를 당하였다고 인정되는 경우에는 중앙지도기관에 신소할 수 있다. 접수한 신소는 25일 안으로 요해처리한다.

(4) 평가

「신소청원법」 제2조에 의하면, 신소는 자기의 권리와 이익에 대한 침해를 미리 막거나 침해된 권리와 이익을 회복시켜줄 것을 요구하는 행위이며, 청원은 기관, 기업소, 단체와 개별적 일꾼의 사업을 개선시키기 위하여 의견을 제기하는 행위라고 정의하고 있다. 이와 관련하여 「개성공업지구 세금규정」과 2006년 시행세칙에서는 세무소에 의견을 제기(청원)하거나 중앙지도기관에 신소할 수 있다고 규정하고 있으나, 2012년 시행세칙에서는 중앙지도기관에 신소할 수 있다는 내용만 포함하고 있다. 하지만 「신소청원법」에서도 이를 '신소청원'이라는 하나의 단어로 사용하고 있는 바, 구분의 실익은 없어 보인다.

「개성공업지구 세금규정」에서는 의견제기 또는 신소를 30일 안에 처리하도록 하고 있으나, 2006년 시행세칙에서는 별도의 처리기간 규정이 없고 2012년 시행세칙에서는 25일 안에 요해처리한다고 규정하고 있다. 이러한 세금규정 및 동 시행세칙 간의 차이를 정비할 필요가 있다고 판단된다.

제4편

특수경제지대 세제 II (금강산국제관광특구)

금강산국제관광특구 세금규정

(2012년 6월 27일 채택)

제1장 일반규정	제5장 상속세
제1조 사명	제33조 상속세의 납부의무
제2조 적용대상	제34조 상속재산의 가격평가
제3조 기업의 세무등록, 세무등록증의 발급	제35조 상속세의 세율
제4조 기업의 세무등록변경과 취소	제36조 상속세의 계산
제5조 개인의 세무등록	제37조 상속세의 납부기간과 방법
제6조 세무문건의 작성언어, 종류와 양식	제38조 상속세의 분할납부
제7조 세무문건의 보존기간	제6장 거래세
제8조 세금납부화폐와 납부당사자	제39조 거래세의 납부의무 및 과세대상
제9조 세금의 납부절차	제40조 거래세의 세율
제10조 세금납부기간	제41조 거래세의 계산
제11조 협정의 적용	제42조 거래세의 납부기간과 방법
제12조 세무사업지도기관	제43조 거래세의 면제 및 제외대상
제2장 기업소득세	제7장 영업세
제13조 기업소득세의 납부의무 및 과세대상	제44조 영업세의 납부의무 및 과세대상
제14조 기업소득세의 세율	제45조 영업세의 세율
제15조 기업소득세의 계산	제46조 영업세의 계산
제16조 기업소득세의 납부기간과 방법	제47조 영업세의 납부기간과 방법
제17조 기업의 해산, 통합, 분리시 기업소득세납부	제48조 영업세의 감면
제18조 기업소득세의 감면	제8장 지방세
제19조 기업소득세감면신청서의 제출	제49조 지방세와 납부의무와 종류
제20조 감면해주었던 기업소득세의 회수	제50조 도시경영세의 과세대상
제21조 지사, 사무소의 기타소득에 대한 소득세	제51조 도시경영세의 세율 및 계산
제3장 개인소득세	제52조 도시경영세의 납부기간과 방법
제22조 개인소득세의 납부의무 및 과세대상	제53조 자동차리용세의 과세대상
제23조 개인소득세의 세율	제54조 자동차의 등록
제24조 개인소득세의 계산	제55조 자동차리용세액
제25조 개인소득세의 납부기간과 납부방법	제56조 자동차리용세의 계산
제26조 개인소득세의 면제대상	제57조 자동차리용세의 납부기간과 방법
제4장 재산세	제58조 자동차의 양도, 폐기시 과납세금의 반환
제27조 재산세의 납부의무	제59조 자동차를 이용하지 않은 기간의 세금면제
제28조 재산의 등록과 등록취소	제9장 제재 및 신소
제29조 재산세의 세율	제60조 연체료
제30조 재산세의 계산	제61조 벌금부과
제31조 재산세의 납부기간과 방법	제62조 신소와 그 처리
제32조 새 건물에 대한 재산세의 면제	

「금강산국제관광특구 세금규정」은 9개 장 62개 조문으로 구성되어 있는데 개별 세목에 대한 과세요건(납세의무자, 과세대상, 과세표준 및 세율)과 시행에 필요한 최소한의 내용을 규정하고 있다.

2008년에 금강산 관광이 중단된 이후 2011년에는 기존 「금강산관광지구법」이 「금강산국제관광특구법」으로 대체되었고, 2012년에 「금강산국제관광특구 세금규정」이 채택되었다. 종래의 「금강산관광지구법」은 세금규정이 마련되어 있지 않았다.[1] 「금강산국제관광특구 세금규정」에 대한 별도의 시행세칙은 확인되지 않는다.

제4편 특수경제지대 세제 Ⅱ (금강산국제관광특구)는 2012년 6월 27일에 채택된 「금강산국제관광특구 세금규정」을 기초로 작성하였다. 별도의 시행세칙이 확인되지 않은 상태로서 세부 실행절차 등 구체적인 내용은 부족하다.

---

1) 「금강산관광지구법」 제8조에서 개발사업자에 대한 조세특례 조항만 규정하고 있었다. 한상국, "북한의 금강산국제관광특구에서의 세금문제: "세금규정"의 평가와 전망," 『조세연구』, 제13권 제2집, 2013, 204 및 206쪽.

제1장

일반규정

「금강산국제관광특구 세금규정」의 일반규정 부분은 12개 조문으로 이루어져 있다.

1 목적

「금강산국제관광특구 세금규정」은 금강산국제관광특구(이하 '국제관광특구'라고 함)에서 세무사업질서를 엄격히 세워 세금의 부과와 납부를 정확히 하도록 하는데 이바지하는 것을 사명으로 한다(금세규 제1조).

2 적용대상

「금강산국제관광특구 세금규정」은 금강산국제관광특구에서 경제거래를 하거나 소득을 얻는 기업과 개인에게 적용한다. 기업에는 다른 나라 투자가, 남측 및 해외동포가 투자하여 창설운영하는 기업과 지사, 사무소 등이, 개인에는 외국인, 남측 및 해외동포가 속한다.(금세규 제2조)

3 세무등록

가. 기업의 세무등록

(1) 세무등록 및 세무등록증 발급

기업은 기업등록증을 발급받은 날부터 15일 안으로 국제관광특구세무소(이하 '세무소'라고 함)에 세무등록신청서를 제출하고 세무등록을 하여야 한다. 세무소는 세무등록신청서를 접수한 날부터 10일 안으로 세무등록증을 발급하여야 한다.(금세규 제3조)

(2) 세무등록의 변경

통합, 분리되었거나 등록자본, 업종 등이 변경된 기업은 금강산국제관광특구관리위원회(이하 '국제관광특구관리위원회'라고 함)에 변경등록을 한 날부터 10일 안으로 세무소에 세무변경등록을 하여야 한다(금세규 제4조).

(3) 세무등록의 취소

해산되는 기업은 해산 20일 전까지 세무취소등록을 하여야 한다(금세규 제4조).

나. 개인의 세무등록

국제관광특구에 체류하거나 거주하면서 소득을 얻은 개인은 체류 또는 거주승인을 받은 날부터 20일 안으로 세무소에 세무등록신청서를 제출하고 세무등록을 하여야 한다. 종업원의 세무등록수속은 기업이 할 수도 있다.(금세규 제5조)

4 세무문건

(1) 세무문건의 작성언어 등

국제관광특구에서 세무문건은 조선말로 작성한다. 필요에 따라 다른 나라 말로 작성할 수도 있는데, 이 경우 조선말로 된 번역문을 첨부한다. 세무문서의 종류와 양식은 세무소가 정한다.(금세규 제6조)

(2) 세무문건의 보존기간

세무문건은 5년간 보존하며, 연간회계결산서, 고정재산계산장부는 기업이 운영되는 기간까지 보존한다(금세규 제7조).

5 세금납부

(1) 납부당사자 및 납부화폐

세금은 정해진 외화로 수익인이 직접 납부하거나 수익금을 지불하는 단위가 공제납부한다(금세규 제8조).

(2) 납부절차

세금납부자는 세무소에 세금납부신고서를 제출하여 확인을 받은 후, 중앙금강산국제관광특구지도기관(이하 '국제관광특구지도기관'이라고 함)이 지정한 은행에 납부하여야 한다. 은행은 세금납부자에게 세금납부확인서를 발급하여 주며, 세무소에는 세금납부통지서를 보낸다.(금세규 제9조)

(3) 납부기간

세금납부자는 세금을 정해진 기간 안에 납부하여야 한다. 부득이한 사유로 정해진 기간 안에 세금을 납부할 수 없을 경우에는 세무소의 승인을 받아 세금납부기간을 연장할 수 있다.(금세규 제10조)

6 협정의 적용

국제관광특구에서 세금과 관련하여 우리 나라와 다른 나라 사이에 맺은 협정이 있을 경우에는 그에 따른다(금세규 제11조).

7 세무사업 지도기관

국제관광특구에서 세무사업에 대한 지도는 국제관광특구지도기관이 한다(금세규 제12조).

제2장 기업소득세

「금강산국제관광특구 세금규정」의 기업소득세 부분은 9개 조문으로 이루어져 있다.

1 기업소득세 총칙

가. 기업소득세의 납부의무자

기업은 국제관광특구에서 경영활동을 하여 얻은 소득과 기타소득에 대하여 기업소득세를 납부하여야 한다(금세규 제13조).

나. 기업소득세의 계산기간

기업소득세는 해마다 1월 1일부터 12월 31일까지의 결산이윤에 세율을 적용하여 계산한다(금세규 제15조).

다. 기업소득세의 과세대상

기업은 국제관광특구에서 경영활동을 하여 얻은 소득과 기타소득에 대하여 기업소득세를 납부하여야 하며, 과세대상 소득의 구체적인 내용은 다음과 같다.

(1) 경영활동을 하여 얻은 소득

관광봉사소득, 생산물판매소득, 건설물인도소득, 운임 및 요금소득 등이 속한다(금세규 제13조).

(2) 기타소득

이자소득, 배당소득, 고정재산임대소득, 재산판매소득, 지적소유권과 기술비결의 제공에 의한 소득, 경영봉사소득, 증여소득 등이 속한다(금세규 제13조).

2 기업소득세의 과세표준, 세율 및 세액 계산

가. 기업소득세 과세표준의 계산구조

기업소득세 결산이윤(과세표준)의 계산구조는 아래와 같다(금세규 제15조).

총수입금
(-) 원가
―――――――――
= 이윤
(-) 거래세 또는 영업세
(-) 기타 지출
―――――――――
= 결산이윤(과세표준)

여기서 원가는 원료 및 자재비, 연료 및 동력비, 노력비, 감가상각비, 물자구입경비, 기업관리비, 보험료, 판매비 등을 포함한다. 총수입금에서 원가를 공제하여 계산한 이윤에서 거래세 또는 영업세,[2] 기타 지출을 공제하여 결산이윤(과세표준)을 계산한다.

나. 기업소득세의 세율 및 세액 계산

국제관광특구에서 기업소득세의 세율은 결산이윤의 14%로 하며, 하부구조건설부문의 경우 결산이윤의 10%로 한다(금세규 제14조).

2) 2015년 최종 수정보충된 「외국투자기업 및 외국인세금법」에서는 '거래세와 영업세'만을 공제대상 세금으로 열거하고 있으나, 이후 2016년 채택된 동 시행규정 및 2017년 채택된 동 시행규정세칙에서는 '세금 및 국가납부금' 항목으로 표현하고 추가적으로 자원세, 도시경영세, 자동차리용세, 관세 등의 세금과 사회보험료, 토지사용료, 도로사용료, 양식장사용료, 오염물질배출보상료, 각종 수수료 등의 국가납부금도 공제대상으로 예시하고 있다. 「개성공업지구 세금규정」에서도 '거래세와 영업세'만 공제대상 세금으로 규정하고 있는데, 다른 세금 항목과 국가납부금이 공제대상에서 배제되는 것인지 별도의 명문 규정은 없다. 하지만 2016~2017년 채택된 「외국투자기업 및 외국인세금법 시행규정」과 동 시행규정세칙, 그리고 「외국투자기업재정관리법 시행규정세칙」 등의 내용에 비추어 볼 때, 2012년의 「금강산국제관광특구 세금규정」이 적시에 보완되지 못하여 발생한 입법 미비로 보인다. 최근 법제의 동향을 반영한다면, 기업소득세를 제외한 모든 세금 및 국가납부금이 공제대상이 될 것으로 판단된다.

3 기업소득세의 납부

가. 기업소득세의 예정납부와 확정납부

(1) 납부기한

기업은 분기가 끝난 다음달 15일 안으로 기업소득세를 예정납부하고, 회계연도가 끝난 다음 3개월 안으로 확정납부하여야 한다(금세규 제16조).

(2) 납부절차

기업소득세를 확정납부하려는 기업은 연간회계결산서와 기업소득세납부신고서를 세무소에 제출하여 확인을 받은 다음 기업소득세를 해당 은행에 납부하여야 한다(금세규 제16조).

(3) 반환 및 추가납부

이 경우 과납액은 반환받고 미납액은 추가납부한다(금세규 제16조).

나. 해산, 통합, 분리시의 기업소득세 납부

(1) 해산의 경우

기업은 해산될 경우 해산이 선포된 날부터 20일 안으로 세무소에 세금납부담보를 세우며, 결산이 끝난 날부터 15일 안으로 기업소득세를 납부하여야 한다(금세규 제17조).

(2) 통합, 분리의 경우

기업이 통합, 분리될 경우에는 통합 또는 분리가 선포되는 날부터 20일 안으로 기업소득세를 납부하여야 한다(금세규 제17조).

다. 지사, 사무소의 기타소득에 대한 기업소득세 납부

국제관광특구에서 기타소득을 얻은 지사, 사무소는 소득액의 10% 세율을 적용하여 소득이 생긴 날부터 15일 안으로 소득세를 납부하여야 한다(금세규 제21조).

4 기업소득세의 감면

가. 기업소득세의 감면

기업수득세를 면제하거나 덜어주는 경우는 다음과 같다.

(1) 차관 또는 대부 이자소득

① 다른 나라 정부, 국제금융기구가 차관을 주었거나, ② 다른 나라 은행이 국제관광특구 은행 또는 기업에 유리한 조건으로 대부를 주었을 경우, 그 이자소득에 대해서는 기업소득세를 면제한다(금세규 제18조 제1항).

(2) 이윤의 재투자

이윤을 재투자하여 5년 이상 운영하는 기업에 대해서는 재투자분에 해당한 기업소득세의 50%를 덜어준다(금세규 제18조 제2항).

(3) 총투자액 기준(일반 투자기업 및 하부구조건설 투자기업)

① 총투자액이 €1,000만 이상 되는 투자기업에 대해서는 기업소득세를 3년간 면제하며, 그 다음 2년간은 50% 덜어준다(금세규 제18조 제3항).

② 총투자액이 €2,000만 이상 되는 철도, 도로, 비행장, 항만 같은 하부구조건설 부문의 투자기업에 대해서는 기업소득세를 4년간 면제하며, 그 다음 3년간은 50% 덜어준다(금세규 제18조 제4항).

나. 기업소득세감면신청서의 제출

기업소득세를 감면받으려는 기업은 세무소에 기업소득세감면신청서와 경영기간, 재투자액을 증명하는 확인문건을 제출해야 하며, 기업소득세감면신청서에는 기업의 명칭과 소재지, 업종, 총투자액, 거래은행, 돈자리번호 등을 밝힌다(금세규 제19조).

다. 기업소득세 감면세액의 회수

감면조건으로 상기 제18조(기업소득세의 감면)에 정한 기간 전에 철수, 해산하거나 재투자한 자본을 거두어들인 기업에 대해서는 이미 감면해주었던 기업소득세를 회수한다(금세규 제20조).

그런데 앞서 살펴본 「금강산국제관광특구 세금규정」 제18조에서 '정한 기간'의 의미가 명확하지 않다. 다른 법규에서의 감면세액 회수관련 규정을 고려할 경우, 기업창설승인문건에 정한 '존속기간'[3]을 의미하는 것일 가능성이 크다. 하지만 감면적용 기간 이외에 동 제18조에서 달리 명시하고 있는 기간은 이윤 재투자의 경우 '5년 이상 운영'해야 한다는 내용뿐이다.

3) 기업의 '존속기간'은 기업창설승인문건에 정한 기간으로서, 기업창설승인문건을 받은 날부터 계산한다. 정철원, 『조선투자법안내(310가지 물음과 대답)』, 법률출판사, 2007, 170쪽; 조선대외경제투자협력위원회 편찬, 『조선민주주의인민공화국 투자안내』, 외국문출판사, 2016, 43쪽.

제3장

개인소득세

「금강산국제관광특구 세금규정」의 개인소득세 부분은 5개 조문으로 이루어져 있다.

1 개인소득세의 납부의무자

국제관광특구에서 소득을 얻은 개인은 개인소득세를 납부하여야 한다(금세규 제22조).

2 개인소득세의 과세대상

국제관광특구에서 소득을 얻은 개인은 개인소득세를 납부하여야 하며, 개인소득세의 과세대상에는 노동보수에 의한 소득, 이자소득, 배당소득, 고정재산임대소득, 재산판매소득, 지적소유권과 기술비결의 제공에 의한 소득, 증여소득, 경영봉사소득 등이 속한다(금세규 제22조). 개성공업지구의 경우와 마찬가지로 소득원천설에 입각한 열거주의 과세방식인 것으로 보인다.

3 개인소득세의 과세표준, 세율 및 세액 계산

개인소득세는 아래 과세표준에 세율을 적용하여 계산하며, 이러한 과세표준과 세율을 표로 정리하면 다음과 같다(금세규 제23조~제24조).

<표 4-1> 개인소득세의 과세표준과 세율

과세대상	과세표준	세율
노동보수	월노동보수액 (€300 이상일 경우)	5~30%
이자소득	은행에 예금하고 얻은 소득액	20%
고정재산임대소득	소득액에서 20% 공제 (노력비, 포장비, 수수료 등 비용)	20%

과세대상	과세표준	세율
배당소득, 지적재산권과 기술비결 제공소득, 경영봉사소득	해당 소득액	20%
재산판매소득	해당 소득액	25%
증여소득	해당 소득액 (€5,000 이상일 경우)	2~15%

자료: 관련 법규 내용을 기초로 저자 작성.

노동보수 및 증여소득은 각각 €300 및 €5,000를 과세최저한 또는 면세점으로 설정하고 있다. 고정재산임대소득 소득액에서 일률적으로 20%를 공제하는 것은 '필요경비 개산공제(必要經費 概算控除)'의 성격이라고 할 수 있다.

재산판매소득과 관련하여, 개념적으로는 고정재산이나 유동재산의 원가를 차감한 처분이익(net)이 과세표준이 되어야 할 것으로 보이는데, 재산판매소득 총액(gross)을 과세표준으로 보는 것은 개인에 대하여 객관적인 원가 정보를 확인하는 것이 실무적으로 어렵기 때문인 것으로 판단된다.

4 개인소득세의 납부기간과 납부방법

개인소득세의 납부기간과 납부방법은 다음과 같다(금세규 제25조 제1항~제3항).

<표 4-2> 개인소득세의 납부기간과 납부방법

과세대상	납부기간	납부방법
노동보수	소득을 얻은 다음달 10일 안	지불단위 공제납부 또는 수익인 신고납부
이자소득, 배당소득, 고정재산임대소득, 지적재산권과 기술비결 제공소득, 경영봉사소득	소득을 얻은 다음달 10일 안	지불기업 공제납부 또는 수익인 신고납부
재산판매소득, 증여소득	소득을 얻은 날부터 30일 안	수익인 신고납부

자료: 관련 법규 내용을 기초로 저자 작성.

5 개인소득세의 면제

북한 금융기관으로부터 받은 저축성예금이자소득과 국제관광특구에 설립된 은행에 비거주자들이 예금한 돈에 대한 이자소득에는 개인소득세를 부과하지 않는다(금세규 제26조).

제4장 재산세

「금강산국제관광특구 세금규정」의 재산세 부분은 6개 조문으로 이루어져 있다.

1 재산세의 납부의무자

국제관광특구에서 건물, 선박, 비행기를 소유한 개인은 세무소에 재산등록을 하고 재산세를 납부하여야 한다(금세규 제27조). 다만, 새로 건설한 건물을 소유하였을 경우에는 세무소에 등록한 날부터 2년간 재산세를 면제한다(금세규 제32조).

2 재산의 등록과 등록취소

국제관광특구에서 재산의 등록과 등록취소는 다음과 같이 한다(금세규 제28조).

① 재산은 국제관광특구에서 소유한 날부터 20일 안에 평가한 값으로 등록

② 재산의 소유자와 가격이 달라졌을 경우에는 20일 안으로 변경등록

③ 재산은 해마다 1월 1일 현재로 평가하여 2월 안으로 재등록

④ 재산을 폐기하였을 경우 20일 안으로 등록취소

3 재산세의 세율 및 세액 계산

재산세는 세무소에 등록된 값에 다음의 세율을 적용하여 계산한다(금세규 제29조 및 제30조).

① 건물 1%, ② 선박과 비행기 1.4%

4 재산세의 납부기한과 납부방법

재산세는 분기마다 계산하여 해당 분기가 끝난 다음달 20일 안으로 납부한다(금세규 제31조).

제5장

상속세

「금강산국제관광특구 세금규정」의 상속세 부분은 6개 조문으로 이루어져 있다.

1 상속세의 납부의무자

국제관광특구에 있는 재산을 상속받은 자는 상속세를 납부하여야 한다(금세규 제33조).

참고로 「외국투자기업 및 외국인세금법」 제35조에서는 외국인이 북한 영역에 있는 재산을 상속받는 경우와 북한에 거주하고 있는 외국인이 북한 영역 밖에 있는 재산을 상속받았을 경우 상속세를 납부하여야 한다고 규정하고 있다. 하지만, 「개성공업지구 세금규정」과 「금강산국제관광특구 세금규정」에서는 개성공업지구 또는 국제관광특구 밖에 있는 재산을 상속받았을 경우에 대해서는 납부의무를 규정하고 있지 않다.

2 상속재산 및 평가

(1) 상속재산

상속재산에는 부동산, 화폐재산, 현물재산, 유가증권, 지적소유권, 보험청구권 같은 재산과 재산권이 속한다(금세규 제33조).

(2) 상속재산 평가

상속재산의 가격은 재산을 상속받을 당시의 가격으로 평가한다(금세규 제34조).

3 상속세의 과세표준, 세율 및 세액 계산

상속세는 상속받은 재산액에서 다음의 항목을 공제한 나머지 금액(과세표준)에 6～30%의 세율을 적용하여 계산한다(금세규 제35조～제36조).

① 피상속인의 채무
② 상속인이 부담한 장례비용
③ 상속기간에 상속재산을 보존관리하는데 든 비용
④ 재산상속과 관련한 공증료

4 상속세의 납부기한과 납부방법

(1) 납부기한

상속세는 상속받은 날부터 3개월 안으로 상속인이 납부하여야 한다(금세규 제37조).

(2) 납부방법

① 상속재산액, 공제액 등을 밝힌 상속세납부신고서와 공증기관의 공증을 받은 상속세공제신청서를 세무소에 제출하여 확인받아야 한다(금세규 제37조).
② 재산을 상속받은 자가 2명 이상일 경우에는 상속인별로 자기 몫에 해당한 상속세를 납부하여야 한다(금세규 제37조).

(3) 분할납부

상속세가 €30,000 이상일 경우에는 세무소의 승인을 받아 3년간 분할하여 납부할 수 있다(금세규 제38조).

제6장 거래세

「금강산국제관광특구 세금규정」의 거래세 부분은 5개 조문으로 이루어져 있다.

1 거래세의 납부의무자

생산부문과 건설부문[4]의 기업은 거래세를 납부하여야 한다(금세규 제39조).

2 거래세의 과세표준, 세율 및 세액 계산

(1) 거래세는 생산물판매액 또는 건설공사인도수입액에 1~15%의 세율을 적용하여 계산한다(금세규 제40조~제41조). 정해진 기호품에 대한 세율은 생산물판매액의 16~50%로 한다(금세규 제40조).

(2) 기업이 생산업과 봉사업을 함께 할 경우에는 거래세와 영업세를 따로 계산한다(금세규 제41조).

3 거래세의 납부기한과 납부방법

거래세는 생산물판매수입금 또는 건설공사인도수입금이 이루어질 때마다 해당 수입이 이루어진 날부터 20일 안에 납부하여야 한다(금세규 제42조).

4 거래세의 면제

수출상품(수출제한 상품 제외)에 대해서는 거래세를 면제한다(금세규 제43조).

---

4) 「외국투자기업 및 외국인세금법」과 「금강산국제관광특구 세금규정」에서는 건설부문이 거래세 과세대상으로 되어 있다. 반면, 「개성공업지구 세금규정」 및 「라선경제무역지대 세금규정」에서는 건설부문이 모두 영업세 과세대상으로 되어 있다.

제7장 영업세

「금강산국제관광특구 세금규정」의 영업세 부분은 5개 조문으로 이루어져 있다.

1 영업세의 납부의무자

봉사부문의 기업은 영업세를 납부하여야 한다(금세규 제44조).

2 영업세의 과세표준, 세율 및 세액 계산

(1) 영업세는 교통운수, 통신, 상업, 금융, 보험, 관광, 여관, 급양, 오락, 위생편의 같은 봉사부문의 봉사수입금에 부과한다(금세규 제44조).

(2) 영업세는 업종별 수입금에 2~10%의 세율을 적용하여 계산한다(금세규 제45조~제46조).

(3) 여러 업종의 영업을 할 경우에는 업종별로 계산한다(금세규 제46조).

3 영업세의 납부기한과 납부방법

기업은 영업세를 분기마다 계산하여 다음달 10일 안에 납부하여야 한다(금세규 제47조).

4 영업세의 면제

전기, 가스, 난방 같은 에네르기 생산 및 공급부문과 상하수도, 용수, 도로, 철도, 비행장 같은 하부구조부문에 투자하여 운영하는 기업에 대해서는 영업세를 면제하거나 덜어줄 수 있다(금세규 제48조).

제8장

지방세

「금강산국제관광특구 세금규정」의 지방세 부분은 11개 조문으로 이루어져 있다.

제1절 지방세의 납부의무 및 종류

기업과 개인은 지방세를 납부하여야 하며, 지방세에는 도시경영세와 자동차리용세가 속한다(금세규 제49조).

제2절 도시경영세

1 도시경영세의 과세표준, 세율 및 세액 계산

도시경영세는 기업의 월노임총액, 개인의 노동보수, 이자소득, 배당소득, 재산판매소득 같은 월수입총액에 부과한다(금세규 제50조). 도시경영세는 기업의 월노임총액 또는 개인의 월수입총액에 1%의 세율을 적용하여 계산한다(금세규 제51조).

2 도시경영세의 납부기한 및 납부방법

(1) 기업은 도시경영세를 매월 계산하여 다음달 10일 안으로 납부하여야 한다(금세규 제52조).

(2) 개인의 도시경영세는 매월 계산하여 소득을 얻은 다음달 10일 안으로 소득을 지불하는 기업이 공제납부하거나 수익인이 신고납부하여야 한다(금세규 제52조).

제3절 자동차리용세

1 자동차리용세의 과세대상

자동차리용세의 과세대상에는 기업 또는 개인의 승용차, 버스, 화물자동차, 자동자전차와 특수차가 속한다. 특수차에는 기중기차, 유조차, 지게차, 세멘트운반차, 굴착기, 불도젤, 냉동차 등이 속한다.(금세규 제53조)

2 자동차의 등록

국제관광특구에서 자동차를 새로 구입한 자는 자동차를 소유한 날부터 30일 안으로 관리위원회에 자동차등록신청서를 제출하고 등록하여야 한다(금세규 제54조). 자동차등록신청서에는 자동차소유자의 이름, 거주지 또는 체류지, 자동차번호, 종류, 좌석수, 적재중량, 소유날짜 등을 밝힌다(금세규 제54조).

관리위원회는 자동차를 등록하였을 경우, 자동차등록증을 신청자에게 발급해주고 그 사본을 세무소에 보내주어야 한다(금세규 제54조).

3 자동차리용세의 계산방법

(1) 자동차리용세의 액수는 1대당 연간 €100～200로 한다(금세규 제55조). 자동차리용세는 종류별 자동차대수에 정해진 세금액을 적용하여 계산한다(금세규 제56조).

(2) 새로 구입하였거나 양도한 자동차, 폐기한 자동차, 세무소의 승인 하에 이용하지 않는 자동차에 대한 당해 연도 자동차리용세는 이용일수에 종류별 자동차의 일당 세액을 적용하여 계산한다(금세규 제56조).

4 자동차리용세의 납부 및 반환

가. 자동차리용세의 납부

(1) 자동차리용세는 해마다 2월 안으로 자동차리용자가 납부하여야 한다(금세규 제57조).

(2) 국제관광특구에서 자동차를 새로 구입한 자는 자동차를 등록한 날부터 30일 안으로 당해 연도에 해당한 자동차리용세를 납부하여야 한다(금세규 제57조).

나. 자동차 양도, 폐기시 과납세금의 반환

자동차를 양도하거나 폐기한 자는 해당 확인서와 함께 이름, 주소, 자동차명, 양도 또는 폐기날짜, 납부한 자동차리용세, 반환받을 자동차리용세 등을 밝힌 자동차리용세반환신청서를 세무소에 제출해야 한다(금세규 제58조).

세무소는 신청내용을 10일 안으로 검토하고 자동차를 양도 또는 폐기한 날부터 12월 31일까지의 자동차리용세를 돌려주어야 한다(금세규 제58조).

5 자동차리용세의 면제

자동차를 일정한 기간 이용하지 않으려는 기업과 개인은 세무소에 신청서를 제출하고 승인을 받아 이용하지 않는 기간의 자동차리용세를 면제받을 수 있다(금세규 제59조).

제9장

제재 및 신소

「금강산국제관광특구 세금규정」의 제재 및 신소 부분은 3개 조문으로 이루어져 있다.

1 연체료

기업 또는 개인이 세금납부를 정해진 기간에 하지 않을 경우 납부기일이 지난날부터 납부하지 않은 세금에 대하여 매일 0.3%에 해당한 연체료를 물린다(금세규 제60조).

2 벌금

가. 「금강산국제관광특구 세금규정」의 내용

기업 또는 개인에게 벌금을 물리는 경우는 다음과 같다(금세규 제61조 제1항~제3항).

① 정당한 이유없이 세무등록, 재산등록, 자동차등록을 정해진 기간 안에 하지 않았거나, 세금납부신고서, 연간회계결산서 같은 세무문건을 제때에 제출하지 않았을 경우에는 €100~1,500까지의 벌금을 물린다.

② 세금을 적게 공제하였거나 공제한 세금을 납부하지 않았을 경우에는 납부하지 않은 세액의 2배까지의 벌금을 물린다.

③ 고의적으로 세금을 납부하지 않았거나 적게 납부한 경우에는 납부하지 않은 세액의 3배까지의 벌금을 물린다.

나. 「금강산국제관광특구 벌금규정」의 내용

「금강산국제관광특구 벌금규정」(최고인민회의 상임위원회 결정 제205호, 2018.9.24.)은 국제관광특구 안 기관, 기업소, 단체와 공민에게 적용하는데, 다른 나라 또는 국제기구 상주대표기관, 외국투자기업, 남측 및 해외동포기업, 남측 및 해외동포, 외국인에게도 적용된다(금벌규 제2조). 「금강산국제관광특구 벌금규정」은 벌금 부과의 한도액과 세부 집행절차를 규정한 것이다. 주요 관련 내용을 요약하면 다음과 같다.[5]

① 벌금적용원칙: 위법행위 당사자에게 부과하며, 법규에 규정하지 않은 벌금은 부과할 수 없다. 둘 이상의 위법행위에 대한 벌금은 가장 무거운 위법행위에 따르는 벌금만을 부과한다. 하나의 위법행위에 대하여 이미 벌금을 부과하였거나 그 밖의 행정처벌을 적용하였을 경우에는 이중 처벌로서 벌금을 부과하거나 그 밖의 행정처벌을 적용할 수 없다.(금벌규 제3조)

② 벌금부과 권한 및 취급처리관할: 금강산국제관광특구관리위원회와 해당 권한있는 기관이 부과한다(금벌규 제4조). 국제관광특구관리위원회는 기업경영질서, 세무질서, 회계질서, 검사검역질서, 부동산관리질서, 환경보호질서, 상업봉사질서, 광고질서, 관광질서 같은 것을 어긴 행위에 대한 벌금을 취급처리하며, 해당 권한있는 기관은 세관질서, 교통안전질서, 출입・체류 및 거주질서, 보험질서 같은 것을 어긴 행위에 대한 벌금을 취급처리한다(금벌규 제5조).

③ 벌금부과방법: 국제관광특구관리위원회 또는 해당 권한있는 기관의 「책임일군협의회」에서 벌금제기문건을 받은 날부터 20일안으로 심의・결정하여 벌금통지서를 발급하여 부과한다(금벌규 제7조 및 제9조).

④ 기관, 기업소, 단체에 부과하는 벌금집행: 해당 기관, 기업소, 단체와 그 단위가 거래하는 은행에 벌금통지서를 보내서 집행하는데, 이를 받은 은행은 즉시 해당 기관, 기업소, 단체의 돈자리에서 벌금액수에 해당한 돈을 떼내야 한다(금벌규 제10조).

⑤ 개별 공민에게 부과하는 벌금집행: 당사자와 그가 근무하는 기관, 기업소, 단체에 벌금통지서를 보내 집행하는데, 당사자가 직장에 다니지 않을 경우에는 벌금통지서를 그가 거주한 리, 읍, 구, 동사무소에 보내서 집행한다(금벌규 제11조).

⑥ 다른 나라 기관, 기업, 개인에게 부과하는 벌금집행: 당사자와 그가 거래하는 은행에 벌금통지서를 보내서 집행하는데, 이를 받은 은행은 즉시 당사자의 돈자리에서 벌금액수에 따르는 돈을 떼내야 한다. 거래은행이 없을 경우 당사자에게 은행을 지정해주어 벌금을 물게 하며, 다른 나라 기관, 기업, 개인에게 부과하는 벌금은 당일 북한 무역은행이 발표하는 공식환율에 따라 전환성 외화로 받는다.(금벌규 제12조)

⑦ 현지벌금의 집행: 해당 권한있는 기관은 세관질서, 출입질서, 교통안전질서, 관광질서, 환경보호질서를 어긴 공민과 개인에게 현지에서 직접 벌금을 부과할 수 있

5) ≪한명섭, 『통일법제특강(개정증보판)』, 한울아카데미, 2019, 516~517쪽≫의 내용을 요약한 것이다.

는데, 이 경우 벌금은 수입인지로 받는다. 부득이한 경우에는 현금으로 직접 받을 수 있는데, 이를 현지벌금이라고 한다.(금벌규 제13조)

⑧ 벌금부과한도액: 기관, 기업소, 단체에 대한 벌금한도액은 80만~8,000만원, 공민에 대한 벌금한도액은 5,000~5만원, 다른 나라 기관, 기업에 대한 벌금한도액은 €200~100,000, 개인에 대한 벌금한도액은 €20~1,000이다(금벌규 제15조). 하지만 환경을 오염시켰거나 세무질서를 어겨 엄중한 결과를 일으켰을 경우에는 이러한 한도액보다 많은 벌금을 부과할 수 있다(금벌규 제16조). 세금관련 벌금은 상기 한도액을 적용하지 않을 수 있는 여지를 둔 것으로 보인다.

⑨ 공민 또는 개인이 벌금을 내지 않았을 경우에는 당사자의 이동 또는 출국을 중지시킨다(금벌규 제17조).

⑩ 벌금에 대한 신소: 벌금 부과에 대하여 의견이 있는 당사자는 중앙금강산국제관광특구지도기관과 해당 기관에 신소할 수 있고, 신소를 받은 기관은 30일 안으로 조사해서 처리해야 한다(금벌규 제18조).

⑪ 벌금규정을 어기고 벌금을 부당하게 부과하였거나 벌금으로 받는 돈을 불법처리하였을 때에는 책임있는 일군에게 정상에 따라 행정적 또는 형사적 책임을 지운다(금벌규 제19조).

3 신소 및 처리

세금부과 및 납부와 관련하여 의견이 있는 기업과 개인은 국제관광특구지도기관과 세무소에 신소할 수 있다. 신소를 접수한 기관은 그것을 30일 안으로 처리하여야 한다.(금세규 제62조)

제 5 편

특수경제지대 세제 Ⅲ (라선경제무역지대)

라선경제무역지대 세금규정

(2014년 9월 25일 채택)

제1장 일반규정	제38조 재산세의 면제
제1조 사명	제5장 상속세
제2조 적용대상	제39조 상속세의 납부의무와 대상
제3조 세무기관	제40조 상속세의 공제대상
제4조 기업의 세무등록	제41조 상속재산의 가격
제5조 기업의 세무변경등록과 세무등록취소	제42조 상속세의 세율과 계산방법
제6조 개인의 세무등록	제43조 상속세의 납부
제7조 세무등록증의 발급	제44조 상속세의 납부기간과 방법
제8조 세무문건의 작성언어, 종류와 양식	제45조 상속세의 분할납부
제9조 세무문건의 보존기간	제6장 거래세
제10조 세금납부화폐와 세금납부당사자	제46조 거래세의 납부의무와 대상
제11조 세금의 납부절차	제47조 거래세의 세율과 계산방법
제12조 세금납부기일	제48조 거래세의 납부기간과 방법
제13조 협정의 적용	제49조 거래세의 감면
제2장 기업소득세	제7장 영업세
제14조 기업소득세의 납부의무와 세율	제50조 영업세의 납부의무와 대상
제15조 기업소득세의 계산기간	제51조 영업세의 세율과 계산방법
제16조 기업소득세의 계산방법	제52조 영업세의 납부기간과 납부방법
제17조 기업소득세의 납부기간과 방법	제53조 영업세의 감면
제18조 회계검증을 받을 의무	제8장 자원세
제19조 기업소득세의 감면대상, 기간	제54조 자원세의 납부의무와 자원의 구분
제20조 기업소득세 감면기간의 계산방법	제55조 자원세의 납부대상
제21조 기업소득세 감면신청서의 제출	제56조 자원세의 세율
제22조 감면해주었던 기업소득세의 회수조건	제57조 자원세의 계산방법
제23조 비영리단체의 세율	제58조 자원세의 납부
제3장 개인소득세	제59조 자원세의 감면
제24조 개인소득세의 납부의무와 대상	제9장 도시경영세
제25조 개인소득세의 세율	제60조 도시경영세의 납부의무와 대상
제26조 개인소득세의 계산방법	제61조 도시경영세의 세율과 계산방법
제27조 현금밖의 수입에 대한 개인소득세의 계산방법	제62조 도시경영세의 납부방법
제28조 개인소득세의 납부기간과 방법	제10장 자동차리용세
제29조 개인소득세의 면제대상	제63조 자동차리용세의 납부의무와 대상
제4장 재산세	제64조 자동차리용세의 액수와 계산방법
제30조 재산세의 납부의무와 대상	제65조 자동차리용세의 납부기간과 납부방법
제31조 재산의 등록	제11장 제재
제32조 재산의 등록가격	제66조 연체료의 부과
제33조 재산의 변경등록	제67조 영업중지
제34조 재산의 재등록	제68조 몰수
제35조 재산의 등록취소	제69조 벌금
제36조 재산세의 세율과 계산방법	제70조 형사적책임
제37조 재산세의 납부	

라선경제무역지대 세금징수관리규정

(2015년 6월 10일 채택)

제1조 규정의 사명	제19조 세금납부와 관련한 통지
제2조 용어의 정의	제20조 세금의 감면신청
제3조 적용대상	제21조 납세담보물의 제공, 미납자의 출국금지
제4조 세무기관의 지위	제22조 강제집행조치
제5조 세금납부와 징수에서 공정성보장	제23조 통합, 분리되는 기업에 대한 미납된 세금징수
제6조 세금징수사업에 대한 간섭금지	제24조 양도기업에 대한 미납된 세금징수
제7조 세무등록	제25조 해산 또는 파산기업의 미납된 세금징수
제8조 세무등록증 발급	제26조 비법경영활동에 대한 세금징수
제9조 과세대상설정과 납세액확정	제27조 지대세무기관의 세무조사의무
제10조 재정회계문건관리	제28조 담당조사
제11조 세금계산문건의 리용	제29조 집중조사
제12조 납세신고	제30조 조서의 작성
제13조 납세액의 사정	제31조 자료의 고증
제14조 세금납부서 발급	제32조 납세자의 영업비밀보장
제15조 납세기간의 연장	제33조 세무조사조건보장
제16조 세무자료관리	제34조 벌금부과
제17조 세금징수당사자	제35조 신소와 그 처리
제18조 세금징수요구	

「라선경제무역지대 세금규정」은 11개 장 70개 조문으로 구성되어 있는데 개별 세목에 대한 과세요건(납세의무자, 과세대상, 과세표준 및 세율)과 시행에 필요한 최소한의 내용을 규정하고 있다.

「라선경제무역지대 세금규정」은 2014년에 채택되었고, 같은 해에 「라선경제무역지대 세금규정시행세칙」도 채택되었다. 동 시행세칙은 11개 장 71개 조문으로 구성되어 있다.

라선경제무역지대의 경우, 다른 특수경제지대와 달리 「라선경제무역지대 세금징수관리규정」이 별도로 채택되어 있는데, 세무조사 등 과세당국의 징수관리뿐만 아니라 납세자와 관련된 내용도 상당 부분 포함되어 있다.

제5편 특수경제지대 세제 Ⅲ (라선경제무역지대)는 2014년 9월 25일에 채택된 「라선경제무역지대 세금규정」과 2014년 12월 29일에 채택된 동 시행세칙을 중심으로 작성하면서, 필요에 따라 2015년 6월 10일에 채택된 「라선경제무역지대 세금징수관리규정」의 내용을 해당 부분에 추가하는 방식으로 작성하였다.

제1장 일반규정

「라선경제무역지대 세금규정」의 일반규정 부분은 13개 조문으로 이루어져 있고, 동 시행세칙의 일반규정 부분은 13개 조문으로 구성되어 있다.

1 목적

「라선경제무역지대 세금규정」 및 동 시행세칙은 라선경제무역지대에서 세무사업질서를 엄격히 세워 세금을 공정하게 부과하고 납부하도록 하는데 이바지 하는 것을 목적으로 한다(라세규 제1조; 라세칙 제1조).

2 적용대상

(1) 「라선경제무역지대 세금규정」 및 동 시행세칙은 라선경제무역지대(이하 '지대'라고 함)에서 경제거래를 하거나 소득을 얻는 기업과 개인에게 적용한다(라세규 제2조; 라세칙 제2조).

(2) 기업에는 다른 나라 투자가 또는 해외동포가 투자하여 창설운영하는 기업과 지사, 사무소 등이 속하고, 개인에는 외국인과 해외동포가 속한다(라세규 제2조; 라세칙 제2조).

(3) 기업 또는 개인과 경제거래를 하는 북한의 기관, 기업소, 단체(이하 '기관, 기업소'라고 함)는 세금공제납부자로서 적용대상에 포함된다(라세칙 제2조).

3 세무기관

가. 지대세무기관

지대에서 외국투자기업과 외국인에 대한 세무관리는 라선시인민위위원회 세무국과 관리위원회 세무소(이하 '지대세무기관'이라고 함)가 하며, 지대세무기관은 기업과 개인의 세무등록을 바로 하며 정해진 세금을 정확히 부과하여야 한다(라세규 제3조; 라세칙 제3조).

지대세무기관은 중앙세무지도기관의 지도 밑에 지대에서 세무관련법규를 집행하는 감독통제기관이다(라징규 제4조). 지대에서 세금징수는 지대세무기관이 하며, 지대세무기관을 제외하고는 누구도 납세자에게 세금을 부과하거나 징수할 수 없다(라징규 제17조).

나. 지대세무기관의 세무행정

(1) 과세대상설정 및 납세액 확정

지대세무기관은 세금종류에 따라 과세대상을 정확히 설정하고 납세액을 확정하여야 한다(라징규 제9조).

(2) 세금납부 및 징수의 공정성

지대에서 모든 납세자는 세금납부에서 평등한 의무를 지니고, 지대세무기관은 세금징수를 세금관련법규에 근거하여 공정하게 하여야 하며, 지대세무기관의 합법적인 세금징수사업에 대하여 누구도 방해하거나 간섭할 수 없다(라징규 제5조~제6조). 지대세무기관은 세금관련법규와 어긋나게 세금종류와 세율, 납세기간을 설정하거나 세금을 면제 또는 감면할 수 없으며 세금을 징수하지 않거나 적게 또는 초과징수할 수 없다(라징규 제18조). 이러한 규정들은 납세의무, 조세법률주의 및 세무기관의 독립성 등에 대한 선언적인 규정이라고 할 수 있다.

(3) 납세신고서 및 세금납부서

납세자는 정해진 기간 안에 납세신고를 하여야 하고, 납세신고는 납세신고서를 지대세무기관에 제출하고 확인을 받는 방법으로 한다(라징규 제12조). 지대세무기관은 납세신고서를 접수하면 그것을 확인하고 세금납부서를 발급하여야 하며, 납세자는 이러한 세금납부서에 따라 정해진 기간 안에 세금을 납부하여야 한다(라징규 제14조).

(4) 납세액의 사정

지대세무기관은 납세자가 계산한 납세액이 정확하지 않을 경우 해당 법규에 근거하여 납세액을 사정할 수 있다(라징규 제13조).

(5) 통합 · 분리 · 양도되는 기업, 해산 · 파산기업의 미납된 세금 징수

① 지대세무기관은 기업이 세금을 미납한 상태에서 통합, 분리 또는 양도되었을 경우, 통합한 기업, 분리된 기업 또는 양도받은 기업으로부터 미납한 세금을 징수하여야 한다(라징규 제23조~제24조).

② 기업이 세금을 미납한 상태에서 해산 또는 파산되는 경우 세금납부의무는 청산위원회가 진다. 청산위원회가 불가피한 사정으로 세금을 납부하지 않고 재산을 분배하였을 경우, 세금납부의무는 해당 청산인과 그 재산을 분배받은 당사자가 진다.(라징규 제25조)

4 세무등록

납세자는 정해진 기간 안에 세무등록, 세무등록취소, 세무변경등록을 하여야 한다. 기업등록증 및 영업허가증발급기관은 해당 증서발급정형을 지대세무기관에 제때에 통지하여야 한다.(라징규 제7조)

가. 기업의 세무등록

(1) 최초 세무등록

기업은 기업등록증을 받은 날부터 15일 안으로 세무등록을 하여야 한다. 세무등록을 하려는 기업은 세무등록신청서에 기업등록증사본과 세무등록증발급수수료 납부영수증을 첨부하여 제출하여야 한다(라세규 제4조; 라세칙 제4조).

(2) 세무변경등록

기업등록사항을 변경등록하였을 경우에는 세무등록증을 다시 발급한다(라세규 제7조; 라세칙 제7조). 여기서 기업등록사항에는 기업명칭, 기업소재지, 법정대표, 등록자본, 기업형식, 당사자, 업종, 경영기간 등이 속한다(라세칙 제7조).

따라서 통합, 분리되었거나 등록자본, 업종 등을 변경등록한 기업은 15일 안으로 세무변경등록을 하여야 한다(라세규 제5조; 라세칙 제5조).

세무등록변경수속을 하려는 기업은 세무등록변경신청서에 기업등록증사본과 세무등록증재발급수수료 납부영수증, 이미 발급받은 세무등록증을 첨부하여 제출하여야 한다(라세칙 제5조 제1항).

(3) 세무등록취소

해산되는 기업은 해산을 선포한 날부터 20일 안에 청산인이 미결된 세금을 납부하고 세무등록취소수속을 하여야 한다(라세규 제5조; 라세칙 제5조). 세무등록취소수속을 하려는 기업은 세무등록취소신청서에 이미 발급받은 세무등록증을 첨부하여 제출하여야 한다(라세칙 제5조 제2항).

나. 개인의 세무등록

(1) 최초 세무등록

① 체류·거주 등록을 한 개인:

지대에 90일 이상 체류하면서 소득을 얻은 개인은 체류 또는 거주승인을 받은 날부터 15일 안으로 세무등록을 하여야 한다(라세규 제6조; 라세칙 제6조). 체류 또는 거주 승인을 받은 개인이 임시로 출국하는 경우에는 그 일수를 체류 또는 거주기간에 포함시킨다(라세칙 제6조).

② 체류·거주 등록을 하지 않은 개인:

체류 또는 거주 등록을 하지 않고 지대를 나들면서 경제거래를 하거나 소득을 얻은 개인도 지대에 도착한 날부터 5일 안으로 세무등록을 하여야 한다(라세규 제6조; 라세칙 제6조).

③ 세무등록을 하려는 개인은 세무등록신청문건에 세무등록증발급수수료 납부영수증을 첨부하여 제출하여야 한다(라세칙 제6조).

(2) 세무변경등록

세무등록을 변경하려는 개인은 세무등록변경신청문건에 이미 발급받은 세무등록증과 세무등록증재발급수수료 납부영수증을 첨부하여 제출해야 한다(라세칙 제6조).

(3) 세무등록취소

세무등록을 취소하려는 개인은 세무등록취소신청문건에 이미 발급받은 세무등록증을 첨부하여 제출해야 한다(라세칙 제6조).

다. 세무등록증의 발급

세무등록증의 발급은 세무등록신청서를 접수한 날부터 5일 안으로 한다(라세규 제7조; 라세칙 제7조). 납세자는 세무등록증을 빌려주거나 그 내용을 고칠 수 없다(라징규 제8조).

5 세무문건

가. 세무문건의 작성언어, 종류와 양식

지대에서 세무문건은 조선어로 작성하며, 필요에 따라 다른 나라 말로 작성하였을 경우 조선말로 된 번역문을 첨부한다(라세규 제8조; 라세칙 제8조).

세무문건의 종류와 양식은 지대세무기관이 정하며(라세규 제8조; 라세칙 제8조), 세무문건에는 기업회계결산서, 각종 계산장부, 회계서류, 세무등록 및 변경(취소)문건, 세금납부 및 감면·공제·반환 확인문건, 재산등록문건, 회계문서기억매체 등이 속한다(라세칙 제8조). 납세자는 지대세무기관이 유일적으로 발급한 세금계산문건양식만을 이용하여야 한다(라징규 제11조).

세무문건에는 기업의 공인과 명판, 기업책임자 및 회계책임자의 도장을 찍어야 한다(라세칙 제8조).

나. 세무문건의 보존기간

세무문건(회계문서기억매체 포함)은 거래가 일어난 순서대로 편철하여 지대세무기관이 정한 분류표에 따라 문건이 이루어진 때로부터 정해진 기간까지 보존한다(라세규 제9조; 라세칙 제9조).

① 기업 (연간)회계결산서와 고정재산(계산)장부: 기업의 해산이 종결되는 날까지 보존(라세규 제9조; 라세칙 제9조 제1항)

② 종합계산장부, 분기일기장, 은행돈자리장부, 현금출납장부, 채권 및 채무 계산장부: 5년간 보존(라세칙 제9조 제2항)

③ 각종 분석계산장부, 회계계산의 근거가 되는 업무계산문건: 3년간 보존(라세칙 제9조 제3항)

④ 세무와 관련한 모든 문건과 전표: 세무기관의 승인을 받아 폐기(라세칙 제9조 제4항)

6 세금납부

(1) 세금납부화폐

지대에서 세금의 계산과 납부는 정해진 화폐로 한다(라세규 제10조; 라세칙 제10조). 기업과 개인은 수입이 이루어지는 화폐로 세금을 납부하여야 한다(라세칙 제10조).

(2) 세금납부당사자 및 납부방법

세금은 수익인이 직접 납부하거나 수익금을 지불하는 단위가 공제납부할 수 있다(라세규 제10조; 라세칙 제10조). 구체적인 상황별 세금납부당사자 및 납부방법은 다음과 같다(라세칙 제10조 제1항~제4항).

<표 5-1> 세금납부당사자 및 납부방법

구 분	세금납부당사자 및 납부방법
① 지대에 있는 기업과 개인이 지대 안에서 얻은 소득에 대한 세금	수익인 신고납부
② 지대 밖에 있는 기업과 개인이 지대에서 얻은 소득에 대한 세금	지불단위 공제납부
③ 지대에 있는 개인이 얻은 노동보수에 의한 소득과 이자소득에 대한 세금	지불단위 공제납부
④ 지대에 있는 개인이 북한의 기관, 기업소와 경제거래를 하여 발생한 세금	수익인 신고납부 또는 지불단위 공제납부

자료: 관련 법규 내용을 기초로 저자 작성.

(3) 세금납부절차

세금납부자는 세금납부신고서(세금납부문건)를 지대세무기관에 제출하고 확인을 받은 다음 정해진 은행에 세금을 납부한다(라세규 제11조; 라세칙 제11조). 세금납부문건에는 거래은행명칭과 돈자리번호, 납세자, 납세내용, 과세대상금액, 세율, 납세금액 등을 정확히 밝혀야 한다(라세칙 제11조).

(4) 세금납부기일의 연장

세금은 정해진 기일 안에 납부하여야 하며, 부득이한 사유로 정해진 기일 안에 세금을 납부할 수 없는 기업과 개인은 세무기관의 승인(「라선경제무역지대 세금규정」에서는 '라선시인민위원회의 승인'을 받도록 하고 있음)을 받아 세금납부기일을 연장할 수 있다(라세규 제12조; 라세칙 제12조).

세금납부기일을 연장하려는 기업 또는 개인은 세금납부연기신청문건을 세무기관에 제출해야 한다. 세금납부연기신청문건에는 기업명칭, 기업소재지, 기업책임자이름, 경영기간, 등록자본, 채권채무관계, 업종, 세금종류, 세금액, 납부연기일, 연기하려는 이유 등의 내용을 밝혀야 한다.(라세칙 제12조)

지대세무기관은 납세자로부터 납세기간연장신청을 받으면 그 사유를 확인하고 승인 또는 부결하여야 하며, 이 경우 연장기간은 6개월을 넘을 수 없다(라징규 제15조).

7 세금감면

세금을 감면받으려는 납세자는 지대세무기관에 세금감면신청서를 제출해야 한다. 이 경우 신청서에는 해당 기관이 확인하는 감면이유가 정확히 밝혀져야 한다. 감면이유에 대한 해당 기관의 확인이 법규와 맞지 않을 경우 지대세무기관은 감면승인을 거절할 수 있다.(라징규 제20조)

8 세무조사

(1) 세무조사의 정의

세무조사란 납세자의 세금도피를 막고 탈세행위를 적발대책하기 위한 세무기관의 감독활동이다(라징규 제2조 제4항).

(2) 지대세무기관의 세무조사의무

지대세무기관은 세금납부정형을 요해하기 위하여 세무조사를 한다. 세무조사에는 ① 납세자의 세금납부정형을 정상적으로 요해하기 위한 담당조사와 ② 탈세행위를 적발하기 위한 집중조사로 구분된다.(라징규 제27조)

(3) 세무조사의 분류

① 담당조사: 지대세무기관은 납세자가 탈세행위를 하지 않도록 그의 세금납부정형을 정상적으로 조사하여야 한다(라징규 제28조).

② 집중조사: 지대세무기관은 납세자에게 탈세행위가 있다고 인정될 경우 라선시인민위원회의 승인을 받아 집중조사를 할 수 있다(라징규 제29조).

(4) 세무조사의 과정

① 납세자는 지대세무기관의 세무조사에 필요한 조건과 자료를 제때에 보장하여야

하고, 지대세무기관은 세무조사과정에 알게 된 납세자의 영업비밀을 보장해주어야 한다(라징규 제32조~제33조).

② 지대세무기관은 세무조사과정에 나타난 정황과 자료를 기록, 녹음, 복사할 수 있고, 세금납부와 관련하여 위법행위가 나타났을 경우 그에 대한 조서를 작성하여야 한다(라징규 제30조~제31조).

9 협정의 적용

북한과 해당 나라 정부사이에 맺은 (세무분야의) 협정에서 「라선경제무역지대 세금규정」 및 동 시행세칙과 다르게 세금문제를 정하였을 경우, 그 협정에 따라 세금을 납부할 수 있다[1](라세규 제13조; 라세칙 제13조).

이 경우 협정문건 사본을 세무기관에 제출해야 하며, 세무기관은 기업과 개인이 제출한 협정문건 사본을 확인하고 그에 따라 세금을 부과할 수 있다(라세칙 제13조).

---

1) 「라선경제무역지대 세금규정」 제13조에서는 협정에 '따른다.'고 표현하고 있는데, 동 시행세칙 제13조에서는 협정에 따라 세금을 '납부할 수 있다.'고 표현하고 있다.

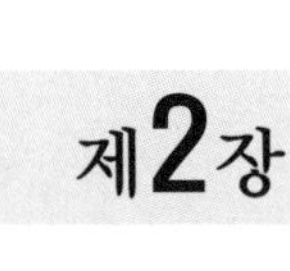

제2장

기업소득세

「라선경제무역지대 세금규정」의 기업소득세 부분은 10개 조문으로 이루어져 있고, 동 시행세칙의 기업소득세 부분은 11개 조문으로 구성되어 있다.

1 기업소득세의 납부의무자

기업은 지대에서 경영활동을 하여 얻은 소득과 기타소득에 대하여 기업소득세를 납부하여야 한다(라세규 제14조; 라세칙 제14조).

① 지대 안의 기업이 지대 밖에서 얻은 소득에 대해서도 기업소득세를 납부하여야 한다.

② 지대 밖의 기업이 지대 안에서 얻은 소득에 대해서도 기업소득세를 납부하여야 한다.

2 기업소득세의 계산기간

기업소득세의 계산기간은 1월 1일부터 12월 31일까지로 하며, 새로 창설된 기업 또는 해산된 기업의 경우는 다음과 같다(라세규 제15조).

① 새로 창설된 기업은 영업을 시작한 날부터[2] 그해 12월 31일까지를 기업소득세 계산기간으로 한다.

② 해산되는 기업은 해산되는 해의 1월 1일부터 해산선포일까지를 기업소득세 계산기간으로 한다.

2) 「외국투자기업 및 외국인세금법 시행규정」 제12조 및 동 시행규정세칙 제18조에서는 '기업창설 날부터'라고 표현하고 있는데, 영업시작일과 기업창설일은 다를 수 있다.

3 기업소득세의 과세표준 및 세율

가. 과세표준의 계산구조

기업소득세의 과세표준[3]은 결산기간 경영활동을 하여 얻은 결산이윤이며, 결산이윤(과세표준)의 계산구조는 아래와 같다(라세규 제16조; 라세칙 제17조).

총수입금
(-) 원가

= 이윤
(-) 거래세 또는 영업세와 자원세
(-) 기타 지출

= 결산이윤(과세표준)

여기서 원가는 원료 및 자재비, 연료 및 동력비, 노력비, 감가상각비, 물자구입경비, 기업관리비, 보험료, 판매비 등을 포함한다. 총수입금에서 원가를 공제하여 계산한 이윤에서 거래세 또는 영업세와 자원세,[4] 기타 지출을 공제하여 결산이윤(과세표준)을 계산한다.(라세칙 제17조)

작업기간이 1년 이상 걸리는 건설 및 조립, 설치공사, 대형기계설비의 가공, 제작 같은 것을 하는 기업의 기업소득세는 계산기간마다 그해에 수행한 작업량에 따라 얻은 수입금에서 지출된 비용을 공제하고 남은 금액에 부과한다(라세칙 제17조). 즉 진행기준에 따른 과세표준의 계산을 의미한다.

---

3) 「라선경제무역지대 세금규정시행세칙」의 관련 조문에서는 '과세대상'으로 표현하고 있으나, 실질적으로 '과세표준'에 해당한다.

4) 2015년 최종 수정보충된 「외국투자기업 및 외국인세금법」에서는 '거래세와 영업세'만을 공제대상 세금으로 열거하고 있으나, 이후 2016년 채택된 동 시행규정 및 2017년 채택된 동 시행규정세칙에서는 '세금 및 국가납부금' 항목으로 표현하고 추가적으로 자원세, 도시경영세, 자동차리용세, 관세 등의 세금과 사회보험료, 토지사용료, 도로사용료, 양식장사용료, 오염물질배출보상료, 각종 수수료 등의 국가납부금도 공제대상으로 예시하고 있다. 「개성공업지구 세금규정」 및 「금강산국제관광특구 세금규정」에서도 '거래세와 영업세'만 공제대상 세금으로 규정하고 있는데, 다른 세금 항목과 국가납부금이 공제대상에서 배제되는 것인지 별도의 명문 규정은 없다. 「라선경제무역지대 세금규정」 및 동 시행세칙에는 거래세, 영업세에 자원세가 추가되었다. 하지만 2016~2017년 채택된 「외국투자기업 및 외국인세금법 시행규정」과 동 시행규정세칙, 그리고 「외국투자기업재정관리법 시행규정세칙」 등의 내용에 비추어 볼 때, 적시에 보완되지 못하여 발생한 입법 미비로 보인다. 이러한 최근 법제의 동향을 반영한다면, 기업소득세를 제외한 모든 세금 및 국가납부금이 공제대상이 될 것으로 판단된다.

나. 기업소득세의 세율

(1) 일반 세율과 장려부문 세율

기업소득세의 세율은 결산이윤의 14%로 하며, 하부구조부문, 첨단과학기술부문과 같이 특별히 장려하는 부문[5]의 기업소득세율은 결산이윤의 10%로 한다(라세규 제14조; 라세칙 제15조).

이 경우 해당 기관이 확인한 신청문건을 세무기관에 제출해야 하고, 세무기관은 문건을 접수한 날부터 5일 안에 기업소득세율을 정해주어야 한다(라세칙 제15조).

(2) 비영리단체의 세율

지사, 사무소가 지대에서 얻은 기타소득에 대한 세율은 소득액의 10%로 하며, 소득이 생긴 날부터 15일 안으로 신고납부한다(라세규 제23조; 라세칙 제24조).

4 기업소득세의 납부기간과 납부방법

가. 기업소득세의 예정납부 및 확정납부

기업은 기업소득세를 분기가 끝난 다음달 15일 안으로 예정납부하고, 회계연도가 끝난 다음 3개월 안으로 확정납부하여야 한다(라세규 제17조; 라세칙 제18조 제1항).

(1) 기업소득세액의 계산

① 기업소득세 예정납부액은 해당 분기까지의 결산이윤에 해당한 세율을 적용한 금액으로 한다(라세칙 제18조 제1항 제1호).

② 분기까지의 결산이윤을 정확히 계산할 수 없을 경우에는 전년도에 납부한 기업소득세액의 25%에 해당한 금액을 예정납부하며, 소득이 계절에 따라 변동이 심할 경우에는 분기에 관계없이 연간으로 예정납부할 수 있다(라세규 제17조; 라세칙 제18조 제1항 제2호). 그런데 '연간으로 예정납부'하는 경우 예정납부 기한이 어떻게 되는지 명확하지 않다.

③ 기업소득세 계산기간 안에 영업을 시작하였거나 그 밖의 사정으로 전년도에 납부한 소득세가 없는 경우에는 재정계획에 예견된 분기까지의 이윤에 해당한 세액을

---

5) 「라선경제무역지대법」 제6조에서는 국제시장에서 경쟁력이 높은 상품을 생산하는 부문도 특별히 장려하는 부문으로 예시하고 있다.

적용하여 납부한다(라세칙 제18조 제1항 제3호).

④ 계산기간 마지막 분기의 기업소득세는 예정납부하지 않고 연간 결산에 의하여 확정납부한다(라세칙 제18조 제1항 제4호).

⑤ 농산, 축산, 수산부문과 같이 해를 넘기며 생산활동을 하는 기업들은 결산이윤이 조성되는 차례로 예정납부하고 연간으로 확정납부하며, 결산이윤을 정확히 계산할 수 없는 경우에는 연간으로 예정납부할 수 있다(라세칙 제18조 제1항 제5호). 그런데 '연간으로 예정납부'하는 경우 예정납부 기한이 어떻게 되는지 명확하지 않다.

(2) 예정납부 및 확정납부 절차

① 기업소득세를 예정납부하려는 기업은 분기까지의 연간회계결산서[6]와 기업소득세 납부문건을 세무기관에 제출하여 확인을 받은 다음 해당 은행에 납부하여야 한다(라세칙 제18조 제2항).

② 기업소득세를 확정납부하려는 기업은 연간회계결산서와 기업소득세납부문건을 세무기관에 제출하여 확인을 받은 다음 해당 은행에 납부하여야 한다. 이 경우 과납액은 다음 결산에서 덜거나 반환받으며, 미납액은 추가납부한다.(라세규 제17조; 라세칙 제18조 제3항)

③ 기업은 기업소득세를 확정납부하기 전에 연간회계결산서에 대하여 회계검증기관의 검증을 받아야 한다(라세규 제18조; 라세칙 제19조).

나. 해산, 통합, 분리 기업의 기업소득세 납부

(1) 해산 기업

해산 사유가 발생한 기업은 세무기관에 통지하고 **경영마감일**까지의 기업소득세를 확정납부하여야 하고, 세금을 납부하지 못한 기업은 청산위원회가 해당 세금을 계산하여 청산인이 결정된 날부터 15일 안으로 기업소득세를 세무기관에 납부하여야 한다(라세칙 제18조 제4항). 해산되는 기업은 해산되는 해의 1월 1일부터 **해산선포일**까지를 기업소득세 계산기간(라세규 제15조)으로 하는데, 경영마감일까지의 기업소득세를 확정납부한다는 상기 내용과 차이가 있다.

(2) 통합, 분리 기업

기업이 통합되거나 분리되는 경우에는 그때까지의 기업소득에 대하여 결산한 다

6) 분기별 예정납부의 경우 '연간'회계결산서가 아니라 '분기'회계결산서로 표현하는 것이 적절할 것으로 판단된다.

음, 통합, 분리선포일로부터 15일 안으로 기업소득세를 납부하여야 한다(라세칙 제18조 제4항).

(3) 기업소득세 우선 납부

해산, 통합, 분리되는 기업은 미납한 기업소득세를 다른 채무이행에 앞서 납부하여야 한다(라세칙 제18조 제4항).

5 기업소득세의 감면

가. 감면대상 및 감면내용

(1) 이자소득

다른 나라 정부, 국제금융기구가 차관을 주었거나 다른 나라 은행이 지대에 설립한 (은행 또는)[7] 기업에 낮은 이자율과 유예기간을 포함하여 10년 이상의 상환기간과 같은 유리한 조건으로 대부를 주었을 경우, 그 이자소득에 대해서는 기업소득세를 면제한다(라세규 제19조 제1항; 라세칙 제20조 제1항).

이 경우 다른 나라 은행은 대부를 받은 은행 또는 기업과 해당 기관의 확인을 받은 기업소득세면제신청서를 세무기관에 제출해야 한다(라세칙 제20조 제1항).

(2) 장려부문

(특별)장려부문에 투자하여 운영하는 기업에 대해서는 기업소득세를 4년간 면제하고 그 다음 3년간은 50% 범위에서 덜어줄 수 있다(라세규 제19조 제2항; 라세칙 제20조 제2항).

(3) 생산부문

생산부문에 투자하여 운영하는 기업에 대해서는 기업소득세를 3년간 면제하고 그 다음 2년간은 50% 범위에서 덜어줄 수 있다(라세규 제19조 제3항; 라세칙 제20조 제3항).

(4) 봉사부문

건설(설계 포함), 동력, 교통운수, 통신, 금융, 보험, 도시경영부문과 같은 정해진 봉사부문에 투자하여 운영하는 기업에 대해서는 기업소득세를 1년간 면제하고 그 다음 2년간은 50% 범위에서 덜어줄 수 있다(라세규 제19조 제4항; 라세칙 제20조 제4항).

---

7) 「라선경제무역지대 세금규정」에서는 다른 나라 은행이 설립한 '기업'이라고 표현하고 있으나, 동 시행세칙에서는 다른 나라 은행이 설립한 '은행 또는 기업'이라고 표현하고 있다.

상기 (2), (3) 및 (4)와 관련하여, 「라선경제무역지대법」 제68조에 의하면 경제무역지대에서 10년 이상 운영하는 정해진 기업에 대해서는 기업소득세를 면제하거나 감면하여 주는데, 면제 또는 감면기간, 감세율, 감면기간 계산시점은 해당 규정에서 정한다고 규정하고 있다.

(5) 이윤 재투자

이윤을 재투자하여 등록자본을 늘이거나 새로운 기업을 창설하여 5년 이상 운영하는 기업에 대해서는 재투자분에 해당한 기업소득세의 50%를, 하부구조건설부문의 기업에 대해서는 전부 돌려준다(라세규 제19조 제5항; 라세칙 제20조 제5항).

계약된 투자를 다하지 못하였을 경우에는 감면을 적용하지 않으며, 기업소득세를 반환 또는 공제받으려는 기업은 해당 기관의 확인을 받은 기업소득세반환(공제)신청서를 세무기관에 제출해야 한다(라세칙 제20조 제5항).

(6) 개발기업에 대한 특혜

「라선경제무역지대법」 제70조에 의하면, 개발기업은 관광업, 호텔업 같은 대상의 경영권 취득에서 우선권을 가지며, 개발기업의 재산과 하부구조시설, 공공시설운영에는 세금을 부과하지 않는다고 규정하고 있다. 이러한 개발기업에 대한 특혜는 「황금평·위화도경제지대법」 제65조, 「경제개발구법」 제55조에도 동일한 내용이 포함되어 있다. 하지만 「개성공업지구법」이나 「금강산국제관광특구법」에는 해당 내용이 없다.

나. 감면기간의 계산방법

기업소득세의 감면기간은 기업을 창설한 해부터 계산한다. 이 기간 경영손실이 난 해에 대해서도 기업소득세의 감면기간에 포함시킨다. (특별)장려부문의 기업은 창설 후 15년 안에, 그 밖의 부문의 기업은 창설 후 10년 안에 기업소득세를 감면받을 수 있다. (라세규 제20조; 라세칙 제21조)

여기서 창설 후 '15년 안' 또는 '10년 안'에 감면받을 수 있다는 것은 기업창설승인문건에 정한 '존속기간'[8] 내에 감면을 받을 수 있다는 의미로 추정된다. 장려부문, 생산부문 및 봉사부문의 경우 기업창설 이후 실제 감면적용 기간은 각각 7년(=4+3), 5년(=3+2), 3년(=1+2)으로 종료된다는 점에서, 아래에서 논의하는 감면세액의 회수 조

8) 기업의 '존속기간'은 기업창설승인문건에 정한 기간으로서, 기업창설승인문건을 받은 날부터 계산한다. 정철원, 『조선투자법안내(310가지 물음과 대답)』, 법률출판사, 2007, 170쪽; 조선대외경제투자협력위원회 편찬, 『조선민주주의인민공화국 투자안내』, 외국문출판사, 2016, 43쪽.

건과 연계되어 있는 기간이라고 판단된다.

다. 감면신청서

(1) 감면신청서의 제출

「라선경제무역지대 세금규정」 제21조에 의하면 기업소득세를 감면받으려는 기업은 **라선시인민위원회**에 감면신청서와 경영기간, 재투자액을 증명하는 확인문건을 제출해야 한다고 규정하고 있다. 하지만 동 시행세칙 제22조에서는 감면받으려는 기업은 **기업창설기관[9]의 경유**를 받은 기업소득세 감면신청서를 **세무기관에 제출**해야 한다고 규정하여 제출처와 제출서류에 차이가 있다. 관련 규정의 정비가 필요해 보인다.

(2) 감면신청서의 내용

기업소득세 감면신청서에는 기업의 명칭과 소재지, 업종, 기업창설날짜, 총투자액, 상대측투자액(라세칙), 당해 연도 이윤 총액(라세칙), 감면신청액(라세칙), 감면근거(라세칙), 이윤이 생긴 연도(라세규), 거래은행(라세규), 돈자리번호(라세규) 등을 밝힌다(라세규 제21조; 라세칙 제22조). 기업소득세 감면신청서는 「라선경제무역지대 세금규정시행세칙」 붙임표양식 7을 사용하도록 되어 있으므로 동 시행세칙의 내용이 정확한 것이라고 판단된다. 동 시행세칙의 붙임표양식 7에는 「라선경제무역지대 세금규정」 제21조에서 예시하고 있는 이윤이 생긴 연도, 거래은행, 돈자리번호 등은 포함되어 있지 않다.

(3) 생산 및 봉사업종 겸업 기업의 감면신청

생산업종과 봉사업종이 있는 기업의 기업소득세 감면신청서는 생산부문과 봉사부문으로 구분하여 따로 계산하여 제출해야 한다(라세칙 제22조).

라. 감면세액의 회수

기업소득세를 감면받은 기업이 정한 '감면기간'에 해산, 통합, 분리되거나 5년 안에 재투자한 자본을 거두어들인 경우에는 이미 감면해주었던 기업소득세를 회수한다(라세규 제22조; 라세칙 제23조). 이 경우 해산사유가 발생한 날부터 20일 안으로 기업소득세납

---

9) 「라선경제무역지대법」 제8조에 의하면, 경제무역지대에서 산업구와 정해진 지역의 관리운영은 중앙특수경제지대지도기관과 라선시인민위원회의 지도와 방조 밑에 관리위원회가 맡아서 한다고 규정하고 있고, 동 제37조(기업의 창설신청)에 의하면, 투자가가 산업구에 기업을 창설하려 할 경우 관리위원회에, 산업구 밖에 기업을 창설하려 할 경우 라선시인민위원회에 기업창설문건을 내야한다고 규정하고 있다. 따라서 기업창설기관은 관리위원회와 라선시인민위원회를 총칭하는 것으로 판단된다.

부문건을 세무기관의 확인을 받아 해당 은행에 납부하여야 한다(라세칙 제23조).

여기서 감면기간은 (특별)장려부문의 기업은 창설 후 15년, 그 밖의 부문의 기업은 창설 후 10년을 의미하는 것으로 보이며(라세규 제20조; 라세칙 제21조), 이윤 재투자의 경우 5년이라고 할 수 있다.

한편, 「외국투자기업재정관리법 시행규정세칙」 제54조에 의하면, '존속기간'이 만기되기 전에 청산되는 특혜대상기업은 중앙세무지도기관으로부터 면제받았거나 감소받은 세금과 국가납부금을 전액 조성, 납부하여야 한다고 규정하고 있다.

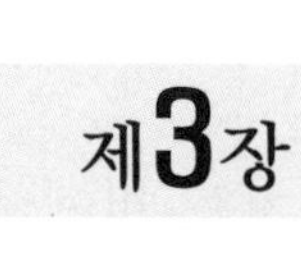

제3장

개인소득세

「라선경제무역지대 세금규정」의 개인소득세 부분은 6개 조문으로 이루어져 있고, 동 시행세칙의 개인소득세 부분은 6개 조문으로 구성되어 있다.

1 개인소득세의 납부의무자

개인은 지대에서 얻은 소득에 대하여 개인소득세를 납부해야 하는데, 개인이 지대에 1년 이상 체류하거나 거주하였을 경우에는 그 기간에 지대 밖에서 얻은 소득에 대해서도 개인소득세를 납부하여야 한다(라세규 제24조; 라세칙 제25조 제1항). 지대 밖에 거주하고 있는 개인이 지대 안에서 얻은 소득에 대해서도 개인소득세를 납부하여야 한다(라세칙 제25조 제1항).

이는 속인주의 과세원칙에 입각한 것으로서, 지대 내 거주자는 지대 안팎의 소득에 대한 무제한납세의무자에 해당하고 비거주자는 지대 내 원천소득에 대하여 납세의무가 있는 제한납세의무자에 해당한다는 것이다.

2 개인소득세의 과세대상

개인소득세의 과세대상에는 ① 노동보수소득, ② 이자소득, ③ 배당소득, ④ 상품판매소득, ⑤ 재산판매소득, ⑥ 재산임대소득, ⑦ 지적소유권과 기술비결의 제공에 의한 소득, ⑧ 기술봉사, 기능공 양성, 상담과 같은 경영봉사에 의한 소득, ⑨ 증여소득, ⑩ **그 밖의 (개인)소득**이 속한다(라세규 제24조; 라세칙 제25조 제2항). 상품판매소득은 「라선경제무역지대 세금규정」에는 열거되어 있지 않고, 상품판매소득과 관련된 모든 내용은 동 시행세칙에서만 규정하고 있다.

기본적으로 소득원천설에 입각한 열거주의 과세방식인 것으로 보이는데, 「외국투자기업 및 외국인세금법」이나 다른 특수경제지대 세제와 달리 '그 밖의 (개인)소득'을 포함시킴으로써 일시적인 성격의 기타소득도 과세대상으로 포괄하고 있다. 소득 항목별 세부 내용은 다음과 같다(라세칙 제25조 제2항 제1호~제8호).

① 노동보수소득: 노임, 상금, 장려금, 가급금과 강의, 강연, 저술, 번역, 설계, 제도, 설치, 수예, 조각, 그림, 창작, 공연, 회계, 체육, 의료, 상담과 같은 일을 하여 얻은 소득이 속한다.

② 이자소득: 예금에 의한 이자소득이 속한다.

③ 배당소득: 이익배당금, 기타 배당소득이 속한다.

④ 상품판매소득: 상품을 판매하여 얻은 소득이 속한다.

⑤ 재산판매소득과 재산임대소득: 건물, 기계설비, 자동차, 선박과 같은 재산을 판매하였거나 임대하여 얻은 소득이 속한다.

⑥ 지적소유권과 기술비결의 제공에 의한 소득: i) 특허권, 실용신형권, 공업도안권, 상표권의 소유자가 그것을 제공하거나 양도하여 얻은 소득, ii) 특허수속을 하지 않거나 공개하지 않고 있는 기술문헌과 기술지식, 숙련기능, 경험 같은 것을 제공하여 얻은 소득, iii) 소설, 시, 미술, 음악, 무용, 영화, 연극과 같은 문학예술작품을 제공하여 얻은 소득이 속한다.

⑦ 경영과 관련한 봉사제공에 의한 소득: 기술봉사, 기능공 양성, 상담 등 기업의 경영에 유리한 봉사를 제공하여 얻은 소득이 속한다.

⑧ 증여소득: 화폐재산, 현물재산, 지적소유권, 기술비결과 같은 재산과 재산권을 증여받은 소득이 속한다.

3 개인소득세의 과세표준, 세율 및 세액 계산

개인소득세는 아래 과세표준에 세율을 적용하여 계산하며, 이러한 과세표준과 세율을 표로 정리하면 다음과 같다(라세규 제25조~제26조; 라세칙 제26조~제27조).

<표 5-2> 개인소득세의 과세표준과 세율

과세대상	과세표준(€)	과세표준(€) 구간별 세율(%)			
노동보수[주1]	월노동보수액	501~700	0 + 500초과액의 5	3401~3700	334 + 3400초과액의 18
		701~900	10 + 700초과액의 6	3701~4100	388 + 3700초과액의 19
		901~1100	22 + 900초과액의 7	4101~4500	464 + 4100초과액의 20
		1101~1300	36 + 1100초과액의 8	4501~4900	544 + 4500초과액의 21
		1301~1500	52 + 1300초과액의 9	4901~5400	628 + 4900초과액의 22

과세대상	과세표준(€)	과세표준(€) 구간별 세율(%)			
		1501~1700	70 + 1500초과액의 10	5401~5900	738 + 5400초과액의 23
		1701~1900	90 + 1700초과액의 11	5901~6400	853 + 5900초과액의 24
		1901~2100	112 + 1900초과액의 12	6401~6900	973 + 6400초과액의 25
		2101~2300	136 + 2100초과액의 13	6901~7400	1098 + 6900초과액의 26
		2301~2500	162 + 2300초과액의 14	7401~7900	1228 + 7400초과액의 27
		2501~2800	190 + 2500초과액의 15	7901~8400	1363 + 7900초과액의 28
		2801~3100	235 + 2800초과액의 16	8401~8900	1503 + 8400초과액의 29
		3101~3400	283 + 3100초과액의 17	8901~	1648 + 8900초과액의 30
증여소득[주1]	소득액	5,000 ~ 10,000		2%	
		10,001 ~ 20,000		4%	
		20,001 ~ 40,000		6%	
		40,001 ~ 80,000		8%	
		80,001 ~ 160,000		10%	
		160,001 ~ 320,000		12%	
		320,001 ~ 640,000		14%	
		640,000 ~		15%	
이자소득, 배당소득, 지적소유권과 기술비결 제공소득, 경영봉사 제공소득	소득액			20%	
재산임대소득[주2]	소득액 (또는 20% 공제)			20%	
상품판매소득[주3]	소득액 (= 월판매수입×10%)			20%	
재산판매소득	소득액			25%	
그 밖의 소득	소득액			20%	

(주1) 노동보수소득과 증여소득에 대해서는「라선경제무역지대 세금규정시행세칙」 부록1(노동보수소득), 부록2(증여소득)를 그대로 인용한 것인데, 노동보수소득은 단계별 초과누진세율 형태이고 증여소득의 경우 전액누진세율의 형태인 것처럼 되어 있다. 전액누진세율은 세후 소득 역전현상 등 불합리한 점이 있는데, 실제로 전액누진세율 적용을 의도한 것은 아닐 것으로 추정된다.

(주2) 재산임대소득의 경우「라선경제무역지대 세금규정」 제26조 제3항에서는 임대료에서 20%(노력비, 포장비, 수수료 등)를 공제하여 과세표준을 계산하고, 동 시행세칙 제27조 제3항에서는 소득액에 그대로 세율을 적용하는 것으로 규정하고 있다.

(주3) 상품판매소득은「라선경제무역지대 세금규정시행세칙」에만 규정되어 있다.

자료: 관련 법규 내용을 기초로 저자 작성.

(1) 과세표준 평가

현물 또는 재산권으로 얻은 소득에 대한 개인소득세는 취득할 당시의 현지가격으로 평가한 금액에 정해진 세율을 적용하여 계산한다(라세규 제27조; 라세칙 제28조).

(2) 노동보수소득 및 증여소득의 과세최저한 또는 면세점

노동보수소득 및 증여소득은 각각 €500 및 €5,000를 과세최저한 또는 면세점으로 설정하고 있다. 「라선경제무역지대 세금규정」 및 동 시행세칙에서는 모두 €500 이상, €5,000 이상일 경우 세율을 적용하는 것으로 표현하고 있는데(라세규 제25조 제1항~제2항; 라세칙 제26조 제1항~제2항), 엄밀한 의미에서는 €500 초과, €5,000 초과로 표현하는 것이 맞을 것으로 보인다. 실제로 세율표에서도 노동보수소득은 €500 초과분에 대하여 과세하는 것으로 표현되어 있다. 증여소득의 경우 전액누진세율 형태로 표현하면서 €5,000 해당액도 2% 세율로 과세되는 것처럼 표현되어 있다. 하지만 북한 과세당국의 의도는 €5,000까지는 과세하지 않고 초과누진 방식으로 세율을 적용하고자 했던 것으로 추정된다.

(3) 상품판매소득과 재산판매소득

상품판매소득에 대해서는 월판매수입의 10%를 소득액으로 추정하는 추계과세(推計課稅) 방식을 적용하고 있다. 또한 재산판매소득과 관련하여, 개념적으로는 원가를 차감한 처분이익(net)이 과세표준이 되어야 할 것으로 보이는데, 재산판매소득 총액(gross)을 과세표준으로 보고 있다. 이는 개인에 대하여 객관적인 원가 정보를 확인하는 것이 실무적으로 어렵기 때문인 것으로 판단된다.

(4) (고정)재산임대소득

「라선경제무역지대 세금규정」 제26조 제3항에서는 고정재산임대소득에 대한 개인소득세는 임대료에서 노력비, 포장비, 수수료 같은 비용으로 20%를 공제한 나머지 금액(과세표준)에 정해진 세율을 적용하여 계산한다고 규정하고 있다. 하지만, 동 시행세칙 제27조 제3항에서는 재산임대소득에 대한 개인소득세는 소득액에 정해진 세율을 적용하여 계산한다고 규정하고 있다. 이와 같이 「라선경제무역지대 세금규정」과 동 시행세칙 간에 동일한 사항에 대하여 달리 규정하고 있는 것으로서 정비가 필요해 보인다.

4 개인소득세의 납부기간 및 납부방법

가. 일반적인 납부기간 및 납부방법

개인소득세의 일반적인 납부기간과 납부방법은 다음과 같다(라세규 제28조 제1항~제3항; 라세칙 제29조 제1항~제2항).

<표 5-3> 개인소득세의 납부기간과 납부방법

과세대상	납부기간 및 납부방법	
	라선경제무역지대 세금규정	동 시행세칙
노동보수	지불단위가 지불 **5일 안 공제납부**	지불단위가 지불 **다음달 10일 안 공제납부**
	수익인이 지불받은 다음 10일 안 신고납부	수익인이 지불받은 다음 10일 안 신고납부
재산판매소득, 증여소득	지불단위가 지불 30일 안 공제납부(수익인이 지대 밖에 있을 경우)	지불단위가 지불 30일 안 공제납부(수익인이 지대 밖에 있을 경우)
	수익인이 소득얻은 날부터 30일 안 신고납부	수익인이 소득얻은 날부터 30일 안 신고납부
이자소득, 배당소득, (고정)재산임대소득, 지적소유권과 기술비결 제공소득, 경영봉사소득	지불단위가 **다음달 10일 안** 공제납부(수익인이 지대 밖에 있을 경우)	지불단위가 지불 **30일 안** 공제납부(수익인이 지대 밖에 있을 경우)
	수익인이 **다음달 10일 안** 신고납부	수익인이 소득얻은 날부터 **30일 안** 신고납부
상품판매소득	(규정 없음)	수익인 또는 지불단위가 공제하여 예정납부할 수 있음 (납부기간은 세무기관이 정함)

자료: 관련 법규 내용을 기초로 저자 작성.

위 표에서 볼 수 있는 바와 같이, 「라선경제무역지대 세금규정」과 동 시행세칙이 같은 해에 만들어졌음에도 불구하고 양자 간에 납부방법 및 납부기간에 차이가 있다. 관련 내용에 대한 정비가 필요해 보인다.

나. 상황별 납부기간 및 납부방법

(1) 수익인이 지대 안의 기업과 거래하여 얻은 소득을 지대 밖의 기업이 대신 지불하

는 경우 개인소득세는 지대 안의 기업(당초 지불단위)이 공제납부한다. 지대 안의 기업을 대신하여 지대 밖의 기업이 지불할 경우, 지대 안의 당초 지불단위가 공제납부한다는 것이다. 또한 거주, 체류하지 않고 나들면서 소득을 얻은 수익인에 대한 개인소득세는 수익금을 지불하는 단위가 공제납부한다. 공제납부자는 공제한 개인소득세의 계산자료를 가지고 있어야 한다.(라세칙 제29조 제3항)

(2) 지대에 체류 또는 거주한 개인(거주자인 수익인)이 지대 밖에서 얻은 소득의 개인소득세는 수익인이 분기마다 계산하여 다음 분기 10일 안으로 세무기관에 신고납부한다(라세칙 제29조 제4항).

① 납세의무자가 지대 밖에서 개인소득세를 납부하였을 경우에는 「라선무역지대 세금규정」에 따라 계산한 개인소득세액 범위 안에서 세금공제를 신청할 수 있다. 아래 ②의 세금공제 절차를 보면 '지대 밖'은 '외국'을 의미하는 것으로서, 외국납부세액공제에 대한 규정이라고 할 수 있다.

② 납세의무자는 개인소득세공제신청서와 **해당 나라 세무기관이 발급한 납세문건**을 첨부하여 세무기관에 제출하고, 세무기관의 승인을 받은데 따라 세금을 감면받을 수 있다.

5 개인소득세의 면제

(1) 개인소득세의 면제대상 (라세규 제29조; 라세칙 제30조)

① 북한 금융기관으로부터 받은 저축성예금이자와 보험금 또는 보험보상금소득

② 비거주자들이 지대에 설립된 은행으로부터 받은 예금이자소득

(2) 개인소득세의 면제절차

개인소득세를 면제받으려는 납세의무자는 해당 기관의 확인을 받은 개인소득세면제신청서를 소득을 얻은 다음달 15일 안으로 세무기관에 제출해야 한다(라세칙 제30조).

제4장

재산세

「라선경제무역지대 세금규정」의 재산세 부분은 9개 조문으로 이루어져 있고, 동 시행세칙의 재산세 부분은 9개 조문으로 구성되어 있다.

1 재산세의 납부의무자

기업과 개인은 지대에서 개별적으로 소유하고 있는 건물과 선박, 비행기에 대하여 재산세를 납부하여야 한다(라세규 제30조; 라세칙 제31조).

다만, 새로 건설한 건물을 소유하였을 경우에는 등록한 날부터 5년간 재산세를 면제하며, 재산세를 면제받으려는 개인은 해당 기관의 확인을 받은 재산세면제신청서를 세무기관에 제출해야 한다(라세규 제38조; 라세칙 제39조).

2 재산세의 과세대상

재산세의 과세대상은 기업과 개인이 지대에서 개별적으로 소유하고 있는 건물과 선박, 비행기이다. 건물에는 살림집, 별장과 그 부속건물이 포함되며, 선박, 비행기에는 자가용배, 자가용비행기 등이 포함된다(라세규 제30조; 라세칙 제31조).

3 재산의 등록과 등록취소

(1) 재산의 등록가격

① 재산의 등록가격은 취득할 당시의 현지가격으로 한다(라세규 제32조; 라세칙 제33조).

② 등록하는 재산의 가격은 지대가격기관이 평가하고 지대공증기관이 공증한 가격으로 하여야 하는데, 재산 소유자 또는 그 대리인은 세무기관에 재산을 등록하기 전에 재산의 가격을 지대공증기관의 공증을 받아야 한다(라세칙 제33조 제1항). 재산의 처음값과 대보수비는 재평가가격에 따른다(라세칙 제33조 제2항).

(2) 재산의 최초 등록

① 재산소유자는 재산을 취득한 날부터 20일 안으로 세무기관에 등록하여야 한다(라세규 제31조; 라세칙 제32조).

② 상속 또는 증여에 의하여 재산을 넘겨받은 자가 지대 밖에 있을 경우에는 재산의 사용자 또는 관리자가 재산을 등록하여야 한다(라세칙 제32조).

③ 재산을 등록하려고 할 경우에는 재산등록신청서를 세무기관에 제출하여야 한다. 재산등록신청서에는 재산소유자명, 주소, 재산명, 단위, 수량, 규모, 형식 및 규격, 보유장소, 용도, 취득가격, 내용연한, 준공 또는 제작연도 등을 밝힌다.[10] 양도받은 재산에 대해서는 양도자의 이름, 주소 등을 밝힌다.(라세규 제31조; 라세칙 제32조)
재산등록신청서는 「라선경제무역지대 세금규정시행세칙」 붙임표양식 11을 사용하도록 되어 있으므로 동 시행세칙의 내용이 정확한 것이라고 판단된다. 동 시행세칙의 붙임표양식 11에는 「라선경제무역지대 세금규정」 제31조에서 예시하고 있는 단위, 규모 등은 포함되어 있지 않다.

(3) 재산의 변경등록

재산소유자 또는 재산의 등록값이 달라졌을 경우에는 해당 사유가 발생한 날부터 20일 안으로 변경등록하여야 한다. 이 경우 변경된 사항을 확인할 수 있는 문건, 즉 해당 기관의 확인을 받은 신청문건을 제출해야 한다.(라세규 제33조; 라세칙 제34조)

(4) 재산의 재등록

등록된 재산은 해마다 1월 1일 현재로 재평가하여 30일 안에 지대공증기관의 공증을 받은 가격으로 세무기관에 재등록하여야 한다(라세규 제34조; 라세칙 제35조).

(5) 등록취소

재산소유자는 재산을 폐기하였을 경우 20일 안으로 등록취소수속을 하여야 한다(라세규 제35조; 라세칙 제36조).

10) 단위와 규모는 「라선경제무역지대 세금규정」 제31조에서만 예시하고 있고, 형식 및 규격, 보유장소는 동 시행세칙 제32조에서만 예시하고 있다.

4 재산세의 세율 및 세액 계산

재산세는 등록된 재산가격에 건물의 경우 1%, 선박과 비행기의 경우 1.4%를 적용하여 계산한다(라세규 제36조; 라세칙 제37조 및 부록 3).

5 재산세의 납부

재산소유자는 재산세를 해마다 계산하여 1월 안으로 신고납부하여야 한다. 재산을 임대하였거나 저당하였을 경우에도 재산소유자가 재산세를 납부한다. 재산소유자가 재산소재지에 없을 경우에는 재산의 관리자 또는 사용자가 재산세를 대리납부한다.(라세규 제37조; 라세칙 제38조)

제5장

상속세

「라선경제무역지대 세금규정」의 상속세 부분은 7개 조문으로 이루어져 있고, 동 시행세칙의 상속세 부분은 7개 조문으로 구성되어 있다.

1 상속세의 납부의무자

지대에 있는 재산을 상속받은 개인은 상속세를 납부하여야 한다. 지대 밖에 있는 개인이 지대 안에 있는 재산을 상속받았을 경우에도 상속세를 납부하여야 한다. 지대에 거주하고 있는 개인이 지대 밖에 있는 재산을 상속받았을 경우에도 상속세를 납부하여야 한다.(라세규 제39조; 라세칙 제40조)

참고로 「외국투자기업 및 외국인세금법」 제35조에서는 외국인이 북한 영역에 있는 재산을 상속받는 경우와 북한에 거주하고 있는 외국인이 북한 영역 밖에 있는 재산을 상속받았을 경우 상속세를 납부하여야 한다고 규정하여 「라선경제무역지대 세금규정」 및 동 시행세칙의 내용과 개념적으로 유사하다. 하지만, 「개성공업지구 세금규정」이나 「금강산국제관광특구 세금규정」에서는 공업지구나 국제관광특구에 있는 재산을 상속받은 경우만 규정하고 있고, 개성공업지구 또는 금강산국제관광특구 밖에 있는 재산을 상속받았을 경우에 대해서는 납부의무를 규정하고 있지 않다.

2 상속세의 과세대상(상속재산)

상속재산에는 부동산, 화폐재산, 현물재산, 유가증권(규정), 지적재산권, 보험청구권, 채권(세칙) 등의 재산과 재산권이 속한다(라세규 제39조; 라세칙 제40조).

3 상속재산의 평가

상속재산의 가격은 재산을 상속받을 당시의 현지가격으로 한다(라세규 제41조; 라세칙 제42조).

(1) 지대 안에 있는 재산 상속

지대 안에 있는 재산을 상속받았을 경우에는 공증기관이 공증한 가격으로 계산하여야 한다. 지대에 있는 재산(화폐재산, 유가증권, 지적소유권, 보험보상청구권 등) 중 전환성외화로 되어 있는 재산을 상속받았을 경우에는 외화로 계산하여야 한다.(라세칙 제42조 제1호)

(2) 지대 밖에 있는 재산 상속

지대 밖에 있는 재산을 상속받았을 경우에는 현지 시장가격으로 된 화폐를 해당 나라 외화관리기관이 발표하는 환율에 따라 전환성외화로 계산하여야 한다. 이때 그 나라 해당 공증기관의 재산상속과 관련한 공증문건 또는 그 사본을 가지고 있어야 한다.(라세칙 제42조 제2호)

4 상속세의 과세표준

상속세는 상속재산의 가격에서 다음의 항목을 공제한 나머지 금액(과세표준)에 부과하며, 상속재산에서 공제할 수 있는 항목들에 대해서는 지대공증기관의 공증을 받아야 한다(라세규 제40조; 라세칙 제41조).

① 상속시키는 자의 채무액
② 상속받은 자가 부담한 장례비용
③ 상속기간에 상속재산을 보존관리하는데 든 비용
④ 재산상속과 관련한 공증료같은 지출

5 상속세의 세율 및 세액 계산

상속세는 상속받은 재산액에서 상기 4가지 항목을 공제한 나머지 금액에 세율을 적용하여 계산한다(라세규 제42조; 라세칙 제43조 제2항). 「라선경제무역지대 세금규정」 제42조에서는 6~30%의 세율을 규정하고 있는데, 「라선경제무역지대 세금규정시행세칙」 제43조 제1항에서 언급하고 있는 부록 4에서는 다음과 같이 5~30%의 세율을 규정하고 있다. 아래 표에서 '€70,000 이하' 구간에 적용하는 세율, €70,000에 적용하는 세율 등에 대하여 정리가 필요해 보인다.

<표 5-4> 상속세의 세율

상속액(과세표준) (€)	세율	상속액(과세표준) (€)	세율
70,000 이하	5%	890,001 ~ 1,430,000	16%
70,000 ~ 130,000	6%	1,430,001 ~ 2,900,000	18%
130,001 ~ 210,000	8%	2,900,001 ~ 7,100,000	20%
210,001 ~ 290,000	10%	7,100,001 ~ 18,000,000	25%
290,001 ~ 430,000	12%	18,000,001 이상	30%
430,001 ~ 890,000	14%		

6 상속세의 납부

(1) 납부기한 및 납부방법

재산을 상속받은 자는 상속받은 날부터 3개월 안으로 상속세를 납부하여야 한다(라세규 제44조; 라세칙 제45조 제1항). 이 경우 상속재산액, 공제액, 과세대상액(라세칙), 상속세액, 이 밖의 필요한 내용(라세칙) 같은 것을 밝힌 상속세납부서(「라선경제무역지대 세금규정시행세칙」 제45조에서는 '상속세계산서와 세금납부문건'으로 표현하고 있음)와 공증기관의 공증을 받은 상속세공제신청서를 함께 제출해야 한다(라세규 제44조; 라세칙 제45조 제2항 제1호).

관련 서류에 세무기관의 확인을 받은 다음 해당 은행에 상속세를 납부하여야 하며, 세무기관의 요구에 따라 상속재산액에 대한 공증기관의 확인문건을 함께 첨부할 수도 있다(라세칙 제45조 제2항 제1호).

재산을 상속받은 자가 2명 이상일 경우에는 상속자별로 자기 몫에 해당한 상속세를 납부하여야 하며, 상속자가 미성년자인 경우에는 그의 보호자가 종합하여 납부하여야 한다(라세규 제44조; 라세칙 제45조 제2항 제2호).

(2) 상속세의 납부재산

상속세는 화폐재산으로 납부한다. 부득이한 사정으로 상속세를 화폐재산으로 납부할 수 없을 경우에는 재산의 종류, 가격, 수량, 품질, 현물재산으로 납부하는 이유 등을 밝힌 상속세현물납부신청서를 지대세무기관에 제출하고 승인받은 다음 현물재산으로 납부할 수 있다.(라세규 제43조; 라세칙 제44조) 이 때 상속세로 납부하는 현물재산의 가격은 해당 시기 지대공증기관이 공증한 가격으로 하여야 한다(라세칙 제44조).

(3) 상속세의 분할납부

상속세가 €30,000 이상일 경우에는 라선시인민위원회의 승인을 받아 상속세를 분할 납부할 수 있다(라세규 제45조; 라세칙 제46조). 이 경우 3년간 분할하여 납부할 수 있고, 상속세분할납부신청서를 세무기관에 제출하여 승인을 받아야 한다(라세칙 제46조).

제6장

거래세

「라선경제무역지대 세금규정」의 거래세 부분은 4개 조문으로 이루어져 있고, 동 시행세칙의 거래세 부분은 4개 조문으로 구성되어 있다.

1 거래세의 납부의무자

공업, 농업, 수산업과 같은 생산부문의 기업은 거래세를 납부하여야 한다(라세규 제46조; 라세칙 제47조).

2 거래세의 과세표준, 세율 및 세액 계산

(1) 거래세는 생산물판매수입금에 부과한다(라세규 제46조; 라세칙 제48조 제2항). 보다 구체적으로 거래세는 기업이 생산한 생산물을 북한 영역에 판매하여 얻은 수입과 세무기관이 정한 수입금액에 적용한다(라세칙 제47조).

(2) 거래세의 세율은 생산물판매수입금의 1~15%로 하며, 정해진 기호품에 대한 세율은 판매수입금의 16~50%로 한다(라세규 제47조). 하지만 「라선경제무역지대 세금규정시행세칙」 제48조 제1항에서는 거래세의 세율은 부록 5에서 정한 세율표에 준한다고 규정하고 있고, 동 세율표에 따른 세율은 0.3~12.5%(담배, 술·맥주를 제외하면 0.3~5.0%) 수준이다. 동 세율표는 생산부문을 18개 제품군으로 분류하고 각 제품군 내에서 세부 품목별로 세율을 규정하고 있다. 제품군별 세율의 범위를 요약하면 다음과 같다.

<표 5-5> 거래세의 세율 (제품군별 범위)

제품군	세율 범위	제품군	세율 범위	제품군	세율 범위
1) 전기제품	0.6~1.5%	7) 건재제품	0.3~1.5%	13) 가죽및털제품	1.3~2.0%
2) 연유제품	0.3~0.8%	8) 고무제품	0.6~1.2%	14) 기타공업제품	1.0~2.5%
3) 광물제품	0.6~0.8%	9) 섬유제품	1.3~2.3%	15) 식료품*	2.5~12.5%
4) 금속제품	0.6~0.9%	10) 신발제품	0.5~0.6%	16) 농산물	0.5~0.6%
5) 기계및설비	0.6~0.8%	11) 일용제품	0.8~2.5%	17) 축산물	0.3~0.8%
6) 화학제품	0.3~0.9%	12) 전자제품	0.9~2.1%	18) 수산물	1.0~2.5%

* 식료품 중에서 담배 7.5%, 술·맥주 12.5%를 제외하면 2.5~5.0% 범위임.
자료: 관련 법규 내용을 기초로 저자 작성.

(3) 기업이 생산업과 봉사업을 함께 할 경우에는 거래세와 영업세를 따로 계산한다(라세규 제47조).

3 거래세의 납부기한과 납부방법

기업은 생산물판매수입금에 대한 거래세를 매월 계산하여 다음달 10일 안으로 납부하여야 한다(라세규 제48조; 라세칙 제49조). 다만 계절성을 띠거나 생산주기가 긴 부문의 거래세는 연간으로 납부할 수 있다(라세칙 제49조).

납세자는 거래세계산서와 세금납부문건에 세무기관의 확인을 받은 다음 해당 은행에 납부하여야 한다(라세칙 제49조).

4 거래세의 감면

기업이 생산한 제품을 수출하였을 경우 거래세를 면제한다(라세규 제49조; 라세칙 제50조).

지대의 요구에 의하여 북한 영역에 판매하였을 경우에도 거래세를 면제하여 줄 수 있다. 이 경우 해당한 확인문건과 함께 거래세면제신청서를 세무기관에 제출하여 승인을 받아야 한다.(라세칙 제50조)

제7장 영업세

「라선경제무역지대 세금규정」의 영업세 부분은 4개 조문으로 이루어져 있고, 동 시행세칙의 영업세 부분은 4개 조문으로 구성되어 있다.

1 영업세의 납부의무자

봉사업을 하는 기업과 개인은 영업세를 납부하여야 한다(라세규 제50조; 라세칙 제51조 제1항). 「외구투자기업 및 외국인세금법」, 「개성공업지구 세금규정」 및 「금강산국제관광특구 세금규정」에서는 납부의무자에 기업만 포함하고 있으나, 「라선경제무역지대 세금규정」에서는 개인도 납부의무자에 포함하고 있다.

2 영업세의 과세대상

영업세는 건설,[11] 교통운수, 설계, 동력, 통신, 상업, 무역, 금융, 보험, 과학기술, 관광, 광고, 여관, 급양, 유희오락, 편의 같은 부문[12]의 봉사수입금(시행세칙에서는 '각종 봉사 및 판매수입'으로 표현함)에 부과한다(라세규 제50조; 라세칙 제51조 제2항). 또한 원천동원하여 수출하는 물자도 포함된다(라세칙 제51조 제2항).

3 영업세의 과세표준, 세율 및 세액 계산

(1) 영업세의 과세표준 (라세칙 제51조 제2항 제1호~제5호)

① 건설(지질탐사, 개발부문 포함), 교통운수, 설계, 동력, 통신부문과 같은 봉사부문

11) 「외국투자기업 및 외국인세금법」과 「금강산국제관광특구 세금규정」에서는 건설부문이 거래세 과세대상으로 되어 있다. 반면, 「개성공업지구 세금규정」 및 「라선경제무역지대 세금규정」에서는 건설부문이 모두 영업세 과세대상으로 되어 있다.

12) 설계, 동력, 무역, 보험, 유희오락은 「라선경제무역지대 세금규정」 제50조에는 예시되어 있지 않고, 동 시행세칙 제51조 제2항에서 예시하고 있다.

에서 이루어지는 각종 수입

② 상업, 무역부문의 수입금

③ 금융, 보험, 관광, 광고, 여관, 급양, 유희오락, 과학기술, 편의부문의 요금과 같은 봉사수입금

④ 원천동원하여 수출하는 물자의 수입

⑤ 이 밖에 세무기관이 정한 기타 수입

(2) 영업세의 세율

영업세의 세율은 해당 수입금의 1~10%로 하며, 여러 업종의 영업을 하는 경우 업종별 수입금에 해당 세율을 적용하여 계산한다. 카지노와 같은 특수업종에 대한 세율은 50%까지의 범위에서 적용할 수 있다.(라세규 제51조; 라세칙 제52조) 상업, 급양, 여관, 오락, 편의와 같은 부문의 영업세는 일정한 기간 절대액으로 정해줄 수 있다(라세칙 제52조). 「라선경제무역지대 세금규정시행세칙」 부록 6의 영업세 세율표는 다음과 같다.

<표 5-6> 영업세의 세율

부문별 세율	부문별 세율	부문별 세율
1. 건설부문(설계, 청부건설 포함)	5. 상업부문	6. 급양부문 3%
1) 건설물판매 5%	1) 전략물자 (식량, 원유, 생고무, 콕스 등) 2%	7. 관광 4%
2) 건설봉사 6%	2) 기업의 일반상품 3%	8. 여관 5%
2. 체신 및 교통통신 부문 0.6%	3) 개인의 일반상품 4.5%	9. 편의부문 (차수리 및 각종수리) 5%
3. 동력부문 1%	4) 농업용물자 (비료, 종자, 박막, 농기계 등) 2%	10. 오락
4. 금융/보험부문 1%	5) 원천동원 수출 농토산물 3.6%	1) 오락 6%
	6) 원천동원 수출 수산물 4%	2) 카지노 50%
	7) 위탁수출수입 및 되거리수수료 3%	11. 기타 수입 3%

4 영업세의 납부기한과 납부방법

(1) 기업과 개인은 영업세를 매월 계산하여 다음달 10일 안으로 지대세무기관에 납부하여야 한다(라세규 제52조; 라세칙 제53조). 납세자는 영업세계산서와 세금납부문건에

세무기관의 확인을 받은 다음 해당 은행에 납부하여야 한다(라세칙 제53조).

이와 같이 「라선경제무역지대 세금규정」에서는 세무기관에 납부하는 것으로 표현하고 있으나, 동 시행세칙에서는 세무기관의 확인 후 은행에 납부하는 것으로 정리하고 있다.

(2) 원천동원하여 수출하는 물자는 수출수속이 끝난 당일로 납부하여야 한다(라세칙 제53조).

(3) 기업과 개인의 일반 판매활동으로 얻은 수입에 대한 영업세는 예정납부할 수 있으며, 납부기간은 세무기관이 정한다(라세칙 제53조).

5 영업세의 감면

(1) 도로, 철도, 비행장, 하수 및 오수, 오물처리 같은 하부구조 부문에 투자하여 운영하는 기업에 대해서는 영업세를 면제하거나 덜어줄 수 있다(라세규 제53조). 구체적인 내용은 「라선경제무역지대 세금규정시행세칙」에 다음과 같이 규정되어 있다(라세칙 제54조 제1항).

① 건설, 교통운수, 동력부문의 기업이 지대요구에 의하여 북한의 기관, 기업소에 봉사하였을 경우, 50% 범위에서 영업세를 감면받을 수 있다.

② 외국투자은행이 북한의 은행이나 기관, 기업소에 낮은 이자율과 유예기간을 포함한 10년 이상의 상환기간과 같은 유리한 조건으로 대부를 주었을 경우, 50% 범위에서 영업세를 감면받을 수 있다.

③ 하수 및 오수, 오물처리를 비롯한 하부구조부문의 기업은 영업세를 면제받을 수 있다.

(2) 첨단과학기술봉사 부문의 기업에 대해서는 영업세를 50% 범위에서 덜어줄 수 있다(라세규 제53조; 라세칙 제54조 제1항).

(3) 영업세를 감면받으려는 기업은 해당 기관의 확인을 받은 영업세감면신청서를 세무기관에 제출하여 승인을 받아야 한다(라세칙 제54조 제2항).

제8장

자원세

「라선경제무역지대 세금규정」의 자원세 부분은 6개 조문으로 이루어져 있고, 동 시행세칙의 자원세 부분은 6개 조문으로 구성되어 있다.

1 자원세의 납부의무자

「라선경제무역지대 세금규정」에서는 납부의무자에 대하여 명확하게 규정하고 있지 않은데, 동 시행세칙에서는 **기업과 개인**은 자원을 수출하거나 판매목적으로 자원을 채취하는 경우 자원세를 납부하여야 한다고 규정하고 있다(라세칙 제55조). 반면에 「외국투자기업 및 외국인세금법」 제53조에서는 기업만을 자원세의 납부의무자로 규정하고 있다.

2 자원세의 과세대상 및 과세표준

(1) 자원세의 과세대상

자원세의 대상이 되는 자원에는 천연적으로 존재하는 광석자원, 광물자원, 암석자원, 산림자원, 동식물자원, 수산자원, 물자원 같은 것이[13] 속한다(라세규 제54조; 라세칙 제55조). 이러한 자원을 수출하거나 판매를 목적으로 자원을 채취하는 경우 자원세를 납부하여야 하고, 자체소비를 목적으로 자원을 채취하는 경우에도 자원세를 납부하여야 한다(라세규 제54조; 라세칙 제55조). 따라서 자원세의 과세대상은 '자원의 수출·판매거래 및 자체소비'라고 할 수 있다.

(2) 자원세의 과세표준

자원세의 과세표준[14]은 ① 수출하거나 판매하여 이루어진 수입금 또는 ② 자체소비

13) 광석자원, 암석자원은 「라선경제무역지대 세금규정」에는 예시되어 있지 않고, 동 시행세칙 제55조에서 예시하고 있다.

14) 「라선경제무역지대 세금규정」 및 동 시행세칙의 관련 조문에서는 '납부대상' 또는 '과세대상'으로 표현

목적으로 자원을 채취하는 경우에는 정해진 금액으로 한다(라세규 제55조 및 제57조; 라세칙 제56조 및 제58조).

3 자원세의 세율 및 세액 계산

자원세의 세율은 자원의 종류에 따라 1~20%로 한다(라세규 제56조). 구체적인 내용은 「라선경제무역지대 세금규정시행세칙」 부록 9에서 정한데 따르며,[15] 세율표에 없는 자원에 대한 자원세율은 세무기관이 정한다(라세칙 제57조).

자원세는 과세표준에 해당 세율을 적용하여 계산하며, 채취과정에 여러 가지 자원이 함께 나오는 경우 자원의 종류별로 따로 계산한다(라세규 제57조; 라세칙 제58조).

4 자원세의 납부

(1) 자원세의 납부기한

자원세는 자원을 수출하거나 판매하여 수입이 이루어질 때 또는 자원을 소비할 때마다 납부한다(라세규 제58조).

① 수출하는 자원에 대한 자원세는 자원에 대한 수출검사가 끝난 현지에서 납부하여야 한다(라세칙 제59조 제1항 제1호).

② 판매하는 자원에 대한 자원세는 판매하여 수입이 이루어진 다음날[16] 10일 안으로 납부하여야 한다(라세칙 제59조 제1항 제2호).

③ 자체소비를 목적으로 채취하는 자원에 대한 자원세는 채취가 끝난 후 10일 안으로 납부하여야 한다(라세칙 제59조 제1항 제3호).

(2) 자원세의 납부방법

납세자는 자원세계산서와 세금납부문건에 세무기관의 확인을 받은 다음 해당 은행에 자원세를 납부하여야 한다(라세칙 제59조 제2항).

되어 있으나, 실질적으로 '과세표준'에 해당한다.

15) 현행 「라선경제무역지대 세금규정시행세칙」에는 부록 9가 누락되어 있다.

16) '다음 달 10일 안'의 오타인 것으로 추정된다.

5 자원세의 감면

(1) 자원의 가공수출 등

자원을 그대로 팔지 않고 현대화된 기술공정에 기초하여 가치가 높은 가공제품을 만들어 수출하거나 국가적 조치로 북한의 기관, 기업소, 단체에 판매하였을 경우에는 자원세를 70%까지의 범위에서 덜어줄 수 있다(라세규 제59조; 라세칙 제60조 제1항).

(2) 장려부문 기업이 이용하는 지하수

하부구조건설부문, 첨단과학기술부문을 비롯하여 특별장려부문의 기업이 생산에 이용하는 지하수에 대해서는 자원세를 50%까지의 범위에서 덜어줄 수 있다(라세규 제59조; 라세칙 제60조 제2항).

제9장

도시경영세

「라선경제무역지대 세금규정」의 도시경영세 부분은 3개 조문으로 이루어져 있고, 동 시행세칙의 도시경영세 부분은 3개 조문으로 구성되어 있다.

1 도시경영세의 납부의무

기업과 개인은 도시경영세를 납부하여야 한다(라세규 제60조; 라세칙 제61조 제1항). 지대에 30일 이상 체류하면서 경제거래를 하는 개인도 도시경영세를 납부하여야 한다(라세칙 제61조 제1항).

2 도시경영세의 과세표준, 세율 및 세액 계산

(1) 기업의 도시경영세

기업의 도시경영세는 기업의 월노임총액(과세표준)에 1%의 세율을 적용하여 계산하여야 한다(라세규 제61조; 라세칙 제62조 제1항).

(2) 개인의 도시경영세

개인의 도시경영세는 노동보수에 의한 소득, 이자소득, 배당소득, 재산판매소득과 같은 월수입총액(과세표준)에 1%의 세율을 적용하여 계산하여야 한다(라세규 제61조; 라세칙 제62조 제2항).

(3) 기업 종업원 아닌 개인의 도시경영세

기업의 종업원이 아닌 개인의 도시경영세는 매월 €10 보다 낮지 말아야 한다(라세칙 제62조 제3항).

3 도시경영세의 납부

(1) 기업의 도시경영세 납부

기업의 도시경영세는 매월 계산하여 다음달 10일 안으로 납부하여야 한다(라세규 제62조; 라세칙 제63조 제1항).

(2) 개인의 도시경영세 납부

개인의 도시경영세는 소득을 얻은 다음달 10일 안으로 소득(수익금)을 지불하는 기업이 공제납부하거나 수익인이 신고납부한다(라세규 제62조; 라세칙 제63조 제2항).

① 기업의 종업원이 아닌 개인의 도시경영세는 초청한 기업이 공제납부하여야 한다(라세칙 제63조 제2항 제1호).

② 개인의 노동보수가 기업의 월노임총액에 포함되는 경우 개인의 노동보수에 대한 도시경영세는 기업이 납부한 것으로 한다(라세칙 제63조 제2항 제2호). 노동보수소득도 개인의 도시경영세 과세대상에 포함되지만, 기업이 월노임총액에 1%를 적용하여 납부함으로써 개인의 노동보수소득에 대한 도시경영세도 납부한 것으로 간주한다는 의미로 보인다.

(3) 도시경영세의 납부절차

납세자는 도시경영세계산서와 세금납부문건에 세무기관의 확인을 받은 다음 해당 은행에 납부하여야 한다(라세칙 제63조 제3항).

제10장

자동차리용세

「라선경제무역지대 세금규정」의 자동차리용세 부분은 3개 조문으로 이루어져 있고, 동 시행세칙의 자동차리용세 부분은 3개 조문으로 구성되어 있다.

1 자동차리용세의 납부의무

지대에서 자동차를 이용하는 기업과 개인은 자동차리용세를 납부하여야 한다(라세규 제63조; 라세칙 제64조 제1항).

2 과세대상 자동차의 등록

(1) 등록대상 자동차

자동차의 종류에는 승용차, 버스, 화물자동차, 오토바이와 특수차 같은 것이 속한다(라세규 제63조). 특수차에는 기중기차, 지게차, 굴착기, 불도젤 같은 것이 속한다(라세칙 제64조 제1항).

(2) 자동차등록 기한

기업과 개인은 자동차를 이용한 날부터 15일 안으로 자동차이용과 관련한 세무등록을 하여야 한다(라세칙 제64조 제2항).

(3) 자동차등록 절차

① 자동차이용과 관련한 세무등록을 하려는 기업과 개인은 「라선경제무역지대 세금규정시행세칙」 부록 8에서 정한 수수료를 해당 은행에 납부한 다음 자동차세무등록신청서와 영수증을 세무기관에 제출하고 자동차세무등록증을 발급받아야 한다. 개인의 자동차세무등록신청은 초청한 기업이 한다.(라세칙 제64조 제2항 제1호)

② 자동차를 폐기하거나 처분하려고 할 경우에는 10일 전에 세무기관에 자동차세무등록취소신청서를 제출해야 한다. 이 경우 해당기관의 확인문건을 첨부하여야 한

다.(라세칙 제64조 제2항 제2호)

③ 세무등록을 하지 않은 차는 이용할 수 없다(라세칙 제64조 제2항 제3호).

3 자동차리용세의 세율 및 세액 계산

「라선경제무역지대 세금규정」에서는 자동차리용세는 종류별 자동차대수에 정해진 세액을 적용하여 계산하고, 자동차리용세의 세액은 동 시행세칙에 따른다고 규정하고 있다(라세규 제64조).

동 시행세칙에서는 '기업'의 자동차리용세는 종류별 자동차대수에 세액표(부록 7)에 정해진 세액을 적용하여 계산한다고 규정하고 있는데, '개인'의 자동차리용세 계산에 대하여는 별도의 내용이 없다(라세칙 제65조 제1항). 부록 7의 세액표에서는 기업과 개인을 구분하고 있지 않다. 따라서 기업과 개인에 대하여 자동차리용세의 세액표나 계산방법은 차이가 없을 것으로 추정된다.

<표 5-7> 자동차리용세액표

<table>
<tr><th>구분</th><th colspan="3">단위</th><th colspan="3">세액 (€)</th></tr>
<tr><td>승용차</td><td colspan="3">대당/년</td><td colspan="3">77</td></tr>
<tr><td>오토바이</td><td colspan="3">대당/년</td><td colspan="3">32</td></tr>
<tr><td>버 스</td><td colspan="3"></td><td colspan="3"></td></tr>
<tr><td>- 25석까지</td><td colspan="3">대당/년</td><td colspan="3">97</td></tr>
<tr><td>- 40석까지</td><td colspan="3">대당/년</td><td colspan="3">162</td></tr>
<tr><td>- 41석 이상</td><td colspan="3">대당/년</td><td colspan="3">226</td></tr>
<tr><td>소형반짐버스</td><td colspan="3">대당/년</td><td colspan="3">77</td></tr>
<tr><td>소형반짐차</td><td colspan="3">대당/년</td><td colspan="3">77</td></tr>
<tr><td rowspan="3">화물자동차</td><td>2t 이하</td><td>5t 이하</td><td>8t 이하</td><td>97</td><td>130</td><td>162</td></tr>
<tr><td>14t 이하</td><td>20t 이하</td><td>30t 이하</td><td>194</td><td>258</td><td>346</td></tr>
<tr><td>30t 이상</td><td colspan="2">(각각 대당/년)</td><td>388</td><td colspan="2"></td></tr>
<tr><td>특수차</td><td colspan="3">차체중량톤당/년</td><td colspan="3">33</td></tr>
</table>

한편, 당해 연도의 자동차리용세는 자동차를 이용한 달부터 연말까지 이용한 달수에 의하여 계산납부하여야 한다(라세칙 제65조 제1항).

4 자동차리용세의 납부

(1) 자동차리용세의 납부기한

「라선경제무역지대 세금규정」에서는 자동차를 이용하는 '기업'은 해마다 2월 안으로 지대세무기관에 자동차리용세를 납부하여야 하고, '개인'의 자동차등록과 리용세의 납부는 정해진 절차에 따른다고 규정하고 있다(라세규 제65조).

그런데 동 시행세칙에서는 자동차를 이용하는 '기업과 개인'은 해마다 2월 안으로 세무기관에 자동차리용세를 납부하여야 한다고 규정하여 기업과 개인을 구분하고 있지 않다(라세칙 제66조). 따라서 실제로는 기업과 개인의 자동차리용세 납부기한은 차이가 없는 것으로 추정된다.

(2) 자동차리용세의 납부절차

납세자는 자동차리용세계산서와 세금납부문건에 세무기관의 확인을 받은 다음 해당 은행에 자동차리용세를 납부하여야 한다(라세칙 제66조).

5 자동차리용세의 면제

대보수나 고장으로 자동차를 이용하지 않은 기간이 연속하여 2개월 이상인 경우에는 세무기관에 신고하여 이용하지 않은 기간의 자동차리용세를 면제받을 수 있다. 이 경우 자동차리용세면제신청서를 제출하고 세무기관의 승인을 받아 이미 납부한 자동차리용세를 되돌려받거나 다음 연도 자동차리용세납부에서 공제받을 수 있다.(라세칙 제66조)

제11장

제재 및 신소

「라선경제무역지대 세금규정」의 제재 부분은 5개 조문으로 이루어져 있고, 동 시행세칙의 제재 부분은 5개 조문으로 구성되어 있다. 신소, 출국금지 등은 「라선경제무역지대 세금징수관리규정」에 규정되어 있다.

1 연체료

(1) 기업 또는 개인이 세금을 정한 기일 안에 납부하지 않았을 경우, 납부기일이 끝난 다음날부터 납부하지 않은 세액에 대하여 매일 0.3%에 해당한 연체료를 물린다(라세규 제66조; 라세칙 제67조).

(2) 세금납부기일이 끝난 날부터 30일이 지나도록 세금을 납부하지 않을 경우에는 재산을 담보처분하거나 해당 거래은행을 통하여 강제납부시킬 수 있다. 담보처분할 재산은 납부하지 못한 세금과 연체료를 충분히 보상할 수 있는 재산이어야 한다.(라세칙 제67조)

이러한 강제집행조치와 관련하여 「라선경제무역지대 세금징수관리규정」 제22조에서는, 납세자가 정해진 기간 안에 미납된 세금을 납부하지 않거나 납세담보를 제공하지 않을 경우 지대세무기관은 납세자의 거래은행 또는 해당 기관에 통지하여 그의 예금에서 미납액을 떼내거나 재산담보처분조치를 취할 수 있고, 재산담보처분조치를 취하는 경우 지대세무기관은 납세자에게 미납된 세금에 대한 납세기한부를 정해주어야 한다고 규정하고 있다.

2 영업중지 및 출국금지

가. 영업중지

기업과 개인에 대하여 영업중지 조치를 취할 수 있는 경우는 다음과 같다.

① 기업과 개인이 정당한 이유없이 6개월 이상 세금을 납부하지 않은 경우(라세규 제

67조; 라세칙 제68조 제1항)

② 벌금통지서를 받은 기업이나 개인이 1개월 이상 벌금을 물지 않을 경우(라세규 제67조; 라세칙 제68조 제2항)

③ 기업과 개인이 세무기관의 정상적인 조사에 응하지 않거나 필요한 자료를 보장하여 주지 않았을 경우(라세규 제67조; 라세칙 제68조 제3항)

④ 기업과 개인이 세무와 관련한 문건양식을 세무기관이 정한대로 작성하지 않았거나 내부계산체계를 바로 세우지 않아 세무요해사업을 바로 할 수 없게 하였을 경우, 그것이 시정될 때까지 영업중지 조치를 취할 수 있다(라세칙 제68조 제4항).

나. 출국금지

세금을 미납한 납세자는 출국하려는 경우 미납액을 청산하거나 납세담보를 제공하여야 한다. 지대세무기관은 납세자가 납세담보를 제공하지 못하였거나 정당한 이유없이 거절하는 경우 해당 기관에 통지하여 그의 출국을 금지시킬 수 있다.(라징규 제21조)

「라선경제무역지대 벌금규정」 제18조에서도 다른 나라 또는 국제기구 상주대표기관, 외국투자기업 및 외국인이 벌금을 물지 않았을 경우에는 출입국사업기관에 제기하여 당사자의 출국을 중지시킬 수 있다고 규정하고 있다.

3 몰수

다음의 경우에는 해당한 재산과 물자를 몰수할 수 있다.

① 기업과 개인이 법규의 요구를 어기고 밀수, 밀매하였을 경우(라세규 제68조; 라세칙 제69조 제1항)

② 비법적인 영리활동을 하여 소득을 얻는 것 같은 의도적(고의적)인 탈세행위가 나타났을 경우(라세규 제68조; 라세칙 제69조 제2항). 이와 관련하여 「라선경제무역지대 세금징수관리규정」 제26조(비법경영활동에 대한 세금징수)에 의하면, 지대세무기관은 기업 또는 개인이 비법적으로 영리활동을 하여 소득을 얻었을 경우 얻은 소득에 대한 납세액을 가산하여 세금을 징수하여야 한다고 규정하고 있다. 결국 몰수 규정과 함께 적용할 경우, 비법적인 소득에 대해서는 세금을 가산하여 몰수를 한다는 것으로 해석된다.

③ 세금과 연체료를 30일이 지나도록 납부하지 않을 경우(라세칙 제69조 제3항)

4 벌금

가. 「라선경제무역지대 세금규정」 및 동 시행세칙의 내용

다음의 경우에는 벌금을 부과한다. 「라선경제무역지대 세금규정」 및 동 시행세칙의 문구 표현은 일부 차이가 있지만 의미는 대체로 유사한 것으로 판단된다. 따라서 아래에서는 양자의 문구를 포괄적으로 포함하여 정리하였다.

① 정당한 이유없이 세무등록, 재산등록, 자동차등록[17]을 제때에 하지 않았거나 세금납부신고서(세금계산서), 연간회계결산서, 각종 실사표 같은 세무문건을 제때에 제출하지 않았을 경우에는 정상에 따라 기업에게는 €100~5,000까지, 개인에게는 €10~1,000까지의 벌금을 부과한다. 「라선경제무역지대 세금규정시행세칙」에서는 자동차등록을 열거하고 있지 않다.(라세규 제69조 제1항; 라세칙 제70조 제1항)

② 공제납부의무자가 세금을 적게 공제하였거나 공제한 세금을 납부하지 않았을 경우에는 미납한 세금을 납부하는 것과 함께 납부하지 않은 세액의 2배까지의 벌금을 부과한다(라세규 제69조 제2항; 라세칙 제70조 제2항).

③ 부당한 목적으로 각종 장부, 전표, 증빙문건을 사실과 맞지 않게 기록하였거나 고쳤을 경우, 2중 장부를 이용하거나 없앴을 경우 기업에게는 €1,000~100,000까지, 개인에게는 €100~1,000까지의 벌금을 부과한다(라세규 제69조 제3항; 라세칙 제70조 제3항).

④ 세무기관의 세무조사를 고의적으로 방해하였을 경우에는 정상에 따라 €100~5,000까지의 벌금을 부과한다(라세규 제69조 제4항; 라세칙 제70조 제4항).

⑤ 세금탈세액을 정확히 계산할 수 없을 경우 가산금에 3~5배까지의 벌금을 부과한다(라세규 제69조 제5항; 라세칙 제70조 제5항).

⑥ 고의적으로 세금을 납부하지 않거나 적게 납부한 경우, 재산 또는 소득을 빼돌리거나 감추었을 경우에는 납부하지 않은 세액의 10배까지의 벌금을 부과한다(라세규 제69조 제6항; 라세칙 제70조 제7항).

나. 「라선경제무역지대 벌금규정」의 내용

「라선경제무역지대 벌금규정」(최고인민회의 상임위원회 결정 제17호, 2014.8.7.)은 지대 안

17) 「라선경제무역지대 세금규정」 제69조 제1항에서는 '자동차등록'도 벌금 적용대상으로 명시하고 있으나, 동 시행세칙 제70조에서는 세무등록과 재산등록만을 열거하고 있다. 하지만 동 시행세칙 제64조 제2항에서 '자동차이용과 관련한 세무등록'이라고 표현하고 있다는 점을 고려할 때, 자동차등록도 세무등록의 범주에 포함되는 것으로 판단된다.

기관, 기업소, 단체와 공민에게 적용하는데, 다른 나라 또는 국제기구 상주대표기관, 외국투자기업, 외국인에게도 적용한다(라벌규 제2조). 「라선경제무역지대 벌금규정」은 벌금 부과와 관련된 일반규정 성격을 띠는 것으로 판단된다. 주요 관련 내용을 요약하면 다음과 같다.

① 벌금적용원칙: 위법행위 당사자에게 부과하며, 법규에 규정하지 않은 벌금은 부과할 수 없다(라벌규 제3조). 둘 이상의 위법행위에 대한 벌금은 가장 무거운 위법행위에 따르는 벌금만을 부과한다(라벌규 제4조).

② 벌금부과 권한 및 취급처리관할: 라선시인민위원회 사회주의법무생활지도위원회와 재판, 중재기관, 해당 권한있는 기관이 부과한다(라벌규 제5조). 다른 나라 또는 국제기구 상주대표기관, 외국투자기업 및 외국인에 대해서는 재판기관과 해당 권한있는 기관이 취급처리하는 것으로 판단된다(라벌규 제6조 제2항 및 제4항).

③ 벌금부과방법: 사회주의법무생활지도위원회 또는 해당 권한있는 기관의 「책임일군협의회」에서 벌금제기문건을 받은 날부터 20일 안으로 심의·결정하여 벌금통지서를 발급하여 부과한다. 그러나 재판기관, 중재기관은 판정 또는 재결을 한 후 집행문을 발급하여 부과한다.(라벌규 제8조 및 제10조)

④ 다른 나라 또는 국제기구 상주대표기관, 외국투자기업 및 외국인에 대한 벌금집행: 당사자와 그가 거래하는 은행(또는 거래은행이 없을 경우 지정된 은행)에 벌금통지서 또는 집행문을 보내서 집행하는데, 이를 받은 은행은 즉시 당사자의 돈자리에서 벌금액수 해당 금액을 떼내야 한다. 거래은행이 없을 경우 당사자에게 은행을 지정해주어 벌금을 물게 한다. 벌금은 당일 지대외화관리기관이 발표하는 공식환율에 따라 외화로 받는다.(라벌규 제13조)

⑤ 현지벌금의 집행: 해당 권한있는 기관은 교통질서, 철도이용질서, 사회공중질서, 국경통행질서, 세관질서, 국경검사검역질서, 외국인의 출입·체류·거주질서를 어긴 대상과 개인소득에 대한 신고납부를 제때에 하지 않고 출국하는 대상에게 현지에서 직접 벌금을 물릴 수 있고, 이 경우 벌금은 수입인지로 받는다. 부득이한 경우에는 현금으로 직접 받을 수 있는데, 이 경우 벌금영수증을 발급하며 현금을 받은 날 해당 기관의 재정부서에 들여놓아야 하고, 재정부서는 10일 안으로 거래은행에 입금시켜야 한다.(라벌규 제14조)

⑥ 벌금부과한도액: 다른 나라 또는 국제기구 상주대표기관 및 외국투자기업에 대한 벌금한도액은 €200～100,000이고, 외국인에 대한 벌금한도액은 €20～1,000이다

(라벌규 제16조 제3항~제4항). 하지만 국제철도수송, 바다오염방지, 세무 같은 분야의 질서를 어겨 특히 엄중한 결과를 일으켰을 경우에는 국제관례에 따라 「라선경제무역지대 벌금규정」에 정한 것보다 높이 부과할 수 있다(라벌규 제17조). 세금관련 벌금은 국제관례라는 표현을 통해 상기 한도액을 적용하지 않을 수 있는 여지를 둔 것으로 보인다.

⑦ 벌금의 처리: 벌금으로 받아들인 돈은 지대예산수입으로 하며 승인없이 기관에서 자체로 쓸 수 없다(라벌규 제19조).

5 형사적 책임

「라선경제무역지대 세금규정」 및 동 시행세칙을 어긴 행위가 범죄에 이를 경우에는 책임있는 자에게 형사적 책임을 지운다(라세규 제70조; 라세칙 제71조).

벌금을 망탕하게 부과하였거나 벌금으로 받은 돈을 비법처리하였을 경우에는 책임있는 일꾼에게 정상에 따라 행정적 또는 형사적 책임을 지운다(라벌규 제21조).

6 신소와 그 처리

'신소'에 대한 내용은 「라선경제무역지대 세금규정」이 아닌 「라선경제무역지대 세금징수관리규정」에 포함되어 있다. 세금징수와 관련하여 의견이 있는 당사자는 지대세무기관 또는 라선시인민위원회에 신소할 수 있고, 신소를 접수한 기관은 30일 안으로 요해처리하고 그 결과를 신소자에게 알려주어야 한다(라징규 제35조).

「라선경제무역지대 벌금규정」에 의하면, 벌금부과에 대하여 의견이 있는 당사자는 라선시인민위원회와 해당 기관에 신소할 수 있고, 신소를 받은 기관은 30일 안으로 요해처리하고 그 결과를 신소자에게 알려주어야 한다(라벌규 제20조).

제6편

북한의 관세

제1장 북한 「세관법」

1 북한 관세 법규의 연혁 및 현황

해방 후 1947년 2월 27일자 「북조선세금제도개혁에 관한 결정서」 제1조 제1항(국세) 제6호(관세)의 내용을 원문대로 인용하면 다음과 같다.

> 제1조 북조선에거주하는인민들과 북조선에서사업하는단체들은 각자수입과능력에의하야 다음에렬기하는세금들을 부담할의무를 갖인다
> 一, 국세
> 6, 관세
> 불요불급한 상품의침입을방어하며 중요물자의유출을제거하야 국내산업의발전을도모할목적으로 외국에대한수입수출물자에대하여 일정한비률에의하야부과한다
> 새로히관세법을제정할때까지는 현행세률과규정에의하여 부과한다

이와 같이 해방 직후에는 새로 관세법을 제정할 때까지 당시의 세율과 규정을 그대로 적용하도록 하였다. 이후 내각결정 제49호 「수출입세에 관한 규정」[1]을 1948년 10월 26일자로 채택하면서 수출세율 및 수입세율을 별표로 규정하여 보완하였고, 내각수상 김일성 비준 재정성 규칙 제3호 「수출입세에 관한 규정 세칙」[2]을 1949년 8월 3일자로 채택하여 세부사항을 규정하였다.

이후 1983년 10월 14일 최고인민회의 상설회의 결정 제7호로 「세관법」을 채택하여 통관 및 관세제도를 통합적으로 규정하였다. 관세 관련 법규를 정비함에 있어서 「관세법」과 「세관법」을 구분하는 나라들도 있지만, 북한에서는 관세 문제를 「세관법」에서 규정하고 있다.[3] 「세관법」은 1983년에 채택된 이후 2018년까지 총 14차례 수정보충되었는데, 세관 및 관세에 관한 사항을 함께 규정하고 있다.

「세관법」 제41조에 의하면 관세의 계산은 해당 물자의 가격과 국경을 통과하는 당시

---

1) 조선민주주의인민공화국, 『내각공보』, 1949년 제1호, 125~136쪽.
2) 재정성기관지 편집부, 『재정법규집』, 1950, 149~161쪽.
3) 정철원, 『조선투자법안내(310가지 물음과 대답)』, 법률출판사, 2007, 240쪽.

의 관세율에 따라 한다고 규정하고 있고, 동법 제42조에서는 관세부과대상과 관세율은 비상설관세심의위원회에서 심의결정하며 관세부과대상과 관세율을 공포하는 사업은 내각이 한다고 규정하고 있다.

「세관법」 제10조(세관법의 적용대상)에 의하면, 특수경제지대의 세관사업질서는 따로 정한다고 규정하고 있다. 이와 관련하여, 「북남경제협력법」 제19조, 「합영법」 제24조, 「합작법」 제12조, 「외국인기업법」 제24조, 「개성공업지구법」 제33조, 「금강산국제관광특구법」 제38조, 「라선경제무역지대법」 제53조,[4] 「황금평 · 위화도경제지대법」 제68조, 「경제개발구법」 제56조 등 개별 북한 투자법제에는 특혜관세제도에 대한 규정을 포함하고 있다.[5]

나아가 「라선경제무역지대법」, 「개성공업지구법」 및 「금강산국제관광특구법」은 그 하위 규정으로서 각각 별도의 세관규정을 두고 있다. 북한의 관세 법규 현황을 정리하면 다음과 같다.

<표 6-1> 북한의 관세 법규 현황

구분	제정 · 채택 시기	주요 대외세제	비고
세관법	1983.10.14	세관법	최고인민회의 상설회의 결정 제7호
	2018.02.22	세관법 (최종 수정보충)	최고인민회의 상임위원회 정령 제2151호
개성	2003.12.11	개성공업지구 세관규정	최고인민회의 상임위원회 결정 제13호 채택
금강산	2004.04.29	금강산관광지구 세관규정	(금강산국제관광특구 세관규정으로 대체)
	2011.11.29	금강산국제관광특구 세관규정	최고인민회의 상임위원회 결정 제73호 채택
라선	2000.09.23	라선경제무역지대 세관규정	내각결정 제52호 채택
	2005.01.17	라선경제무역지대 세관규정	내각결정 제4호 (최종 수정보충)

주: 음영 처리되지 않은 부분이 현재 유효한 법규라고 할 수 있음.
자료: 국가정보원 엮음, 『북한법령집 하』, 국가정보원, 2020; 장명봉 편, 『최신 북한법령집』, 북한법연구회, 2015; 『조선민주주의인민공화국 개성공업지구 법규집』, 법률출판사, 2005 등의 내용을 기초로 저자 작성.

4) 「라선경제무역지대법」은 관세와 관련하여 '제5장 관세'(제53조~제58조)에서 상대적으로 많은 내용을 규정하고 있다.

5) 「외국인투자법」에는 관세 관련 조문이 없다.

본 장에서는 「세관법」 내용 중에서 관세와 관련된 사항을 중심으로 정리하고, 특수경제지대 세관규정에 대해서는 별도의 장(章)에서 논의하고자 한다.

2 북한 「세관법」의 구성 및 일반규정

가. 북한 「세관법」의 구성

북한 「세관법」의 구성을 개략적으로 정리해보면 다음과 같다.

<표 6-2> 북한 「세관법」의 구성

「세관법」	주요 내용
제1장 세관법의 기본 (제1조~제10조)	세관의 정의·설치장소·임무, 세관등록·수속 간소화원칙, **관세부과원칙**, 세관사업 간섭행위 금지원칙, 전문가양성원칙, 세관법 **적용대상** 등
제2장 세관등록 및 수속 (제11조~제19조)	세관등록, 세관수속, 세관신고 등
제3장 세관검사와 감독 (제20조~제38조)	세관검사 대상 및 제외대상, 단속통제대상, 세관검사 장소 및 방법, 이동세관검사, 통과짐 세관검사, 세관검사의뢰와 회보, 세관검사의뢰 짐의 수송, 운송수단 세관검사, 세관의 봉인, 검사·검역기관들의 연계, 세관관할 짐에 대한 감독, 잘못들여온 짐의 처리, 세관검사와 감독조건의 보장, 세관관할 짐과 운수수단 관리, 짐의 사고신고, 국제우편물 이용시 금지사항, 공민의 짐과 휴대품, 이사짐과 상속대산의 반출입 등
제4장 관세와 선박톤세, 세관료금 (제39조~제61조)	관세 등 납부의무, 관세부과 기준가격, 관세의 계산, 관세부과대상과 관세율, 조약상의 관세율, 관세율이 정해져 있지 않은 물건의 관세율, 납부화폐, 납부방법, 납부시기, 기준초과 짐의 관세납부, 관세면제대상, 면제대상에 대한 관세부과 및 납부절차, 관세의 추가부과, 반환, 보세지역·보세공장·보세창고·보세전시장의 설립운영, 보세기간의 연장, 보세물자의 반출입담보, 보호관세·반투매관세·보복관세의 부과조치, 선박톤세의 부과, 세관요금의 부과 등
제5장 세관사업에 대한 지도통제 (제62조~제72조)	지도통제의 기본요구, 세관사업에 대한 지도와 복종, **비상설관세심의위원회**의 설치, 세관의 협조의뢰, 연관기관일군협의회와 합의된 문제의 처리, 관세납부문건 검열 및 면세물자의 보관·이용·처리 정형조사, 세관사업 감독통제, 연체료 부과, 억류·몰수·벌금·중지 처벌, 행정적·형사적 책임, 신소와 그 처리기간 등

자료: 국가정보원 엮음, 『북한법령집 하』, 국가정보원, 2020의 내용을 기초로 저자 작성.

관세에 대한 내용은 주로 「세관법」 제4장 및 제5장 일부 조문에 규정되어 있다. 아래에서는 관세 관련 내용을 중심으로 정리하고자 한다.

나. 북한 「세관법」의 일반규정

(1) 「세관법」의 목적 및 적용대상

「세관법」은 세관등록[6]과 수속, 검사, 관세의 부과와 납부질서에 대하여 포괄적으로 규정하고 있다(세관법 제1조).

「세관법」의 적용대상은 기본적으로 북한 국경을 통과하여 짐과 운수수단, 국제우편물을 들여오거나 내가는 기관, 기업소, 단체와 공민에게 적용한다. 여기서 **≪기관, 기업소, 단체와 공민≫에는 외국투자기업과 북한에 주재하는 다른 나라 또는 국제기구의 대표기관, 법인, 외국인도 속한다.**(세관법 제10조)

이와 관련하여, 「기업소법」 제10조(법의 적용제외대상)에서는 "외국투자기업에는 이 법을 적용하지 않는다."고 명시적으로 규정함으로써, 법문 상 외국투자기업은 일반적인 의미에서 기업소일 수는 있으나 북한 「기업소법」상의 기업소에는 해당하지 않는다. 이와 달리 「세관법」은 외국투자기업과 외국인도 「세관법」 적용 목적상 기업소와 공민에 포함되는 것으로 명시한 것이다.

한편, 특수경제지대의 세관사업질서는 따로 정한다고 규정하고 있다(세관법 제10조). 이에 따라 개성공업지구, 금강산국제관광특구 및 라선경제무역지대에 대하여는 별도의 세관규정이 채택되어 있다.

(2) 세관사업의 지도통제

세관사업에 대하여는 중앙세관지도기관이 장악하여 지도하고 그 밑으로 세관들이 위치한다(세관법 제63조). 국가는 관세정책을 정확히 집행하기 위해 내각의 지도하에 비상설관세심의위원회를 둔다(세관법 제64조).

세관장 주관 하에 운영되는 연관기관일군협의회는 국경교두와 국경철도역 등에서 세관과 통행검사소, 수출입품검사검역소, 무역지사 일꾼들이 정기적으로 모여 세관사업과

---

6) 세관등록에 대해서는, 「세관법」 제2장(세관등록 및 수속)의 규정 이외에 「외국투자기업등록법」 제5장(세관등록)에도 별도의 규정이 있다. 「세관법」에서는 수출입허가를 받은 기관, 기업소, 단체는 세관등록을 하여야 하고 세관등록을 하지 않고는 물자를 반출입할 수 없다(제11조)는 내용과 세관등록신청서에 무역영업허가증, 기업등록증, 주소등록증, 세무등록증 등의 문건을 세관에 제출해야 한다(제12조)는 내용을 규정하고 있다. 「외국투자기업등록법」에서는 이러한 신청절차와 관련하여, 주소등록을 한 날부터 20일 안으로 해당 세관에 세관등록신청서를 제출해야 하고(제29조), 세관은 그것을 5일 안으로 검토하고 세관등록을 승인하여 세관등록대장에 등록하거나 부결하여 부결통지서를 보내야 한다(제30조)는 내용을 규정하고 있다.

관련된 문제들을 협의하고 세관장의 지휘 하에 처리한다(세관법 제66조).

세관은 해당 기관, 기업소, 단체의 관세납부문건을 검열할 수 있으며, 필요에 따라 관세가 면제된 물자의 보관, 이용, 처리정형을 조사할 수 있다(세관법 제67조). 세관수속과 검사, 관세의 부과와 납부정형 등에 대한 감독통제는 중앙세관지도기관과 함께 해당 감독통제기관이 한다(세관법 제68조).

짐, 운수수단, 국제우편물, 휴대품을 비법적으로 북한으로 들여오거나 다른 나라로 내가는 경우에는 억류, 몰수, 벌금, 업무활동중지 등의 처벌을 할 수 있고(세관법 제70조), 「세관법」을 어겨 엄중한 결과를 일으킨 기관, 기업소, 단체의 책임있는 일꾼과 개별적 공민에게는 정상에 따라 행정적 또는 형사적 책임을 지운다(세관법 제71조).

세관사업과 관련하여 의견이 있을 경우에는 중앙세관지도기관 또는 해당 기관에 신소할 수 있고, 신소는 접수한 날부터 30일 안에 요해처리하여야 한다(세관법 제72조).

3 북한 「세관법」의 관세 관련 내용

가. 관세 등의 납부의무

관세, 선박톤세 및 세관요금은 세관이 부과하며, 해당 기관, 기업소, 단체 및 공민은 관세와 선박톤세, 세관요금의 납부의무가 있다(세관법 제39조). 앞서 살펴본 바와 같이, 외국투자기업과 외국인은 기업소 및 공민에 포함된다.

나. 관세의 계산

(1) 관세부과대상

관세경계선을 통과하여 반출입한 후 사용 및 소비되는 짐에 관세를 부과한다. 관세부과대상과 관세율은 비상설관세심의위원회에서 심의결정하고 내각이 이를 공포한다.(세관법 제42조)

(2) 관세의 기준가격

관세를 부과하는 기준가격은 다음과 같다(세관법 제40조).

① 수입품: 국경도착가격

② 수출품: 국경인도가격

③ 국제우편물과 공민이 들여오거나 내가는 물품: 소매가격

(3) 관세율

① 일반적으로 비상설관세심의위원회에서 심의결정하여 내각이 공포한 기본관세율을 적용하고, 다른 나라와 맺은 조약에 관세특혜조항이 있을 경우에는 특혜관세율을 적용한다(세관법 제43조).

② 관세율이 정해져 있지 않는 물자에 대해서는 그와 유사한 물자의 관세율을 적용한다(세관법 제44조).

(4) 관세의 계산

관세의 계산은 해당 물자의 가격에 국경을 통과하는 당시의 관세율을 적용하여 계산한다. 세관은 관세계산의 기초로 삼은 물자의 가격이 해당 시기 국제시장가격보다 낮게 신고되었다고 인정될 경우, 해당 가격제정기관에 신고된 물자의 가격을 다시 평가해줄 것을 요구하여 재평가된 가격으로 관세를 부과할 수 있다.(세관법 제41조)

다. 관세의 납부

(1) 관세의 납부방법

기관, 기업소, 단체는 관세납부계산서에 따라, 해당 공민은 관세납부통지서에 따라 관세를 납부하며, 이러한 관세납부계산서 및 관세납부통지서는 해당 세관이 발급한다(세관법 제46조).

(2) 관세의 납부시기

물자를 수출입하려는 기관, 기업소, 단체는 관세를 해당 물자가 반출입되기 전에 납부하여야 한다(세관법 제47조). 세관은 관세를 기일 안에 납부하지 않았을 경우 그에 해당한 연체료를 부과할 수 있다(세관법 제69조).

(3) 정해진 기준을 초과하는 짐의 관세납부

정해진 기준을 초과하는 국제우편물과 공민의 짐은 세관이 정한 기간 안에 관세를 납부하여야 찾을 수 있으나, 기간 안에 관세를 납부하지 못할 경우 관세액에 상응하는 짐을 담보물로 하고 남은 짐을 먼저 내줄 수도 있다(세관법 제48조).

라. 관세의 면제

(1) 관세의 면제대상

다음의 물자에는 관세를 부과하지 않는다(세관법 제49조 제1항~제9항).

① 국가적 조치에 따라 들여오는 물자
② 다른 나라 또는 국제기구, 비정부기구에서 북한 정부 또는 해당 기관에 무상으로 기증하거나 지원하는 물자
③ 외교여권을 가진 공민, 북한에 주재하는 다른 나라 또는 국제기구의 대표기관이나 그 성원이 이용하거나 소비할 목적으로 정해진 기준의 범위에서 들여오는 사무용품, 설비, 비품, 운수수단, 식료
④ 외국투자기업이 생산과 경영을 위하여 들여오는 물자와 생산하여 수출하는 물자, 무관세상점물자
⑤ 가공무역, 중계무역, 재수출 같은 목적으로 반출입하는 물자
⑥ 국제상품전람회나 전시회 같은 목적으로 임시반출입하는 물자
⑦ 해당 조약에 따라 관세를 물지 않게 되어 있는 물자
⑧ 이사짐과 상속재산
⑨ 정해진 기준을 초과하지 않는 공민의 짐, 국제우편물

(2) 면제대상에 대한 관세부과

다음의 물자에 대해서는 상기 「세관법」 제49조의 관세면제 규정을 적용하지 않으며(세관법 제50조 제1항~제6항), 이 경우 해당 기관, 기업소, 단체와 공민은 세관에 신고하고 해당한 관세를 납부하여야 한다(세관법 제51조).

① 외국투자기업이 생산과 경영을 위하여 들여온 물자와 생산한 제품을 북한 영역에서 판매하려 할 경우
② 무관세상점물자를 용도에 맞지 않게 판매하려 할 경우
③ 가공, 중계, 재수출 같은 목적으로 반입한 물자를 북한 영역에서 판매하거나 정해지 기간 안에 반출하지 않을 경우
④ 국제상품전람회나 전시회 같은 목적으로 임시반입한 물자를 북한 영역에서 사용, 소비하는 경우
⑤ 해당 대표단성원과 외교여권을 가진 공민, 북한에 주재하는 다른 나라 또는 국제기구의 대표기관이나 그 성원이 정해진 기준을 초과하여 물자를 들여오거나 내가는 경우
⑥ 국제우편물 또는 공민의 짐이 정해진 기준을 초과할 경우

마. 관세의 추가부과 및 반환

(1) 관세의 추가부과

세관은 관세를 부과하지 못하였거나 적게 부과하였을 경우, 해당 물자를 통과시킨 날부터 3년 안에 관세를 추가하여 부과할 수 있다(세관법 제52조).

(2) 관세의 반환

다음의 경우에는 받은 관세를 전부 또는 일부 돌려준다(세관법 제53조 제1항~제3항).

① 국가적 조치로 해당 물자의 반출입이 중지되었을 경우

② 수출입물자가 어찌할 수 없는 사유로 수송도중 전부 또는 일부 못쓰게 되었을 경우

③ 관세의 부과 또는 계산을 잘못하여 관세를 초과납부하였을 경우

상기 사유가 있을 경우 관세납부당사자는 관세를 납부한 날부터 그 해 12월 31일까지 해당 관세를 돌려줄 것을 세관에 요구할 수 있고, 세관은 관세반환신청을 받은 날부터 30일 안에 처리하여야 한다(세관법 제54조).

바. 보세제도

(1) 보세제도의 개념

'보세'는 관세부과대상의 물자에 관세징수를 일정한 기간 보류하는 것을 의미한다. '보세제도'는 보세지역제도(지정보세)와 보세수송제도로 구분된다. 보세지역제도는 다른 나라의 화물을 들여다 보관할 뿐 아니라 가공, 조립, 제조 등을 할 수 있는 장소와 관계되는 것이며, 보세수송제도는 다른 나라의 화물이 보세된 상태에서 지정된 보세지역까지 운반되는 질서이다.[7]

(2) 보세지역, 보세공장, 보세창고, 보세전시장의 설립 · 운영

대외경제교류를 발전시키기 위하여 보세지역, 보세공장, 보세창고, 보세전시장을 설립 · 운영하며, 이와 관련된 설립 · 운영 질서를 정하는 사업은 내각이 한다(세관법 제55조).

(3) 보세기간

다음의 보세기간에는 보세물자에 관세를 부과하지 않는다(세관법 제56조).

7) 정철원, 『조선투자법안내(310가지 물음과 대답)』, 법률출판사, 2007, 243쪽.

① 보세공장, 보세창고: 2년
② 보세전시장: 세관이 정한 기간

부득이한 사정으로 상기 보세기간을 연장받으려는 짐 임자는 보세기간이 끝나기 10일 전에 보세기간연장신정분건을 해당 세관에 제출해야 하며, 세관은 보세기간을 6개월까지 연장해줄 수 있다(세관법 제57조).

(4) 보세물자의 반출입 담보

보세물자를 가공, 포장, 조립하기 위하여 보세지역 밖으로 내가려는 경우에는 관세액에 상응하는 담보물 또는 담보금을 세관에 맡겨야 한다. 세관은 보세물자가 정해진 기간 안에 반입되면 담보물 또는 담보금을 돌려주지만, 보세물자가 정해진 기간 안에 반입되지 않으면 세관에 맡긴 담보물 또는 담보금을 관세로 처리할 수 있다(세관법 제58조).

사. 보호관세, 반투매관세 및 보복관세

중요공업부문과 나라의 자원을 보호할 필요가 있을 경우에는 일정한 기간 특별보호관세, 반투매관세, 보복관세 같은 조치를 취할 수 있다. 특별보호관세, 반투매관세, 보복관세의 부과대상과 세율, 부과기간은 내각이 정한다.(세관법 제59조)

아. 선박톤세 및 세관요금의 부과

(1) 선박톤세

북한의 항에 드나드는 다른 나라 배, 다른 나라 국적을 가진 북한 소유의 배, 북한 국적을 가진 다른 나라 소유의 배는 선박톤세를 납부하여야 한다. 선박톤세는 외국선박대리기관이 납부한다.(세관법 제60조)

(2) 세관요금

기관, 기업소, 단체와 공민은 세관검사료, 세관짐보관료 같은 세관요금을 제때에 납부하여야 한다. 세관요금은 해당 기관이 정한다.(세관법 제61조)

(3) 연체료

세관은 선박톤세, 세관요금을 기일 안에 납부하지 않았을 경우 그에 해당한 연체료를 부과할 수 있다(세관법 제69조).

제2장

특수경제지대 세관규정

1 특수경제지대 세관규정의 구성

「개성공업지구 세관규정」, 「금강산국제관광특구 세관규정」 및 「라선경제무역지대 세관규정」의 장(章)별 체계를 간략히 비교·정리하면 다음과 같다.

<표 6-3> 특수경제지대 세관규정의 구성

「세관법」	특수경제지대 세관규정		
	개성 세관규정	금강산 세관규정	라선 세관규정
제1장 세관법의 기본 (제1조~제10조)	제1장 일반규정 (제1조~제9조)	제1장 일반규정 (제1조~제7조)	제1장 일반규정 (제1조~제6조)
제2장 세관등록 및 수속 (제11조~제19조)	제2장 세관등록 및 수속 (제10조~제23조)	제2장 세관등록 및 수속 (제8조~제19조)	제2장 세관등록 및 수속 (제7조~제28조)
제3장 세관검사와 감독 (제20조~제38조)	제3장 세관검사 및 감독 (제24조~제35조)	제3장 세관검사 및 감독 (제20조~제31조)	제3장 세관검사 및 감독 (제29조~제50조)
제4장 관세와 선박톤세, 세관요금 (제39조~제61조)	**제4장 관세 및 세관요금** (제36조~제40조)	**제4장 관세 및 세관요금** (제32조~제37조)	**제4장 관세 및 세관요금** (제52조~제71조)
제5장 세관사업에 대한 지도통제 (제62조~제72조)	제5장 제재 및 신소 (제41조~제43조)	제5장 제재 및 신소 (제38조~제40조)	제5장 제재 및 신소 (제72조~제77조)

자료: 국가정보원 엮음, 『북한법령집 하』, 국가정보원, 2020; 장명봉 편, 『최신 북한법령집』, 북한법연구회, 2015; 『조선민주주의인민공화국 개성공업지구 법규집』, 법률출판사, 2005 등의 내용을 기초로 저자 작성.

전반적으로 장별 체계는 유사하고, 관세에 대한 사항은 모두 제4장에서 규정하고 있다. 하지만 특수경제지대 세관규정 중에서 「라선경제무역지대 세관규정」은 상대적으로 조문수가 많고 각 장의 세부내용이 개성공업지구 및 금강산국제관광특구의 세관규정과는 다른 체계로 작성되어 있다. 아래에서는 각 세관규정의 「제4장 관세 및 세관요금」의 내용을 중심으로 정리하면서, 일반규정의 필요한 부분과 제재 및 신소 관련 내용을 추가적으로 보완·요약하고자 한다.

2 「개성공업지구 세관규정」의 관세 관련 내용

(1) 적용대상

「개성공업지구 세관규정」은 공업지구에 창설된 기업(개발업자 포함)과 지사, 영업소, 사무소(이하 '지사'라고 함)가 공업지구의 개발과 관리운영, 생산과 경영을 위하여 반출입하는 물자와 우편물, 출입하는 운수수단에 적용한다. 남측 지역에서 공업지구에 출입하는 남측 및 해외동포, 외국인(이하 '개인'이라고 함)에게도 동 규정을 적용한다.(개관규 제2조)

하지만, 공업지구에서 공업지구 밖의 북한 지역으로 드나드는 세관사업질서는 해당 법규에 따른다(개관규 제9조).

(2) 관세면제 및 부과원칙

공업지구는 민족내부 사업으로서 관세면제원칙이 적용되는 무관세지역이다.[8)]

따라서 공업지구에서 반출입물자와 북한의 기관, 기업소, 단체에 위탁가공하는 물자에 대해서는 관세를 부과하지 않는다. 그러나 투자당사자가 누구인지 관계없이 다른 나라에서 들여온 물자를 가공하지 않고 그대로 공업지구 밖의 북한 영역에 판매하는 경우에는 관세를 부과할 수 있다.(개관규 제7조)

(3) 반출입신고제

공업지구에서 물자의 반출입은 신고제로 한다(개관규 제4조).

(4) 규정에서 정하지 않은 사항의 처리

세관사업과 관련하여 「개성공업지구 세관규정」에서 정하지 않은 사항은 세관이 공업지구관리기관과 협의하여 처리하며(개관규 제8조), 남북 사이에 맺은 해당 합의서의 사항에 따라 처리한다.[9)] 남측의 개발업자에게 설립 권한을 위임하고 있는 공업지구관리기관과 협의하여 처리하도록 한 것은 민족내부 거래로서 남북경제협력의 성격을 반영한 것으로 보인다.

---

8) 정철원, 『조선투자법안내(310가지 물음과 대답)』, 법률출판사, 2007, 453쪽.
9) 정철원, 『조선투자법안내(310가지 물음과 대답)』, 법률출판사, 2007, 451쪽.

(5) 보세제도

공업지구에는 보세전시장, 보세창고, 보세공장 등을 설치, 운영할 수 있고, 해당 기업, 지사는 보세전시장, 보세창고, 보세공장에 대한 세관의 감독조건을 보장하여야 한다(개관규 제34조). 보세전시장, 보세창고에는 보세물자가 아닌 물자를 보관할 수 없고, 보세물자의 반출입과 보세공장에서 보세물자포장의 기호표식을 고치는 작업, 선별, 재포장작업 등은 세관의 감독 하에 한다(개관규 제35조).

(6) 관세의 계산

공업지구에서 관세의 기준가격은 해당 물자의 공업지구 도착가격으로 하며, 관세의 계산은 해당 시기의 관세율에 따라 한다(개관규 제37조).

(7) 관세의 납부

세관은 관세를 부과하려는 기업 또는 지사에 관세납부통지서를 발급하여야 한다(개관규 제36조). 관세납부통지서를 받은 기업, 지사는 지정된 은행에 관세를 납부하여야 하며, 이 경우 해당 은행으로부터 관세납부증을 받아서 세관에 제출해야 한다(개관규 제38조). 관세의 납부와 관련하여 「개성공업지구 세관규정」 제38조에 '개인'에 대한 내용이 없는데, 이는 단순 누락일 가능성이 높아 보인다.

(8) 관세의 반환 및 추가부과

관세를 초과하여 납부한 기업, 지사 또는 개인은 관세를 납부한 날부터 1년 안에 초과분에 해당한 관세를 돌려줄 것을 세관에 요구할 수 있다. 이 경우 세관은 1개월 안으로 검토하고 돌려주거나 부결하여야 한다. 세관은 관세를 적게 부과한 물자에 대해서는 그것을 통과시킨 날부터 1년 안에 해당한 관세를 추가로 부과시킬 수 있다.(개관규 제39조)

(9) 세관요금

세관등록증, 운수수단등록증을 발급받은 기업, 지사 또는 개인은 해당한 요금을 세관에 납부해야 한다. 세관요금은 세관과 공업지구관리기관이 협의하여 정한다.(개관규 제40조) 공업지구관리기관과 협의하여 정하도록 한 것은 남북경제협력의 성격을 반영한 것으로 보인다. 이와 달리 「금강산국제관광특구 세관규정」 제37조와 「라선경제무역지대 세관규정」 제68조에서는 세관요금을 국가가격제정기관이 정하도록 하고 있다.

(10) 제재 및 신소

세관은 「개성공업지구 세관규정」을 위반한 반출입물자와 운수수단, 개인의 휴대품을 억류할 수 있고, 고의적으로 위반한 자에게는 벌금을 물릴 수 있다(개관규 제41조). 금지품, 밀수품은 몰수하고, 밀수행위에 이용한 운수수단도 몰수할 수 있다(개관규 제42조).

공업지구의 세관사업에 대하여 의견이 있을 경우에는 세관에 신소할 수 있고, 세관은 신소를 접수한 날부터 15일 안으로 처리하여야 한다(개관규 제43조).

3 「금강산국제관광특구 세관규정」의 관세 관련 내용

(1) 적용대상

「금강산국제관광특구 세관규정」은 국제관광특구에 드나드는 북한 공민과 외국인, 남측 및 해외동포(이하 '개인'이라고 함)에게 적용하며, 국제관광특구의 개발과 관리운영, 기업의 경영을 위하여 물자, 우편물을 반출입하거나 자동차, 배, 열차, 비행기 같은 운수수단을 이용하는 기업과 지사(대리점, 출장소 포함)에도 이 규정을 적용한다(금관규 제2조).

(2) 관세면제 및 부과원칙

국제관광특구의 개발과 관리, 기업경영에 필요한 물자, 투자가에게 필요한 사무용품과 생활용품, 국제관광특구에 드나드는 운수수단에 필요한 연유, 예비부속품, 승무원들의 식료품에 대해서는 관세를 부과하지 않는다. 그러나 관세를 면제받고 들여온 물자를 판매하거나 북한 영역에 내갈 경우에는 관세를 부과한다.(금관규 제32조)

(3) 반출입신고제

국제관광특구에서 물자의 반출입은 신고제로 한다. 국제광광특구에 들여온 물자를 특구 밖의 북한 영역에 내가려할 경우에는 정해진 절차에 따라 세관수속을 한다.(금관규 제4조)

(4) 규정에서 정하지 않은 사항의 처리

「금강산국제관광특구 세관규정」에 정하지 않은 사항은 해당 법규에 따른다(금관규 제7조). 「라선경제무역지대 세관규정」의 경우에도 동 규정에서 정하지 않은 사항은 세관사업 관련 법규범과 지대관계법규를 따르도록 하고 있다(라관규 제5조). 하지만 「개성공업지구 세관규정」에서 정하지 않은 사항은 세관이 공업지구관리기관과 협의하여 처리하도록 하고 있다(개관규 제8조).

(5) 보세제도

국제관광특구에는 보세전시장, 보세창고 등을 설치, 운영할 수 있고, 보세물자의 반출입과 보세창고에서 물자의 선별, 재포장 등의 작업은 세관의 감독 하에 한다(금관규 제31조).

(6) 관세의 계산

국제관광특구에서 관세부과의 기준가격은 해당 물자의 국제관광특구 도착가격으로 하며, 관세의 계산은 해당 시기의 관세율에 따라 한다(금관규 제34조).

(7) 관세의 납부

세관은 관세를 부과하려는 기업, 지사 또는 개인에게 관세납부통지서를 발급하여야 한다(금관규 제33조). 관세납부통지서를 받은 기업, 지사, 개인은 정해진 은행에 관세를 납부하여야 하며, 이 경우 해당 은행은 관세납부자에게 관세납부증을 발급하며 적립된 관세납부금을 정해진 돈자리에 넣어야 한다(금관규 제35조).[10]

(8) 관세의 반환 및 추가부과

관세를 초과하여 납부한 기업, 지사 또는 개인은 관세를 납부한 날부터 1년 안에 초과분에 해당한 관세를 돌려줄 것을 세관에 요구할 수 있다. 이 경우 세관은 1개월 안으로 검토하고 돌려주거나 부결하여야 한다. 세관은 관세를 적게 부과한 물자에 대해서는 그것을 통과시킨 날부터 1년 안에 해당한 관세를 추가로 부과시킬 수 있다.(금관규 제36조)

(9) 세관요금

세관등록증, 운수수단등록증을 발급받은 기업, 지사 또는 개인은 해당한 요금을 세관에 납부해야 한다. 세관요금을 정하는 사업은 국가가격제정기관이 한다.(금관규 제37조) 「라선경제무역지대 세관규정」 제68조에서도 세관요금의 기준은 국가가격제정기관이 정한다. 하지만 「개성공업지구 세관규정」 제40조에서는 세관요금을 세관과 공업지구관리기관이 협의하여 정하도록 하고 있다.

---

10) 「개성공업지구 세관규정」 제38조에서는 발급받은 관세납부증을 세관에 제출해야 하는 것으로 규정하고 있는데, 「금강산국제관광특구 세관규정」에서는 해당 내용이 없다. 하지만 실제로는 동일한 절차를 따를 것으로 보인다.

(10) 제재 및 신소

세관은 「금강산국제관광특구 세관규정」을 위반한 반출입물자와 운수수단, 개인의 휴대품을 억류할 수 있고, 고의적으로 위반한 자에게는 벌금을 물릴 수 있다(금관규 제38조). 밀수품과 비법적으로 반입한 금지품은 몰수하고, 밀수행위에 이용한 운수수단도 몰수할 수 있다(금관규 제39조).

국제관광특구의 세관사업에 대하여 의견이 있을 경우에는 세관에 신소할 수 있고, 세관은 신소를 접수한 날부터 15일 안으로 처리하여야 한다(금관규 제40조).

4 「라선경제무역지대 세관규정」의 관세 관련 내용

(1) 적용대상

라선경제무역지대 세관은 세관통과지점을 통과하는 북한의 기관, 기업소, 단체(이하 '기관, 기업소'라고 함)와 외국투자기업, 외국기업(이하 '외국투자기업'이라고 함), 외국기업상주대표사무소(이하 '상주대표기관'이라고 함), 북한 공민, 다른 나라 공민(이하 '개인'이라고 함)의 짐, 운수수단, 우편물, 휴대품에 대한 세관수속과 검사를 진행하며, 지대반입물자의 보관, 이용, 처리정형에 대하여 감독하여야 한다(라관규 제3조). 요약하면, 「라선경제무역지대 세관규정」은 지대의 짐, 운수수단, 우편물, 휴대품을 반출입하는 기관, 기업소와 외국투자기업, 상주대표기관, 개인에게 적용한다(라관규 제6조).

(2) 관세면제 및 부과원칙[11]

관세를 부과하지 않는 물자는 다음과 같다(라관규 제53조 제1항~제7항).

① 지대에 들여오는 투자물자

② 생산과 경영을 위하여 들여오는 물자

③ 지대에서 가공한 다음 수출하기 위하여 들여오는 물자

④ 자체수요를 위하여 들여오는 합리적인 수량의 사무용품, 설비, 비품, 운수수단, 생활필수품

⑤ 지대에서 생산하여 다른 나라에 수출하거나 지대에 파는 물자

11) 일반적으로 개별 경제특구법에서 특혜관세의 적용을 규정하고 있다(「개성공업지구법」 제33조; 「금강산국제관광특구법」 제38조; 「라선경제무역지대법」 제53조; 「황금평위화도경제지대법」 제68조). 다른 특수경제지대 세관규정 제1조(사명)와 달리 「라선경제무역지대 세관규정」 제1조에서는 특혜관세제도를 언급하고 있다.

⑥ 되거리물자, 중계수송물자

⑦ 이밖에 국가가 따로 정한 물자

한편, 개인은 자체사업과 생활에 필요한 수량범위 안의 물품을 가지고 다니거나 우편물로 반출입할 수 있고, 이사짐과 상속재산은 해당 기관의 확인문건에 따라 제한없이 반출입할 수 있다(라관규 第38조).

무역항에 드나드는 다른 나라 배에는 톤세를 부과하지 않는다(라관규 第55조). 이와 달리 「세관법」 제60조에서는 북한의 항에 드나드는 다른 나라 배, 다른 나라 국적을 가진 북한 소유의 배, 북한 국적을 가진 다른 나라 소유의 배는 선박톤세를 납부하여야 한다고 규정하고 있다.

관세를 부과하는 경우는 다음과 같다(라관규 第54조 第1항~第5항).

① 지대 안에 팔기 위하여 물자를 들여오는 경우

② 지대에서 쓰기 위하여 들여온 물자를 지대 안이나 지대 밖의 북한 영역에 판매하는 경우

③ 임가공, 되거리, 중계수송을 목적으로 지대에 들여온 물자를 국가의 승인을 받아 지대 안이나 지대 밖의 북한 영역에 판매하는 경우

④ 자체수요를 초과하여 들여오는 사무용품, 사무용기구, 운수수단, 생활필수품인 경우

⑤ 개인의 휴대품과 우편물로 들여오는 물건이 면세한도를 초과하는 경우

한편, 관세를 납부하지 않고 들여온 원료, 자재, 부속품을 이용하여 생산한 제품은 반드시 수출하여야 하는데, 수출하게 된 제품을 국가의 승인을 받아 지대 안이나 지대 밖의 북한 영역에 판매하려고 할 경우에는 세관에 신고한 다음 해당 제품 생산에 이용한 수입원료, 자재, 부속품에 대한 관세를 납부하여야 한다. 제품생산에 소비한 수량과 가격을 정확히 세관에 신고하지 않을 경우에는 세관이 해당 물자의 반입수량과 수입가격에 따라 관세를 부과한다.(라관규 第57조)

외국투자기업이 지대 밖의 북한 영역에서 물자를 구입하거나 지대에서 생산한 제품을 지대 밖의 북한 영역에 판매하려고 할 경우에는 북한의 해당 무역기관을 통하여 실현하여야 하며, 외국투자기업과 북한의 해당 무역기관은 물자를 팔고 사는 경우에 관세를 납부하여야 한다(라관규 第58조).

지대 또는 지대 밖의 북한 영역에서 물자를 구입하여 가공하지 않고 그대로 수출하는

경우에는 수출관세를 납부하여야 한다. 다만 구입한 물자를 이용하여 그 가치가 20% 이상 증가된 제품을 생산하여 수출하는 경우에는 지대에서 생산한 제품과 같이 인정하며 수출관세를 부과하지 않는다.(라관규 제59조)

자체 수요를 위하여 다른 나라에서 들여온 사무용품, 사무용기구, 설비, 비품, 생활필수품과 운수수단은 지대 안이나 지대 밖의 북한 영역에서 팔수 없다. 다만 불가피한 사정으로 이를 팔려고 할 경우에는 세관에 신고한 다음 해당한 관세를 납부하여야 한다.(라관규 제60조)

지대에서 관광업, 여관업, 상업, 식당업을 위하여 들여오는 상품에 대해서는 관세를 부과한다(라관규 제56조).

(3) 반출입신고제

지대에 관세면제대상에 속하는 물자의 반출입은 신고제로 한다(「라선경제무역지대법」 제57조). 다른 특수경제지대의 경우, 동일한 취지의 규정을 세관규정에 포함하고 있다.

(4) 규정에서 정하지 않은 사항의 처리

「라선경제무역지대 세관규정」에 규제된 내용 밖의 세관사업과 관련하여 제기되는 문제는 북한의 세관사업과 관련한 법규범과 지대관계법규에 준한다(라관규 제5조). 「금강산국제관광특구 세관규정」 제7조에서도 동 규정에 정하지 않은 사항은 해당 법규에 따르도록 하고 있다. 하지만, 「개성공업지구 세관규정」에서 정하지 않은 사항은 세관이 공업지구관리기관과 협의하여 처리하도록 하고 있다(개관규 제8조).

(5) 보세제도

① 보세구역, 보세공장, 보세창고의 운영

보세구역(라관규 제11조 및 제23조~제25조), 보세공장(라관규 제45조~제46조), 보세창고의 운영(라관규 제47조~제49조)에 대하여 세부 규정을 두고 있는데, 구체적인 논의는 생략한다. 「개성공업지구 세관규정」에서는 보세전시장, 보세창고, 보세공장의 설립·운영에 대하여 규정하고 있고(개관규 제35조~제36조), 「금강산국제관광특구 세관규정」에서는 보세전시장, 보세창고의 설립·운영에 대하여 규정하고 있다(금관규 제31조).

② 보세기간

보세기간은 보세공장 및 보세창고는 2년, 보세전시장은 세관이 정한 기간으로 한다. 불가피한 사정으로 상기 보세기간을 연장하려고 할 경우에는 보세기간이 끝나기 10일

전에 보세기간연장신청문건을 세관에 제출해야 하며, 세관은 보세기간을 6개월 범위 안에서 연장 또는 부결하여야 한다.(라관규 제61조)

상기 내용은 「세관법」 제56조 및 제57조의 규정과 실질적으로 동일하다. 다른 특수경제지대 세관규정에는 보세기간에 대한 내용이 별도로 규정되어 있지 않다.

③ 보세물자의 반출입 담보

보세물자를 수리, 가공, 조립, 실험, 포장하기 위하여 임시로 지대 밖으로 반출하려고 할 경우에는 관세에 상응하는 담보물 또는 담보금을 세관에 맡겨야 한다. 세관은 보세물자가 정해진 기간 안에 반입되는 경우에는 담보물 또는 담보금을 돌려주며, 정해진 기간 안에 반입되지 않을 경우에는 담보물 또는 담보금을 관세로 처리할 수 있다.(라관규 제62조)

상기 내용은 「세관법」 제58조의 규정과 실질적으로 동일하다. 다른 특수경제지대 세관규정에는 보세물자의 반출입 담보에 대한 내용이 별도로 규정되어 있지 않다.

④ 지연처리 보세물자의 처리

보세물자를 정해진 기간안에 처리하지 않을 경우에는 해당 기관에 넘겨 매각처리하게 한 다음 매각처리한 금액가운데서 관세에 해당한 금액은 관세로 처리하며 나머지 금액은 보세창고관리기관에 넘겨주어 처리하게 하여야 한다. 보세물자를 매각처리할 수 없을 경우에는 관세에 상응하는 보세물자를 넘겨받아 관세로 처리할 수 있다.(라관규 제73조)

(6) 관세의 계산

관세를 부과하는 기준가격은 다음과 같으며(라관규 제64조), 이는 실질적으로 「세관법」 제40조의 규정과 동일하다.

① 수입물자: 국경도착가격
② 수출물자: 국경인도가격
③ 개인 휴대품과 우편물: 지대에서 거래되는 상품의 소매가격

세관은 지대에 수입하는 물자에 대하여 특혜관세율을 적용한다(라관규 제52조). 관세의 계산은 해당 물자가 반출입되는 당시의 관세율에 따라 조선원으로 하며, 관세의 부과는 조선원 또는 외화로 한다. 조선원과 외화의 환산은 해당 시기 지대안의 무역은행기관이 발표하는 외화교환시세에 따른다.(라관규 제65조) 현행 「세관법」이나 다른 특수

경제지대 세관규정에서는 관세의 계산 및 부과 화폐에 대한 내용을 별도로 규정하고 있지 않다.

세관은 탈세를 목적으로 반출입물자의 가격을 실지가격보다 낮게 신고하였을 경우 해당 기관을 통하여 반출입물자의 가격을 재평가하여 관세를 부과할 수 있다(라관규 제67조). 여기서 '실지가격'을 어떻게 평가할 것인지에 대하여는 별도의 내용이 없다. 이와 관련하여 「세관법」 제41조에서는 물자의 가격이 해당 시기 국제시장가격보다 낮게 신고되었다고 인정될 경우 재평가된 가격으로 관세를 부과할 수 있다고 규정하고 있다.

(7) 관세의 납부

관세는 세관이 발급한 관세납부통지문건에 따라 납부하여야 하며, 관세를 납부하지 않은 반출입물자는 지대로 들여오거나 지대에서 내갈 수 없다(라관규 제66조).

(8) 관세의 반환 및 추가부과

관세와 세관요금을 초과하여 납부하였을 경우에는 관세와 세관요금을 납부한 날부터 1년 안에 초과한 관세와 세관요금을 돌려줄 것을 해당 세관에 요구할 수 있다(라관규 제69조). 세관은 관세와 세관요금을 적게 받았을 경우 해당 반출입물자를 통과시킨 날부터 3년 안에 적게 받은 관세와 세관요금을 받을 수 있다(라관규 제70조).

「금강산국제관광특구 세관규정」과 「개성공업지구 세관규정」에서는 반환요구 기한은 1년으로 동일하지만, 추가부과 기한은 3년이 아닌 1년으로 규정하고 있다. 또한 금강산 및 개성 세관규정에서는 반환요구에 대하여 세관이 1개월 안으로 검토 및 반환 또는 부결해야 한다는 내용은 있으나, 「라선경제무역지대 세관규정」에는 그러한 기한 규정이 없다. 금강산 및 개성 세관규정에서는 세관요금에 대한 반환 또는 추가부과 규정이 없다(개관규 제39; 금관규 제36조).

(9) 세관요금

세관은 세관등록과 중개수송물자에 대한 세관수속 및 감독, 이동세관검사와 관련한 세관요금을 받는다. 세관요금은 세관이 발급한 세관료납부통지문건에 따라 세관에 납부하여야 한다. 세관요금의 기준은 국가가격제정기관이 정한데 따른다.(라관규 제68조) 「금강산국제관광특구 세관규정」 제37조에서도 세관요금은 국가가격제정기관이 정하도록 하고 있는데, 「개성공업지구 세관규정」 제40조에서는 세관요금을 세관과 공업지구관리기관이 협의하여 정하도록 하고 있다.

(10) 외국인투자기업의 해산

외국인투자기업이 해산하려는 경우에는 기업창설심사승인기관이 기업의 해산을 승인한 날부터 5일 안으로 세관에 통지하여야 한다. 외국인투자기업의 해산에 대하여 통지받은 세관은 청산위원회에 미납된 관세와 세관요금 청구문건을 보내야 하며, 청산위원회는 세관의 채권청구를 우선적으로 청산하여야 한다.(라관규 제71조)

(11) 제재 및 신소

세관은 「라선경제무역지대 세관규정」을 어겼을 경우, 그 정도에 따라 세관신고원증을 회수하거나 반출입물자에 대한 세관수속 중지, 세관등록의 취소, 반출입물자와 운수수단의 억류, 벌금적용과 같은 행정적 제재를 주며 위반 행위가 엄중할 경우에는 형사적 책임을 진다(라관규 제74조).

밀수품은 발견 일시에 관계없이 몰수하며, 밀수행위 정도에 따라 이용한 해당 물자와 운수수단을 몰수한다. 밀수품을 몰수할 수 없을 경우에는 밀수행위를 하였거나 밀수행위에 협력한 기관, 기업소와 외국투자기업, 개인으로부터 밀수품값에 해당한 돈을 받는다.(라관규 제75조)

세관수속과 검사, 관세 및 세관요금의 납부와 관련하여 의견이 있을 경우에는 신소와 청원을 할 수 있고, 신소청원은 접수한 날부터 30일 안으로 처리하여야 한다(라관규 제78조). 「개성공업지구 세관규정」 제43조와 「금강산국제관광특구 세관규정」 제40조에서는 신소를 제기할 수 있고, 세관은 신소를 접수한 날부터 15일 안으로 처리하여야 한다고 규정하고 있다. 「라선경제무역지대 세관규정」에서는 '청원'이 추가적으로 포함되어있으나 「신소청원법」에서도 '신소청원'이라는 하나의 단어로 사용하고 있는 바, 실질적인 차이는 없어 보인다.

5 특수경제지대 세관규정 비교

특수경제지대 세관규정 간의 주요 차이점을 정리하면 다음과 같다.

<표 6-4> 특수경제지대 세관규정 간의 주요 차이점 비교

구분	개성 세관규정	금강산 세관규정	라선 세관규정
적용대상	기업, 지사, 영업소, 사무소, **남측 및 해외동포**, 외국인 (제2조)	**북한 공민**, 외국인, **남측 및 해외동포**, 기업, 지사 (제2조)	기관, 기업소, 단체, 외국투자기업, 외국기업, **북한 공민**, 외국인 (제2조)
관세면제 및 부과원칙	〈관세면제〉 공업지구 반출입물자와 북한 기관, 기업소, 단체에 위탁가공하는 물자에 대해서는 관세면제 (제7조)	〈관세면제〉 국제관광특구의 개발과 관리, 기업경영에 필요한 물자, 투자가에게 필요한 사무용품과 생활용품, 국제관광특구에 드나드는 운수수단에 필요한 연유, 예비부속품, 승무원들의 식료품은 관세면제 (제32조)	〈관세면제 (제53조)〉 ① 지대에 들여오는 투자물자 ② 생산과 경영을 위하여 들여오는 물자 ③ 지대에서 가공(20% 이상 가치 증가)한 다음 수출하기 위하여 들여오는 물자 ④ 자체수요를 위하여 들여오는 합리적인 수량의 사무용품, 설비, 비품, 운수수단, 생활필수품 ⑤ 지대에서 생산하여 다른 나라에 수출하거나 지대에 파는 물자 ⑥ 되거리물자, 중계수송물자 ⑦ 이밖에 국가가 따로 정한 물자 이외에 개인 자체사업 및 생활필요 물품, 이사짐과 상속재산은 제한없이 반출입 가능함 (제38조).
	〈관세부과〉 다른 나라에서 들여온 물자를 가공하지 않고 공업지구 밖의 북한 영역에 판매하는 경우 관세부과 (제7조)	〈관세부과〉 관세 면제받고 들여온 물자를 판매하거나 국제관광특구 밖의 북한 영역에 반출시 관세부과 (제32조)	〈관세부과 (제54조)〉 ① 지대 안에 팔기 위하여 물자를 들여오는 경우 ② 지대에서 쓰기 위하여 들여온 물자를 지대 안이나 지대 밖의 북한 영역에 판매하는 경우 ③ 임가공, 되거리, 중계수송을 목적으로 지대에 들여온 물자를 국가의 승인을 받아 지대 안이나 지대 밖의 북한 영역에 판매하는 경우

구분	개성 세관규정	금강산 세관규정	라선 세관규정
			④ 자체수요를 초과하여 들여오는 사무용품, 사무용기구, 운수수단, 생활필수품인 경우 ⑤ 개인의 휴대품과 우편물로 들여오는 물건이 면세한도를 초과하는 경우 이외에 관세면제로 들여온 원료 등을 이용하여 생산한 제품을 지내 안이나 밖의 북한 영역에 판매하는 경우(제57조), 외국투자기업이 지대 밖 북한 영역에서 물자구입 또는 생산제품을 지대 밖 북한 영역에 판매하는 경우(제58조), 지대 또는 지대 밖 북한 영역에서 물자구입하여 가공없이 수출하는 경우(제59조), 자체수요 사무용품 등을 북한 영역에서 판매하는 경우(제60조), 지대에서 관광업, 여관업, 상업, 식당업을 위해 들여오는 상품(제56조) 등에 대하여는 관세를 부과함.
규정에 정하지 않은 사항	세관이 **공업지구관리기관과 협의**하여 처리 (제8조)	해당 법규에 따름 (제7조)	세관사업 관련 법규범과 지대관계법규에 준함 (제5조)
보세제도	보세전시장, 보세창고, 보세공장 설립·운영에 대하여 간략히 규정 (제35~36조)	보세전시장, 보세창고 설립·운영에 대하여 간략히 규정 (제31조)	보세구역(제11조, 제23~25조), 보세공장(제45~46조), 보세창고(제47~49조) 운영에 대하여 상대적으로 구체적으로 규정. 보세기간(제61조) 및 보세물자 반출입 담보(제62조) 규정은 「세관법」 제56~58조와 실질적으로 동일. 지연처리 보세물자에 대한 처리방법 관련 규정(제73조)은 라선 세관규정에만 있음.
관세부과 기준가격	공업지구 도착가격 (제37조)	국제관광특구 도착가격 (제34조)	기준가격은 다음과 같다.(제64조) ① 수입물자: 국경도착가격 ② 수출물자: 국경인도가격 ③ 개인휴대품과 우편물: 지대 거래상품의 소매가격 * 실질적으로 「세관법」 제40조 규정과 동일

구분	개성 세관규정	금강산 세관규정	라선 세관규정
관세계산 및 부과 화폐	–	–	조선원으로 계산; 조선원 또는 외화로 부과 (제65조)
관세계산 시 낮게 신고한 경우	–	–	실지가격보다 낮게 신고한 경우 재평가하여 관세부과 (제67조) * 「세관법」에서는 국제시장가격보다 낮게 신고한 경우 재평가하여 관세부과 (제41조)
관세의 반환 및 추가부과	관세에 대하여, 1년 안 반환요구, 세관은 1개월 안 검토 및 반환결정; 1년 안 추가부과 (제39조)	관세에 대하여, 1년 안 반환요구, 세관은 1개월 안 검토 및 반환결정; 1년 안 추가부과 (제36조)	관세 및 세관요금에 대하여, 1년 안 반환요구(**세관의 검토 및 반환결정 기한 없음**); **3년 안 추가부과** (제70조) * 「세관법」 제52조에서는 3년 안 추가부과하는 것으로 규정; 동 제54조에서는 12/31까지 반환요구하여 30일 안에 처리하는 것으로 규정하고 있음.
세관요금	세관과 **공업지구관리기관**이 협의하여 결정 (제40조)	국가가격제정기관이 결정 (제37조)	국가가격제정기관이 결정 (제68조)
외국인 투자기업의 해산	–	–	기업창설심사승인기관이 해산승인한 날부터 5일 안에 세관에 통지; 세관의 미납 관세 및 세관요금 청구에 대해 청산위원회는 우선 청산 (제71조)
신소	신소 가능; 15일 안 처리 (제43조)	신소 가능; 15일 안 처리 (제40조)	신소 및 **청원** 가능; **30일** 안 처리 (제78조) * 「세관법」 제72조에서도 신소처리 30일안 처리

자료: 관련 규정의 내용을 기초로 저자 작성.

특수경제지대 세관규정 간의 특징적인 차이점을 살펴보면 다음과 같다.

첫째, 개성공업지구의 경우 남북경제협력의 성격을 반영하여, 세관규정에서 정하지 않은 사항이나 세관요금 등에 대하여 남측 주도로 설치된 공업지구관리기관과 협의하여 결정하도록 하고 있다.

둘째, 남측 및 해외동포가 「개성공업지구 세관규정」과 「금강산국제관광특구 세관규정」의 적용대상에는 포함되지만, 「라선경제무역지대 세관규정」의 적용대상에는 포함되지 않는다. 반대로 북한 공민은 「금강산국제관광특구 세관규정」과 「라선경제무역지대 세관규정」의 적용대상에는 포함되지만, 「개성공업지구 세관규정」의 적용대상에는 포함되지 않는다.

셋째, 관세면제 및 부과대상에 대한 규정 등 전반적으로 「라선경제무역지대 세관규정」은 상대적으로 「세관법」과 유사하다. 먼저 전체 조문 수 및 제4장(관세 및 세관요금)의 조문 수를 비교하면, 「개성공업지구 세관규정」은 각각 43개 및 5개 조문, 「금강산국제관광특구 세관규정」은 40개 및 6개 조문인데, 「라선경제무역지대 세관규정」은 77개 및 20개 조문, 「세관법」은 72개 및 23개 조문이다. 이와 같이 「세관법」과 「라선경제무역지대 세관규정」이 다른 특수경제지대 세관규정보다 상대적으로 많은 내용을 담고 있다. 또한 「세관법」과 「라선경제무역지대 세관규정」의 경우, 관세 추가부과 기한 3년과 신소처리 기한 30일을 동일하게 규정하고 있고, 「개성공업지구 세관규정」과 「금강산국제관광특구 세관규정」은 관세 추가부과 기한 1년과 신소처리 기한 15일을 동일하게 규정하고 있다.

제 7 편

세제혜택 및 조세구제제도

제1장 북한투자와 세제혜택

1 세제혜택 개요[1]

김수성(2011)[2]은 투자에 유리한 세금제도를 구축하는데서 중요한 것은, ① 세금종류를 단순화하여 세금신고와 납부에서 복잡성을 없애도록 하는 것과 ② 외국투자기업들이 북한에 투자하여 이득을 볼 수 있다는 믿음을 가질 수 있도록 조세감면조치를 취하는 것이라고 주장하고 있다. 또한 박현수(2019)[3]는 북한에서 외국투자가들에 대한 특혜보장을 중요한 투자유치정책으로 활용하고 있는데, 외국투자가들이 투자의사결정에서 가장 우선적으로 고려하는 항목이 세금이기 때문에 세금특혜가 가장 많은 비중을 차지하고 있다고 설명하고 있다. 이와 관련하여 경제개발구에 적용되는 세금특혜로는 ① 세금의 종류를 최대한 간소화하는 것, ② 기업소득세의 세율을 대폭 낮게 설정하는 것, ③ 일정 조건을 충족하는 경우 적용하는 기업소득세의 감면과 반환 등이 있고, 세금특혜는 기업소득세뿐만 아니라 다른 세금들에 대해서도 적용된다고 설명하고 있다.

2 주요 세제혜택

가. 기업소득세의 세제혜택

기업소득세와 관련된 세제혜택은 크게 세율특혜, 세금면제 또는 감면, 이윤재투자시의 세금감면 또는 반환으로 구분할 수 있다. 각 세제별 기업소득세 혜택의 핵심적인 내용을 비교하여 정리하면 다음과 같다.

---

1) ≪최정욱, “북한 대외세법의 현황과 개선방안,” 『통일과 법률』, 통권 제46호, 법무부, 2021, 132~133쪽≫의 내용을 요약하여 인용한 것이다.

2) 김수성, “투자유치를 위한 세금제도수립에서 나서는 몇가지 문제,” 『경제연구』, 2011년 제3호.

3) 박현수, “경제개발구에서 세금특혜의 적용,” 『사회과학원학보』, 2019년 제3호.

<표 7-1> 기업소득세의 세제혜택 비교

관련 법규	기업소득세 세제혜택		
	세율특혜*	세금 면제 또는 감면	이윤 재투자시 혜택
「외국투자기업 및 외국인세금법」, 동 시행규정 및 세칙	• 특수경제지대 밖에 해외공민이 투자한 기업: 20% • 특수경제지대 창설 외국투자기업: 14% • 장려부문(첨단기술, 하부구조건설, 과학연구부문) 기업: 10%	• 다른 나라 정부, 국제금융기구가 차관을 주었거나 다른 나라 은행이 유리한 조건으로 대부를 준 경우: 이자소득 세금면제 • 장려부문 투자 15년 이상 운영 기업: 3년 면제, 2년 50% 범위 감면 • 국가제한업종 외 생산부문 투자 10년 이상 운영 기업: 2년 면제 • 정해진 봉사부문 투자 10년 이상 운영 기업: 1년 면제	• 존속기간 10년 이상 되는 장려부문 기업의 투자당사자 분배 이윤을 재투자하여 등록자본을 늘이는 경우: 재투자분 해당 세액 전부 감면 또는 반환 • 존속기간 10년 이상 되는 기업의 투자당사자 분배 이윤을 재투자하여 등록자본을 늘이거나 새로운 기업 창설하여 10년 이상 운영하는 경우: 재투자분 해당 세액의 50% 감면 또는 반환
「개성공업지구 세금규정」 및 동 시행세칙	• 일반적인 세율: 14% • 하부구조건설, 경공업, 첨단과학기술 부문: 10% • 결산이윤 계산 어려운 기업과 연간 판매 및 봉사수입액이 US$300 아래인 기업: 연간 판매액 및 봉사수입액의 2% 또는 1.5%	• 장려부문과 생산부문 투자 15년 이상 운영 기업: 5년 면제, 3년 50% 감면 • 봉사부문 투자 10년 이상 운영 기업: 2년 면제, 1년 50% 감면	• 이윤 재투자하여 3년 이상 운영 기업: 재투자분 해당 세액의 70%를 다음연도에 감면

관련 법규	기업소득세 세제혜택		
	세율특혜*	세금 면제 또는 감면	이윤 재투자시 혜택
「금강산국제관광특구 세금규정」	• 일반 세율: 14% • 하부구조건설 부문: 10%	• 다른 나라 정부, 국제금융기구가 차관을 주었거나 다른 나라 은행이 유리한 조건으로 대부를 준 경우: 이자소득 세금면제 • 총투자액 €1,000만 이상 투자기업: 3년 면제, 2년 50% 감면 • 총투자액 €2,000만 이상 하부구조건설부문의 투자기업: 4년 면제, 3년 50% 감면	• 이윤 재투자하여 5년 이상 운영 기업: 재투자분 해당 세액의 50% 감면
「라선경제무역지대 세금규정」 및 동 시행세칙	• 일반 세율: 14% • 장려부문(하부구조, 첨단과학기술 부문, 국제시장 경쟁력 높은 상품 생산부문): 10%	• 다른 나라 정부, 국제금융기구가 차관을 주었거나 다른 나라 은행이 유리한 조건으로 대부를 준 경우: 이자소득 세금면제 • 10년 이상 운영하는 정해진 기업으로서, - 장려부문 투자 운영 기업: 4년 면제, 3년 50% 범위 감면 - 생산부문 투자 운영 기업: 3년 면제, 2년 50% 범위 감면 - 봉사부문 투자 운영 기업: 1년 면제, 2년 50% 범위 감면 • 개발기업의 재산과 하부구조시설, 공공시설 운영: 세금부과 면제	• 이윤을 재투자하여 등록자본을 늘이거나 새로운 기업 창설하여 5년 이상 운영하는 기업: 재투자분 해당 세액의 50% 반환 (하부구조건설부문에 재투자할 경우는 전부 반환)

관련 법규	기업소득세 세제혜택		
	세율특혜*	세금 면제 또는 감면	이윤 재투자시 혜택
「황금평 · 위화도경제지대법」	• 일반 세율: 14% • 장려부문: 10%	• 10년 이상 운영하는 정해진 기업: 기업소득세 면제 또는 감면 • 개발기업의 재산과 하부구조시설, 공공시설 운영: 세금부과 면제	• 이윤을 재투자하여 등록자본을 늘이거나 새로운 기업 창설하여 5년 이상 운영하는 기업: 재투자분 해당 세액의 50% 반환 (하부구조건설부문에 재투자할 경우는 전부 반환)
「경제개발구법」	• 일반 세율: 14% • 장려부문: 10%	• 10년 이상 운영하는 기업: 기업소득세 면제 또는 감면 • 개발기업의 재산과 하부구조시설, 공공시설 운영: 세금부과 면제	• 이윤을 재투자하여 등록자본을 늘이거나 새로운 기업 창설하여 5년 이상 운영하는 경우: 재투자분 해당 세액의 50% 반환 (하부구조건설부문에 재투자할 경우는 전부 반환)

* 세율특혜는 「외국투자기업 및 외국인세금법」 제10조, 동 시행규정 제11조 및 시행규정세칙 제17조에 규정된 기업소득세 표준세율 25% 보다 낮은 특혜세율의 적용을 의미함.

자료: 관련 법규의 내용을 기초로 저자 작성.

북한의 「외국투자기업 및 외국인세금법」 및 특수경제지대 세제는 기업소득세에 대한 세제혜택을 명시하고 있고 대체로 유사하다. 기업소득세의 표준세율은 25%인데, 투자 장려부문에 대해서는 10%의 기업소득세율을, 일반부문에 대해서는 14%의 세율을 공통적으로 적용하고 있으며, 투자 장려부문 산업으로는 하부구조건설사업, 첨단기술부문 사업, 국제시장에서 경쟁력 있는 제조업 등을 열거하고 있다. 다만 개성공업지구의 경우, 입주기업들이 주로 경공업 분야라는 점을 고려하여 경공업을 투자 장려부문에 포함시키고 있다.[4)]

세금면제 또는 감면과 관련하여 개별 특수경제지대에 따라 감면조건이나 감면율에는

4) 유현정, "김정은 시기 북한 경제특구정책의 변화와 개성공단 재개에 주는 함의," 『북한학보』, 제43집 1호, 2018, 357쪽.

차이가 있다. 특수경제지대에서 이윤을 재투자하여 5년 이상 운영하는 경우 재투자분 해당 세액의 50%를 감면하는데, 개성공업지구의 경우 3년 이상 운영하는 경우 해당 세액의 70%를 감면하는 것으로 조건은 완화하고 혜택은 강화하고 있다.

「황금평·위화도경제지대법」은 별도의 세금관련 규정이나 세칙이 마련되어 있지 않지만 동 법에서 기업소득세에 대한 세제혜택의 내용을 일부 포함하고 있다. 「경제개발구법」은 별도의 세금규정을 두고 있으나 아직 전문이 확인되지 않았고, 기업소득세에 대한 세제혜택의 내용이 「경제개발구법」에 개략적으로 포함되어 있다.

나. 거래세, 영업세 및 자원세의 세제혜택

거래세, 영업세 및 자원세와 관련된 세제혜택으로는 주로 세율특혜(자원세), 세금면제 또는 감면 등이 있다. 각 세제별 관련 혜택의 핵심적인 내용을 비교하여 정리하면 다음과 같다.

<표 7-2> 거래세, 영업세 및 자원세의 세제혜택 비교

관련 법규	세제혜택		
	거래세	영업세	자원세
「외국투자기업 및 외국인세금법」, 동 시행규정 및 세칙	• 수출상품(수출제한 상품 제외), 알곡 등 농산물 수출않고 북한 내 판매, 국가적 요구에 따라 생산물 북한 내 저가판매: 면제 또는 감면	• 도로, 철도, 항만, 비행장 같은 하부구조부문, 오수·오물처리부문 투자 봉사진행 기업: 3년 면제 또는 2년 50% 범위 감면 (3년 면제 후 2년 50% 범위 감면을 의미하는 것으로 추정됨) • 연유, 천연가스 같은 상품, 첨단과학기술봉사부문 기업: 일정기간 50% 범위 감면	• 원유, 천연가스 같은 자원개발 기업: 5년 면제 또는 5년 50% 범위 감면 (5년 면제 후 5년 50% 범위 감면을 의미하는 것으로 추정됨) • 자원을 가치 높은 가공제품으로 만들어 수출 또는 북한 기관, 기업소, 단체에 저가 판매: 30% 범위 감면 • 장려부문 기업 생산 이용 지하수: 감면 • 자원을 수출않고 북한 내 판매: 자원세 저율과세

관련 법규	세제혜택		
	거래세	영업세	자원세
「개성공업지구 세금규정」 및 동 시행세칙	• 생산제품 남측 반출 또는 다른 나라 수출: 면제	• 전기, 가스, 난방 등 에네르기 생산 및 공급부문과 상하수도, 용수, 도로 부문 투자 운영기업: 면제	(해당사항 없음)
「금강산국제관광특구 세금규정」	• 수출상품(수출제한 상품 제외): 면제	• 전기, 가스, 난방 등 에네르기 생산 및 공급부문과 상하수도, 용수, 도로, 철도, 비행장 같은 하부구조부문 투자 운영기업: 면제 또는 감면	(해당사항 없음)
「라선경제 무역지대 세금규정」 및 동 시행세칙	• 생산제품 수출시: 면제 • 지대의 요구에 의해 북한 내 판매: 면제	• 도로, 철도, 비행장, 하수 및 오수, 오물처리 같은 하부구조 부문 투자 운영기업: 면제 또는 감면 - 건설, 교통운수, 동력부문 기업이 지대 요구에 의해 북한 기관, 기업소에 봉사: 50% 범위 감면 - 외국투자은행이 북한의 은행, 기관, 기업소에 유리한 조건으로 대부: 50% 범위 감면 - 하수 및 오수, 오물처리 등 하부구조부문 기업: 면제 • 첨단과학기술봉사 부문 기업: 50% 범위 감면	• 자원을 가치 높은 가공제품으로 만들어 수출 또는 국가적 조치로 북한 기관, 기업소, 단체에 판매: 70% 범위 감면 • 하부구조건설, 첨단과학기술 부문 등 특별장려부문 기업 생산이용 지하수: 50% 범위 감면

자료: 관련 법규의 내용을 기초로 저자 작성.

북한「외국투자기업 및 외국인세금법」 및 특수경제지대 세제의 거래세, 영업세 및 자원세에 대한 세제혜택은 대체로 유사하다. 거래세의 경우 수출상품에 대하여 면제하는 경우가 많고, 영업세는 하부구조부문, 첨단과학기술부문에 대하여 면제 또는 감면하는 경우가 많다. 자원세는 개성공업지구 및 금강산국제관광특구에는 해당사항이 없고, 「외국투자기업 및 외국인세금법」, 라선경제무역지대의 경우에만 해당된다. 다른 특수경제지대에 대해서는 별도의 세금관련 규정이나 세칙이 마련되어 있지 않거나 확인되지 않아서, 거래세, 영업세 및 자원세에 대한 세제혜택 내용을 확인할 수 없다.

다. 관세 관련 세제혜택

관세 관련 세제혜택에 대한 구체적인 논의는「제6편 북한의 관세」 부분을 참조하기 바란다.

제2장 북한의 조세구제제도

1 북한 법규상의 분쟁해결절차

북한 법규상의 분쟁해결절차를 요약하면 다음과 같다.

<표 7-3> 북한 법규상의 분쟁해결절차

관련 법규		분쟁해결절차
북한투자법규	북남경제협력법	(제27조) 협의, 북남 합의 상사분쟁해결절차
	외국인투자법	(제22조) 협의, 조정, 중재, 재판
	합영법	(제46조) 협의, 조정, 중재, 재판
	합작법	(제23조) 협의, 조정, 중재, 재판
	외국인기업법	(제30조) 협의, 조정, 중재, 재판
	외국투자은행법	(제42조) 협의, 조정, 중재, 재판
	개성공업지구법	(제46조) 협의, 북남 합의 상사분쟁해결절차 또는 중재, 재판
	금강산국제관광특구법	(제41조) 협의, 당사자들이 합의한 중재절차 또는 재판
	라선경제무역지대법	(제80조) 신소; (제81조) 조정; (제82조) 국제중재; (제83조) 재판
	황금평 · 위화도경제지대법	(제71조) 신소; (제72조) 조정; (제73조) 국제중재; (제74조) 재판
	경제개발구법	(제59조) 신소; (제60조) 조정; (제61조) 국제중재; (제62조) 재판
북한세금법규	舊 외국투자기업 및 외국인세금법 (2011 수정보충 前)	(제60조) 신소 또는 소송 (제61조) 신소 후 소송
	現 외국투자기업 및 외국인세금법 (2011 수정보충 後)	(2011년 제65조; 2015년 제73조) **신소**
	개성공업지구 세금규정	(제86조) **신소**
	금강산국제관광특구 세금규정	(제62조) **신소**
	라선경제무역지대 세금징수관리규정*	(제35조) **신소**

관련 법규		분쟁해결절차
관세법규	세관법	(제72조) **신소**
	개성공업지구 세관규정	(제43조) **신소**
	금강산국제관광특구 세관규정	(제40조) **신소**
	라선경제무역지대 세관규정	(제78조) **신소청원**

* 라선경제무역지대의 경우, 「라선경제무역지대 세금규정」이 아닌 「라선경제무역지대 세금징수관리규정」에서 신소에 대하여 규정하고 있다.

자료: 관련 법규의 내용을 기초로 저자 작성.

북한 투자와 관련된 일반적인 분쟁해결절차로는 대체로 협의, 조정, 중재, 재판 그리고 신소 등이 있다. 여기서 조세분쟁의 해결절차, 즉 조세구제제도에 대한 내용을 규정하고 있는 것은 「외국투자기업 및 외국인세금법」, 「개성공업지구 세금규정」, 「금강산국제관광특구 세금규정」, 「라선경제무역지대 세금징수관리규정」(세금규정에는 없음), 그리고 관세와 관련하여 「세관법」, 「개성공업지구 세관규정」, 「금강산국제관광특구 세관규정」, 「라선경제무역지대 세관규정」 등이다.

조세분쟁과 관련하여 북한의 현행 세금 및 관세 법규에서는 '신소(申訴)'[5]만을 조세구제제도로 규정하고 있다. 「라선경제무역지대 세관규정」에서는 '청원'이 추가적으로 포함되어있으나 「신소청원법」에서도 '신소청원'이라는 하나의 단어로 사용하고 있는 바, 실질적인 차이는 없어 보인다.

2 북한 세법상의 조세구제제도[6]

가. 조세구제제도 개요

일반적으로 외국투자가들의 투자의사결정에서 세제혜택은 중요한 고려사항이다. 북한도 외국투자가들에 대한 특혜보장을 중요한 투자유치정책으로 활용하고 있다. 이러한 세제혜택과 함께 조세분쟁에 대한 해결방안, 즉 조세구제제도 또한 투자유치에 있어서

5) 신소(申訴): "개인이나 집단의 권리와 리익에 대한 침해를 미리 막거나 또는 침해된 권리와 이익을 회복시켜줄데 대하여 당 및 국가기관, 기업소, 근로단체에 제기하는 인민들의 요구." 『조선말사전 (제2판)』, 과학백과사전출판사, 2010.

6) 신소에 대한 구체적인 내용은 ≪최정욱, "북한 투자와 조세구제제도 - 신소제도와 상호합의절차를 중심으로," 『조세학술논집』, 제35집 제3호, 한국국제조세협회, 2019, 224~229쪽≫의 내용을 일부 수정 후 인용한 것이다.

중요한 조세인프라의 하나라고 할 수 있다.

북한의 조세구제제도의 시작은 1947년 2월 27일자 북조선인민위원회 법령 제2호로 공포된 「북조선세금제도개혁에 관한 결정서」에서 찾을 수 있다. 동 결정서 제6조에서는 "각급 재정기관에서 인민들로부터 세금부과조정에 대한 이의 또는 세금의 과오납에 관한 신립[7]을 접수한 때는 5일 이내에 이를 해결하여야 한다."[8]는 조세구제절차를 규정하고 있다. 하지만 북한은 1974년 4월 1일자로 공식적으로 '세금 없는 나라'를 선언하고 사회주의 경리수입 중심의 예산수입체계를 수립하였기 때문에 개념적으로 조세불복이 성립하기는 어렵다. 따라서 북한의 「국가예산수입법」에는 별도의 조세구제절차를 규정하고 있지 않다. 그러나 외국투자기업 및 외국인에 대한 조세문제를 규율하는 대외세법의 영역에서는 조세구제절차에 대한 내용이 포함되어 있다.

향후 북한에 대한 제재가 풀리고 남북한 경제협력이 확대될 경우 다양한 형태의 조세분쟁이 발생할 수 있다. 따라서 북한이 외국인투자 또는 남측의 투자를 확대하기 위해서는 조세구제제도를 제대로 갖출 필요가 있다. 남측의 투자와 관련하여, 남북 간의 특수관계를 고려한다고 하여도 조세문제에 있어서는 독립적인 두 국가 간의 거래에서 발생할 수 있는 문제들이 유사하게 나타날 수 있다.

국가 간 거래에 대하여 조세분쟁이 발생할 경우, 통상 납세자는 ① 과세처분을 한 국가의 조세구제제도를 활용하거나, ② 국제거래에 대하여 일반적으로 적용되는 상호합의절차(Mutual Agreement Procedures; MAP)를 활용하게 된다.

아래에서는 북한 국내 법규상의 조세구제제도를 정리하였다. 국제거래에 대한 조세구제절차, 즉 상호합의절차에 대하여는 「제8편 국제조세」의 관련 내용을 참조하기 바란다.

나. 북한 세법상의 조세구제제도 - 신소

북한의 대외세법상 고려가능한 조세구제제도로는 신소제도와 재판제도가 있다. 그러나 앞서 살펴본 바와 같이, 현행 「외국투자기업 및 외국인세금법」,[9] 「개성공업지구 세금규

---

7) 신립(申立): "개인이 국가나 공공단체에 어떤 사항을 청구하기 위하여 의사 표시를 함. 또는 그런 일." https://ko.dict.naver.com; 네이버 국어사전 (검색일자 2019년 7월 11일).

8) 「북조선세금제도개혁에 관한 결정서」(북조선인민위원회 법령 제2호, 1947년 2월 27일), 『법령공보』, 1947년 제21호. http://nl.go.kr; 국립중앙도서관 (검색일자 2019년 3월 21일).

9) 현행 「외국투자기업 및 외국인세금법」(2011년 수정보충 후; 2015년 최종 수정보충):
(제73조) 외국투자기업과 외국인은 세금납부와 관련하여 의견이 있을 경우 중앙세무지도기관과 해당 기관에 신소할 수 있다. 신소를 접수한 해당 기관은 30일안으로 요해처리하여야 한다.

정」,[10] 「금강산국제관광특구 세금규정」,[11] 「라선경제무역지대 세금징수관리규정」,[12] 「세관법」,[13] 「개성공업지구 세관규정」,[14] 「금강산국제관광특구 세관규정」,[15] 「라선경제무역지대 세관규정」[16]에서는 '신소'만을 조세구제제도로 규정하고 있다. 舊「외국투자기업 및 외국인세금법」에서는 신소처리 결과에 대하여 이견이 있을 경우 소송을 제기할 수 있었으나[17] 2011년 수정보충 과정에서 소송에 대한 내용이 삭제되었다. 따라서 북한 대외세법상 명시적으로 규정된 조세구제제도는 신소제도 뿐이다. 「외국투자기업 및 외국인세금법」에서 소송에 대한 내용을 삭제한 것과 관련하여, 북한 당국이 조세분쟁에 대하여 의도적으로 재판제도를 배제한 것인지 아니면 신소처리 결과에 이견이 있을 경우 당연히 재판이 가능하다고 보아 불필요한 규정을 삭제한 것인지 명확하지 않다. 어느 쪽으로 해석하든 상기 대외세법의 범위 내에 있는 법규에서는 일관성 있게 신소만을

10) 「개성공업지구 세금규정」(2003년 채택):
(제86조) 세금부과 및 납부와 관련하여 의견이 있는 기업과 개인은 공업지구세무소에 의견을 제기하거나 중앙공업지구지도기관에 신소할 수 있다. 공업지구세무소와 중앙공업지구지도기관은 의견 또는 신소를 접수한 날부터 30일안으로 처리하여야 한다.

11) 「금강산국제관광특구 세금규정」(2012년 채택):
(제62조) 세금부과 및 납부와 관련하여 의견이 있는 기업과 개인은 국제관광특구지도기관과 세무소에 신소할 수 있다. 신소를 접수한 기관은 그것을 30일안으로 처리하여야 한다.

12) 「라선경제무역지대 세금징수관리규정」(2015년 채택):
(제35조) 세금징수와 관련하여 의견이 있는 당사자는 지대세무기관 또는 라선시인민위원회에 신소할 수 있다. 신소를 접수한 기관은 30일안으로 요해처리하고 그 결과를 신소자에게 알려주어야 한다.

13) 「세관법」(1993년 제정, 2018년 최종 수정보충):
(제72조) 세관사업과 관련하여 의견이 있을 경우에는 중앙세관지도기관 또는 해당 기관에 신소할 수 있다. 신소는 접수한 날부터 30일안에 요해처리하여야 한다.

14) 「개성공업지구 세관규정」(2003년 채택):
(제43조) 공업지구의 세관사업에 대하여 의견이 있을 경우에는 세관에 신소할 수 있다. 세관은 신소를 접수한 날부터 15일안으로 처리하여야 한다.

15) 「금강산국제관광특구 세관규정」(2011년 채택):
(제40조) 국제관광특구의 세관사업에 대하여 의견이 있을 경우에는 세관에 신소할 수 있다. 세관은 신소를 접수한 날부터 15일안으로 처리하여야 한다.

16) 「라선경제무역지대 세관규정」(2000년 채택; 2005년 최종 수정보충):
(제78조) 세관수속과 검사, 관세 및 세관요금의 납부와 관련하여 의견이 있을 경우에는 신소와 청원을 할 수 있다. 신소청원을 접수한 날부터 30일안에 처리하여야 한다.

17) 舊「외국투자기업 및 외국인세금법」(2011년 수정보충 전):
(제60조) 외국투자기업과 외국인은 세금납부와 관련하여 의견이 있을 경우에는 세금을 납부한 날로부터 30일안으로 신소나 소송을 제기할 수 있다. 신소는 세금을 받은 재정기관의 해당 상급기관에, 소송은 해당 재판소에 제기한다.
(제61조) 재정기관은 신소를 받은 날부터 30일안으로 신소내용을 요해처리하여야 한다. 신소처리결과에 대하여 의견이 있을 경우에는 그것을 처리받은 날부터 10일안으로 해당 재판소에 소송을 제기할 수 있다.

조세구제제도로 규정하고 있다.

여타 특수경제지대 법제에서도 일반적인 분쟁해결절차의 하나로서 신소에 대한 내용을 규정하고 있다.[18] 그러나 해당 법률의 분쟁해결절차에는 신소뿐만 아니라, 조정, 국제중재 및 재판이 모두 포함되어 있다. 이와 같이 북한의 대외세법에서는 일관성 있게 '신소'만을 조세구제제도로 규정하고 있지만, 특수경제지대 법제에서는 일반적인 분쟁해결절차로서 재판제도도 포함하고 있다. 따라서 해당 법률에 따라 신소를 조세분쟁에 적용할 수 있다면 재판도 활용할 수 있다고 보는 것이 합리적인데, 이는 앞서 살펴본 대외세법 규정과는 배치된다.

2002년 채택된「외국투자기업 및 외국인세금법 시행규정」[19]에는 신소처리 결과에 대하여 이견이 있을 경우 소송을 제기할 수 있다는 내용이 있으나, 2016년에 채택된「외국투자기업 및 외국인세금법 시행규정」[20]에서는 소송에 대한 내용이 삭제되었다. 또한 김성호(2013)는 외국투자기업과 외국인이 신소처리결과에 대하여 의견이 있을 경우 신소를 처리받은 날부터 10일 안으로 해당 재판기관에 소송을 제기할 수 있다고 설명하고 있는데[21] 이는 2011년 수정보충 이전의 규정에 근거한 설명일 가능성이 있다. 이와 같이 대외세법의 관련 규정은 일관성이 있으나, 재판제도도 조세구제제도의 하나로 활용 가능한 것인지에 대하여는 논란의 여지가 있다.

하지만 보다 근본적인 문제는 대외세법의 내용이 기본적으로 자본주의 조세제도와 다를 바 없다는 점에서 북한의 재판기관에서 이러한 조세문제를 다룰 수 있는 조세전문성이 있는가 하는 것이다. 사회주의 법률체계 하의 재판소에서 자본주의적 조세제도에 대하여 해석하고 판결하는 것이 가능할 것인지 의문이다.

---

18) 「라선경제무역지대법」, 「황금평・위화도경제지대법」, 「경제개발구법」에서는 일반적인 분쟁해결절차로서 신소, 조정, 국제중재 및 재판 등을 규정하고 있다.

19) 舊「외국투자기업 및 외국인세금법 시행규정」(2002년 채택):
(제86조) 신소는 접수한 날부터 30일안으로 처리하여야 한다. 신소처리결과에 대하여 의견이 있을 경우에는 그것을 처리받은 날부터 10일안으로 해당 재판기관에 소송을 제기할 수 있다.

20) 현행「외국투자기업 및 외국인세금법 시행규정」(2016년 채택):
(제75조) 세금납부의무자는 세금의 부과와 징수, 검열사업과 관련하여 의견이 있을 경우 중앙세무지도기관과 해당기관에 신소할 수 있다. 신소를 접수한 해당 기관은 30일안으로 료해처리하여야 한다.

21) 김성호, "공화국 대외세법의 공정성,"『김일성종합대학학보: 력사・법률』, 제59권 제3호, 2013, 96쪽.

다. 신소담당 조직[22]

신소담당 조직체계와 관련하여, '신소실'은 김일성 시대부터 있었던 조선노동당 산하의 전문부서로서 주로 최고지도자에게 전달되는 민원을 접수 및 처리하는 부서이고, 조직지도부 산하의 '신소과'는 주로 당 간부들의 관료주의, 부패, 권력남용에 대한 당원들과 주민들의 민원을 처리하는 부서이다. 이러한 기능과 역할을 기초로 판단한다면, 신소실은 행정기관의 민원처리부서 또는 국민권익위원회의 '국민신문고'와 유사한 것으로 볼 수도 있다.

신소절차에 대한 관련 규정에 의하면, 현행 「외국투자기업 및 외국인세금법」에서는 외국투자기업과 외국인이 중앙세무지도기관 및 해당 기관에, 그리고 개성공업지구나 금강산국제관광특구의 경우 기업과 개인이 해당 지도기관 및 세무소에 신소할 수 있는 것으로 규정하고 있다. 또한 관세에 대하여는 중앙세관지도기관 또는 해당 기관에 신소할 수 있다.

하지만 신소담당 조직의 기본적인 성격에 비추어 볼 때, 세무지도기관, 세무소, 재정기관 등 실무적으로 또는 행정적으로 조세문제를 취급하는 기관이 담당한다고 하더라도 조세전문성에 기초한 조세구제는 어려울 것으로 보인다.

라. 「신소청원법」 준용문제

1998년 제정되어 2010년 3차 개정된 「신소청원법」은 총 5개 장 43개 조문으로 이루어져있다. 「신소청원법」 제2조에서는, 신소는 자기의 권리와 이익에 대한 침해를 미리 막거나 침해된 권리와 이익을 회복시켜줄 것을 요구하는 행위이며 청원은 기관, 기업소, 단체와 개별적 일꾼의 사업을 개선시키기 위하여 의견을 제기하는 행위라고 정의하고 있다.

동법 제8조에 의하면 신소청원의 당사자는 '공민'(북한 주민)인데 기관, 기업소, 단체 명의로도 가능하다고 규정하고 있다. 외국투자기업을 '기업소'의 하나로 볼 수 있다면[23] 「신소청원법」 상 신소의 당사자가 될 수 있겠지만, 북한 공민이 아닌 외국인이나 남측

---

22) ≪박영자, 『김정은 시대 조선노동당의 조직과 기능: 정권 안정화 전략을 중심으로』(KINU 연구총서 17-17), 통일연구원, 2017, 198~200쪽≫의 내용을 요약한 것이다.

23) 북한 「기업소법」 제2조(기업소의 정의)에서는 "이 법에서 기업소란 일정한 노력, 설비, 자재, 자금을 가지고 생산 또는 봉사활동을 직접 조직진행하는 경제단위이다. 기업소에는 인민경제계획을 실행하는 생산, 건설, 교통운수, 봉사단위 같은 것이 속한다."라고 정의하고 있고, 동법 제10조(법의 적용제외대상)에서는 "외국투자기업에는 이 법을 적용하지 않는다."고 규정하고 있다. 따라서 법문 상으로 외국투자기업은 일반적인 의미에서 기업소에 해당할 수는 있으나 북한 「기업소법」상의 기업소에 해당할 수는 없다.

인원은 법문 상 명확하게 배제된다고 할 수 있다. 따라서 법문을 엄격하게 해석한다면 대외세법상의 신소 규정에 근거하여 제기하는 신소절차에 대하여 「신소청원법」을 준용하기는 어려워진다.

「신소청원법」 제22조 제6항에서는 대외사업과 관련한 신소청원의 요해처리는 해당 기관이 한다고 규정하여 대외경제부문에 적용되는 세법과 「신소청원법」의 최소한의 접점을 보여주고 있다. 하지만 상기 규정의 '대외사업'은 북한 공민 또는 기관, 기업소, 단체가 수행하는 대외사업을 의미하는 것으로 해석될 수 있고, 대외경제부문 즉 외국투자기업이나 외국인의 신소를 염두에 둔 것이 아닐 수 있다.

만약 외국투자기업을 '기업소'의 하나로 볼 수 있다면, 「신소청원법」 제22조 제2항 "인민생활, 행정경제사업, 행정경제일꾼의 사업방법, 작풍과 관련한 신소청원의 요해처리는 내각과 지방정권기관, 해당 기관, 기업소, 단체가 한다."는 규정이 적용될 수 있다. 그러나 외국투자기업이 신소를 제기할 수 있는 기업소에 해당하는지는 앞서 살펴본 바와 같이 명확하지 않다.

이와 같이 법문을 엄격하게 해석한다면 대외경제부문에 적용되는 세법에 근거한 신소에 대하여 「신소청원법」을 준용하기는 어려워진다. 하지만 북한의 관련 법률체계가 통일적으로 일관되게 만들어지지 못했기 때문에 법 규정에 미비한 부분이 많다는 점을 감안하면서 해석할 필요가 있다고 본다. 실제로 북한 당국이 「신소청원법」을 고려하면서 세금관련 법규에 신소제도를 규정하였을 가능성이 높다. 따라서 앞서 논의한 신소제도의 한계에도 불구하고 세금관련 법규에 따라 실제로 신소를 제기할 경우, 신소제기 주체, 신소 접수기관, 처리기간 등은 세금관련 법규의 규정에 근거하여 진행하고 해당 법규에 별도의 규정이 없는 세부적인 처리절차에 대하여는 현실적으로 「신소청원법」상의 절차를 준용할 수밖에 없을 것[24]으로 예상된다.

마. 문제점 및 개선방안

북한의 대외경제부문에 대한 조세구제제도로서 신소제도를 고려할 경우 다음과 같은 문제가 있을 수 있다.

첫째, 신소제도는 조세전문성이 부족한 북한 인력의 심사에 의존하는 방식으로서 조세구제제도로는 한계가 있다. 설사 외국투자기업이나 외국인이 신소제도를 활용할 수

24) ≪권은민 · 이지현, "북한의 조세불복절차로서의 신소제도," 『조세실무연구』, 제10권, 김 · 장법률사무소, 2019≫에서도 「외국투자기업 및 외국인세금법」 상의 신소절차에 대하여 「신소청원법」이 준용된다는 입장을 취하고 있다.

있다고 하더라도 투자자 입장에서 합리적이고 객관적인 결론이 도출될 수 있다는 확신을 갖기는 쉽지 않다. 실제로 개성공업지구 관련 조세분쟁의 해결은 신소제도를 활용한 불복절차가 아니라 사안에 따라 남한 내에서의 불복절차 또는 남북한 당국 간 협의를 통해 진행되었다. 남북한 당국 간 협의 과정은 실질적으로 국제거래에서의 '상호합의절차'에 해당한다. 외국인투자기업들은 이전가격과세를 비롯한 국제조세 문제에 있어서는 통상 국내불복 절차를 선호하지 않는 경우가 많다. 이러한 경향의 핵심적인 이유는 합리적이고 객관적인 결론이 도출될 수 있을지에 대한 '신뢰' 문제라고 할 수 있다. 국내불복 절차 중에서 일반적으로 과세당국을 통해 진행하는 과세전적부심사청구나 심사청구보다는 별도 조직인 조세심판원에 불복을 제기하는 심판청구와 소송을 선호하는 것도 이러한 객관성에 대한 신뢰문제와 연결되어 있다.

둘째, 신소제도는 당초 그 성격이 일종의 고충처리 또는 민원처리 기능에서 출발한 것으로서 조세문제와 같은 전문적인 분쟁처리에는 적합하지 않을 수 있다.

셋째, 대외세법의 근거에 따라 외국투자기업이나 외국인이 신소를 제기할 수 있으나 대외세법에 규정된 신소제기 주체, 신소 접수기관, 처리기간 이외의 세부적인 처리절차에 대한 내용은 명확하지 않다. 이에 대하여는 「신소청원법」을 준용할 수밖에 없을 것으로 보인다.

이러한 문제점에 대하여 북한 대외세법상의 조세구제제도, 즉 신소제도에 대한 개선방안의 핵심은 객관성 및 합리성 확보를 통해 외국투자자들에게 신뢰를 줄 수 있어야 한다는 것이다. 구체적으로는 조세전문 인력의 양성과 함께 북한 법규에 근거한 신소절차 이외에 사전적 조세구제제도인 남한의 과세전적부심사청구제도를 포함하여,[25] 조세심판원과 같은 독립적인 조직의 설치[26] 등도 연구해볼 필요가 있다.

25) 한상국, "개성공업지구의 조세구제제도 개선방안 - 사전구제제도의 도입을 중심으로," 『조세연구』, 제11권 제3집, 한국조세연구포럼, 2011.

26) 유현정, "북한 경제특구 법제 연구," 이화여자대학교 박사학위 논문, 2008, 194쪽.

제8편

국제조세

제1장 북한의 조세제도와 국제조세

제2장 「남북 사이의 소득에 대한 이중과세방지합의서」

제3장 남북 거래에 대한 남한 세법의 적용

제1장

북한의 조세제도와 국제조세

1 국제조세의 기초

북한의 국제조세와 관련된 논의를 이해하기 위하여 필요한 것으로서, 국제조세와 관련된 기초적인 내용을 간략히 요약하였다.[1)]

가. 국제조세의 의의

> "서울에 살고 있는 OOO가 다국적 기업 A(미국에 본점소재)가 운영하는 사이트에 접속하여 물건을 사는 경우, OOO가 위 A의 영업담당 직원인 Bruce와 연락되어 주문제작을 하고, Bruce는 홍콩에 있는 프리랜서 디자이너인 Cong씨에게 설계를 의뢰하여 완성된 도면에 대하여 OOO의 승낙을 받은 다음, 시드니에 있는 예술가 Debong씨가 운영하는 호주법인 Austral에게 주문제작을 의뢰하면, 이를 받아 위 회사의 자회사인 말레이시아 소재 현지 공장에서 생산을 한다. 이때 사용된 기계는 독일회사 Zaksen으로부터 리스로 받은 것이다."[2)]

국제조세는 국제거래와 관련하여 발생하는 조세문제의 총칭으로서, 상기 사례와 같은 국제거래에 대하여 어느 나라의 누구에게 얼마의 세금을 어떤 방식으로 과세할 것인가에 대한 답을 구하는 분야라고 할 수 있다.

국제조세의 주요 범주로는, 이중과세방지 또는 과세공백방지, 외국기업의 국내조세 문제, 해외진출기업의 해외조세 문제, 국제적 조세회피·탈세 방지 문제(예를 들면, 이전가격세제, 과소자본세제, 조세피난처세제, Treaty shopping 문제 등), 국가 간 정보교환 등을 들 수 있다.

국제조세의 내용은 단일법 체계로 정리되어 있지 않고 여러 법규에 분산되어 있다. 남한의 경우를 예로 들면, 「국제조세조정에 관한 법률」, 「법인세법」 및 「소득세법」의 일부 내용 그리고 조세조약 등이 총체적으로 국제조세 법규를 구성한다.

---

1) 보다 구체적인 내용은 별도의 국제조세 전문서적을 참고하기 바란다.

2) 최선집, 『국제조세법 장론』, ㈜영화조세통람, 2014, 3쪽에서 재인용.

나. 국제적 과세원칙과 이중과세

(1) 국제적 과세원칙

국제적 과세원칙은 거주지국 과세원칙, 국적지국 과세원칙 및 원천지국 과세원칙으로 구분할 수 있다.

① 거주지국 과세원칙(residence principle; 속인주의)은 소득발생 장소를 불문하고 전세계 소득에 대하여 납세자의 거주지국에서 과세한다는 원칙이다.

② 국적지국 과세원칙(nationality principle; 속인주의)은 납세자의 거주성을 불문하고 전세계 소득에 대하여 납세자의 국적지국에서 과세한다는 원칙이다.

③ 원천지국 과세원칙(source principle; 속지주의)은 납세자의 거주성을 불문하고 소득이 발생한 원천지국에서 과세한다는 원칙이다.

(2) 국제적 이중과세

경제적 이중과세는 동일소득에 대하여 서로 다른 인(人)의 단계에서 이중으로 과세되는 경우를 말한다. 예를 들면, 법인 이윤에 대하여 법인 단계에서 과세하고 다시 주주 단계에서 배당소득에 대하여 과세하는 경우 등이 있다.

법률적 이중과세는 동일 소득에 대하여 동일인의 단계에서 동일 기간에 이중으로 과세되는 경우를 말한다. 국제조세 영역에서의 이중과세, 즉 국제적 이중과세는 이러한 법률적 이중과세를 의미한다.

국제적 이중과세의 발생원인은 거주지국 과세의 경합, 거주지국 과세와 원천지국 과세의 경합, 원천지국 과세의 경합 등 국가 간의 과세권 경합이다. 조세조약은 국가 간의 과세권 배분 또는 조정을 통해 이러한 국제적 이중과세 또는 탈세를 방지하는 것을 주된 목적으로 한다.[3)]

(3) 국제적 이중과세방지방법

이중과세방지방법은 크게 국외소득면제방법과 외국납부세액공제방법으로 구분된다.

① 국외소득면제방법(Exemption methods)은 일방체약국의 거주자가 타방체약국에서 과세될 수 있는 소득이 있을 경우, 그 일방국에서 그 소득에 대한 과세를 면제하는 방법이다.

② 외국납부세액공제방법(Credit methods)은 일방체약국의 거주자가 타방체약국에

3) 원천지국 과세가 경합할 경우에는 양당사국 간의 조세조약으로 해결할 수 없다.

서 과세될 수 있는 소득이 있을 경우, 그 소득에 대해 타방국에서 납부한 세액을 공제하는 방법이다. 이러한 직접적인 세액공제방식 이외에, i) 타방국 소재 자회사의 배당 부분에 대하여 부과된 법인세액을 일방국 소재 모회사에서 세액공제해주는 간접외국납부세액공제(indirect tax credit), ii) 소득원천지국(주로 개발도상국)에서 부여한 조세감면에 대하여 거주지국에서 실제 납부한 것으로 간주하여 외국납부세액공제를 해주는 간주외국납부세액공제(tax sparing credit) 등이 있다.

③ 국외소득면제나 외국납부세액공제를 적용함에 있어서, 면제되는 소득을 해당 거주자의 잔여소득에 대한 세액계산에 있어서 고려하여 누진세율을 적용할 수 있다.

다. 주요 용어 또는 개념

(1) 거주자

조세조약에서 거주자(resident)는 개인과 법인을 포함하는 개념이다. 모델협약에서는 거주자에 대하여 다음과 같이 규정하고 있다.

> 이 조약의 목적상 "일방체약국의 거주자"라 함은 **그 국가의 법에 의하여** 주소, 거소, 사업의 관리장소 또는 이와 유사한 성질의 다른 기준으로 인하여 그 국가에서 납세의무가 있는 人을 의미한다.
>
> (OECD 모델협약 및 UN 모델협약 제4조 제1항 전반부)

통상 조세조약에서는 거주자의 정의를 각국의 국내법에 따르도록 하고 있다. 남한이 체결한 조세조약상의 거주자는 「소득세법」상의 거주자(개인)와 「법인세법」상의 내국법인을 포함하는 개념이다. 남한 「소득세법」 제1조의 2 제1항 제1호에 의하면 '거주자'란 국내에 주소를 두거나 183일 이상의 거소를 둔 개인을 말하며, 남한 「법인세법」 제2조 제1호에 의하면 '내국법인'이란 본점, 주사무소 또는 사업의 실질적 관리장소가 국내에 있는 법인을 말한다.

조세조약은 체약국의 거주자에게 적용되므로 거주성 판단에 따라 적용가능한 조세조약이 결정된다. 또한 거주지국 과세의 경합(이중거주자), 거주지국과 원천지국 과세의 경합의 경우 이중과세를 방지하기 위해서는 거주지국 판정이 필요하다. 따라서 거주자 개념은 국제조세 법규 적용에 있어서 핵심적인 위치에 있다.

(2) 고정사업장

> 조세조약의 목적상 "고정사업장"이라 함은 기업의 사업이 전적으로 또는 부분적으로 영위되는 고정된 사업장소(fixed place of business)를 의미한다.
>
> (OECD 모델협약 및 UN 모델협약 제5조 제1항)

고정사업장(permanent establishment)은 비거주자(외국법인 포함)의 사업소득에 대한 과세여부 결정, 과세방법의 결정(신고납부 종합과세 또는 원천징수 분리과세), 투자소득(이자, 배당, 사용료 소득)에 대한 조세조약상의 제한세율 적용여부 결정 등에서 중요한 의미를 갖는다. 하지만 디지털경제의 진전에 따라 고정사업장을 기준으로 하는 기존의 사업소득 과세원칙에 대한 변화가 진행되고 있다.

(3) 상호합의절차

남한의 「국제조세조정에 관한 법률」 제2조 제1항 제10호에 의하면, '상호합의절차'란 조세조약의 적용 및 해석이나 부당한 과세처분 또는 과세소득의 조정에 대하여 우리나라의 권한 있는 당국과 체약상대국의 권한 있는 당국 간에 협의를 통하여 해결하는 절차를 말한다. 상호합의절차(mutual agreement procedure; MAP)는 국제거래에서 대표적인 조세분쟁 해결절차로서, 조세조약에 근거를 두고 권한 있는 당국 간의 협의를 전제로 한다.

(4) 권한 있는 당국

권한 있는 당국(competent authorities)은 국가별 정부조직에 따라 차이가 있지만 일반적으로 재정부장관이나 국세청장과 그의 권한을 위임받은 자를 의미한다. 남한의 「국제조세조정에 관한 법률」 제2조 제1항 제9호에서는 권한 있는 당국을 우리나라의 기획재정부장관 또는 그의 권한을 위임받은 자와 체약상대국의 조세조약에서 권한 있는 당국으로 지정된 자로 정의하고 있다.

(5) 이전가격세제

남한의 「국제조세조정에 관한 법률」 제7조 제1항에서는 이전가격세제 상의 핵심적인 과세요건을 규정하고 있는데, 과세당국은 거주자(내국법인과 국내사업장을 포함한다)와 국외특수관계인 간의 국제거래에서 그 거래가격이 정상가격보다 낮거나 높은 경우에는 정상가격을 기준으로 거주자의 과세표준 및 세액을 결정하거나 경정할 수 있다. 이러한 정상가격의 산출방법에 대하여는 동법 제8조에서 규정하고 있다.

(6) 정상가격 및 정상가격원칙

남한의 「국제조세조정에 관한 법률」 제2조 제1항 제5호에 의하면, '정상가격'이란 거주자, 내국법인 또는 국내사업장이 국외특수관계인이 아닌 자와의 통상적인 거래에서 적용하거나 적용할 것으로 판단되는 가격을 말한다. 정상가격(arm's length price)은 이전가격세제에서 과세기준이 되는 핵심 개념이다.

'정상가격원칙'(arm's length principle)이란 OECD 회원국들이 합의한 국제적 기준으로서 세무상 이전가격결정에 적용되는 원칙이다. 정상가격원칙의 근거가 되는 OECD 모델협약 제9조 제1항의 내용은 다음과 같다.

> (a) 일방체약국의 기업이 타방체약국의 기업의 경영·지배 또는 자본에 직접 또는 간접으로 참여하거나, 또는 (b) 동일인이 일방체약국 기업과 타방체약국 기업의 경영·지배 또는 자본에 직접 또는 간접으로 참여하는 경우, 그리고 위 어느 경우이든, 양 기업 간에 상업상 또는 자금상의 관계에 있어 독립적인 양 기업 간에 설정되었을 조건과 다른 조건이 설정되거나 부과된 경우에 동 조건이 없었더라면 일방국기업의 이윤이 되었을 것이 동 조건 때문에 일방국기업의 이윤이 되지 아니한 것은 동 기업의 이윤에 가산하여 그에 따라 부과할 수 있다.
>
> (OECD 모델협약 제9조 제1항)

(7) 조세조약

남한의 「국제조세조정에 관한 법률」 제2조 제1항 제7호에 의하면, '조세조약'이란 소득·자본·재산에 대한 조세 또는 조세행정의 협력에 관하여 우리나라가 다른 나라와 체결한 조약·협약·협정·각서 등 국제법에 따라 규율되는 모든 유형의 국제적 합의를 말한다. 조세조약은 과세권의 배분에 대한 것으로서 구체적인 적용 절차는 국내법 규정을 따른다.

(8) 모델협약

세수의 국제적 분배를 둘러싸고 자본수입국은 원천지 과세를 주장하게 되고 자본수출국은 거주지 과세를 주장하게 된다. 이러한 이해관계의 대립 속에서 각국은 소득이라는 과세물건을 어떻게 나눌 것인가에 대하여 역사적으로 어느 정도 안정된 규칙을 만들어 왔다. 이렇게 합의되어온 원칙들이 모델조세조약 또는 모델협약이고 각국은 이를 기초로 조세조약을 체결하고 있다.[4)]

---

4) 이창희, 『국제조세법』, 박영사, 2015, 76~77쪽.

모델협약에는 OECD 모델협약과 UN 모델협약이 있다. OECD 모델협약은 선진국 간 조세조약의 모델로서 소득원천지국의 과세권 축소 · 제한에 의한 국제적 경제교류 촉진을 강조하는 모델이다. UN 모델협약은 선 · 후진국간 조세조약의 모델로서 소득원천지국의 과세권을 다소 강화한 모델이다. 하지만 OECD 모델과 UN 모델의 기본 구조와 내용은 대동소이하고 선진국의 협상력이 우위에 있기 때문에 통상 OECD 모델이 사용되는 경우가 많다. 모델협약은 실제 조세조약의 초안 작성, 체결협상, 조약해석 상에 있어서 유용한 자료를 제공하여 조세조약의 표준화에 기여하고 있지만 이를 채택하는 것은 임의적인 것으로서 의무는 아니다.[5]

2 북한 내 국제조세 관련 논의

북한에서도 국제조세에 대한 학술적인 논의가 있었고, 일부 사항은 관련 법규에 반영되어 왔다. 이와 관련하여, 북한 문헌상의 국제조세 관련 논의를 정리하고 이에 대하여 간략히 평가해보고자 한다.[6]

가. 북한 문헌상 국제조세 관련 논의

김정일 시대 이후 북한 문헌에 국제조세 문제에 대한 논의가 나타나기 시작했다. 이중과세의 발생 원인과 그 해결방안 등에 대한 논의가 주를 이루는데, 수치로 확인하기는 어렵지만 2011년 이후 그리고 김정은 시대에 들어서 관련 논의가 보다 증가한 것으로 보인다. 아래에서는 『김일성종합대학학보』, 『정치법률연구』, 『경제연구』 등 북한의 주요 문헌에 게재된 국제조세 관련 논의를 간략히 요약하였다.

박철민(2014)[7]은 국제조세 문제와 관련하여 경영소득, 투자소득, 노동소득(또는 근로소득) 및 재산소득에 대한 소득원천지확정기준을 소개하고 있고, 박성일(2014)[8]은 대외경제관계의 확대발전을 위해 세계경제와 자본주의 시장에 대한 연구의 필요성을 설명하면서 국제적 이중과세의 발생 원인에 대하여 소개하고 있다. 방철진(2013)[9]은 이중과세의 종류를 설명하고 그 발생 원인으로 납세자수입의 국제화와 국가 간 세금징

---

5) 이용섭·이동신, 『국제조세 (개정 제12판)』, 세경사, 2011, 105~125쪽.

6) 북한 내 국제조세 관련 논의는 ≪최정욱, "북한 대외세법의 현황과 개선방안," 『통일과 법률』, 통권 제46호, 법무부, 2021, 136~138쪽 및 141~142쪽≫의 내용을 일부 수정 · 보완하여 인용한 것이다.

7) 박철민, "국제세무분야에서 적용되고 있는 소득원천지확정기준," 『경제연구』, 2014년 제3호.

8) 박성일, "국제세무관계에서 2중과세의 발생원인," 『경제연구』, 2014년 제3호.

9) 방철진, "법률적이중과세의 발생원인," 『정치법률연구』, 2013년 제1호.

수관할권의 치열한 충돌을 들고 있다. 김성호(2013)[10]는 OECD의 설명에 기초하여 이중과세문제의 원인과 해결방안을 설명하고 있다.

국제적 이중과세문제[11]의 해결방안과 관련하여, 심명호(2013)[12]는 외국납부세액공제 적용상의 외국세액 인정범위 문제, 외국세액 납부시기와 국외소득 발생시기의 불일치에 따른 문제 등을 언급하고 있는데, 외국납부세액공제의 다양한 방식에 대하여 심도 있게 검토가 이루어지고 있는 것으로 추정된다. 특히 외국납부세액공제 중에서 간주외국납부세액공제[13]의 필요성에 대한 논의가 상대적으로 많았다. 권룡천(2003)[14]은 북한이 「외국투자기업 및 외국인세금법」과 시행규정에 의해 외국투자가들에게 유리한 조세특혜(세금감면)를 제공하더라도 투자가의 본국에서는 감면세금액에 대해서까지 과세를 하게 되면 투자가에게 효과가 나타나지 않게 되므로 간주외국납부세액공제 제도가 필요하다는 설명을 하고 있다. 이와 관련하여, 김수성(2011)[15]은 북한이 조세조약에 간주외국납부세액공제제도를 규정하고 있다고 설명하고 있고, 함수향(2017)[16]은 외국세액공제방법의 파생 형태인 '의제외국세액공제방법'[17]은 관련된 국가 간의 협정을 통해서만 적용되기 때문에 조세조약이 필요하다고 설명하고 있다.

권룡천(2003)은 국제적 이중과세의 해결방안으로서 조세조약 체결의 필요성을 설명하고, 국제관례와 규범을 존중하여 협정문을 작성해야 하는데 '표준화된 협정문,' 즉 모델협약의 주요 형식과 내용을 이용하는 것이 국제관례라고 설명하고 있다. 김성호(2013)는 이중과세문제의 해결방안으로서 일방적인 국내법적인 조치만으로는 어렵고 쌍방조치, 즉 쌍방국제세금징수협정을 체결하고 이행하는 것이 필요하다고 설명하면서, 북한의 대외세법 제도는 국제세금징수협정의 우선적 지위를 승인하고 있다고 설명하고

10) 김성호, "공화국 대외세법의 공정성," 『김일성종합대학학보: 력사 · 법률』, 제59권 제3호, 2013.

11) 경제적 이중과세는 동일 소득이 서로 다른 인(납세자)의 단계에서 2회 이상 과세되는 것을 의미하고, 법률적 이중과세는 동일한 소득이 동일인에게 동일 기간에 2회 이상 과세되는 현상을 의미한다. 국내에서의 법률적 이중과세는 대체로 국내법에서 배제되므로 주로 국가 간 이중과세가 문제가 되기 때문에 통상 국제적 이중과세로 불린다. 이용섭·이동신, 『국제조세 (개정 제12판)』, 세경사, 2011, 59쪽.

12) 심명호, "외국세액공제와 그 적용에서 나서는 몇가지 문제," 『경제연구』, 2013년 제1호.

13) '간주외국세액공제' 또는 '간주외국납부세액공제'(tax sparing credit)란, "주로 개발도상국이 자국의 경제발전을 위하여 외국투자가에게 국내법 또는 조세조약에 의해서 부여한 조세감면세액을 당해 외국투자가의 거주지국(주로 선진국)이 동 투자가의 세액을 계산함에 있어서 당해 개발도상국에서 실지로 납부한 것으로 간주하여 세액공제해 줌으로써 실질적인 조세감면혜택을 투자가에게 귀속시키는 제도"를 말한다. 이용섭·이동신, 『국제조세 (개정 제12판)』, 세경사, 2011, 73쪽.

14) 권룡천, "소득에 대한 국제2중과세방지협정체결에서 나서는 원칙적요구," 『경제연구』, 2003년 제1호.

15) 김수성, "투자유치를 위한 세금제도수립에서 나서는 몇가지 문제," 『경제연구』, 2011년 제3호.

16) 함수향, "국제세무에서 외국세액공제와 세금특혜의 효과적인 적용방법," 『경제연구』, 2017년 제3호.

17) '간주외국세액공제방법'을 달리 표현한 것이다.

있다. 김성호(2015)[18]는 조세조약이 국제2중세금징수문제를 해결할 목적으로 하여 규제된 협정으로서 유관국가들 사이에 대외납세자들의 소득 및 재산에 대한 세금징수관할권을 분배하여 확정하는 방법을 규제한 협정이라고 설명하고 있다.

마지막으로 조종민(2007[19])은 다국적기업들이 조세회피를 위해 이전가격제도를 이용한다고 언급하고 있고, 황한욱(2010)[20]은 이러한 다국적기업들의 이전가격조작을 통한 세금회피에 대응하여 이전가격세제가 실시되고 있다고 설명하고 있다. 전일(2011)[21]은 탈세와 절세의 개념을 구분하고 이전가격 문제를 '절세' 방식으로 분류하면서 아래와 같이 소개하고 있다.

- "세금회피는 납세자가 비법적으로 혹은 합법적으로 세금납부의무에서 벗어나거나 세금납부 규모를 줄이는 행위"를 말하는데, "탈세와 절세의 차이점은 탈세가 위법적인 것이라면 **절세는 형식상 합법적**"이라는 것이다.
- 탈세방식에는 "납세소득의 은닉, 원가비용의 허위조작, 투자액허위신고, 장부나 지불증서의 위조, 세금징수우혜조치의 남용 등"이 있고, **절세방식**에는 "세금징수관할권의 회피, **≪이전가격≫의 이용**, 조세회피지의 리용, 세금징수협정의 남용 등"이 있다.
- "**≪이전가격≫의 이용은 다국적 회사들이 가장 많이 쓰는 절세방식**으로서 그것은 여러 나라들의 관세장벽과 환자제한을 피하며 많은 경우 세금을 도피하자는데 그 목적이 있다."

(강조부분은 저자)

나. 북한 내 국제조세 관련 논의에 대한 평가

북한 내부에서 이중과세의 발생원인, 이중과세방지 및 조세조약의 필요성, 국제조세 분야의 전반적인 동향, 북한에 유리한 관점(원천지국과세관할권 확보), 조세조약 체결 시 모델협약의 유용성 그리고 협정 타결을 위한 태도, 조세조약의 우선적 적용 등 국제조세 문제에 대한 전반적인 이해나 인식의 수준은 상당히 높고, 국제적 기준이나 규범에 대해서도 유연한 입장을 가지고 있다고 판단된다.

1997년에 체결된 북한-러시아 조세조약이나 1998년에 체결된 북한-루마니아 조세조약에서는 규정되어 있지 않았던 간주외국납부세액공제에 대하여 2000년대 이후 본격적

18) 김성호, "국제세금징수협정의 본질," 『정치법률연구』, 2015년 제2호.
19) 조종민, "현대자본주의기업회계제도의 특징과 기만성," 『경제연구』, 2007년 제4호.
20) 황한욱, "세계적판도에서 높은 리윤을 얻기 위한 다국적기업들의 악랄한 경영전략," 『경제연구』, 2010년 제4호.
21) 전일, "세금회피의 본질과 주요방식," 『정치법률연구』, 2011년 제4호.

으로 그 필요성이 논의되었고, 이후 북한-베트남 조세조약, 남북 이중과세방지합의서 등 일부 조세조약에서 이를 규정하게 된 것으로 보인다.

외국인투자와 관련하여 중요한 현안인 이전가격과세 문제에 대하여 인식은 하고 있으나 법제화에 대한 논의는 본격적으로 진행되지 못한 것으로 보인다. 또한 국제거래에서 중요한 조세구제제도라고 할 수 있는 국가 간 상호합의절차에 대하여, 북한이 체결한 조세조약에 관련 내용이 포함되어 있으나 북한 문헌에서 추가적으로 검토되거나 논의된 것을 찾아보기는 어렵다.

이와 같이, 국제조세 문제에 대한 전반적인 논의나 인식 수준과는 별개로 주요 영역에 대한 법제화는 제대로 추진되지 못한 것으로 보인다. 결과적으로 조세조약을 뒷받침하는 국내법적인 근거나 세부적인 절차 규정을 충분히 갖추고 있지는 못하다.

3 북한의 조세조약 현황

북한은 1997년 러시아와의 협약을 체결한 이후 2014년 말 현재 러시아, 라오스, 루마니아, 마케도니아, 몽골, 불가리아, 벨라루스, 시리아, 스위스, 이집트, 베트남, 인도네시아, 세르비아, 체코 등 총 14개국[22]과 조세조약을 맺고 있다. 또한 2000년 12월 16일에는 남한과 「남북 사이의 소득에 대한 이중과세방지합의서」에 서명했다. 중국 및 싱가폴과는 조세조약이 체결되어 있지 않다.

북한이 체결한 조세조약의 조문 구성은 대체로 모델협약과 대동소이하다. 즉 북한이 체결한 조세조약은 국제적 표준으로 사용되는 모델협약의 형식과 내용을 차용하고 있다. 참고로 북한이 1997년 최초로 체결한 북한-러시아 조세조약의 조문 구성을 OECD 모델협약과 비교해보면 다음과 같다.

<표 8-1> 북한-러시아 조세조약과 OECD 모델협약 비교

북한-러시아 조세조약	OECD 모델협약
Article 1. Personal scope	Article 1. Persons covered
Article 2. Taxes covered	Article 2. Taxes covered
Article 3. General definitions	Article 3. General definitions
Article 4. Resident	Article 4. Resident
Article 5. Permanent establishment	Article 5. Permanent establishment

22) 조선대외경제투자협력위원회 편찬, 『조선민주주의인민공화국 투자안내』, 외국문출판사, 2016, 25쪽.

북한-러시아 조세조약	OECD 모델협약
Article 6. Income from immovable property	Article 6. Income from immovable property
Article 7. Business profits	Article 7. Business profits
Article 8. Profits from international traffic	Article 8. Shipping, Inland Waterways Transport and Air Transport
Article 9. Associated enterprises	Article 9. Associated enterprises
Article 10. Dividends	Article 10. Dividends
Article 11. Interest	Article 11. Interest
Article 12. Royalties	Article 12. Royalties
Article 13. Capital gains	Article 13. Capital gains
Article 14. Income from Independent personal services	Article 14. Independent personal services (2000년 4월 29일 삭제)
Article 15. Income from employment	Article 15. Income from employment
Article 16. Director's fees	Article 16. Director's fees
Article 17. Income of artists and sportsmen	Article 17. Artists and sportsmen
Article 18. Pensions	Article 18. Pensions
Article 19. Income from Government service	Article 19. Government service
Article 20. Payments to students, trainees and business apprentices	Article 20. Students
Article 21. Income of professors, teachers and researchers	-
Article 22. Other income	Article 21. Other income
Article 23. Capital	Article 22. Capital
Article 24. Elimination of double taxation	Article 23. Exemption method / Credit method
Article 25. Non-discrimination	Article 24. Non-discrimination
Article 26. Mutual agreement procedures	Article 25. Mutual agreement procedures
Article 27. Exchange of Information	Article 26. Exchange of Information
-	Article 27. Assistance in Collection of Taxes
Article 28. Members of diplomatic missions and consular posts	Article 28. Members of diplomatic missions and consular posts
-	Article 29. Territorial Extension
Article 29. Entry into force	Article 30. Entry into force
Article 30. Termination	Article 31. Termination

자료: 관련 내용을 기초로 저자 작성.

4 북한의 국제거래 과세원칙

가. 기업에 대한 과세원칙

(1) 「외국투자기업 및 외국인세금법 시행규정」

북한에 영구기업지(1년 이상 영업활동을 하여 소득을 얻는 장소)를 둔 합작기업, 합영기업, 외국인기업, 외국기업(대리지사, 사무소, 대표부, 출장소, 기타 경제조직 포함), 북한에 영구기업지를 둔 외국투자기업의 지사 등, 북한에 영구기업지를 두지 않았지만 자본투자로 소득을 얻는 외국은행을 비롯한 외국기업 등을 세금납부의무가 있는 '기업'으로 규정하고 있다(외세규 제2조; 외세칙 제2조). 영구기업지는 고정사업장(Permanent Establishment)의 영문을 그대로 번역한 것으로 추정되는데, 1년 이상 영업활동을 하여 소득을 얻는 장소라는「외국투자기업 및 외국인세금법 시행규정세칙」제2조의 정의 외에는 별도의 설명이 없다.

(2) 특수경제지대 세제

「개성공업지구 세금규정」,「금강산국제관광특구 세금규정」및「라선경제무역지대 세금규정」의 경우 각각 공업지구, 국제관광특구 및 지대 내에서 경영활동을 하여 얻은 소득과 기타소득에 대하여 기업소득세를 납부하여야 한다는 내용을 규정하고 있다(개세규 제18조; 금세규 제13조; 라세규 제14조).「라선경제무역지대 세금규정」의 경우, 지대 안의 기업이 지대 밖에서 얻은 소득에 대해서도 기업소득세를 납부하여야 하고, 지대 밖의 기업이 지대 안에서 얻은 소득에 대해서도 기업소득세를 납부하여야 한다는 내용이 포함되어 있다(라세칙 제14조). 이는 거주자(지대 안의 기업)에 대한 거주지국 과세원칙과 비거주자(지대 밖의 기업)에 대한 원천지국 과세원칙을 규정한 것이라고 할 수 있다.

나. 개인에 대한 과세원칙

개인에 대해서 북한 내 세금관련법규는 대체로 거주지국 과세원칙(속인주의)을 규정하고 있다.「라선경제무역지대 세금규정시행세칙」은 비거주자에 대한 원천지국 과세원칙도 명시적으로 규정하고 있다. 개인의 거주성 판단에 대한 각 법규별 내용을 정리해 보면 다음과 같다.

(1) 「외국투자기업 및 외국인세금법」

북한에 장기체류하거나 거주하면서 소득을 얻은 외국인은 개인소득세를 납부하여야 하며, 북한에 1년 이상 체류하거나 거주하는 외국인은 북한 영역 밖에서 얻은 소득에 대하여서도 개인소득세를 납부하여야 한다(외세법 제20조). 하지만 2016년 새로 채택된 「외국투자기업 및 외국인세금법 시행규정」과 2017년 채택된 동 시행규정세칙에서는 북한에 180일 이상 체류하거나 거주하면서 소득을 얻은 개인은 북한 영역이나 밖에서 얻은 소득에 대하여 개인소득세를 납부하여야 한다고 규정하고 있다(외세규 제21조; 외세칙 제29조).

(2) 「개성공업지구 세금규정」

공업지구에서 소득을 얻은 개인은 개인소득세를 납부하여야 한다(개세규 제35조). 2006년 시행세칙에서는 공업지구에 182일 이상 체류, 거주하거나 소득을 얻은 개인은 개인소득세를 납부하여야 한다고 규정하고 있다(개세칙 제63조). 182일 이상 체류·거주 요건을 충족하는 경우 거주자에 해당된다는 것이고, 과세대상 소득이 있을 경우 개인소득세 납부의무자가 된다는 것으로 이해된다. 2012시행세칙에서는 국제기준에 맞추어 182일이 아닌 183일 이상으로 수정하였다.

(3) 「금강산국제관광특구 세금규정」

국제관광특구에 체류하거나 거주하면서 소득을 얻은 개인은 세무등록을 해야 한다는 규정은 있으나, 체류기간 요건에 대한 명확한 규정이 없다.

(4) 「라선경제무역지대 세금규정」

개인이 지대에 1년 이상 체류하거나 거주하였을 경우에는 (그 기간에) 지대 밖에서 얻은 소득에 대해서도 개인소득세를 납부하여야 한다(라세규 제24조; 라세칙 제25조 제1항). 지대 밖에 거주하고 있는 개인이 지대 안에서 얻은 소득에 대해서도 개인소득세를 납부하여야 한다(라세칙 제25조 제1항).

다. 주요 조세조약의 관련 규정

북한과 러시아 간에 체결된 조세조약 제4조 제1항에서는 거주자에 대하여 다음과 같이 정의하고 있는데, 이는 OECD 모델협약과 동일한 것이다.

북한-러시아 조세조약 제4조 제1항

Article 4. Resident

1. For the purposes of the Agreement, the term "resident of a Contracting State" means any person who, under the laws of that Contracting State, is liable to tax therein by reason of his domicile, residence, place of registration, place of management or any other criterion of a similar nature. But this term does not include any person who is liable to tax in that Contracting State in respect only of income from sources in that Contracting State or capital situated therein.

북한이 베트남, 인도네시아, 체코, 몽골 등 다른 나라들과 체결한 조세조약에서도 실질적으로 동일한 내용을 규정하고 있고, 남북 이중과세방지합의서 제4조 제1항에도 동일한 취지의 내용이 규정되어 있다. 이러한 내용은 거주지국 과세원칙을 규정한 것이다.

5 북한의 이중과세방지방법

가. 북한 국내 법규상 관련 규정

북한 국내 법규에는 외국납부세액공제가 대표적인 이중과세방지방법으로 포함되어 있다. 그런데 기업소득세에 대하여는 별도 규정을 찾기 어렵고 개인소득세에 대해서만 관련 규정을 포함하고 있다. 관련 내용을 요약하면 다음과 같다.

(1) 「외국투자기업 및 외국인세금법」

세금납부의무자가 다른 나라에서 개인소득세를 납부하였을 경우, 「외국투자기업 및 외국인세금법 시행규정」 및 동 시행규정세칙에 따라 계산한 개인소득세액 범위 안에서 세금공제를 신청할 수 있고, 세무기관의 승인을 받아 공제하여 줄 수 있다(외세규 제25조 제2항; 외세칙 제40조 제2항 제2호).

(2) 「라선경제무역지대 세금규정」

납세의무자가 지대 밖에서 개인소득세를 납부하였을 경우에는 「라선무역지대 세금규정」에 따라 계산한 개인소득세액 범위 안에서 세금공제를 신청할 수 있다(라세칙 제29조 제4항 제1호). 여기서 '지대 밖'은 '외국'을 의미하는 것으로서, 외국납부세액공제에 대한 규정이라고 할 수 있다. 하지만 다른 특수경제지대 세제에는 이러한 규정이 포함되어 있지 않다.

나. 주요 조세조약의 관련 규정

북한이 러시아와 체결한 조세조약에서는 외국납부세액공제 방법(Credit method)을 채택하고 있고, 조문 내용은 OECD 모델협약과 동일하다. 북한-러시아 조세조약의 관련 조문은 아래와 같다.

북한-러시아 조세조약 제24조

Article 24. Elimination of Double Taxation

1. Where a resident of a Contracting State derives income or owns capital which, in accordance with the provisions of the Agreement, may be taxed in the other Contracting State, the first-mentioned State shall allow:
   a) as a deduction from the tax on the income of that resident, an amount equal to the income tax paid in that other State;
   b) as a deduction from the tax on the capital of that resident, an amount equal to the capital tax paid in that other State.

   Such deduction in either case shall not, however, exceed that part of the income tax or capital tax, as computed before the deduction is given, which is attributable, as the case may be, to the income or the capital which may be taxed in that other State.
2. Where in accordance with any provision of the Agreement income derived or capital owned by a resident of a Contracting State is exempt from tax in that State, such State may nevertheless, in calculating the amount of tax on the remaining income or capital of such resident, take into account the exempted income or capital.

북한이 체코와 체결한 조약은 상기 1항 및 2항과 동일하고, 몽골과 체결한 조약에서는 상기 1항은 동일하고 2항은 동일한 취지의 내용을 담고 있다. 베트남과의 조약은 문장 표현은 다르지만 상기 1항 및 2항과 실질적으로 동일한 내용을 담고 있다. 루마니아와 체결한 조약에서는 상기 2항 없이 1항만 포함하고 있고, 인도네시아와의 조약은 상기 2항 없이 1항만 축약하여 규정하고 있다. 이와 같이 북한이 체결한 조세조약은 표현방식은 다소 차이가 있지만 이중과세방지방법으로서 대체로 외국납부세액공제 방법을 채택하고 있다.

위에서 살펴본 바와 같이, 북한의 국내 법규에서는 개인소득세에 대해서만 일부 내용을 포함하고 있고, 기업소득세에 대한 이중과세방지방법에 대한 내용은 찾아보기 어렵다. 이와 관련하여 남한이 체결한 대부분의 조세조약에서는 "국내법의 규정을 따를 것을 조건으로" 이러한 세액공제가 허용된다고 규정함으로써 국내법에 근거규정이 없으면 적용이 불가능하다. 하지만 북한의 조세조약에서는 대체로 국내법의 규정을 따를 것을 조건으로 한다는 별도의 규정이 없다. 따라서 개별 조약의 구체적 문구에 따라 해석이 달라질 수 있겠지만, 조세조약이나 협정이 국내 법규에 우선한다는 조문을 근거로 조세조약에 규정된 외국납부세액공제를 적용할 수 있을 것으로 판단된다.

한편, 북한이 다른 나라와 체결한 조세조약과 달리 남북 이중과세방지합의서 제22조 제1항에서는 국외소득면제 방법(Exemption method)을 채택하고 있다. 다만 이자, 배당 및 사용료 소득에 대해서는 외국납부세액공제 방법을 적용할 수 있도록 하고 있다.

간주외국납부세액공제에 대하여는 2000년대 이후 북한 문헌에서 본격적으로 그 필요성이 논의되었고, 이후 남북 이중과세방지합의서(제22조 제2항), 북한-베트남 조세조약 등에 포함되었다. 다른 나라와의 조약이나 북한 국내 법규에서는 명확히 규정된 내용을 찾기 어렵다.

6 북한의 이전가격세제

북한이 체결한 대부분의 조세조약에서는 이전가격세제를 적용함에 있어서 정상가격원칙의 근거가 되는 OECD 모델협약 제9조 제1항의 내용(앞서 살펴본 「제8편 제1장 1. 다. 주요 용어 또는 개념」 참조)을 포함하고 있다. 남북 이중과세방지합의서에서도 제9조 제1항에서 이전가격과세와 관련된 정상가격원칙을 규정하고 있다.

하지만 국제거래에 대한 이전가격세제의 적용을 위한 세부적인 법규 또는 지침이 마련되어 있지는 못하다. 북한에서 이전가격세제에 대한 내용이 포함된 법규는 주로 개성공업지구에 대한 것인데, 이를 정리해보면 다음과 같다.

(1) 부당행위계산의 부인

세무소는 기업의 행위 또는 소득금액의 계산이 특수관계에 있는 자와의 거래에 있어서 그 기업의 소득에 대한 조세의 부담을 부당하게 감소시킨 것으로 인정되는 경우, 그 기업의 행위 또는 소득금액의 계산에 관계없이 그 기업의 매 회계연도의 소득금액을 재계산할 수 있다(개세칙 제55조 제1항). 이 규정은 남북한 간 거래에 적용할 경우 개념적으로 이전가격세제에 해당하지만, 소득금액 재계산의 기준으로서 '정상가격'이 아닌 '시가'를 적용한다.

(2) 특수관계자와의 위탁가공비계산

기업의 가공위탁자가 특수관계자인 경우, 그가 지불하는 위탁가공비 수준은 독립적인 기업들 사이의 위탁가공비 수준과 현저히 차이가 없어야 하며, 위탁가공비가 명확히 밝혀진 위탁가공계약서가 구비되어야 한다. 특수관계자와의 거래로부터 발생한 위탁가공수입은 그렇지 않은 조건 밑에서 이루어질 수 있는 정상적인 위탁가공수입을 고려하여 수입으로 계산하여야 하며 독립적인 기업들 사이의 위탁가공수입인 경우 그대로 계산한다. 기업이 가공위탁자로부터 위탁가공비를 직접 받지 않고 공업지구 밖의 특수관계자가 분배하여 기업에 보내오는 경우 분배된 대금이 아니라 가공위탁자가 지불하는 위탁가공비 전액을 판매수입으로 계산하여야 한다.(개재칙 제89조)

이러한 내용은 부당행위계산의 부인 또는 국제적 이전가격 과세에 대한 규정이라고 할 수 있다.

(3) 자료제출 요구 및 벌금 부과

북한은 2006년 12월 8일 제정하여 시행해 왔던 「개성공업지구 세금규정시행세칙」을 2012년 7월 18일 수정보충하여 통보하였다. 그런데 이전가격과 관련된 내용으로서 제119조 제8항에서 "가격조작에 의한 탈세행위가 발견되는 경우 경영기간, 업종, 규모 같은 것을 고려하여 납부하여야할 세액의 200배까지의 벌금을 부과한다."[23]라고 규정하였다. 하지만 벌금을 부과하려면 이전소득을 계산해야 하는데, 이전가격 분석 및 과세 절차에 대한 법규가 제대로 마련되어 있지 않은 것으로 보인다.

이와 관련하여, 2012년 7월 18일 수정보충한 동 시행세칙 제9조 제8항에는 "기업(위탁가공기업 포함)은 거래계약 시 생산되는 제품의 단가(임가공 단가 포함)의 변동표, 그 산정 근거서류를 제출하여야 한다. 이 경우 해당 제품 단가의 정확성이 보장되지 않는다고 판단되는 경우에는 세무소의 추정판단에 따라 제품 단가(임가공 단가)를 정할 수 있다."는 내용이 새롭게 추가되었다. 즉 임가공 단가를 포함한 이전가격 계산근거 제출의무와 북측 세무소의 추정판단에 의한 이전가격 결정에 대한 근거규정을 시행세칙에 포함시킨 것이다.[24] 이는 이전가격 과세 절차에 대한 최소한의 장치를 규정한 것

---

23) 앞서 전일(2011)은 이전가격의 이용이 다국적 회사들이 많이 쓰는 '절세' 방식이라고 설명하였으나, 「개성공업지구 세금규정시행세칙」에서는 이전가격 문제를 '탈세'의 관점에서 접근하고 있다.

일 수 있다. 하지만 객관적인 이전가격 분석이 아닌 세무소의 자의적 판단 및 추정을 근거로 과세하는 것은 문제가 있다. 또한 이전가격세제의 핵심 개념인 '정상가격' 및 '정상가격원칙'이 아닌 '정확성'을 기준으로 판단한다는 것도 문제가 있어 보인다.

7 북한의 상호합의절차[25]

상호합의절차는 국가 간의 분쟁해결절차이고, 외교채널이 아닌 조세당국자 간 협의에 의한 절차이며, 납세자가 국내 세법상의 절차(행정심판, 소송 등) 이외에 활용할 수 있는 또 다른 조세구제절차이다.[26] 상호합의절차는 기본적으로 '권한 있는 당국'(competent authorities) 간의 협의를 전제로 하는 것으로서 조세조약에 근거하여 이루어진다.

가. 주요 조세조약의 관련 규정

북한이 체결한 조세조약 또는 합의서 중에서 베트남, 러시아 및 인도네시아와 체결한 조세조약, 남북 이중과세방지합의서를 중심으로 상호합의절차에 대한 내용을 살펴보고자 한다.

(1) 북한–베트남 조세조약

북한과 베트남 간의 조세조약은 2002년 5월 3일 서명하여 2007년 8월 12일 발효되었다.

동 조약 제3조 제1항 i호에 의하면, '권한 있는 당국'이란 베트남 측에서는 재정부 또는 그의 권한을 위임받은 대표자를, 북측에서는 재정성 장관 또는 그의 권한을 위임받은 대표자를 의미한다고 규정하고 있다.

동 조약 제25조에서는 조세분쟁에 대한 해결절차로서 상호합의절차에 대한 내용을 규정하고 있다. 대체로 모델협약의 내용을 그대로 활용하고 있으나, 제4항의 "양 체약국의 권한 있는 당국은 본조에 규정된 합의절차를 이행하기 위하여 양국 간의 적당한 절차·조건 및 방법을 협의에 의해 정하는 것으로 한다."[27]는 내용은 UN 모델협약의

24) 최정욱, "북한 투자와 조세구제제도 – 신소제도와 상호합의절차를 중심으로," 『조세학술논집』 제35집 제3호, 한국국제조세협회, 2019, 235~236쪽.

25) 북한의 상호합의절차에 대한 내용은 ≪최정욱, "북한 투자와 조세구제제도 – 신소제도와 상호합의절차를 중심으로," 『조세학술논집』, 제35집 제3호, 한국국제조세협회, 2019, 229~235쪽≫의 내용을 일부 수정·보완하여 인용한 것이다.

26) 이경근·서덕원·김범준, 『국제조세의 이해와 실무 (개정2판)』, ㈜영화조세통람, 2014, 739쪽.

내용을 차용한 것이다.

(2) 북한-인도네시아 조세조약

북한과 인도네시아 간의 조세조약은 2002년 7월 11일 서명되어 2005년 1월 1일부터 적용되었다.[28)]

동 조약 제3조 제1항 f호에 의하면, '권한 있는 당국'이란 인도네시아 측에서는 재정부 장관 또는 그의 권한을 위임받은 대표자를, 북측에서는 재정성 또는 그의 권한을 위임받은 대표자를 의미한다고 규정하고 있다.

동 조약 제25조에서는 조세분쟁에 대한 해결절차로서 상호합의절차에 대한 내용을 규정하고 있다. 대체로 모델협약의 내용을 그대로 활용하고 있고 베트남과의 조약과 유사하다. 특히 제4항의 "양 체약국의 권한 있는 당국은 본조에 규정된 합의절차를 이행하기 위하여 양국 간의 적당한 절차·조건 및 방법을 협의에 의해 정하는 것으로 한다."는 내용은 베트남과의 조약과 동일하게 UN 모델협약의 내용을 차용한 것이다. 상호합의를 제기할 수 있는 기한이 다른 조약과 달리 2년으로 규정되어 있다.

(3) 북한-러시아 조세조약

북한과 러시아 간의 조세조약은 1997년 9월 26일 서명되어 2000년 5월 30일 발효되었다.

동 조약 제3조 제1항 (i)호에 의하면, '권한 있는 당국'이란 러시아 측에서는 러시아 연방 재정부 또는 그의 권한을 위임받은 대표자를, 북측에서는 재정성 또는 그의 권한을 위임받은 대표자를 의미한다고 규정하고 있다.

동 조약 제26조에서는 조세분쟁에 대한 해결절차로서 상호합의절차에 대한 내용을 규정하고 있다. 대체로 모델협약의 내용을 그대로 활용하고 있으나, 제4항에서 베트남이나 인도네시아와 체결한 조약과 달리 "합의절차를 이행하기 위하여 양국 간의 적당한 절차·조건 및 방법을 협의에 의해 정한다."는 내용이 포함되어 있지 않다.

(4) 남북 이중과세방지합의서

남북 이중과세방지합의서는 2000년 12월 16일에 서명되어 2003년 8월 20일 발효되었고 2004년 1월 1일부터 적용되었다.

---

27) Article 25, Paragraph 4: "…… The competent authorities, through consultations, shall develop appropriate bilateral procedures, conditions, methods and techniques for the implementation of the mutual agreement procedure provided for in this Article."

28) https://www.pajak.go.id/id/p3b/korea-utara; 인도네시아 재무부 (검색일자 2019년 9월 11일).

동 합의서 제1조 제8항에 의하면, '권한 있는 당국'이란 남측에서는 재정경제부장관 또는 그의 권한을 위임받은 자를, 북측에서는 재정성 또는 그의 전권대표를 의미한다고 규정하고 있다.

동 합의서 제24조에서 조세분쟁에 대한 해결절차로 합의절차를 규정하고 있다. 하지만 통상적인 조세조약과 달리 내용이 축약되어 있고, 남북 간의 특수성을 반영하여 '남북장관급회담과 그가 정한 기구'를 추가적인 상호합의 당사자로 포함하고 있다는 특색이 있다.

나. 관련 규정 비교 및 평가

북한이 체결한 조세조약의 내용은 기본적으로 모델협약의 내용을 기초로 작성된 것으로서 대동소이하다. 상기 논의 내용을 간략히 비교하여 요약하면 아래와 같다.

<표 8-2> 북한의 조세조약과 상호합의절차 관련 규정

구분	북한-러시아	남북 합의서	북한-베트남	북한-인니
서명일	1997.9.26	2000.12.16	2002.5.3	2002.7.11
발효일/적용일	2000.5.30 (발효)	2003.8.20 (발효)	2007.8.12 (발효)	2005.1.1 (적용)
북측 당사자 (권한 있는 당국 등)	재정성 또는 그 권한을 위임 받은 대표자	권한있는 당국 (재정성 또는 그의 전권대표) 또는 **남북장관급회담과 그가 정한 기구**	재정성 장관 또는 그의 권한을 위임 받은 대표자	재정성 또는 그 권한을 위임 받은 대표자
상호합의제기	3년 내	3년 내	3년 내	2년 내
절차 · 조건 · 방법	협의규정 없음	협의규정 없음	**양국 협의규정**	**양국 협의규정**

자료: 관련 조약 및 합의서의 내용을 기초로 저자 작성.

상호합의 당사자인 '권한 있는 당국'에 대한 정의는 남북 이중과세방지합의서를 제외하고는 대체로 유사하다. 남북 이중과세방지합의서에서는 '재정성 또는 그의 전권대표'라는 표현과 '남북장관급회담과 그가 정한 기구' 등이 북측의 상호합의 당사자로 포함되어 있는데, 이는 통상적인 조세조약과 달리 통일부 장관을 수석대표로 하는 남북장관급회담을 통해 합의서가 채택되었던 상황이 반영된 것으로 보인다.

2002년 서명한 베트남 및 인도네시아 조약에서 합의절차를 이행하기 위한 절차 · 조건 및 방법 결정을 위한 양국 간 협의규정을 포함하고 있는 것이 흥미롭다. 이는 그 이

전에 체결된 조약의 실제 진행과정에서 절차·조건 및 방법에 대한 규정 미비로 현실적인 어려움이 있었음을 추측하게 한다.

그러나 UN 모델협약 제25조 제4항에 포함되어 있는 "자국 내의 적당한 절차·조건 및 방법을 정할 수 있다."는 내용은 포함하지 않고 있다. 이는 개별 조약에 대하여 쌍방 간에 절차·조건 및 방법을 별도로 협의하여 결정하고, 북한 내에서 포괄적인 일반규정[29]을 구비하고자 하지는 않은 것으로 보인다.

결과적으로 조세조약의 상호합의절차 규정을 뒷받침하는 세부적인 절차·조건 및 방법에 대한 국내 법규가 갖추어지지 못한 것으로 판단된다. 베트남이나 인도네시아와 체결한 조세조약에서는 절차·조건 및 방법에 대해 쌍방 간 협의에 의하여 정하도록 하는 내용을 포함하고 있는데, 이러한 개별적인 접근 보다는 북한 국내법 또는 규정으로 모든 조세조약에 적용할 수 있는 포괄적인 일반규정을 마련하여 공통적으로 적용하는 방식이 효율적일 수 있다.

8 조세조약의 우선 적용

조세조약은 국내세법에 대하여 특별법적인 위치에 있다고 해석되며, 조세조약과 국내세법이 충돌할 경우 특별법 우선의 원칙에 따라 통상 조세조약이 국내세법에 우선하여 적용된다. 이와 관련하여 북한의 국내 법규에서도 다음과 같이 조세조약이나 국가 간 협정이 국내 법규보다 우선적으로 적용된다는 내용을 포함하고 있다.

(1)「외국투자기업 및 외국인세금법」

외국투자기업 및 외국인세금과 관련하여 북한과 해당 국가 사이에 체결한 조약에서 「외국투자기업 및 외국인세금법」, 동 시행규정 및 시행규정세칙과 다르게 정한 사항이 있을 경우에는 그에 따른다(외세법 제7조; 외세규 제7조; 외세칙 제12조). 구체적으로, ① 다른 나라 정부와 2중과세방지협정을 비롯한 국제세무협정이 체결되는 경우 국제세무협정에 따르며, ② 북한 정부를 대표하여 중앙세무지도기관이 다른 나라와 세율, 세금특혜와 관련한 합의가 이루어지는 경우 그에 따른다.

29) 남한의 「국제조세조정에 관한 법률」에서는 상호합의절차와 관련하여, 상호합의절차의 개시요건(제42조), 상호합의에 따른 중재(제43조), 신청인의 협조의무(제44조), 상호합의절차의 개시일(제45조), 상호합의절차의 종료일(제46조), 상호합의 결과의 시행(제47조), 상호합의 결과의 확대적용 등(제48조), 납부기한등의 연장 등의 적용특례(제49조), 불복청구기간과 불복결정기간의 적용특례(제50조), 부과제척기간의 특례(제51조) 등을 규정하고 있다.

(2) 「개성공업지구 세금규정」

세금과 관련하여 남북 사이에 맺은 합의서 또는 북한과 다른 나라 사이에 맺은 협정이 있을 경우에는 그에 따른다(개세규 제16조). 남북 사이의 소득에 관한 2중과세방지합의서를 비롯한 남북 사이에 맺은 합의서 또는 세무사업과 관련하여 북한과 다른 나라 사이에 맺은 협정에 준하여, 이 세칙과 다르게 세금을 납부할 수 있다(개세칙 제14조).

(3) 「금강산국제관광특구 세금규정」

국제관광특구에서 세금과 관련하여 우리 나라와 다른 나라 사이에 맺은 협정이 있을 경우에는 그에 따른다(금세규 제11조).

(4) 「라선경제무역지대 세금규정」

북한과 해당 나라 정부사이에 맺은 (세무분야의) 협정에서 「라선경제무역지대 세금규정」 및 동 시행세칙과 다르게 세금문제를 정하였을 경우, 그 협정에 따라 세금을 납부할 수 있다(라세규 제13조; 라세칙 제13조).

제2장

「남북 사이의 소득에 대한 이중과세방지합의서」

1 남북 이중과세방지합의서의 개요

남북 이중과세방지합의서는 그 서문에 명시한 바와 같이 "2000년 6월 15일 발표된 역사적인 「남북공동선언」에 따라 진행되는 경제교류와 협력이 나라와 나라 사이가 아닌 민족 내부의 거래임을 확인하고 소득에 대한 이중과세를 방지하기 위하여" 2000년 12월 16일에 체결되었고[30)]2003년 8월 20일 발효되어 2004년 1월 1일부터 적용되었다.

통상 조세조약의 체결과정은 초기 단계나 발효 준비 단계에서 외교부가 관여하는 부분이 있지만, 조세조약 내용에 대한 협상과정은 기획재정부가 중심적인 역할을 담당한다. 하지만 남북 이중과세방지합의서는 통일부 장관을 수석대표로 한 2000년 제4차 남북장관급회담에서 4대 경제협력합의서인 투자보장, 청산결제, 상사분쟁해결에 관한 합의서와 함께 채택된 것이다.[31)]

남한의 판례는 남북 이중과세방지합의서를 조약으로 보지는 않았으나 그 법적 효력은 인정하였다(청주지법 2011. 5. 26. 선고 2010구합2024 판결; 대법원 2012. 10. 11. 선고 2012두12532 판결). 이와 같이 법률적으로 조약은 아니라는 점에서 규범력이 부족한 문제가 있지만, 실질적으로는 조세조약의 성격과 목적을 가지고 있다고 할 수 있다.[32)] 북한에서도 남북 이중과세방지합의서에 대하여 국가 간 거래가 아닌 민족 내부의 거래라는 점에서 '협정'이나 '조약'이라고 하지 않고 '합의서'라는 명칭을 사용하였지만, 2003년 7월 24일 북한 최고인민회의 상임위원회가 비준하여 법적 효력을 갖는 중요한 문건이라고 설명하고 있다.[33)]

---

30) 북한에서는 2003년 7월 24일 최고인민회의 상임위원회 정령 제3907호로 비준하였다.

31) 통일부, 『남북대화』(1999.10~2001.4), 제67호, 32~38쪽.

32) 남북 간의 합의서는 남북한의 의사가 직·간접적으로 반영되어 상호 일정한 범위 내에서 구속력을 갖지만 규범력을 제대로 확보하지 못하여 제대로 이행되지 못하는 문제가 있다. 이효원, "법제도적 공간으로서의 개성공단," 『개성공단』, 진인진, 2015, 114~115쪽 및 128~129쪽.

33) 정철원, 『조선투자법안내(310가지 물음과 대답)』, 법률출판사, 2007, 479~480쪽.

2 남북 이중과세방지합의서의 구성

남북 이중과세방지합의서는 이중과세의 위험이 존재하는 소득을 열거하고 각 소득에 대한 과세권 배분에 대하여 규정하고 있으며, 거주자 판정, 고정사업장 판정, 이전가격과세(정상가격원칙), 이중과세방지방법, 차별금지, 합의절차, 정보교환 등의 내용을 포괄적으로 규정하고 있다.[34)]

통상 조세조약을 체결하는 과정에서 OECD 모델협약을 기본적으로 참고한다. 이는 OECD 국가가 선진국 또는 강대국으로서 조약체결 과정에서 협상력의 우위에 있고 개별 국가들이 내부적으로 참고하는 모델도 OECD 모델과 유사한 경우가 많기 때문이다. 이러한 이유로 남북 사이의 합의서도 OECD 모델협약의 내용을 근거로 작성되었다고 보는 견해가 있지만, 고정사업장 판정 등 일부 UN 모델협약이 반영된 부분도 있다. 아래 표에서는 OECD 모델협약의 조문을 기준으로 남북 이중과세방지 합의서의 조문을 비교하면서, UN 모델협약이 반영된 부분을 검토하여 간략히 정리하였다.

<표 8-3> 남북 이중과세방지합의서의 조문 구성과 모델협약과의 비교

OECD 모델협약	남북 이중과세방지합의서	비고
1조 인적범위	2조 적용대상	
2조 대상조세	3조 세금의 종류	
3조 일반적 정의	1조 정의	
4조 거주자	4조 거주자 판정	
5조 고정사업장	5조 고정사업장 판정	UN 모델협약 반영 (6개월 기준)
6조 부동산소득	6조 부동산소득	개정전 OECD 모델협약 (또는 UN 모델)
7조 사업소득	7조 기업이윤	
8조 해운·내륙수운 및 항공운수	8조 수송소득	
9조 특수관계기업	9조 특수관계기업이윤	이전가격세제 규정
10조 배당	10조 배당금	
11조 이자	11조 이자소득	
12조 사용료	12조 사용료	

34) 이 책에서 인용되는 남북 이중과세방지합의서의 내용은 ≪법무부 통일법무과, 『통일법무 법령집 - 법령 및 남북합의서』, 2019≫를 기초로 하였다.

OECD 모델협약	남북 이중과세방지합의서	비고
13조 양도소득	13조 재산양도소득	
14조 독립적 인적용역*	14조 독립적 인적용역	개정전 OECD 모델협약 (또는 UN 모델)
15조 근로소득	15조 종속적 인적용역 (1~3항)	
16조 이사 보수	16조 이사의 보수	
17조 예능인 및 체육인	17조 예술인과 체육인의 소득	
18조 연금	18조 연금	
19조 정부용역	15조 종속적 인적용역 (4항)	OECD 및 UN 모델협약 제19조 제1항
20조 학생	19조 학생과 실습생의 보조금	
–	20조 교원과 연구원의 소득	모델협약에는 별도 조문 없음. 남한 체결 조약과 유사함.
21조 기타소득	21조 기타소득	
22조 자본	–	
23조(A) 면제방법 23조(B) 세액공제방법	22조 이중과세방지방법	• 면제방법 적용 (이자, 배당금, 사용료는 세액공제방법) • 간주외국납부세액공제 포함
24조 무차별	23조 차별금지	
25조 상호합의절차	24조 합의절차	상호합의절차 규정
26조 정보교환	25조 정보교환	
27조 조세징수협조	–	
28조 외교사절단 및 영사관	–	
29조 적용영역의 확대	–	
–	26조 수정·보충	
30조 발효	27조 효력발생	
31조 종료	28조 유효기간	

* OECD 모델협약에서 독립적 인적용역 조문은 2000년 4월 29일에 삭제되어 사업소득에 통합되었다. UN 모델협약에서는 제14조에 규정되어 있다.

자료: 모델협약 및 남북 이중과세방지합의서의 내용을 기초로 저자 작성.

3 남북 이중과세방지합의서의 내용

가. 북한「조선투자법안내」의 요약 내용[35)]

이 합의서는 서문과 28개 조문으로 되여 있다. 합의서의 서문에는 ≪북과 남은 주체89(2000)년 6월 15일에 발표된 력사적인 공동선언에 따라 진행되는 경제협력과 교류가 나라와 나라사이가 아닌 민족내부의 거래라는 것을 확인하고 소득에 대한 2중과세를 방지하기 위하여 다음과 같이 합의한다.≫라고 규정하고 있다.

합의서에는 세금의 종류, 거주자확정, 고정영업장확정, 부동산소득, 기업리윤, 수송소득, 특수관계기업리윤, 배당금, 리자소득, 지적소유권사용료, 재산양도소득, 전문봉사소득, 채용로동력에 대한 보수, 리사들의 보수, 예술인과 체육인의 소득, 년금, 학생과 실습생의 보조금, 교원과 연구사의 소득, 기타소득 등 문제들이 규정되여 있다.

① 기업리윤: 일방의 기업이 상대방의 고정영업장을 통하여 얻은 기업리윤가운데서 상대방의 고정영업장에 귀속되는 리윤에 대해서만 그 상대방이 세금을 부과한다.

② 수송소득: 일방의 기업이 자동차, 렬차, 배, 비행기 같은 수송수단을 리용하여 얻은 리윤에 대한 세금은 일방과 그 상대방에서도 법에 따라 부과한다. 이 경우 부과되는 세금은 50%를 감면한다.

③ 배당금, 리자소득, 지적소유권사용료: 일방에서 조성되여 상대방의 거주자에게 지불되는 배당금, 리자, 지적소유권사용료에 대하여서는 상대방이 세금을 부과한다. 동시에 소득이 생긴 일방에서도 소득총액의 10%를 초과하지 않는 범위에서 세금을 부과한다.

④ 2중과세방지방법: 일방은 자기 지역의 거주자가 리자, 배당금, 지적소유권사용료를 제외한 소득에 대하여 세금을 납부한 경우 그에 대한 세금을 면제한다.
구체적으로 보면,
- 일방은 자기 지역의 거주자가 상대방에서 얻은 소득에 대하여 세금을 납부하였거나 납부하여야 할 경우 일방에서는 그 소득에 대한 세금을 면제한다. 그러나 리자, 배당금, 지적소유권사용료에 대하여서는 상대방에서 납부하였거나 납부하여야 할 세액만큼 일방의 세액에서 공제할 수 있다.
- 일방은 자기 지역의 거주자가 상대방에서 얻은 소득에 대한 세금을 법이나 기타 조치에 따라 감면 또는 면제받았을 경우 세금을 전부 납부한 것으로 인정한다.

⑤ 차별금지: 일방의 거주자와 기업은 같은 조건에 있는 자기 지역의 거주자, 기업보다 불리한 세금을 부과하지 않도록 한다.

35) 북한 문헌인 ≪정철원, 『조선투자법안내(310가지 물음과 대답)』, 법률출판사, 2007, 483~484쪽≫의 내용을 오탈자 수정 후 원문 그대로 인용하였다.

나. 일반규정

(1) 용어의 정의, 적용대상 및 세금의 종류

제1조 정의

1. "개인"이란 세금납부의무를 지닌 개별적인 사람을 의미한다.
2. "법인"이란 기업 및 회사, 과세목적상 법인과 같이 취급되는 단체를 의미한다.
3. "기업"이란 법인자격을 가진 실체 또는 개인이 영위하는 사업체를 의미한다.
4. "고정사업장"이란 기업의 사업활동이 전반적 또는 부분적으로 영위되는 고정된 장소를 의미한다.
5. "고정시설"이란 개인이 독립적으로 인적용역을 제공하는 고정된 장소를 의미한다.
6. "수송"이란 남과 북 사이에 운영되는 자동차, 열차, 배, 비행기 등에 의한 수송을 의미한다. 일방 지역 안에서만 운영되는 자동차, 열차, 배 또는 비행기에 의한 수송은 제외한다.
7. "권한있는 당국"이란 남측에서는 재정경제부장관 또는 그의 권한을 위임받은 자를, 북측에서는 재정성 또는 그의 전권대사를 의미한다.
8. 이 합의서에서 정하지 않은 용어는 일방의 세금관련법령이 규정한 대로 그 의미를 해석한다.

제2조 적용대상

이 합의서는 일방 또는 쌍방의 거주자인 개인과 법인에게 적용한다.

제3조 세금의 종류

1. 이 합의서에 따라 적용되는 세금의 종류는 다음과 같다.
   가. 남측에서는 소득세, 법인세 및 소득할주민세
   나. 북측에서는 기업소득세, 개인소득세, 소득에 대한 지방세
2. 세금의 종류에는 합의서가 체결된 후 본질적으로 같은 세금들로서 현행 세금들에 추가하여 부과되거나 그에 대체하여 부과되는 것들도 포함한다. 쌍방은 세금의 종류가 달라진 경우 그에 대하여 상호 통보한다.

통상 모델협약 또는 일반적인 조세조약에서는 개인과 법인을 포괄하는 개념으로서 '人(person)'을 정의하고 있는데, 남북 이중과세방지합의서는 '개인'을 세금납부의무와 연계하여 별도로 정의하고 있다. 이에 따라 합의서 적용의 인적 범위도 '거주자인 人'이 아니라 '거주자인 개인과 법인'으로 표현하고 있다. 거주자의 정의 및 판정은 아래 제4조에서 규정하고 있다.

남북 이중과세방지합의서의 대상 조세는 합의서의 공식적인 명칭에 명시된 바와 같이 '소득'과 관련된 세목이다. 따라서 남한의 부가가치세, 상속세, 증여세 등, 북한의 거래세, 영업세, 상속세, 재산세, 기타 지방세 등은 제외된다.

(2) 거주자 판정

> 제4조 거주자 판정
> 1. 거주자에는 주소, 거소, 관리장소, 등록지, 본점 및 주사무소의 소재지를 기준으로 세금납부의무를 지닌 개인과 법인을 의미한다. 그러나 개인 또는 법인이 일방에 있는 원천을 이용하여 얻은 소득에 대하여만 세금납부의무를 지니는 경우에는 거주자로 인정하지 않는다.
> 2. 쌍방의 거주자로 되어 있는 개인을 일방의 거주자로 인정하는 기준은 다음과 같다.
>   가. 개인이 일방에 항시적으로 생활하는 주거를 가지고 있을 경우 그는 일방의 거주자로 인정한다. 그러나 그가 항시적으로 생활하는 주거를 쌍방에 가지고 있으면 그는 경제적 이해관계가 더 많은 일방의 거주자로 인정한다.
>   나. 개인이 항시적으로 생활하는 주거를 쌍방에 가지고 있지 않고 경제적 이해관계가 더 많은 일방을 확정할 수 없을 경우 그는 일상적으로 체류하는 일방의 거주자로 인정한다.
> 3. 법인이 쌍방의 거주자로 되는 경우 그는 실질적인 관리장소가 있는 일방의 거주자로 인정한다.
> 4. 개인과 법인의 거주지판정과 관련하여 의문이 제기되는 경우 쌍방의 권한있는 당국은 상호협의하여 해결한다.

남북 이중과세방지합의서 제4조 제1항의 내용은 모델협약과 실질적으로 동일한 취지의 내용을 규정하고 있다. 다만, 모델협약에서는 거주자에 대한 정의를 일차적으로 각국의 국내법을 따르도록 하고 있는데, 남북 이중과세방지합의서에는 이러한 규정이 없다. 「개성공업지구 세금규정시행세칙」에 의하면, 공업지구에 182일 이상 체류, 거주하거나 소득을 얻은 개인은 개인소득세를 납부하여야 한다고 규정하고 있다(개세칙 제63조). 182일 이상 체류·거주요건을 충족하는 경우 거주자에 해당된다는 것이다(참고로 2012년 시행세칙에서는 국제기준에 맞추어 182일이 아닌 183일 이상으로 수정함). 남북 이중과세방지합의서에는 이러한 체류기간에 대한 구체적인 규정이 없기 때문에 「개성공업지구 세금규정시행세칙」의 규정을 적용할 것으로 판단된다. 북한의 국제조세 법규가 아직은 정교하게 마련되어 있지 못한 상태라서, 상기 체류기간에 대한 내용 이외에 항상 거주자 또는 비거주자로 인정되는 경우, 거주기간 산정방법[36] 등 세부적인 규정은 미비한 것으로 보인다.

남북 이중과세방지합의서 제4조 제2항 및 제4항에 따라 남측과 북측의 이중거주자인 개인에 대한 거주지 판정기준은 항시적 주거, 경제적 이해관계, 일상적 체류지, 권한있는 당국 간 상호협의의 순서로 적용한다. 동 합의서 제3항 및 제4항에 따라 법인의 경우 실질적 관리장소, 권한있는 당국 간 상호협의의 순서를 적용한다. 이러한 판정기준 적용

36) 예를 들어, 남한 「소득세법 시행령」 제3조에서는 국외근무공무원, 국외사업장 또는 해외현지법인 파견 임직원 등에 대한 거주자 간주 규정을 두고 있고, 동 제4조에서는 거주기간 계산방법을 규정하고 있다.

순서는 모델협약의 내용과 실질적으로 동일하다.

한편, 남한 「소득세법」 제1조의 2 제1항 제1호에 의하면 '거주자'란 국내에 주소를 두거나 183일 이상의 거소를 둔 개인을 말하며, 남한 「법인세법」 제2조 제1호에 의하면 '내국법인'이란 본점, 주사무소 또는 사업의 실질적 관리장소가 국내에 있는 법인을 말한다.

(3) 고정사업장 판정

제5조 고정사업장 판정

1. 고정사업장은 관리장소, 지점, 사무소, 공장, 작업장, 판매소, 농장과 탄광, 광산, 채석장, 유전을 비롯한 천연자원채취장소를 포함한다. 6개월 이상 진행하는 건축장소 또는 건설, 설치 또는 조립공사와 그와 연관된 설계 및 감리활동을 수행하는 장소도 고정사업장으로 인정한다.
2. 기업소유의 재화 또는 상품의 구입, 보관, 전시, 인도인수, 임가공과 광고, 정보수집 같은 보조적 및 예비적 성격의 활동에 이용되는 장소는 고정사업장으로 인정하지 않는다.
3. 대리인이 일방에서 상대방의 기업을 위하여 활동하면서 그 기업의 이름으로 계약을 체결할 권한을 일상적으로 행사하는 경우 그 기업은 일방에 고정사업장을 가지고 있는 것으로 인정한다. 그러나 대리인이 제2항에 규정된 활동을 수행하는 경우에는 고정사업장을 가지고 있는 것으로 인정하지 않는다.
4. 일방의 기업이 상대방에 있는 중개인 또는 위탁판매인을 통하여 영업활동을 한다고 하여 그 기업이 상대방에 고정사업장을 가지고 있는 것으로 인정하지 않는다. 그러나 중개인 또는 위탁판매인이 전적으로 그 기업을 위하여 활동하는 경우 그 기업은 상대방에 고정사업장을 가지고 있는 것으로 인정한다.
5. 일방의 기업과 상대방의 기업이 지배관계에 있다는 이유만으로는 그 어느 기업도 다른 기업의 고정사업장으로 되지 않는다.

고정사업장(Permanent Establishment; PE)은 기본적으로 비거주자(외국법인)의 사업소득에 대한 과세여부 결정에 핵심적인 개념이다. 남북 이중과세방지합의서 제5조에서는 모델협약의 고정사업장 관련 규정과 실질적으로 동일한 취지의 내용을 규정하고 있다.

제5조 제1항은 일반적인 고정사업장을 설명하고 있는데, 6개월 이상 진행하는 건설공사 등의 장소를 포함하고 있다. OECD 모델협약에서는 12개월을 기준으로 하고 UN 모델협약에서는 6개월을 기준으로 한다는 점에서, 이 조문은 UN 모델협약의 내용을 차용한 것으로 보인다. 북한에서 건설공사 등이 있을 가능성이 높으므로, 고정사업장에 해당

하는 기준을 6개월로 단축함으로써 소득원천지국의 과세권을 강화한 것이다.

제2항에서는 예비적 또는 보조적 성격의 활동에 이용되는 장소는 고정사업장에 해당하지 않는다는 내용을 규정하고 있다. 예비적 또는 보조적 성격의 활동이란 당해 기업의 사업활동에서 본질적이고 중요한 부분에 해당하지 않는 활동을 의미한다. 예비적 또는 보조적인 활동이라고 하더라도 제3자를 위해서 수행하는 경우에는 고정사업장에 해당할 수 있다.

제3항과 제4항은 계약체결권을 상시 행사하는 계약체결대리인과 특정 기업만을 위하여 활동하는 중개인 또는 위탁판매인 등 고정사업장에 해당하는 종속대리인을 규정하고 있다. 중개인 또는 위탁판매인도 특정 기업에 전속되지 않고 독립적 지위에 있다면 고정사업장에 해당하지 않는다.

제5항에서는 자회사와 같이 지배관계에 있다고 해서 자동적으로 고정사업장이 되지는 않는다는 내용을 규정하고 있다. 하지만 자회사라고 해도 상기 제3항 또는 제4항의 종속대리인에 해당할 경우 고정사업장이 될 수 있다.

다. 소득별 과세관계

(1) 부동산소득

제6조 부동산소득

1. 농업 또는 임업에서 얻은 소득을 포함하여 일방의 거주자가 상대방에 있는 부동산으로부터 얻은 소득에 대한 세금은 상대방에서 부과할 수 있다.
2. 부동산에 부속된 재산, 토지 및 산림이용권, 부동산의 사용수익권, 천연자원채취권, 농업과 임업에 이용하는 가축과 설비는 부동산으로 인정한다. 그러나 배와 비행기는 부동산으로 보지 않는다. 이 합의서에서 규정하지 않은 부동산 항목은 그것이 소재하고 있는 일방의 법령에 따라 규정한다.
3. 제1항은 부동산을 직접 이용하거나 임대 또는 기타 형태로 이용하여 얻은 소득에 적용한다.
4. 제1항과 제3항은 기업소유의 부동산으로부터 얻은 소득과 독립적 인적용역을 수행하기 위하여 이용되는 부동산으로부터 얻은 소득에도 적용한다.

남북 이중과세방지합의서 제6조 제1항에 의하면 일방의 거주자가 상대방에 소재하는[37] 부동산으로부터 얻은 부동산소득은 부동산소재지(상대방)에서 과세할 수 있다. 즉 남한 거주자가 북한에 소재하는 부동산으로부터 얻은 부동산소득은 북한에서 과세할 수 있다는 것으로서, 부동산소득의 소득원천 판정기준은 부동산소재지라고 할 수 있다.

37) 거주자가 거주지국 소재 부동산으로부터 얻은 소득은 '기타소득'으로 과세한다(OECD 모델협약 제6조 주석 1).

OECD 및 UN 모델협약도 동일한 입장을 가지고 있다. 배와 비행기는 부동산으로 보지 않으며, 제2항에서 규정한 부동산 이외의 항목에 대하여는 해당 부동산이 소재하고 있는 남측 또는 북측의 법령에 따른다.

부동산소득에는 농업 또는 임업 소득이 포함되며, 제3항에 따라 부동산의 직접 이용, 임대, 기타 형태의 이용에 의한 소득도 모두 포함된다. 제4항에 의하면 기업소유의 부동산으로부터 얻은 소득은 사업소득이 아닌 부동산소득으로 과세되며, 부동산의 양도에 따른 소득은 제13조의 재산양도소득으로 과세된다.

2000년 4월 29일에 OECD 모델협약에서 독립적 인적용역 조문이 삭제되었다는 점을 고려할 때, 제4항에서 '독립적 인적용역'을 수행하기 위하여 이용되는 부동산으로부터 얻은 소득이 포함된 것은 개정 전 OECD 모델협약을 근거로 작성되었거나 UN 모델협약을 참고한 것으로 보인다.

(2) 기업이윤

제7조 기업이윤

1. 일방의 기업이 상대방에 있는 고정사업장에서 사업활동을 하여 얻은 이윤에 대한 세금은 상대방에서 부과할 수 있다. 이 경우 상대방에 있는 고정사업장에 귀속되는 이윤에 대하여서만 세금을 부과한다.
2. 상대방에 있는 고정사업장이 자기가 속한 일방의 기업과 같거나 유사한 조건에서 같은 업종의 활동을 하며 독자적으로 경영활동을 하는 분리된 기업이라면 일방의 기업이 고정사업장을 통하여 얻을 수 있는 이윤은 고정사업장에 귀속된다.
3. 고정사업장이 얻은 이윤의 계산은 총수입에서 경영비와 일반관리비를 포함한 고정사업장 운영에 지출된 비용을 공제하여 계산한다.
4. 고정사업장이 자기가 속한 기업이 제공한 지적소유권 및 자문용역제공의 대가로 주는 사용료, 수수료, 사례금 또는 이와 유사한 지불금은 고정사업장의 이윤계산에서 공제하지 않는다.
5. 고정사업장이 자기가 속한 기업을 위하여 물품을 구입하면서 얻은 이윤이 영리를 목적으로 하지 않은 경우에는 고정사업장의 이윤계산에 포함시키지 않는다.
6. 고정사업장에 귀속되는 이윤계산은 충분한 변경이유가 없는 한 매년 같은 방법으로 한다.
7. 기업이윤에 대하여 다른 조항들에서 규정한 경우에는 그에 따른다.

남북 이중과세방지합의서 제7조 제1항에 의하면, 남한의 기업이 북한에 있는 고정사업장을 통해 기업이윤(사업소득)을 얻는 경우, 북한에서의 과세소득의 범위는 그 고정사업장에 귀속되는 이윤이다. 고정사업장의 과세대상 이윤을 계산하는 방법으로서

OECD 모델협약에서 채택하고 있는 귀속주의(Attribution principle)를 채택한 것이다.[38] 남한이 체결한 조세조약도 대부분 귀속주의를 채택하고 있다.

OECD 모델협약 제7조 제1항에서는 "일방체약국의 기업의 이윤은 동 기업이 타방체약국에서 고정사업장을 통하여 사업을 영위하지 않으면 동 일방체약국에서만 과세된다."는 일반화된 국제적 과세원칙(No PE, No tax)을 명시적으로 표현하고 있다. 이와 관련하여 남북 이중과세방지합의서 제7조 제1항에서는 고정사업장에 귀속되는 이윤에 대하여서만 세금을 부과한다고 표현함으로써, 상대방에 고정사업장이 없으면 상대방 지역에서 과세되지 않는다는 의미, 즉 모델협약의 취지를 반영하고 있다.

제2항은 OECD 모델협약 제9조에서 규정하고 있는 정상가격원칙(arm's length principle)을 고정사업장에 적용한 것이다. 고정사업장을 본사로부터 분리된 독립적인 기업으로 가정하고 일반시장에서 형성된 가격과 조건(under conditions and at price prevailing in the ordinary market)에 의하여 거래하였을 경우 고정사업장이 얻었을 이윤을 과세대상 귀속이윤으로 한다는 것이다.[39]

제3항 및 제4항에 의하면, 고정사업장 귀속 이윤을 계산함에 있어서 총수입에서 경영비와 일반관리비를 포함한 고정사업장 운영비용은 발생장소에 관련없이 공제하지만, 고정사업장의 본사에 지급한 사용료, 수수료, 사례금 등은 손금으로 인정되지 않는다. OECD 모델협약 제7조 제3항에서는 발생장소와 관계없이 공제한다는 점을 명확히 규정하고 있으나, 남북 이중과세방지합의서 제7조 제3항에서는 이를 명시적으로 표현하고 있지 않다. 하지만 고정사업장 소재지 이외의 다른 곳에서 발생한 비용의 공제를 배제한다는 내용 없이 "고정사업장의 운영에 지출된 비용을 공제하여 계산한다."고 표현함으로써 모델협약의 취지를 반영하고 있다고 판단된다.

남북 이중과세방지합의서 제5조 제2항에서 고정사업장에 해당하지 않는 예비적 또는 보조적 활동의 예로서 '재화 또는 상품의 구입'을 예시한 바 있다. 이와 관련하여 남북 이중과세방지합의서 제7조 제5항에 의하면, 영리를 목적으로 하지 않고 본사를 위한 재화 또는 상품의 단순구매 활동에 대해서는 고정사업장의 과세대상 이윤계산에서 제외한다.[40]

38) '귀속주의'에 대응되는 것으로서, '총괄주의(Entire principle)'는 귀속여부를 불문하고 고정사업장 소재국에서 발생된 비거주자(외국법인)의 모든 소득을 과세소득의 범위에 포함시키는 방식이다.

39) OECD 모델협약 제7조 제2항 주석 11.

40) 이러한 단순구매 활동만을 하는 구매사무소(purchasing office)는 예비적 또는 보조적 활동만을 수행하는 장소로서 고정사업장에 해당하지 않는다.

제6항은 고정사업장의 귀속 이윤 계산방법을 보다 유리한 결과를 얻기 위하여 변경하는 것을 막기 위한 것이다. 즉 귀속 이윤 계산방법은 충분한 변경이유가 없는 한 매년 지속적으로 일관성 있게 적용되어야 한다는 것이다.

마지막으로 제7항은 기업이윤 중에서 본 합의서의 다른 조항에서 달리 취급되는 항목은 제7조의 기업이윤에 대한 규정이 아니라 해당 조항을 적용한다는 것이다.

(3) 수송소득

> 제8조 수송소득
> 1. 일방의 기업이 남북 사이에 운영하는 자동차, 열차, 배, 비행기 같은 수송수단을 이용하여 얻은 이윤에 대한 세금은 일방에서 부과할 수 있다.
> 2. 일방의 기업이 남북 사이에 운영하는 자동차, 열차, 배, 비행기 같은 수송수단을 이용하여 상대방에서 얻은 이윤에 대한 세금은 상대방에서도 법에 따라 부과한다. 이 경우 부과되는 세금은 50%를 감면한다.
> 3. 수송소득에는 컨테이너를 포함한 수송수단의 이용 또는 임대로 얻은 소득도 포함된다.
> 4. 제1항과 제2항은 공동경영, 공동출자, 국제적인 경영체에 참가하여 얻은 이윤에도 적용한다.

남북 이중과세방지합의서 제8조 제1항 및 제2항에 의하면, 남한(북한)의 기업이 남북 사이에 운영하는 수송수단을 이용하여 남한(북한)에서 얻은 이윤에 대해서는 남한(북한)에서 세금을 부과하고, 북한(남한)에서 얻은 이윤에 대해서는 북한(남한)의 법률에 따라 세금을 부과하되 50% 감면한다. 남북 이중과세방지합의서 제1조 제6항의 정의에 따라 제8조의 적용대상이 되는 '수송'은 '남북 사이'에 수송수단이 운영되는 경우만을 의미하며, 남한 또는 북한 지역 안에서만 운영되는 경우는 제외된다.

제3항은 수송소득을 수송수단의 직접적인 운행뿐만 아니라 임대로부터 얻는 소득까지 포함한다는 내용이다. 제4항은 국제운수 분야의 특수성을 반영한 것이다. 국제운수는 공동경영, 공동출자, 국제적 경영체 참가 등 다양한 방식의 국제적 협력관계가 있을 수 있다.

모델협약에서는 국제운수소득에 대하여 기업의 실질적 관리장소 소재국에서만 과세하도록 하고 있다. 하지만 남북 이중과세방지합의서는 모델협약의 내용을 그대로 사용하지 않았다. 남북 사이의 수송 거래라는 특수성을 반영하고 남한이 체결한 조세조약 내용을 참고한 것으로 보인다. 또한 국가 간 거래가 아닌 민족내부 거래라는 입장에서 '국제운수소득'이 아닌 '수송소득'으로 표현하고 있다.

(4) 투자소득 - 배당금, 이자소득, 사용료

투자소득에 대한 남북 이중과세방지합의서의 내용은 대체로 모델협약의 내용을 기초로 작성되었다.

① 제한세율의 적용

> **제10조 배당금**
> 1. 일방의 거주자인 법인이 상대방의 거주자에게 분배하는 배당금에 대한 세금은 상대방에서 부과할 수 있다.
> 2. 배당금이 발생하는 일방에서도 법에 따라 세금을 부과할 수 있다. 이 경우 배당금을 받을 자가 수익적 소유자인 경우 세금은 배당금 총액의 10%를 초과할 수 없다. 이 조항은 배당금을 지불하기 전에 납부한 이윤에 대한 세금에는 적용하지 않는다.
>
> **제11조 이자소득**
> 1. 일방에서 발생하여 상대방의 거주자에게 지불되는 이자에 대한 세금은 상대방에서 부과할 수 있다.
> 2. 이자가 발생하는 일방에서도 법에 따라 그 이자에 대하여 세금을 부과할 수 있다. 이 경우 이자를 받을 자가 수익적 소유자이면 세금은 이자총액의 10%를 초과할 수 없다.
>
> **제12조 사용료**
> 1. 일방에서 발생하여 상대방의 거주자에게 지불되는 사용료에 대한 세금은 상대방에서 부과할 수 있다.
> 2. 사용료가 발생하는 일방에서도 법에 따라 그 사용료에 대하여 세금을 부과할 수 있다. 이 경우 사용료를 받을 자가 수익적 소유자이면 세금은 사용료총액의 10%를 초과할 수 없다.

남북 이중과세방지합의서 제10조, 제11조 및 제12조의 제1항 및 제2항은 투자소득(배당금, 이자소득, 사용료)에 대한 거주지 및 원천지 사이의 과세권 배분문제를 규정하고 있다.

예를 들어, 남한 거주자가 북한에 투자(자본, 대여 또는 사용권리·정보 등)를 할 경우, 북한 거주자가 남한 거주자에게 지급하는 투자소득에 대하여 남한(거주지)과 북한(소득원천지) 쌍방에서 과세할 수 있으나, 북한(소득원천지)에서의 과세를 10% 한도로 제한한다는 것이다. 그런데 배당소득 또는 고정재산임대소득(기계설비 사용료)의 경우, 「개성공업지구 세금규정」 제33조 제2항에 따라 소득액에서 70%를 공제한 금액에 10%의 세율을 적용하도록 규정하고 있다.

이러한 제한세율은 합의서 제3조에 규정된 모든 대상조세를 포함하는 것으로서, 소득에 대한 지방세를 포함하여 10%를 초과할 수 없다는 것이다.

② 투자소득의 범위 및 면세이자

> **제10조 배당금**
> 3. 배당금에는 주식 또는 채권청구가 아닌 이윤분배권리로부터 발생되는 소득, 일방의 법령에 따라 그와 동일하게 세금이 부과되는 기타 권리로부터 발생하는 소득과 합영, 합작을 비롯한 공동기업에 참가하는 개인 또는 법인에게 분배하는 소득이 포함된다.
>
> **제11조 이자소득**
> 3. 이자에는 국채, 공채, 사채를 비롯한 채권으로부터 얻은 소득이 포함된다. 국채, 공채 또는 사채에 덧붙는 금액, 장려금과 같은 소득도 이자에 포함된다.
> 7. 일방에서 발생하여 상대방의 중앙 및 지방행정기관 또는 중앙은행에 지급하는 이자에 대한 세금은 일방에서 면제한다.
>
> **제12조 사용료**
> 3. 사용료에는 영화필름, 라디오 및 텔레비전 방송용 테이프를 비롯한 과학, 문학, 예술분야의 저작권과 특허, 상표, 도안, 발명, 설계도면, 비밀공식 및 공정의 이용 또는 그 이용권, 산업, 상업, 과학분야의 설비 사용 또는 그 사용권이나 경험에 관한 정보의 제공으로 받은 대가가 포함된다.

남북 이중과세방지합의서 제10조, 제11조 및 제12조의 제3항은 투자소득(배당금, 이자소득, 사용료)의 범위를 각각 규정하고 있다. 한편, 제11조 제7항에서는 면세 대상 이자소득을 규정하고 있다.

③ 제한세율의 적용 배제

> **제10조 배당금**
> 4. 일방의 거주자인 배당금의 수익적 소유자가 배당금이 발생되는 상대방에 있는 고정사업장 또는 고정시설을 이용하여 사업활동을 하거나 독립적인 인적용역을 제공하면서 고정사업장 또는 고정시설과 실질적으로 관련되어 받은 배당금에 대한 세금의 부과는 이 조항을 적용하지 않고 제7조 또는 제14조를 적용한다.
>
> **제11조 이자소득**
> 4. 일방의 거주자인 이자의 수익적 소유자가 그것이 발생되는 상대방에서 고정사업장 또는 고정시설을 이용하여 사업활동을 하거나 독립적인 인적용역을 제공하면서 고정사업장 또는 고정시설과 실질적으로 관련하여 받은 이자에 대한 세금의 부과는 이 조항을 적용하지 않고 제7조 또는 제14조를 적용한다.

> 제12조 사용료
> 4. 일방의 거주자인 사용료의 수익적 소유자가 그것이 발생하는 상대방에서 고정사업장 또는 고정시설을 통하여 사업활동을 하거나 독립적인 인적용역을 제공하면서 고정사업장 또는 고정시설과 실질적으로 관련하여 받은 사용료에 대한 세금의 부과는 이 조항을 적용하지 않고 제7조 또는 제14조를 적용한다.

남북 이중과세방지합의서 제10조, 제11조 및 제12조의 제4항은 투자소득(배당금, 이자소득, 사용료)에 대한 제한세율의 적용이 배제되는 경우를 규정한 것이다. 상대방 지역에서 고정사업장 또는 고정시설을 이용하여 사업활동을 하면서 투자소득이 그러한 고정사업장 또는 고정시설에 실질적으로 관련되는 경우, 제한세율을 적용하여 원천징수하지 않고 고정사업장의 사업소득(제7조) 또는 고정시설의 독립적 인적용역소득(제14조)으로 과세한다는 것이다.

④ 추적과세의 금지

> 제10조 배당금
> 5. 일방의 거주자인 법인이 상대방의 거주자에게 분배하지 않거나 상대방에 있는 고정사업장 또는 고정시설과 실질적으로 관련되지 않는 이윤을 얻은 경우 그것이 상대방에서 발생되었다 하더라도 분배하지 않은 이윤과 배당금에 대하여는 세금을 부과하지 않는다.

남북 이중과세방지합의서 제10조 제5항은 OECD 및 UN 모델협약 제10조 제5항에서 규정하고 있는 배당소득에 대한 '추적과세의 금지' 규정이다. 추적과세 금지란, 일방체약국의 기업이 타방체약국에 있는 고정사업장 또는 고정시설을 통해 소득을 얻는 경우, 타방체약국은 고정사업장 또는 고정시설 귀속 소득에 대하여 사업소득으로 과세할 수 있으나 외국법인 본사가 내부유보하거나 주주에게 지급하는 배당에 대하여 그 원천이 되는 이윤이 타방체약국에서 발생되었다는 이유만으로 추적하여 과세해서는 안 된다는 것이다. 다만 동 배당이 타방체약국의 거주자인 주주 또는 타방체약국 내에 있는 고정사업장 또는 고정시설에 지급되는 경우에는 과세할 수 있다.[41]

41) OECD 모델협약 제10조 제5항 주석 33.

⑤ 투자소득의 원천지 판단기준

> 제11조 이자소득
> 5. 이자지불자가 일방의 거주자이면 이자는 일방에서 발생된 것으로 인정한다. 그러나 이자지불의무를 지니고 그것을 지불하는 고정사업장 또는 고정시설을 가지고 있는 경우 이자지불자의 거주지에는 관계없이 고정사업장 또는 고정시설이 있는 지역에서 이자가 발생된 것으로 인정한다.
>
> 제12조 사용료
> 5. 사용료 지불자가 일방의 거주자이면 사용료는 일방에서 발생된 것으로 인정한다. 그러나 지불자가 사용료를 지불할 의무를 지니고 그것을 지불하는 고정사업장 또는 고정시설을 가지고 있는 경우 지불자의 거주지에는 관계없이 고정사업장 또는 고정시설이 있는 지역에서 이자가 발생된 것으로 인정한다.

남북 이중과세방지합의서 제11조 및 제12조의 제5항은 이자소득와 사용료에 대한 원천지 판단기준을 규정한 것이다. 이자소득과 사용료소득은 그 지급자의 거주지를 소득원천지로 본다. 하지만 예외적으로, 지급자가 가지고 있는 고정사업장 또는 고정시설이 이자 또는 사용료의 지급의무 발생과 관련이 있고 그러한 이자 또는 사용료를 부담하는 경우, 지급자의 거주지와 관계없이 고정사업장 또는 고정시설 소재지에 원천이 있는 것으로 본다.

⑥ 투자소득에 대한 이전가격세제 (정상가격원칙) 적용

> 제11조 이자소득
> 6. 이자지불자와 수익적 소유자 사이 또는 그들과 다른 개인 또는 법인 사이에 특수관계로 생긴 이자가 그러한 관계가 없이 이루어진 이자보다 더 많은 경우 초과액에 대한 세금의 부과는 이 조항을 적용하지 않고 다른 조항과 일방의 법에 의한다.
>
> 제12조 사용료
> 6. 사용료 지불자와 수익적 소유자 사이 또는 그들과 다른 개인 또는 법인 사이에 이루어지는 특수관계로 생긴 사용료가 그러한 관계가 없이 이루어진 사용료보다 더 많은 경우 초과액에 대한 세금의 부과는 이 조항을 적용하지 않고 다른 조항과 일방의 법에 의한다.

남북 이중과세방지합의서 제11조 및 제12조의 제6항은 이자소득와 사용료에 대한 이전가격세제상의 정상가격원칙을 규정한 것이다. 이러한 내용은 OECD 및 UN 모델협약 제11조 제5항(이자소득) 및 제12조 제4항(사용료)에서 규정하고 있는 내용과 실질적으

로 동일하며, 모델협약 제9조(특수관계기업)의 사례와 유사하다고 할 수 있다.[42)]

특수관계에 기인하여 이자 또는 사용료를 정상가격보다 초과하여 지급할 경우 정상가격에 해당하는 부분까지만 남북 이중과세방지합의서 목적상 이자소득 또는 사용료로 인정하여 제한세율 10%을 적용할 수 있고, 그 초과분은 각각의 성격에 따라 별도로 과세된다.

(5) 재산양도소득

> **제13조 재산양도소득**
> 1. 일방의 거주자가 상대방에 있는 부동산을 양도하여 얻은 소득에 대한 세금은 상대방에서 부과할 수 있다.
> 2. 일방의 거주자가 상대방에 있는 주로 부동산으로 구성된 법인의 주식 및 출자지분을 비롯한 권리를 양도하여 얻은 소득에 대한 세금은 상대방에서 부과할 수 있다.
> 3. 일방의 기업이 상대방에 있는 고정사업장 또는 고정시설을 양도하거나 그곳에 있는 재산의 일부를 양도하여 얻은 소득에 대한 세금은 상대방에서 부과할 수 있다.
> 4. 일방의 거주자가 남북 사이에 운영하는 자동차, 열차, 배, 비행기와 그것에 이용되는 재산을 양도하여 얻은 소득에 대한 세금은 일방에서만 부과한다.
> 5. 앞 항들에서 언급하지 않은 재산을 양도하여 얻은 소득에 대한 세금은 양도자가 거주한 일방에서만 부과한다.

남북 이중과세방지합의서 제13조 제1항에 의하면, 일방의 거주자가 상대방에 소재하는 부동산의 양도로 얻은 소득은 부동산소재지(상대방)에서 과세할 수 있다. 즉 부동산양도소득의 소득원천지는 해당 부동산의 소재지이다. 이는 부동산소득에 대한 제6조 제1항의 규정과 일치하는 것이다.

재산양도소득(재산판매소득)에 대하여 「개성공업지구 세금규정」 제33조 제3항 및 제34조에서는 소득액에서 30%를 공제한 나머지 금액에 10%의 세율을 적용하여 소득지불단위가 공제납부(원천징수납부)한다고 규정하고 있다.

상기 내용은 일방의 거주자가 상대방에 소재하는 부동산을 양도하는 경우만 해당되는 것으로서, 일방의 거주자가 거주지에 소재하는 부동산을 양도하는 경우에는 제5항에 따라 거주지에서만 과세한다.[43)]

---

42) OECD 모델협약 제11조 제6항 주석 33 및 동 제12조 제4항 주석 23.
43) OECD 모델협약 제13조 제1항 주석 22.

제2항은 부동산으로 구성된 법인의 주식 또는 출자지분의 양도소득에 대하여 당해 부동산 소재지에서 과세할 수 있도록 하고 있다. 이는 당해 주식이나 출자지분의 양도가 실질적으로 당해 부동산을 양도하는 것과 마찬가지이므로 부동산양도소득 과세와 동일한 방식을 취한 것이다.

제3항에 의하면, 고정사업장 또는 고정시설, 그것을 구성하는 재산의 일부에 대한 양도소득은 그러한 고정사업장 또는 고정시설의 소재지에서 과세할 수 있다.

남북 이중과세방지합의서 제6조 제2항에 따라 배와 비행기는 부동산에 해당하지 않고 제8조의 수송수단에 해당한다. 이러한 수송수단의 양도는 제8조의 수송소득에 포함되지 않고 제13조 제4항에 따라 재산양도소득에 포함되며, 해당 양도자의 거주지에서만 과세한다. 즉 남한 기업이 남북 사이에 운영하는 수송수단을 양도하여 소득을 얻은 경우 남한에서만 과세한다는 것이다.

마지막으로 제5항에 의하면 기타 재산의 양도소득은 양도자의 거주지에서만 과세된다.

(6) 인적용역소득

인적용역소득에는 독립적 인적용역소득(제14조), 종속적 인적용역소득(제15조), 이사의 보수(제16조), 예술인과 체육인의 소득(제17조), 연금(제18조), 학생과 실습생의 보조금(제19조), 교원과 연구원의 소득(제20조) 등이 있다. 통상 인적용역소득은 용역수행지에 소득원천이 있는 것으로 판단한다.

① 독립적 인적용역소득

> **제14조 독립적 인적용역**
> 1. 일방의 거주자가 상대방에 고정시설을 가지고 있거나 그곳에 12개월 중 한 번 또는 여러 번에 걸쳐 183일 이상 체류하면서 독립적 인적용역과 이와 유사한 활동을 하여 얻은 소득에 대한 세금은 상대방에서 부과할 수 있다.
> 2. 독립적 인적용역에는 과학, 교육, 문화, 예술분야의 전문가와 의사, 변호사, 기술사, 건축가, 회계사들의 독립적 활동이 포함된다.

OECD 모델협약 제14조(독립적 인적용역)는 2000년 4월 29일 삭제되었고, 제7조(사업소득)에 통합되었다. 하지만 UN 모델협약에는 해당 조문이 그대로 남아 있다. UN 모델협약 제14조는 소득원천지인 용역수행지의 과세권을 확대하는 방향으로 규정하고 있는데, 남북 이중과세방지합의서 제14조는 이러한 UN 모델협약의 취지를 반영하고 있다고 판단된다.

남북 이중과세방지합의서 제14조 제1항에 의하면, 상대방에 ① 고정시설을 가지고 소득을 얻거나, ② 12개월 중 183일 이상[44] 체류하면서 활동하여 소득을 얻은 경우, 상대방에서 세금을 부과할 수 있다.

독립적 인적용역이란 고용되지 않고 독립적으로 수행하는 전문직업적 용역을 의미한다. 제14조 제2항에서는 과학, 교육, 문화, 예술분야의 전문가와 의사, 변호사, 기술사, 건축가, 회계사들의 활동을 독립적 인적용역으로서 예시하고 있다.

② 종속적 인적용역소득

제15조 종속적 인적용역
1. 일방의 거주자가 상대방에서 고용의 대가로 받은 급여 및 이와 유사한 보수에 대한 세금은 상대방에서 부과할 수 있다.
2. 일방의 거주자가 상대방에서 고용과 관련하여 지급받은 보수에 대한 세금은 다음의 경우 일방에서만 부과한다.
   가. 수취인이 12개월 중 한번 또는 여러번에 걸쳐 상대방에 183일 이하 체류하는 경우
   나. 보수가 상대방에 거주하지 않는 고용주나 그를 대신하여 지불되는 경우
   다. 보수가 상대방에 가지고 있는 고정사업장 또는 고정시설에 의하여 지불되지 않는 경우
3. 제1항과 제2항에 관계없이 일방의 기업이 남북 사이에 운영하는 자동차, 열차, 배, 비행기에 의한 수송에 종사하여 얻은 보수에 대한 세금은 그 일방에서만 부과한다.
4. 일방의 거주자가 상대방에서 일방의 당국을 위하여 수행하는 용역과 관련하여 지급받은 급료, 임금 및 기타 유사한 보수에 대한 세금은 일방에서만 부과한다.

종속적 인적용역소득은 고용관계 하에서 용역을 제공하고 받는 근로소득을 의미한다. 아래에서 논의하는 이사의 보수, 예술인과 체육인의 소득, 연금, 학생과 실습생의 보조금, 교원과 연구원의 소득 등도 모두 종속적 인적용역소득에 해당하는데, 해당 조문의 규정을 우선적으로 적용하고 그 외의 일반적인 근로소득이 제15조의 적용대상이 된다고 할 수 있다.

남북 이중과세방지합의서 제15조 제1항에 의하면, 종속적 인적용역소득은 원칙적으로 용역수행지에서 과세할 수 있다. 다만, 제2항에 의하면 ① 상대방에 12개월 중 183일 이하 체류하거나 ② 용역수행지인 상대방에 거주하지 않는 자가 보수를 지급하는 경우 또는 ③ 용역수행지인 상대방에 소재하는 고정사업장 또는 고정시설에 의해 부담(지

44) UN 모델협약 제14조 제1항에서는 "해당 과세연도에 183일 초과하는 기간"으로 표현하고 있다.

불)되지 않는 경우에는 상대방이 아닌 거주지에서만 과세한다. 즉 남한 거주자(북한 비거주자)가 북한에서 근로용역을 제공하였으나, 북한에 12개월 중 183일 이하 체류하거나, 남한의 고용주가 보수를 지급하는 경우 또는 북한 소재 고정사업장 또는 고정시설에서 보수를 부담하지 않는 경우, 남한에서만 과세한다는 것이다.

제3항에 의하면, 수송기업에 종사하여 얻는 보수에 대해서는 해당 기업의 거주지에서만 과세한다.[45]

제4항은 정부용역에 대한 규정으로서, OECD 모델협약 및 UN 모델협약 제19조 제1항의 내용을 반영한 것이다. 남한의 거주자가 북한에서 남한 당국을 위하여 수행하는 용역과 관련하여 지급받는 근로소득은 남한에서만 과세한다는 것이다.

③ 이사의 보수

> 제16조 이사의 보수
> 일방의 거주자가 상대방의 거주자로 되어 있는 회사의 이사회 구성원의 자격으로 받은 보수와 기타 지불금에 대한 세금은 상대방에서 부과할 수 있다.

남북 이중과세방지합의서 제16조에 의하면, 이사의 보수는 이사가 소속된 회사의 거주지에서 세금을 부과한다. 즉 남한(북한) 거주자가 북한(남한) 소재 기업의 이사회 구성원 자격으로 받는 보수 등은 북한(남한)에서 과세할 수 있다. 이는 OECD 모델협약 제16조 및 UN 모델협약 제16조 제1항의 내용을 반영한 것이다.

④ 예술인과 체육인의 소득

> 제17조 예술인과 체육인의 소득
> 1. 일방의 거주자인 예술인 또는 체육인이 상대방에서 수행한 활동으로 얻은 소득에 대한 세금은 제14조, 제15조에 관계없이 상대방에서 부과할 수 있다.
> 2. 예술인 또는 체육인이 얻은 소득이 제3자에게 귀속되는 경우 그 소득에 대한 세금은 제7조, 제14조, 제15조에 관계없이 그들의 활동이 수행되는 지역에서 부과할 수 있다.
> 3. 예술인 또는 체육인의 활동이 쌍방 당국의 합의 또는 승인에 따라 수행된 경우에는 그들의 활동이 수행되는 지역에서 세금을 면제한다.

45) 참고로 국제운수기업에 종사하는 선박·항공기 승무원의 근로소득의 경우, 조약에 따라 국제운수기업의 거주지국에서만 과세하는 경우, 승무원의 거주지국에서만 과세하는 경우, 각국의 국내법에 따라 과세하는 경우 등으로 구분된다.

예술인이나 체육인은 단기간 체류하는 경우가 많기 때문에 일반적인 인적용역소득 과세방식으로는 소득원천지, 즉 용역수행지에서 과세되지 않는 경우가 많다. 따라서 남북 이중과세방지합의서 제17조 제1항은 별도의 조문으로 용역수행지인 상대방 지역에서 과세할 수 있도록 한 것이다.

하지만 예술인이나 체육인의 소득을 제3자(연예회사 등)에게 귀속시키는 경우, 동 제3자가 용역수행지에 고정사업장이나 고정시설을 가지고 있지 않다면 과세가 되지 않는다. 이러한 경우에도 용역수행지에서 과세가 될 수 있도록 한 것이 제2항의 규정이다.

제3항의 규정은 제1항 및 제2항의 규정에도 불구하고, 쌍방 당국이 합의하거나 승인한 경우에는 용역수행지에서 면세한다는 내용이다. 예를 들어, 남한(북한)의 예술인이 북한(남한) 지역에서 공연을 하여 북한(남한)에서 대가를 받은 경우, 당국 간 합의나 승인을 조건으로 면세한다는 것이다.

⑤ 연금

> 제18조 연금
> 일방의 거주자가 과거의 고용과 관련하여 받은 연금과 기타 보수에 대한 세금은 일방에서만 부과한다.

거주자의 퇴직연금에 대한 규정이다. 남북 이중과세방지합의서 제18조에서는 모델협약의 취지를 반영하여, 연금수령자의 거주지에서만 과세하도록 하고 있다. 예를 들어, 남한 거주자가 고용관계에 따라 북한에서 근무하고 퇴직하여 퇴직연금을 받게 될 경우 남한에서만 과세한다는 것이다. 남한이 체결한 조세조약도 대부분 거주지국에서만 과세하도록 되어 있으나, 일부 조약에서는 연금발생의 원천이 있는 원천지국에서도 과세할 수 있도록 하고 있다.

⑥ 학생과 실습생의 보조금

> 제19조 학생과 실습생의 보조금
> 상대방의 거주자였던 학생 및 실습생이 일방에 체류하면서 생활보장, 교육, 실습을 위해 받는 보조금 또는 장학금, 일방의 밖으로부터 보내온 금액에 대한 세금은 일방에서 면제한다.

OECD 모델협약 제20조 및 UN 모델협약 제20조 제1항의 내용과 실질적으로 동일한 내용이다. 남한(북한) 거주자였던 학생 및 실습생이 생활보장, 교육, 실습만을 위해 북한(남한)에 체류하면서, 체류하는 지역인 북한(남한) 이외 원천으로부터 받는 보조금 등에 대해서는 북한(남한)에서 면세한다는 것이다. 하지만 체류하는 지역의 원천으로부터 발생된 소득은 과세된다.

⑦ 교원과 연구원의 소득

> 제20조 교원과 연구원의 소득
> 1. 상대방의 거주자였던 개인이 학술연구기관, 대학, 기타 공인된 교육기관의 초청으로 일방에 체류하면서 학술연구용역, 교수용역을 수행하여 받은 보수에 대한 세금은 그가 도착한 날부터 2년간 일방에서 면제한다.
> 2. 학술연구 및 교수용역이 공적이익이 아니라 사적이익을 위한 것이라면 제1항을 적용하지 않는다.

모델협약에는 방문교수 등에게 지급된 보수에 대하여 특별한 조문을 두고 있지 않고,[46) 모델협약 제15조의 근로소득(종속적 인적용역소득) 조문이 적용된다. 하지만 남한이 체결한 대부분의 조세조약에서는 교수에 대하여 면세규정을 별도의 조문으로 두고 있고, 남북 이중과세방지합의서 제20조는 이러한 남한의 조세조약의 내용과 유사한 것이다.

교수나 연구원의 교류는 문화적, 학술적 교류를 촉진하기 위한 것으로서, 남한(북한) 거주자인 교수 또는 연구원이 북한(남한)의 학술연구기관, 대학 등의 초청으로 북한(남한)에 체류하면서 학술연구용역, 교수용역을 수행하여 받은 보수는 북한(남한)에 도착한 날부터 2년간 북한(남한)에서 면세한다. 다만 이러한 연구 또는 교수용역이 사적이익을 위한 것이라면 과세대상이 된다.

(7) 기타소득

> 제21조 기타소득
> 1. 앞 조항들에서 규정하지 않은 소득을 일방의 거주자가 얻은 경우 그에 대한 세금은 소득이 발생된 지역에 관계없이 일방에서만 부과한다.
> 2. 일방의 거주자인 수익적 소유자가 상대방에서 고정사업장 또는 고정시설을 통하여 사업활동을 하거나 독립적 인적용역을 제공하면서 얻은 소득이 그 고정사업장 또는 고정시설과 실질적으로 관련되는 경우에는 제1항을 적용하지 않고 제7조 또는 제14조에 의해 세금을 부과한다.

46) OECD 모델협약 제15조 주석 11.

남북 이중과세방지합의서 제21조는 OECD 모델협약 제21조의 규정과 실질적으로 동일한 취지의 내용을 담고 있다. 남북 이중과세방지합의서 제21조 제1항에 의하면, 동 합의서에서 규정하지 않은 소득은 소득원천지에 관계없이 소득을 얻은 자의 거주지에서만 과세하도록 하고 있다. 다만, 제21조 제2항에 따라 해당 소득이 고정사업장 또는 고정시설과 실질적으로 관련되는 경우에는 제7조(사업소득) 또는 제14조(독립적 인적용역소득)으로 과세한다.

라. 이전가격세제

> 제9조 특수관계기업이윤
>
> 1. 다음의 특수한 조건으로 상업적 및 재정적 관계가 다른 독립적인 기업들 사이의 관계와 다르게 이루어지는 기업들 가운데서 어느 한 기업에 생기는 이윤에 대한 세금은 그러한 조건들이 생기지 않을 경우에 생기는 이윤을 고려하여 부과할 수 있다.
>   가. 일방의 기업이 상대방의 기업에 출자하거나 경영관리에 직접 또는 간접적으로 참가하는 경우
>   나. 쌍방의 기업이 공동으로 일방 또는 상대방에 있는 다른 기업에 출자하거나 경영관리에 직접 또는 간접적으로 참가하는 경우
> 2. 상대방의 기업이 상대방에서 세금을 납부한 이윤을 일방 기업의 이윤에 포함시켜 세금을 납부하게 되는 경우 일방은 이 두 기업의 관계가 서로 독립적인 기업들 사이의 관계와 같으면 그 이윤에 부과되는 세금으로 조정할 수 있다. 이 경우 합의서의 다른 조항들을 고려하여 필요에 따라 쌍방의 권한있는 당국들이 협의한다.

남북 이중과세방지합의서 제9조 제1항은 이전가격 과세에 있어서 국제적으로 적용되는 '정상가격원칙(arm's length principle)'을 규정한 것이다.

이와 관련하여, 북한의 관련 법규로는 「개성공업지구 기업재정규정시행세칙」 제89조(특수관계자와의 위탁가공비계산), 북한이 2012년 7월 18일 수정보충하여 통보한 「개성공업지구 세금규정시행세칙」 제119조 제8항 (가격조작에 의한 탈세행위시 세액의 200배 벌금 부과), 동 제9조 제8항 (제품의 단가 변동표 및 산정 근거서류를 제출 요구 및 세무소의 추정판단 등) 등이 있다. 이에 대한 구체적인 논의는 「제8편 제1장 6. 북한의 이전가격세제」 부분을 참조하기 바란다.

남북 이중과세방지합의서 제9조 제2항에서는, 북한(남한)에서 정상가격에 따라 과세소득을 조정(1차 조정)하여 과세할 경우, 남한(북한)에서 이에 대응하여 과세소득을 감

액조정하여 이중과세를 방지하는 대응조정(corresponding adjustment)에 대하여 규정하고 있다. 이러한 대응조정은 필요에 따라 권한있는 당국 간에 '협의'한다고 규정하고 있는데, 이는 상호합의절차를 의미하는 것으로 보인다.

마. 이중과세방지방법

> 제22조 이중과세방지방법
> 1. 일방은 자기 지역의 거주자가 상대방에서 얻은 소득에 대하여 세금을 납부하였거나 납부하여야 할 경우 일방에서는 그 소득에 대한 세금을 면제한다. 그러나 이자, 배당금, 사용료에 대하여는 상대방에서 납부하였거나 납부하여야 할 세액만큼 일방의 세액에서 공제할 수 있다.
> 2. 일방은 자기 지역의 거주자가 상대방에서 얻은 소득에 대한 세금을 법이나 기타 조치에 따라 감면 또는 면제받았을 경우 세금을 전부 납부한 것으로 인정한다.

북한이 다른 나라와 체결한 조세조약은 표현 방식은 다소 차이가 있지만 이중과세방지방법으로서 대체로 외국납부세액공제 방법을 채택하고 있다. 또한 북한 국내 법규에서도 주로 개인소득세에 대하여 외국납부세액공제를 대표적인 이중과세방지방법으로 포함하고 있다. 이에 대한 구체적인 논의는 「제8편 제1장 5. 북한의 이중과세방지방법」 부분을 참조하기 바란다.

이러한 내용과 달리, 남북 이중과세방지합의서 제22조 제1항에서는 국외소득면제방법을 채택하고 있고, 이자, 배당, 사용료에 대해서만 외국납부세액공제 방법을 채택하고 있다.

한편, 제22조 제2항에서는 간주외국납부세액공제 방식을 도입하여, 남측 투자가가 얻는 북한 원천의 소득에 대하여 북한에서 세금을 감면 또는 면제받았을 경우, 남한에서 이를 전부 납부한 것으로 간주하여 세액공제를 적용한다. 이를 통해 북한에서의 조세감면효과가 실질적으로 남측의 투자가에게 귀속될 수 있도록 함으로써, 남측의 북한 투자를 촉진시키고자 한 것이다.

바. 차별금지

> 제23조 차별금지
> 1. 일방은 같은 조건에 있는 상대방의 거주자에게 자기 지역의 거주자보다 불리한 세금을 부과하지 않는다.
> 2. 일방은 고정사업장을 가지고 있는 상대방 기업에게 그와 동일한 사업활동을 하는 자기의 기

업보다 불리한 세금을 부과하지 않는다. 이 조항은 일방이 자기의 거주자처럼 상대방의 거주자에게도 세금을 공제, 감면, 면제하여 줄 의무를 지니는 것으로 해석하지 않는다.
3. 일방의 기업이 자기 지역의 거주자에게 지급하는 이자, 사용료와 이와 유사한 지급금을 그 기업의 이윤계산에서 공제하면 상대방 거주자에게 지불하는 경우에도 같은 조건으로 공제한다. 그러나 제9조 제1항, 제11조 제6항, 제12조 제6항의 규정이 적용되는 경우에는 제외한다.
4. 재산의 전부 또는 일부가 상대방의 한명 또는 그 이상의 거주자에 의하여 직접 또는 간접으로 소유 또는 지배되는 경우 일방의 기업은 그와 유사한 일방의 다른 기업보다 더 불리한 과세대상으로 되지 않는다.
5. 이 조는 제3조에 규정된 세금들에만 해당된다.

남북 이중과세방지합의서 제23조는 OECD 및 UN 모델협약 제24조와 실질적으로 동일한 취지의 내용이라고 할 수 있다. 모델협약에서는 국적에 의한 과세상 차별금지, 고정사업장에 대한 과세상 차별금지, 비용공제의 과세상 차별금지, 외국인투자기업에 대한 과세상의 차별금지 등을 규정하고 있다.

남북 이중과세방지합의서 제1항은 모델협약의 국적에 의한 차별금지를 반영하여 남측과 북측의 '지역에 의한 과세상 차별금지'를 규정한 것이다.

제2항은 고정사업장에 대한 차별금지를 규정한 것이다. 두 번째 문장은 일방의 거주자인 '개인'에게 부여하는 인적공제, 감면, 면제를 상대방 거주자에게도 부여할 의무는 없다는 모델협약의 내용을 반영한 것인데,[47] 표현이 축약된 것으로 보인다.

제3항은 모델협약의 비용공제 차별금지 규정을 반영하여, 일방 지역의 기업이 이자, 사용료 등의 지급금을 일방 지역 거주자나 상대방 지역 거주자에게 지급할 경우, 이윤계산시의 비용공제에 있어서 차별없이 처리하여야 한다는 것이다. 하지만 남북 이중과세방지합의서 제9조 제1항, 제11조 제6항 및 제12조 제6항에 규정된 정상가격원칙의 적용에 의하여 비용공제가 달라질 수는 있다.

제4항은 모델협약의 외국인투자기업에 대한 과세상의 차별금지 규정을 반영한 것이다. 남측이 투자한 기업에 대하여 북측에서 유사한 다른 기업보다 과세상 불리하게 취급하면 안 된다는 것이다.

제5항은 모델협약의 내용과 다르다. OECD 모델협약 제24조 제6항 또는 UN 모델협약 제24조 제7항에서는 조세조약상 대상조세 규정에 불구하고 모든 종류 및 명칭의 조세에 적용된다고 규정하고 있다. 하지만 남북 이중과세방지합의서 제5항에서는 제3조

47) OECD 모델협약 제24조 제3항 주석 22.

에 규정된 소득세 및 소득에 대한 지방세에 국한하여 상기 차별금지 규정을 적용한다고 규정하고 있다. 참고로 남한의 조세조약은 차별금지 규정을 모든 조세에 대하여 적용하는 경우와 해당 조약상의 대상조세에 국한하여 적용하는 경우로 구분된다.

사. 합의절차

> 제24조 합의절차
>
> 1. 개인 또는 법인은 합의서와 어긋나게 세금을 부과하거나 부과할 것으로 예견되는 경우 거주한 지역의 권한있는 당국에 의견을 제기할 수 있다. 의견의 제기는 해당 사실을 알게 된 때로부터 3년안으로 하여야 한다.
> 2. 의견을 제기받은 권한있는 당국은 제기된 문제를 자체적으로 해결할 수 없을 경우 상대방의 권한있는 당국과 합의하여 해결한다.
> 3. 합의서의 해석과 적용, 이중과세방지와 관련하여 제기되는 문제는 쌍방의 권한있는 당국 또는 남북장관급회담과 그가 정한 기구가 협의하여 해결한다.

남북 이중과세방지합의서 제24조는 조세분쟁에 대한 해결절차로서 상호합의절차(mutual agreement procedures; MAP)를 규정한 것이다. 해당 내용은 통상적인 조세조약과 달리 축약되어 있고, 남북 간의 특수성을 반영하여 '남북장관급회담과 그가 정한 기구'를 추가적인 상호합의 당사자로 포함하고 있다. 이는 다른 조세조약 체결과정과 달리, 통일부 장관을 수석대표로 한 2000년 제4차 남북장관급회담에서 투자보장, 청산결제, 상사분쟁해결에 관한 합의서와 함께 채택된 것과 관련이 있다고 판단된다. 이와 관련하여 보다 구체적인 논의는 「제8편 제1장 7. 북한의 상호합의절차」 부분을 참조하기 바란다.

남북 이중과세방지합의서 제24조 제1항에 의하면 합의서와 어긋나게 세금을 부과하거나 부과할 것으로 예견되는 경우 해당 사실을 알게 된 때로부터 3년 안에 거주지의 권한있는 당국에 의견을 제기할 수 있고, 이 경우 제2항에 따라 상대방의 권한있는 당국과 합의하여 해결한다고 규정하고 있다. 상호합의의 대상에는 제1항에 규정된 합의서에 위배되는 조세부과, 제3항에 규정된 합의서의 해석과 적용, 이중과세방지 관련 문제 등이 있다.

또한 남북 이중과세방지합의서 제4조 제4항에서는 개인 또는 법인이 쌍방의 거주자로 되는 경우 거주자 판정 문제에 대한 권한있는 당국 간 상호 '협의'를 규정하고 있고, 제9조 제2항에서는 정상가격에 의한 과세소득 조정에 대한 상대방의 대응조정과 관련하여 권한있는 당국 간 '협의'를 규정하고 있다. 표현은 '협의'라고 되어 있지만, 실질적으로는 상호합의절차를 의미하는 것으로 보인다.

아. 정보교환

제25조 정보교환
1. 쌍방의 권한있는 당국은 이 합의서의 이행과 관련되는 세금관계법령을 비롯한 기타 정보를 상호 제공한다.
2. 입수한 정보는 이 합의서에 따라 세금을 부과하거나 징수하며 분쟁을 해결하는 목적에만 이용한다.
3. 일방은 법률적 및 행정적 조치와 공공질서에 배치되는 정보를 상대방에게 요구하지 않는다.

남북 이중과세방지합의서 제25조 제1항은 권한있는 당국 간의 합의서 이행 관련 정보의 상호교환에 대하여 규정하고 있다. 제2항은 해당 정보의 이용목적을 조세의 부과·징수 및 분쟁해결로 제한하고 있다. 제3항은 법률적·행정적 조치와 공공질서에 배치되는 정보는 요구할 수 없다는 정보교환의 한계를 규정하고 있다. 이러한 정보교환에 대한 규정은 남한이 체결한 대부분의 조세조약에도 포함되어 있다.

자. 수정·보충, 효력발생 및 유효기간

제26조 수정·보충
필요한 경우 쌍방은 합의에 의하여 합의서를 수정·보충할 수 있다. 수정·보충되는 조항은 제27조와 같은 절차를 거쳐 발효된다.

제27조 효력발생
1. 합의서는 남과 북이 서명하고 각기 발효에 필요한 절차를 거쳐 그 문본을 교환한 날로부터 효력을 발생한다.
2. 합의서는 다음과 같이 적용한다.
   가. 원천징수되는 세금에 관하여서는, 이 합의서가 발효되는 연도의 다음해 1월 1일 이후에 발생되는 소득의 금액
   나. 기타의 세금에 관하여는 이 합의서가 발효되는 연도의 다음해 1월 1일 이후에 개시하는 과세연도부터

제28조 유효기간
1. 합의서는 일방이 폐기를 제기하지 않는 한 효력을 가진다. 합의서를 폐기하려는 일방은 합의서가 효력을 발생한 때로부터 5년이 지난 다음 임의의 해의 6개월 전에 효력을 중지한다는 것을 상대방에 통지할 수 있다.
2. 합의서가 폐기되면 다음의 사항들은 효력이 중지된다.
   가. 원천징수되는 세금에 관하여서는, 합의서의 종료 통고가 있는 해의 다음해 1월 1일 이후

에 발생되는 소득의 금액

나. 기타의 세금에 관하여는, 합의서의 종료 통고가 있는 해의 다음해 1월 1일 이후에 개시하는 과세연도부터

제27조부터 제28조까지의 내용은 남북 이중과세방지합의서 자체의 수정보충, 발효, 적용 및 종료에 대하여 규정하고 있다. 남북 이중과세방지합의서는 2003년 8월 20일에 남북이 서로 문본을 교환함으로써 제27조 제1항에 따라 발효되었고, 제2항에 따라 2004년 1월 1일부터 적용되었다.

차. 남측 및 북측 용어 비교

남측과 북측이 사용하는 용어를 비교하면 다음과 같다(남북 이중과세방지합의서 〈부록〉).

<표 8-4> 남측 및 북측 용어 비교

남측	북측	남측	북측
고정사업장	고정영업장	발생	조성
사업활동	경영활동	수익적 소유자	수익자
영위	진행	국채	정부유가증권
인적용역을 제공	봉사활동을 진행	사용료	지적소유권사용료
권한있는 당국	해당기관	대가	료금
거주자 판정	거주자 확정	독립적 인적용역	전문봉사활동
주소, 거소, 관리장소	거류지, 거주지, 운영지	변호사, 기술사, 회계사	법률가, 공학가, 부기원
생활하는 주거	생활하는 살림집	급여	로임
실질적인 관리장소	실제적인 경영지	지급받은 보수	로동의 대가로 받은 보수
건축장소, 건설, 설치, 조립공사	건설장, 설치, 조립장	수취인	수납인
재화	물품	귀속	이전
지배관계	종속관계	교원과 연구원의 소득	교원과 연구사의 소득
독립적 인적용역을 수행이용	독자적인 개인봉사활동 리용	학술연구기관	과학연구기관
컨테이너	집함	학술연구용역	학술연구사업
국제적인 경영체	국제적인 운영체	지배	관리
조정	조절		

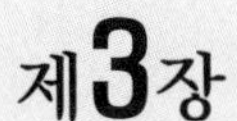

제3장 남북 거래에 대한 남한 세법의 적용

1 「남북교류협력에 관한 법률」에 의한 남한 세법 준용

남북한의 거래는 국가 간의 거래가 아닌 민족내부의 거래로 보며, 남북교류협력을 목적으로 하는 행위에 관하여는 「남북교류협력에 관한 법률」의 목적 범위에서 다른 법률에 우선하여 동 법률을 적용한다(「남북교류협력에 관한 법률」 제12조 및 제3조).

물품, 용역 및 전자적 형태의 무체물[48](이하 "물품 등")의 반출이나 반입과 관련된 조세에 대하여 관련 법률의 목적을 달성하고 남북교류협력을 촉진하기 위하여 필요한 범위에서 조세의 부과·징수·감면 및 환급 등에 관한 법률을 준용한다(「남북교류협력에 관한 법률」 제26조 제2항 및 동 시행령 제41조 제1항).

남한과 북한 간의 투자, 물품 등의 반출이나 반입, 그 밖에 경제에 관한 협력사업과 이에 따르는 거래에 대하여, 남한의 「법인세법」, 「소득세법」, 「조세특례제한법」, 「수출용원재료에 대한 관세 등 환급에 관한 특례법」, 「관세법」, 「국세기본법」, 「국세징수법」, 「부가가치세법」, 「개별소비세법」, 「주세법」, 「교육세법」 등 관련 세법을 준용한다(「남북교류협력에 관한 법률」 제26조 제3항 및 동 시행령 제41조 제3항).

「남북교류협력에 관한 법률」에 의한 남한 세법 준용에 대한 내용을 정리하면 다음과 같다.

가. 소득세 등

(1) 남한과 북한 간의 투자, 물품 등의 반출·반입, 그 밖에 경제 분야의 협력사업 및 이에 수반되는 거래로부터 발생하는 소득에 대한 조세의 부과·징수·감면 및 환급 등에 관하여는 남한의 「법인세법」, 「소득세법」 및 「조세특례제한법」을 준용한다. 이 경우 **북한에 물품 등을 반출하는 것은 수출 또는 외화획득사업으로 보며, 북한으로부터 물품 등이 반입되는 것은 수입으로 보지 아니한다.**(「남북교류협력에 관한 법률」 시행령 제44조 제1항)

(2) 「소득세법」을 준용할 때 북한에서 소득이 있는 남한주민의 소득에 대하여 소득세 부과의 특례를 인정하는 경우에는 남한에서 소득이 있는 북한주민의 소득에 대하여

48) 「대외무역법」 시행령 제3조 및 제4조에 규정된 '용역' 및 '전자적 형태의 무체물'을 의미한다.

그와 동등한 특례를 인정할 수 있다(「남북교류협력에 관한 법률」 시행령 제44조 제2항). 즉 상호주의를 적용한다.

(3) 남북교류협력으로 발생하는 소득에 대한 과세에 대하여 정부와 북한의 당국 간의 합의가 있는 때에는 상기 (1)에 따른 「소득세법」의 전부 또는 일부를 준용하지 아니할 수 있다(「남북교류협력에 관한 법률」 시행령 제44조 제3항).

나. 부가가치세 등

(1) **북한으로부터 반입되는 물품 등은 「부가가치세법」에 따른 재화 또는 용역의 공급으로 보아** 「부가가치세법」을 준용한다. 이 경우 물품에 대해서는 세관장이 관세징수의 예에 따라 부가가치세를 징수하며, 용역에 대해서는 「부가가치세법」 제52조의 대리납부 규정을 준용한다.(「남북교류협력에 관한 법률」 시행령 제42조 제1항)

(2) 북한으로부터 반입되는 물품이 개별소비세, 주세 및 교통 · 에너지 · 환경세의 과세대상인 경우 출입장소로부터 해당 물품이 반출되는 때를 보세구역으로부터 반출되는 것으로 보아 「개별소비세법」, 「주세법」 또는 「교통 · 에너지 · 환경세법」을 준용한다(「남북교류협력에 관한 법률」 시행령 제42조 제2항).

(3) 북한으로 반출되는 물품 등(해당 선박 또는 항공기에서 판매되는 물품 제외)은 수출품목으로 보아 「지방세법」, 「부가가치세법」, 「개별소비세법」, 「주세법」 또는 「교통 · 에너지 · 환경세법」을 준용한다. 다만 물품 등 중에서 용역 및 전자적 형태의 무체물은 「지방세법」 및 「부가가치세법」만 준용한다.(「남북교류협력에 관한 법률」 시행령 제42조 제3항)

(4) **북한에서 제공되는 용역 및 선박 · 항공기의 북한항행용역은 이를 각각 국외제공용역 또는 외국항행용역으로 보아** 「지방세법」 및 「부가가치세법」을 준용한다. 다만, 해당 선박 또는 항공기에서 운행요금 외에 별도로 대가를 받고 제공되는 용역에 대하여는 그러하지 아니하다.(「남북교류협력에 관한 법률」 시행령 제42조 제4항)

다. 관세

(1) 「관세법」의 목적을 달성하고 남북교류협력을 촉진하기 위하여 필요한 범위에서 「관세법」을 준용하지만, 물품 등의 반입 · 반출에 따른 관세의 부과 · 징수 · 감면 및 환급

등에 관한 규정은 준용하지 않는다(「남북교류협력에 관한 법률」 시행령 제41조 제1항 및 제3항 제1호).

(2) 물품 등의 반출은 「수출용원재료에 대한 관세 등 환급 특례법」 제2조에 따른 "수출 등"으로 보아 수출용원재료를 수입하는 때 납부하였거나 납부할 관세 등을 환급하지만, 반출되는 물품 등이 북한에서 제조·가공 등의 공정을 거쳐 남한으로 다시 반입되는 경우에는 환급하지 않는다(「남북교류협력에 관한 법률」 시행령 제41조 제4항).

(3) 남한과 북한을 왕래하는 선박 또는 항공기는 「관세법」 제2조에 따른 "외국무역선" 또는 "외국무역기"로 보지만, 선박 또는 항공기에서 판매할 목적으로 외국물품을 적재하는 경우에는 그러하지 아니하다(「남북교류협력에 관한 법률」 시행령 제41조 제5항).

(4) 원산지가 북한인 물품 등을 반입할 때에는 「관세법」에 따른 과세 규정과 다른 법률에 따른 수입부과금에 관한 규정을 준용하지 않는다(「남북교류협력에 관한 법률」 제26조 제2항 단서).

라. 휴대품 등에 대한 과세특례

(1) 출입장소를 통하여 북한에서 남한으로 들어오는 사람의 휴대품·별송품으로서 관계 행정기관의 장이 정하여 고시[49)]하는 물품 등에 대해서는 일반적인 물품 반입과 달리 관세·부가가치세·개별소비세·주세 및 교통·에너지·환경세를 부과하지 아니한다(「남북교류협력에 관한 법률」 시행령 제43조 제1항).

(2) 북한에서 남한을 방문하는 사람에 대하여는 외국인 관광객에 준하여 「부가가치세법」 및 「개별소비세법」의 감면규정을 준용한다(「남북교류협력에 관한 법률」 시행령 제43조 제2항).

마. 주요 과세취급 요약

「남북교류협력에 관한 법률」에 따른 남북 거래에 대한 주요 과세상의 취급을 간략히 요약하면 다음과 같다.

---

49) 「남북한왕래자 휴대품통관에 관한 고시」(관세청 고시)

<표 8-5> 남북 거래에 대한 과세취급

남북 거래	관련 세법	과세취급
남한 ⇨ 북한 (물품 등 반출)	「법인세법」, 「소득세법」, 「조세특례제한법」	수출 또는 외화획득사업으로 봄.
	「부가가치세법」	수출로 보아 영세율 적용. (선박 항공기에서 판매되는 물품 제외)
	「관세법」	「관세법」 준용하지만, 관세의 부과 · 징수 · 감면 · 환급 등 규정은 준용안함.
	「수출용원재료에 대한 관세등 환급 특례법」	수출로 보아 관세환급 (반출물품이 북측에서 제조 · 가공후 남측에 재반입되는 경우 관세환급 제외)
북한 ⇨ 남한 (물품 등 반입)	「법인세법」, 「소득세법」, 「조세특례제한법」	수입으로 보지 않음.
	「부가가치세법」	재화와 용역의 공급 (용역은 대리납부 규정 적용)
	「관세법」	「관세법」 준용하지만, 관세의 부과 · 징수 · 감면 · 환급 등 규정은 준용안함. 북한원산지 물품에 대해 「관세법」 과세규정 준용 안함.
북한 ⇨ 남한 (방문하는 사람)	「부가가치세법」, 「개별소비세법」	외국인 관광객에 준하여 감면규정 적용
	「남북한왕래자 휴대품 통관에 관한 고시」	방문자의 휴대품, 별송품 중 고시 품목은 관세, 부가가치세, 개별소비세, 주세 및 교통세 과세 제외
북한에서 제공되는 용역	「부가가치세법」	국외제공용역으로 보아 영세율 적용 (운행요금 외에 별도 대가를 받고 제공되는 용역 제외)
선박 · 항공기의 북한항행용역	「부가가치세법」	외국항행용역으로 보아 영세율 적용 (운행요금 외에 별도 대가를 받고 제공되는 용역 제외)

자료: 「남북교류협력에 관한 법률」 및 관련 세법을 기초로 저자 작성.

2 「소득세법」 규정 등

「남북교류협력에 관한 법률」에 따른 북한 지역에서 근로를 제공하고 받는 보수 중 월 100만원 이내의 금액에 대해서는 소득세를 과세하지 아니한다(「소득세법」 제12조 제3호 거목; 동 시행령 제16조 제1항 제1호). 또한 남한 거주자가 북한에서 얻은 소득에 대하여 북한에서 세금을 납부하였거나 납부하여야 할 경우 남한에서 그 소득에 대한 세금을 면제한다(「남북 사이의 소득에 대한 이중과세방지합의서」 제22조 제1항).

3 「개성공업지구 지원에 관한 법률」 규정

「개성공업지구 지원에 관한 법률」 제16조(조세 감면)에 의하면, 정부는 개성공업지구에 투자를 장려하기 위하여 개성공업지구에 투자한 남한주민에게 필요한 경우에는 「조세특례제한법」으로 정하는 바에 따라 조세를 감면할 수 있다. 하지만, 현재까지 「조세특례제한법」에 별도의 규정이 포함되지 않았다.

참고문헌

1 북한문헌

가. 단행본

리경철, 『사회주의법제정리론』, 평양: 사회과학출판사, 2010.

정철원, 『조선투자법안내(310가지 물음과 답변)』, 평양: 법률출판사, 2007.

조선경제개발협회, 『조선민주주의인민공화국 특수경제지대』, 평양: 외국문출판사, 2019.

조선대외경제투자협력위원회 편찬, 『조선민주주의인민공화국 투자안내』, 평양: 외국문출판사, 2016.

나. 논문

강정남, "공화국외국투자관계법에 대한 리해," 『김일성종합대학학보: 력사·법률』, 제62권 제2호, 2016.

권룡천, "소득에 대한 국제2중과세방지협정체결에서 나서는 원칙적요구," 『경제연구』, 2003년 제1호.

김광민, "공화국대외세법제도의 특징에 대하여," 『사회과학원학보』, 2016년 제1호.

______, "공화국대외세법제도의 본질적내용," 『사회과학원학보』, 2016년 제2호.

김두선, "소득과세와 그 특징," 『경제연구』, 2007년 제3호.

김성호, "국제세금징수협정의 본질," 『정치법률연구』, 2015년 제2호.

______, "공화국 대외세법의 공정성," 『김일성종합대학학보: 력사·법률』, 제59권 제3호, 2013.

김수성, "투자유치를 위한 세금제도수립에서 나서는 몇가지 문제," 『경제연구』, 2011년 제3호.

김일성, "남남협조와 대외경제사업을 강화하며 무역사업을 더욱 발전시킬데 대하여"(조선민주주의인민공화국 최고인민회의 결정, 1984년 1월 26일), 『사회주의경제 관리 문제에 대해서』 제6편, 조선로동당출판사, 1996.

리수경, “우리나라에서 외국투자기업 및 외국인세금제도가 가지는 의의,” 『경제연구』, 1997년 제4호.
박성일, “국제세무관계에서 2중과세의 발생원인,” 『경제연구』, 2014년 제3호.
박철민, “국제세무분야에서 적용되고 있는 소득원천지확정기준,” 『경제연구』, 2014년 제3호.
박현수, “경제개발구에서 세금특혜의 적용,” 『사회과학원학보』, 2019년 제3호.
방철진, “법률적이중과세의 발생원인,” 『정치법률연구』, 2013년 제1호.
심명호, “외국세액공제와 그 적용에서 나서는 몇가지 문제,” 『경제연구』, 2013년 제1호.
음철, “새 세기 기술수단의 도덕적마멸의 특징,” 『경제연구』, 2011년 제4호.
전일, “세금회피의 본질과 주요방식,” 『정치법률연구』, 2011년 제4호.
조종민, “현대자본주의기업회계제도의 특징과 기만성,” 『경제연구』, 2007년 제4호.
함수향, “국제세무에서 외국세액공제와 세금특혜의 효과적인 적용방법,” 『경제연구』, 2017년 제3호.
황한욱, “세계적판도에서 높은 리윤을 얻기 위한 다국적기업들의 악랄한 경영전략,” 『경제연구』, 2010년 제4호.

다. 사전, 법전, 법규집, 공보 등

북조선인민위원회, 『법령공보』, 1947년 제21호.
사회과학원 경제연구소, 『경제사전 1』, 평양: 사회과학출판사, 1970.
사회과학원 주체경제학연구소, 『경제사전 1』, 평양: 사회과학출판사, 1985.
조선민주주의인민공화국, 『내각공보』, 1949년 제1호.
『재정법규집』, 평양: 재정성기관지 편집부, 1950.
『조선말사전(제2판)』, 평양: 과학백과사전출판사, 2010.
『조선민주주의인민공화국 개성공업지구 법규집』, 평양: 법률출판사, 2005.
『조선민주주의인민공화국 법규집(라선경제무역지대부문)』, 평양: 법률출판사, 2016.
『조선민주주의인민공화국 법규집(외국투자기업재정관리부문)』, 평양: 법률출판사, 2019.
『조선민주주의인민공화국 법전(증보판)』, 평양: 법률출판사, 2016.

라. 국내발행 북한자료

국가정보원 엮음, 『북한법령집 상』, 국가정보원, 2020.
국가정보원 엮음, 『북한법령집 하』, 국가정보원, 2020.

장명봉 편, 『최신 북한법령집』, 북한법연구회, 2015.
정경모 · 최달곤 공편, 『북한법령집 제2권』, 대륙연구소, 1990.

2 국내문헌

가. 단행본

김완석 · 정지선, 『소득세법론 (개정 23판)』, 삼일인포마인, 2017.
김준석 · 권오영, 『개성공업지구 세무회계』, 삼일인포마인, 2014.
박영자, 『김정은 시대 조선노동당의 조직과 기능: 정권 안정화 전략을 중심으로』, 통일연구원, 2017.
법무부 통일법무과, 『통일법무 법령집 - 법령 및 남북합의서』, 2019.
법무부 통일법무과, 『통일법무 기본자료 (북한법제)』, 2018.
법무부 통일법무과, 『북한형법 주석 2014』, 2015.
이경근 · 서덕원 · 김범준, 『국제조세의 이해와 실무 (개정2판)』, ㈜영화조세통람, 2014.
이석기 · 권태진 · 민병기 · 양문수 · 이동현 · 임강택 · 정승호, 『김정은 시대 북한 경제개혁 연구 - '우리식 경제관리방법'을 중심으로』, 산업연구원, 2018.
이용섭 · 이동신, 『국제조세 (개정 제12판)』, 세경사, 2011.
이창희, 『국제조세법』, 박영사, 2015.
임승순, 『조세법 (제20판)』, 박영사, 2020.
장소영, 『북한 경제와 법 - 체제전환의 비교법적 분석』, 경인문화사, 2017.
최선집, 『국제조세법 강론』, ㈜영화조세통람, 2014.
최정욱, 『북한 세금관련 법제의 변화』, 도서출판 선인, 2021.
______, 『북한의 회계법제 분석과 전망: 대외경제부문을 중심으로』, 한국법제연구원, 2021.
통일부, 『남북대화』(1999.10~2001.4) 제67호.
통일부 교류협력기획과, 『남북교류협력에 관한 법률 해설집』, 2009.
통일부 국립통일교육원, 『2022 북한 이해』, 2022.
하세정 · 김영윤 · 한명섭, 『북한 특수경제지대 조세제도 현황과 개선 방안』, 한국조세재정연구원, 2020.
한명섭, 『통일법제 특강 (개정증보판)』, 한울아카데미, 2019.

나. 논문

권은민・이지현, "북한의 조세불복절차로서의 신소제도," 『조세실무연구』, 제10권, 김・장법률사무소, 2019.

유현정, "김정은 시기 북한 경제특구정책의 변화와 개성공단 재개에 주는 함의," 『북한학보』, 제43집 1호, 2018.

______, "북한 경제특구 법제 연구," 이화여자대학교 박사학위 논문, 2008.

이효원, "법제도적 공간으로서의 개성공단," 『개성공단』, 진인진, 2015.

최정욱, "북한 투자와 조세구제제도 - 신소제도와 상호합의절차를 중심으로," 『조세학술논집』, 제35집 제3호, 2019.

______, "북한 대외세법의 현황과 개선방안," 『통일과 법률』, 통권 제46호, 법무부, 2021.

한상국, "북한의 금강산국제관광특구에서의 세금문제: "세금규정"의 평가와 전망," 『조세연구』, 제13권 제2집, 2013.

______, "개성공업지구의 조세구제제도 개선방안 - 사전구제제도의 도입을 중심으로," 『조세연구』, 제11권 제3집, 2011.

3 기타

대법원 2012. 10. 11. 선고 2012두12532 판결; 청주지법 2011. 6. 9. 선고 2010구합2024 판결.

https://ko.dict.naver.com; 네이버 국어사전.

http://nl.go.kr; 국립중앙도서관.

https://www.pajak.go.id/id/p3b/korea-utara; 인도네시아 재무부.

부 록

외국투자기업 및 외국인세금법*

주체82(1993)년 1월 31일 최고인민회의 상설회의 결정 제26호로 채택
주체88(1999)년 2월 26일 최고인민회의 상임위원회 정령 제484호로 수정보충
주체90(2001)년 5월 17일 최고인민회의 상임위원회 정령 제2315호로 수정보충
주체91(2002)년 11월 7일 최고인민회의 상임위원회 정령 제3400호로 수정보충
주체97(2008)년 4월 29일 최고인민회의 상임위원회 정령 제2688호로 수정보충
주체97(2008)년 8월 19일 최고인민회의 상임위원회 정령 제2842호로 수정보충
주체100(2011)년 12월 21일 최고인민회의 상임위원회 정령 제2048호로 수정보충
주체104(2015)년 9월 9일 최고인민회의 상임위원회 정령 제656호로 수정보충

제1장 외국투자기업 및 외국인세금법의 기본

제1조 (외국투자기업 및 외국인세금법의 사명) 조선민주주의인민공화국 외국투자기업 및 외국인세금법은 외국투자기업과 외국인에게 세금을 공정하게 부과하고 납세자들이 세금을 제때에 정확히 바치도록 하는데 이바지한다.

제2조 (세무관리기관) 외국투자기업과 외국인의 세무관리는 중앙세무지도기관과 해당 세무기관이 한다. 중앙세무지도기관과 해당 세무기관은 세무관련법규를 집행하는 감독통제기관이다.

제3조 (외국투자기업과 외국인의 세무등록의무) 외국투자기업은 정해진 질서에 따라 해당 세무기관에 세무등록을 하고 세무등록증을 발급 받는다. 외국투자기업이 통합, 분리, 해산될 경우에는 세무변경등록 및 등록취소수속을 한다. 우리 나라에 체류하면서 소득을 얻은 외국인도 세무등록을 한다.

제4조 (재정회계계산과 문건보관) 외국투자기업의 세무회계는 외국투자기업과 관련한 재정

* 『조선민주주의인민공화국 법규집(외국투자기업재정관리부문)』, 법률출판사, 2019.

회계법규에 따라 한다. 외국투자기업은 재정회계계산과 관련한 서류를 정해진 기간까지 보관하며 중요계산장부는 기업의 해산이 종결되는 날까지 보관한다.

제5조 (세금의 계산화페와 납부당사자) 외국투자기업과 외국인이 바치는 세금은 조선원 또는 정해진 화페로 계산하여 해당 세무기관에 수익인이 직접 납부하거나 수익금을 지불하는 단위가 공제납부한다.

제6조 (적용대상) 이 법은 우리 나라 령역에서 경제거래를 하거나 소득을 얻는 외국투자기업(외국투자은행 포함)과 외국인(해외동포 포함)에게 적용한다.

제7조 (해당 조약의 적용) 외국투자기업 및 외국인세금과 관련하여 우리 나라와 해당 나라사이에 체결한 조약에서 이 법과 다르게 정한 사항이 있을 경우에는 그에 따른다.

제2장 기업소득세

제8조 (기업소득세의 납부의무) 외국투자기업은 우리 나라에서 경영활동을 하여 얻은 소득과 기타 소득에 대하여 기업소득세를 납부하여야 한다.

제9조 (기업소득세의 과세대상) 기업소득세의 과세대상에는 생산물판매소득, 건설물인도소득, 운임 및 료금소득 같은 기업활동을 하여 얻은 소득과 리자소득, 배당소득, 고정재산임대소득, 재산판매소득, 지적소유권과 기술비결의 제공에 의한 소득, 경영과 관련한 봉사제공에 의한 소득, 증여소득 같은 기타 소득이 속한다. 다른 나라에 지사, 사무소, 대리점을 설치하여 얻은 소득에 대하여서도 기업소득세를 납부한다.

제10조 (기업소득세의 세률) 기업소득세의 세률은 결산리윤의 25%로 한다.

제11조 (외국기업의 기타 소득에 대한 세률) 외국기업이 우리 나라에서 배당소득, 리자소득, 임대소득, 특허권사용료 같은 기타 소득을 얻었을 경우 소득세는 소득액에 20%의 세률을 적용한다.

제12조 (기업소득세의 계산) 기업소득세는 해마다 1월 1일부터 12월 31일까지의 총수입금에서 원료 및 자재비, 연료 및 동력비, 로력비, 감가상각금, 물자구입경비, 기업관리비, 보험료, 판매비 같은것을 포함한 원가를 덜어 리윤을 확정하며 그 리윤에서 거래세 또는 영업세와 기타 지출을 공제한 결산리윤에 정한 세률을 적용하여 계산한다.

제13조 (기업소득세의 예정납부) 외국투자기업은 기업소득세를 분기마다 예정납부하여야 한다. 이 경우 분기가 끝난 다음달 15일안으로 기업소득세납부서를 해당 세무기관에 내야 한다.

제14조 (기업소득세의 확정납부) 외국투자기업은 년간결산에 따라 기업소득세를 확정하여 미납금을 추가납부하며 과납액은 반환받는다. 기업이 해산될 경우에는 해산선포일부터 20일안으로 해당 세무기관에 납세담보를 세우며 결산이 끝난 날부터 15일안으로 기업소득세를 납부한다. 기업이 통합되거나 분리될 경우에는 그 시기까지 기업소득에 대하여 결산하고 통합, 분리선포일부터 20일안으로 기업소득세를 납부한다.

제15조 (외국기업의 기타 소득에 대한 소득세납부) 외국기업의 기타 소득에 대한 소득세는 소득이 생긴 때부터 15일안으로 해당 세무기관에 수익인이 신고납부하거나 수익금을 지불하는 단위가 공제납부한다.

제16조 (기업소득세적용에서의 특혜) 기업소득세의 적용에서 특혜조치는 다음과 같다.

1. 특수경제지대에 창설된 외국투자기업에 대한 기업소득세의 세률은 결산리윤의 14%로, 첨단 기술부문, 하부구조건설부문, 과학연구부문 같은 장려부문의 기업소득세의 세률은 결산리윤의 10%로 낮추어준다.
2. 다른 나라 정부, 국제금융기구가 차관을 주었거나 다른 나라 은행이 기업에 유리한 조건으로 대부를 주었을 경우 그 리자소득에 대하여서는 기업소득세를 면제한다.
3. 장려부문에 투자하여 15년이상 운영하는 기업에 대하여서는 기업소득세를 3년간 면제하고 그 다음 2년간은 50%범위에서 덜어줄수 있다.
4. 국가가 제한하는 업종을 제외한 생산부문에 투자하여 10년이상 운영하는 기업에 대하여서는 기업소득세를 2년간 면제하여줄수 있다.
5. 정해진 봉사부문에 투자하여 10년이상 운영하는 기업에 대하여서는 기업소득세를 1년간 면제하여줄수 있다.
6. 리윤을 재투자하여 등록자본을 늘이거나 새로운 기업을 창설하여 10년이상 운하는 기업에 대하여서는 재투자분에 해당한 기업소득세액의 50%를, 장려부문의 기업에 대하여서는 전부 돌려준다.

제17조 (기업소득세 감면기간의 적용) 기업소득세의 감면기간은 외국투자기업이 창설된 다

음해부터 적용한다.

제18조 (기업소득세 감면신청서의 제출) 기업소득세를 감면받으려는 외국투자기업은 해당 세무기관에 기업소득세 감면신청서와 경영기간, 재투자액을 증명하는 확인문건을 내야 한다. 기업소득세 감면신청서에는 기업의 명칭과 창설일, 소재지, 업종, 리윤이 생긴 년도, 총투자액, 거래은행, 돈자리번호 같은것을 밝힌다.

제19조 (감면해주었던 기업소득세의 회수조건) 기업소득세를 감면받은 외국투자기업이 감면기간에 해산, 통합, 분리되거나 재투자한 자본을 거두어들이는 경우에는 이미 감면하여주었던 기업소득세를 회수하거나 추가로 물린다.

제3장 개인소득세

제20조 (개인소득세의 납부의무) 우리 나라에 장기체류하거나 거주하면서 소득을 얻은 외국인은 개인소득세를 납부하여야 한다. 우리 나라에 1년이상 체류하거나 거주하는 외국인은 우리 나라 령역밖에서 얻은 소득에 대하여서도 개인소득세를 납부하여야 한다.

제21조 (개인소득세의 과세대상) 개인소득세의 과세대상은 다음과 같다.

1. 로동보수에 의한 소득
2. 리자소득
3. 배당소득
4. 고정재산임대소득
5. 재산판매소득
6. 지적소유권과 기술비결의 제공에 의한 소득
7. 경영과 관련한 봉사제공에 의한 소득
8. 증여소득

제22조 (개인소득세의 세률) 개인소득세의 세률은 다음과 같다.

1. 로동보수에 대한 개인소득세의 세률은 정해진데 따라 소득액의 5~30%로 한다.
2. 리자소득, 배당소득, 고정재산임대소득, 지적소유권과 기술비결의 제공에 의한 소득, 경영과 관련한 봉사제공에 대한 개인소득세의 세률은 소득액의 20%로 한다.

3. 증여소득에 대한 개인소득세의 세률은 정해진데 따라 소득액의 2~15%로 한다.
4. 재산판매소득에 대한 개인소득세의 세률은 소득액의 25%로 한다.

제23조 (로동보수에 대한 개인소득세의 계산) 로동보수에 대한 개인소득세는 월로동보수액에 정한 세률을 적용하여 계산한다.

제24조 (배당소득 등에 대한 개인소득세의 계산) 배당소득, 재산판매소득, 지적소유권과 기술비결의 제공에 의한 소득, 경영과 관련한 봉사 제공에 의한 소득, 증여소득에 대한 개인소득세는 해당 소득액에 정한 세률을 적용하여 계산한다.

제25조 (리자소득에 대한 개인소득세의 계산) 리자소득에 대한 개인소득세는 은행에 예금하고 얻은 소득에 정한 세률을 적용하여 계산한다.

제26조 (고정재산임대소득에 대한 개인소득세의 계산) 고정재산임대소득에 대한 개인소득세는 임대료에서 로력비, 포장비, 수수료 같은 비용으로 20%를 공제한 나머지금액에 정한 세률을 적용하여 계산한다.

제27조 (개인소득세의 납부기간과 방법) 개인소득세의 납부기간과 납부방법은 다음과 같다.

1. 로동보수에 대한 개인소득세는 로동보수를 지불하는 단위가 로동보수를 지불할 때 공제하여 5일안으로 납부하거나 수익인이 로동보수를 지불받아 10일안으로 납부한다.
2. 재산판매소득, 증여소득에 대한 개인소득세는 소득을 얻은 날부터 30일안으로 수익인이 신고납부한다.
3. 리자소득, 배당소득, 고정재산임대소득, 지적소유권과 기술비결의 제공에 의한 소득, 경영과 관련한 봉사제공에 의한 소득에 대한 개인소득세는 분기마다 계산하여 다음달 10일안으로 수익금을 지불하는 단위가 공제납부하거나 수익인이 신고납부한다.

제4장 재산세

제28조 (재산세의 납부의무) 외국투자기업과 외국인은 우리 나라에서 소유하고 있는 재산에 대하여 재산세를 납부하여야 한다.

제29조 (재산세의 과세대상) 재산세의 과세대상은 우리 나라에 등록한 건물과 선박, 비행기

같은 재산이다.

제30조 (재산등록) 외국인은 재산을 해당 세무기관에 다음과 같이 등록하여야 한다.

1. 재산을 소유한 날부터 20일안에 평가값으로 등록한다.
2. 재산의 소유자와 등록값이 달라졌을 경우에는 20일안으로 변경등록을 한다.
3. 재산은 해마다 1월 1일 현재로 평가하여 2월안으로 재등록을 한다.
4. 재산을 폐기하였을 경우에는 20일안으로 등록취소수속을 한다.

제31조 (재산세의 과세대상액) 재산세의 과세대상액은 해당 세무기관에 등록된 값으로 한다.

제32조 (재산세의 세률) 재산세의 세률은 등록된 재산값의 1~1.4%로 한다.

제33조 (재산세의 계산) 재산세는 등록한 다음달부터 해당 세무기관에 등록된 값에 정한 세률을 적용하여 계산한다.

제34조 (재산세의 납부) 재산세는 해마다 1월안으로 재산소유자가 해당 세무기관에 납부한다.

제5장 상속세

제35조 (상속세의 납부의무) 우리 나라 령역에 있는 재산을 상속받는 외국인은 상속세를 납부하여야 한다. 우리 나라에 거주하고있는 외국인이 우리 나라 령역밖에 있는 재산을 상속받았을 경우에도 상속세를 납부하여야 한다.

제36조 (상속세의 과세대상) 상속세의 과세대상은 상속자가 상속받은 재산가운데서 상속시키는자의 채무를 청산한 나머지금액으로 한다.

제37조 (상속재산값의 평가) 상속재산값의 평가는 해당 재산을 상속받을 당시의 가격으로 한다.

제38조 (상속세의 세률) 상속세의 세률은 상속받은 금액의 6~30%로 한다.

제39조 (상속세의 계산) 상속세는 과세대상액에 정한 세률을 적용하여 계산한다.

제40조 (상속세의 납부) 상속자는 상속세를 상속받은 날부터 3개월안으로 신고납부하여야 한다. 상속세액이 정해진 금액을 초과할 경우에는 분할납부할수 있다.

제6장 거래세

제41조 (거래세의 납부의무) 생산부문과 건설부문의 외국투자기업은 거래세를 납부하여야 한다.

제42조 (거래세의 과세대상) 거래세의 과세대상에는 생산물판매수입금과 건설공사인도수입금 같은것이 속한다.

제43조 (거래세의 세률) 거래세의 세률은 생산물판매액 또는 건설공사인도수입액의 1~15%로 한다. 기호품에 대한 거래세의 세률은 생산물판매액의 16~50%로 한다.

제44조 (거래세의 계산) 거래세는 생산물판매액 또는 건설공사인도수입액에 정한 세률을 적용하여 계산한다. 외국투자기업이 생산업과 봉사업을 함께 할 경우에는 거래세와 영업세를 따로 계산한다.

제45조 (거래세의 납부) 거래세는 생산물판매수입금 또는 건설공사인도수입금이 이루어질 때마다 납부한다.

제46조 (거래세적용에서의 특례) 수출상품에 대하여서는 거래세를 면제한다. 그러나 수출을 제한하는 상품에 대하여서는 정해진데 따라 거래세를 납부한다.

제7장 영업세

제47조 (영업세의 납부의무) 봉사부문의 외국투자기업은 영업세를 납부하여야 한다.

제48조 (영업세의 과세대상) 영업세의 과세대상은 교통운수, 통신, 동력, 상업, 무역, 금융, 보험, 관광, 광고, 려관, 급양, 오락, 위생편의 같은 부문의 봉사수입금으로 한다.

제49조 (영업세의 세률) 영업세의 세률은 해당 수입금의 2~10%로 한다. 그러나 특수업종에 대한 세률은 50%까지로 할수 있다.

제50조 (영업세의 계산) 영업세는 업종별수입금에 정한 세률을 적용하여 계산한다. 외국투자기업이 여러 업종의 영업을 할 경우 영업세를 업종별로 계산한다.

제51조 (영업세의 납부) 영업세는 봉사수입이 이루어질 때마다 해당 세무기관에 납부한다.

제52조 (영업세적용에서 특혜) 도로, 철도, 항만, 비행장, 오수 및 오물처리 같은 하부구조부

문에 투자하여 운영하는 외국투자기업에 대하여서는 일정한 기간 영업세를 면제하거나 덜어줄수 있다. 첨단과학기술봉사부문의 기업에 대하여서는 일정한 기간 영업세를 50%범위에서 덜어줄수 있다.

제8장 자원세

제53조 (자원세의 납세의무와 자원의 구분) 외국투자기업은 자원을 수출하거나 판매 또는 자체소비를 목적으로 자원을 채취하는 경우 자원세를 납부하여야 한다. 자원에는 광물자원, 산림자원, 동식물자원, 수산자원, 물자원 같은 자연자원이 속한다.

제54조 (자원세의 과세대상) 자원세의 과세대상은 수출하거나 판매하여 이루어진 수입금 또는 정해진 가격으로 한다.

제55조 (자원세의 세률) 자원의 종류에 따르는 자원세의 세률은 내각이 정한다.

제56조 (자원세의 계산방법) 자원세는 자원을 수출하거나 판매하여 이루어진 수입금 또는 정해진 가격에 해당 세률을 적용하여 계산한다. 채취과정에 여러가지 자원이 함께 나오는 경우에는 자원의 종류별로 계산한다.

제57조 (자원세의 납부) 자원세는 자원을 수출하거나 판매하여 수입이 이루어지거나 자원을 소비할 때마다 해당 세무기관에 납부한다.

제58조 (자원세적용에서 특혜) 다음의 경우에는 자원세를 감면하여줄수 있다.

1. 원유, 천연가스 같은 자원을 개발하는 기업에 대하여서는 5~10년간 자원세를 면제하여줄수 있다.
2. 자원을 그대로 팔지 않고 현대화된 기술공정에 기초하여 가치가 높은 가공제품을 만들어 수출하거나 국가적조치로 우리 나라의 기관, 기업소, 단체에 판매하였을 경우에는 자원세를 덜어줄수 있다.
3. 장려부문의 외국투자기업이 생산에 리용하는 지하수에 대하여서는 자원세를 덜어줄수 있다.

제9장 도시경영세

제59조 (도시경영세의 납부의무) 외국투자기업과 우리 나라에 거주한 외국인은 도시경영세를 납부하여야 한다.

제60조 (도시경영세의 과세대상) 도시경영세의 과세대상은 외국투자기업의 종업원월로임총액, 거주한 외국인의 월수입액으로 한다.

제61조 (도시경영세의 계산과 납부) 도시경영세의 계산과 납부는 다음과 같이 한다.

1. 외국투자기업은 달마다 종업원월로임총액에 1%의 세률을 적용하여 계산한 세금을 다음달 10일안으로 납부한다.
2. 거주한 외국인의 달마다 수입액에 1%의 세률을 적용하여 계산한 세금을 다음달 10일안으로 해당 세무기관에 본인이 신고납부한다. 경우에 따라 로임을 지불하는 단위가 공제납부할수도 있다.

제10장 자동차리용세

제62조 (자동차리용세의 납부의무) 외국투자기업과 외국인은 자동차를 리용할 경우 자동차리용세를 납부하여야 한다.

제63조 (자동차의 등록) 외국투자기업과 외국인은 자동차를 소유한 날부터 30일안으로 해당 세무기관에 등록하여야 한다. 등록대상에는 승용차, 뻐스, 화물자동차, 특수차와 오토바이가 속한다.

제64조 (자동차리용세액) 자동차류형별에 따르는 리용세액은 중앙세무지도기관이 정한다.

제65조 (자동차리용세의 납부) 자동차리용세는 해마다 2월안으로 자동차리용자가 납부한다. 자동차를 리용하지 않는 기간에는 자동차리용세를 면제받을수 있다.

제11장 세무사업에 대한 지도통제

제66조 (지도통제의 기본요구) 세무사업에 대한 국가의 통일적인 지도는 중앙세무지도기관이 한다. 중앙세무지도기관은 해당 세무기관들의 사업을 정상적으로 장악지도하여야 한다.

제67조 (세무감독) 중앙세무지도기관과 해당 세무기관은 세무등록과 세금징수, 세무조사사업을 세금법규에 따라 진행하며 외국투자기업과 외국인속에서 탈세행위와 위법행위가 나타나지 않도록 감독통제를 강화하여야 한다.

제68조 (연체료부과) 외국투자기업과 외국인이 세금을 정한 기일안에 납부하지 않았을 경우에는 납부기일이 지난날부터 납부하지 않은 세액에 대하여 매일 0.3%에 해당한 연체료를 물린다.

제69조 (영업중지) 정당한 리유없이 6개월이상 세금을 납부하지 않거나 벌금통지서를 받았으나 1개월이상 벌금을 물지 않을 경우, 해당 세무기관의 정상적인 조사사업에 응하지 않거나 필요한 자료를 보장하여 주지 않았을 경우에는 영업을 중지시킬수 있다.

제70조 (몰수) 고의적인 탈세행위가 나타났을 경우에는 해당 재산을 몰수한다.

제71조 (벌금) 다음의 경우에는 벌금을 부과한다.

1. 정당한 리유없이 세무등록, 재산등록, 자동차등록을 제때에 하지 않았거나 세금납부신고서, 년간회계결산서 같은 세무문건을 제때에 내지 않았을 경우 외국투자기업에게는 100~5000€까지, 외국인에게는 10~1000€까지의 벌금을 부과한다.
2. 공제납부의무자가 세금을 적게 공제하거나 공제한 세금을 납부하지 않았을 경우에는 납부하지 않은 세액의 2배까지의 벌금을 부과한다.
3. 부당한 목적으로 장부와 자료를 사실과 맞지 않게 기록하거나 고쳤을 경우 또는 2중 장부를 리용하거나 장부를 없앴을 경우 외국투자기업에게는 1000~10만€까지, 외국인에게는 100~1000€까지의 벌금을 부과한다.
4. 세무일꾼의 세무조사를 고의적으로 방해하였을 경우에는 정상에 따라 100~5000€까지의 벌금을 부과한다.
5. 고의적으로 세금을 납부하지 않거나 적게 납부하였을 경우와 재산 또는 소득을 빼돌렸거나 감추었을 경우에는 납부하지 않은 세액의 5배까지의 벌금을 부과한다.

제72조 (행정적 또는 형사적책임) 이 법을 어겨 엄중한 결과를 일으킨 경우에는 정상에 따라 행정적 또는 형사적책임을 지운다.

제73조 (신소와 그 처리) 외국투자기업과 외국인은 세금납부와 관련하여 의견이 있을 경우 중앙세무지도기관과 해당 기관에 신소할수 있다. 신소를 접수한 해당 기관은 30일안으로 료해처리하여야한다.

색 인

| 저 | 자 | 소 | 개 |

■ 최정욱

[학력]
- 서울대학교 사회학과 졸업
- 서울대학교 대학원 경영학과 졸업 (경영학 석사)
- The University of Texas at Austin 대학원 졸업 (MPA: 회계학 석사)
- 경원대학교 대학원 회계세무학과 졸업 (경영학 박사)
- 북한대학원대학교 졸업 (북한학 박사)

[경력]
- 한국공인회계사·세무사, 미국공인회계사
- 삼일회계법인 조세본부
- 김&장 법률사무소 세무팀
- KPMG 삼정회계법인 부대표 (세무사업부문 총괄리더)
- 법무법인(유) 지평 (조세회계센터 센터장)
- 현) SK바이오사이언스 사외이사
- 기획재정부 「세제발전심의위원회」 위원
- 기획재정부 「국제거래가격과세조정심의위원회」 위원
- 법무부 「법무자문위원회 남북법령연구 특별분과위원회」 위원
- 서울대학교 대학원 경영학과 강사
- 한국조세연구포럼, 한국세무학회, 한국세법학회 부회장
- 한국국제조세협회 기획이사

[주요 저서 · 논문]
- 『북한 세금관련 법제의 변화』 (도서출판 선인, 2021)
- 『북한의 회계법제 분석과 전망: 대외경제부문을 중심으로』 (한국법제연구원, 2021)
- 북한 대외세법의 현황과 개선방안 (2021)
- 북한 예산수입법제의 변화 (2020)
- 북한 세금관련 법제의 시기별 변화에 관한 연구 (북한학 박사학위논문, 2020)
- 북한 국가예산수입제도의 시기별 변화와 전망: 국영 생산기업소의 거래수입금과 국가기업리익금을 중심으로 (2019)
- 북한 투자와 조세구제제도: 신소제도와 상호합의절차를 중심으로 (2019)
- 북한의 세금제도 폐지와 재도입 가능성에 관한 연구 (2019)
- 이전가격분석과 비교가능성 요인: 국내도매업체를 중심으로 (경영학 박사학위논문, 2012)
- 이전가격관련 비교가능성 분석에 관한 실증연구 (공저, 2010)
- 국내 다국적제약사 이전가격분석에 관한 연구 (2010)
- The Tax Treatment of Transfer Pricing Chapter of Korea (공저, IBFD, 2002~2008)

- E-mail: nicejwchoi@naver.com

북한 조세법

2022년 8월 22일 초판 인쇄
2022년 9월 1일 초판 발행

저 자 최 정 욱

발 행 인 이 희 태
발 행 처 **삼일인포마인**

저자협의
인지생략

서울특별시 용산구 한강대로 273 용산빌딩 4층
등록번호 : 1995. 6. 26 제3－633호
전 화 : (02) 3489－3100
F A X : (02) 3489－3141
I S B N : 979－11－6784－095－0 93320

♣ 파본은 교환하여 드립니다.

정가 50,000원